7 95

ANDRÉ GIDE

CENTRE CULTUREL INTERNATIONAL DE CERISY-LA-SALLE

Quelques volumes parus:

Entretiens sur les notions de
GENÉSE ET DE STRUCTURE
(Juillet-Août 1959)

Sous la direction de
MAURICE DE GANDILLAC, LUCIEN GOLDMAN ET JEAN PIAGET
1965. 358 p. 38 F./f 27.50

Entretiens sur
MARCEL PROUST
(Juillet 1962)

Sous la direction de
GEORGES CATTAUI ET PHILIP KOLB
1966. 285 p. 29 F./f 20.50

Entretiens sur
L'HOMME ET LE DIABLE
(Juillet-Août 1964)

Sous la direction de
MAX MILNER
1966. 359 p., 7 fig. 29 F./f 20.50

Sous presse:

Entretiens sur
L'ART ET LA PSYCHANALYSE
Sous la direction de
DR ANDRÉ BERGE, DR ANNE CLANCIER ET PAUL RICOEUR

CENTRE CULTUREL INTERNATIONAL DE CERISY-LA-SALLE

Entretiens sur

ANDRÉ GIDE

sous la direction de

MARCEL ARLAND

et

JEAN MOUTON

PARIS · MOUTON & CO · LA HAYE

MCMLXVII

LES ENTRETIENS SUR ANDRÉ GIDE

ONT EU LIEU DU 6 AU 14 SEPTEMBRE 1964

SOUS LA DIRECTION DE

MARCEL ARLAND ET JEAN MOUTON

avec la collaboration de

AUGUSTE ANGLES, YVES CLOGENSON, GEORGES-PAUL COLLET, KLARA FASS-
BINDER, GABRIEL GERMAIN, ALAIN GIRARD, ANNE HEURGON-DESJARDINS,
HASSAN HONARMANDI, REINHARD KUHN, G. W. IRELAND, CLAUDE MARTIN,
MARGARET MEIN, PATRICK POLLARD, HENRI RAMBAUD ET MAURICE RIEUNEAU

et la participation de

GASTON BAECHTOLD, ANDRÉ BERGE, ANDRÉ BERNE-JOFFROY, JACQUES DE
BOURBON-BUSSET, GEORGES CHARAIRE, MARCELLE CHARPENTIER, ARLETTE
CLÉMENT, PAULE CRESPIN, MICHEL DECAUDIN, MADELEINE DENEGRI, PIERRE
DESVIGNES, GEORGES DUPOUY, JEAN FOLLAIN, MAURICE DE GANDILLAC, HENRI
GOUHIER, MICHEL LIOURE, CLARA MALRAUX, ALBERT MEMMI, JACQUELINE
MOULIN, DOMINIQUE NOGUEZ, CLAUDE OLLIER, MARGARET PILCHER, DOMI-
NIQUE PONNEAU, JEAN RICARDOU, MARTINE DE ROUGEMONT, MICHEL
TAILLEFER, ANNE-MARIE TERRACINI ET ANDRÉE-PIERRE VIÉNOT.

INTRODUCTION – GIDE À ALGER

Comme préambule à notre décade «André Gide», en l'absence de Marcel Arland qui n'arrivera que jeudi, je me permets, avant de passer la parole à Jean Mouton, d'égrener, pour certains qui me les ont demandés, quelques souvenirs de l'homme que j'ai si bien connu et tant aimé.

Née avec le siècle, j'avais été profondément marquée par l'oeuvre – nous aurons l'occasion d'en parler beaucoup durant ces dix jours – mais, comme l'a écrit Pierre Herbart dans un petit livre plein d'un fiel dont ses proches et lui-même n'ont pris conscience que plus tard, *c'est l'homme que l'on chérissait en Gide.* Ce que je raconterai de lui est scrupuleusement exact, mais limité dans le temps. Quoique je l'aie connu de mon enfance à sa mort, je ne vous dirai que ce qu'il fut durant les dix-huit mois où il habita chez nous à Alger, de juin 1943 à avril 1945, séjour coupé par un voyage de six mois au Maroc.

Ces souvenirs n'auront pas la précision qu'on trouve dans les récits de Madame Théo Van Rysselberghe ou dans ceux de Roger Martin du Gard. D'ailleurs, c'est ce dernier qui soulignait, dans une lettre qu'il m'écrivit le 25 août 1941 à propos d'un article sur Charles Du Bos que Madame Théo venait de publier dans *le Figaro*, les défauts de la méthode:

«Sans penser comme vous à propos de l'article du *Figaro* sur Charlie, puisque je n'ai pas les mêmes raisons que vous d'être frappé par les inexactitudes, et que, au contraire, pour moi comme pour la presque totalité des amis, le portrait paraît très poussé et très ressemblant, je fais cependant des réserves, et j'éprouve à lire ces pages *imprimées* un malaise plus grand encore que celui que j'ai ressenti devant le manuscrit. J'y sens je ne sais quelle pénible sécheresse... Il manque à ce portrait je ne sais quel halo d'amicale indulgence... Il me semble qu'on ne peut pas évoquer la figure de Charlie sans une nuance de tendresse; faute de quoi la ressemblance est incomplète, comme la photographie de certaines personnes qui toujours échappent à l'objectif, qu'aucun cliché ne peut faire ressemblantes, parce que l'essentiel est insaisissable et que la netteté du trait, au lieu d'être une garantie d'exactitude, est un élément qui dénature et trahit certaines physionomies. Contrairement à la règle générale, je croirais volontiers qu'un portrait de Charlie ne peut être réussi que s'il est fait avec amour. L'amitié lucide ne suffit pas. Preuve en est faite.»

J'ai bien connu Gide, partageant, dans l'intimité la plus complète, le même cabinet de toilette, son courrier, le mien, l'éducation des enfants, son travail, ses amis, les déjeuners où nous étions conviés en commun, la délivrance de Paris, l'ouverture des camps de déportation – je dirai même que je l'ai connu d'une manière privilégiée. D'abord parce qu'il en avait fini avec ses histoires de Tunisie avec Victor; ensuite parce qu'il était loin des milieux littéraires et surtout loin du cher «Vaneau»; enfin parce qu'il écrivait avec bonheur son *Thésée*.

Il l'a noté, il ne jouissait des choses qu'en les offrant. Assurément, il ne m'eût pas choisie mais comme, seule, je me trouvais près de lui à Alger, il a tout partagé avec moi. Je garde le souvenir d'un homme exceptionnel dont l'intimité quotidienne m'a prodigieusement enrichie, quoique ce ne fût pas faute, durant plus de vingt années de décades de Pontigny, d'avoir connu bien des êtres de qualité. Un des premiers étonnements de cette cohabitation de dix-huit mois avec Gide – dix-huit mois de guerre difficile où l'on avait faim, froid, le cœur perpétuellement angoissé – c'est son égalité d'humeur. Prendrai-je l'habitude, me levant, d'esquisser trois mouvements de gymnastique devant la fenêtre ouverte si cela permet un aussi harmonieux déploiement de nos qualités humaines? Un homme parfaitement soigneux et ordonné. Dans la pièce où il dormait – chambre d'enfant de mon fils à la table minuscule, au fauteuil bancal – rien ne traînait.

A 8 heures, tous les matins, il sortait de sa chambre. Quand les courriers recommencèrent à circuler, d'abord vers l'Amérique et vers l'Angleterre, puis vers la France, après le petit déjeuner, c'était pour Gide l'heure de la correspondance. Il répondait à chacun, prenant la peine parfois d'un mot laborieusement tapé à la machine pour ne pas donner au destinataire, s'il ne le méritait pas, l'orgueilleuse satisfaction d'un autographe. Pour vous distraire, durant une soirée de la décade, je vous lirai quelques-unes des déclarations d'amour qu'il recevait des jeunes filles, plutôt que des jeunes gens, et que, même rentré à Paris, il m'envoyait, sachant ainsi m'amuser: «Pour joindre à votre collection, chère Anne». Il y avait également les réponses cachetées qui attendaient sur le haut du secrétaire: «Je ne voudrais pas qu'un tel pût penser que je lui réponds par retour du courrier».

Après quoi, il lisait ou travaillait. J'ai gardé copie des textes qu'il écrivit pour commémorer les morts d'Henri Focillon et de Louis Gillet (émission de Radio-Alger du 5 juillet 1944), et aussi le manuscrit qu'il nous a offert d'une de ses *Interviews imaginaires:* «La Recherche du bonheur – Primauté de la raison».

«Mon interviewer que j'avais perdu de vue depuis plus d'un an étant venu me relancer à propos d'un numéro que préparait *Fontaine* sur la littérature des Etats-Unis d'Amérique...» (cinq grandes feuilles rayées jaunes).

Et de sa chère écriture, au crayon bleu, au bas de la cinquième page: «Je laisse à Anne et Jacques Heurgon ces pages écrites sous leur toit en souvenir très reconnaissant de leur accueil exquis, leur vieil ami, André Gide».

L'extrême modestie de Gide frappait tous ceux qui l'approchaient – son besoin de demander conseil, d'encourager les critiques, où se glissait peut-être le plaisir d'entendre parler de soi, plaisir qui touchait à la jubilation durant ses entretiens avec Charles Du Bos, où il m'est arrivé plus d'une fois de me trouver en tiers. Gide aimait vous lire ce qu'il venait d'écrire et, sous prétexte que les femmes ont plus de bon sens que les hommes, vous demander conseil. Ce qui était grave c'est qu'il en tenait compte, car mon expérience en cette matière diffère de celle de Mauriac et de Schlumberger.

Si Gide ne décelait que rarement l'intérêt chez ceux qui recherchaient en lui l'écrivain célèbre, il n'était pas davantage conscient du plaisir que chacun trouvait en sa compagnie. Il fallut la réussite de nos déjeuners hebdomadaires à Alger, où j'offrais sa présence en prime à qui nous procurait quelques grammes de beurre, un litre d'huile, un certificat de complaisance pour du lait, une lapine de laboratoire qui, le ventre recousu, faisait l'honneur de nos repas: «Tout le monde sait quel piètre convive je suis!» Il perdit peu à peu sa conscience de trouble-fête pour devenir un merveilleux convive. Les premiers temps, il lui arrivait encore de faire toilette et, dans la crainte d'un brusque silence à table, de relire les bonnes histoires qu'il avait cataloguées dans son petit carnet «Pour être brillant dans le monde». Il les servait fort bien, avec le vin rouge, sans la crainte dont il fait confidence dans son *Journal* d'être interrompu, ce qui le poussait à avaler les détails les plus savoureux. A Alger, il en venait à prendre goût à ces déjeuners qu'avec une savante complicité nous préparions ensemble. Il décidait des menus, débouchait les bouteilles, coupait la viande mais aussi se renseignait sur les tenants et aboutissants de chaque convive.

Ces repas étaient l'occasion de facéties entre nous. Dissimulé derrière les boites à rideaux du salon, il guettait l'arrivée des invités dans l'espoir de les surprendre dans la position de celui qui ne se sait pas observé: l'homme régularisant sa mèche de cheveux ou rattachant son lacet de soulier, la femme rajoutant un brin de poudre. Sa joie, le jour où un ménage de professeurs endimanchés, pour qui l'annonce du déjeuner avait été l'événement de la saison, se trompa de samedi! – «Je vous assure, Anne, ils viennent chez nous...» et, en

faction derrière la vitre, il insistait: «Je vous le dis, ils montent...» Son ingé-
niosité pour les retenir, leur faire partager notre maigre repas, en attendant qu'ils
reviennent la semaine suivante!

Il ne s'éclipsait plus sitôt le café pour son «nap» et il lui arrivait de s'attarder;
à peine réveillé, il revenait près de moi cueillir ses lauriers: «Quelle note me
donnerez-vous aujourd'hui?» Naturellement, c'est le même Gide qui, quelques
jours plus tard, me disait: «Il ne faudrait pas que tous ces gens que je vois ici
se figurent que je continuerai à les voir à Paris, quand j'aurai retrouvé les miens.»
Aucun ne se le figurait et certainement pas moi!

Les déjeuners au dehors – à moins que ce ne fût chez les Amrouche où il se
rendait comme un collégien en vacances, aussi naturel qu'à la maison, faisant
la sieste sur le lit de Jean – étaient chaque fois sujets à décommande. Ne sachant
pas refuser, à la troisième tentative il se laissait faire et acceptait pour nous deux.
Mais, la veille, il se réveillait de mauvaise humeur, la gorge rapeuse, toussant,
mouchant. Par honnêteté il patientait, faisant toutes les heures irruption dans
ma chambre pour me dire que, définitivement, il ne se sentait pas bien et, ne se
décommandait qu'une heure avant le repas. Non qu'un tel ou une telle lui
déplût, simplement il n'aimait pas sortir de chez lui, quitter ses habitudes.
Ce n'est qu'une fois le coup de téléphone donné qu'il retrouvait son équilibre.
Madame Mondzain, la femme du peintre, m'expliqua: «Il y a deux semaines,
je suis restée avec mon poulet; samedi dernier c'était un gigot, que va-t-il adve-
nir de mon veau de France?» Durant ces temps de disette, ces déjeuners pour faire
honneur à Gide demandaient de savants préparatifs. En effet, cette troisième
fois, nous finîmes par aller déjeuner chez les Mondzain pour y rencontrer Charles Vildrac qui arrivait de Paris, apportant des nouvelles passionnantes que Gide
consigna dans son *Journal*. Au moment de quitter la maison, Gide avait ressenti
son insurmontable fatigue, mais je me faisais un tel plaisir de ce déjeuner qu'il
se refusa à m'en priver.

Il faudrait ici ouvrir une parenthèse sur le merveilleux compagnon que savait
être Gide. Ceux qui l'ont connu, même dans des conditions moins favorables,
ne me contrediront pas: gai, spirituel, gamin, attentif, tendre, toujours autre
qu'on ne l'attendait, si bien que toutes choses avec lui devenaient passionnantes. Que de belles promenades nous avons faites ensemble à Tipasa, à Chréa!
Que d'après-midi nous avons passés au cinéma, suivis de discussions volubiles,
en raison de son incapacité à identifier les personnages – le mari de l'amant, le
policier de l'assassin. Comment suivre le scénario des nombreux films policiers
qui nous venaient d'Amérique? – «Celui-là, Anne, est-ce le mari ou est-ce
l'amant?» Cela prenait chez lui la forme d'une véritable angoisse qui lui faisait
oublier le nom de la personne avec laquelle il était en train de parler. A Alger,
je m'arrangeais, dans les réceptions, pour être toujours à portée de son oreille: –

«Mais celui-là avec qui je parle, Anne?» (se cramponnant à mon bras) – «Mais c'est toujours Max Paul Fouchet.»

Chez lui, la crainte de blesser les gens en ne les reconnaissant pas, et qu'on pût croire à un manque d'intérêt, lui faisait perdre son peu de naturel. A force de tendre l'oreille, jamais il n'entendait le nom de celui qu'on lui présentait. Pour les militaires, il l'a écrit, les galons dansaient devant ses yeux. Passe encore pour les lieutenants-colonels, en raison du mélange de l'or et de l'argent, mais les capitaines, et les commandants!...

C'est au retour d'un déjeuner chez l'ambassadeur Duff Cooper qu'il nous raconta une amusante conversation de table avec un auteur de films. Il s'agissait en fait de Noël Coward que Gide admirait beaucoup. A André Maurois, qui le croisa quelques jours plus tard, Noël Coward confia: «Quel curieux homme que cet André Gide!... Comme il est peu aimable! Au déjeuner chez l'ambassadeur où j'étais son voisin de table, il n'a fait devant moi que vanter les films des autres!»

Parlerai-je de son avarice? Lui-même y a fait si souvent allusion dans son *Journal*! Élevé suivant les principes d'une louable économie bourgeoise, il se refusait à toute dépense pour lui-même. L'habitude de compter était un tic qui le gênait comme la prodigalité chez d'autres: «Anne, si vous descendez chercher des places de cinéma, je rembourserai les deux si le film est bon, s'il est mauvais, seulement la mienne.» Son inconscient se consolait aisément de trouver le film mauvais pour n'avoir à payer que les douze francs de sa place. Mais le lendemain, par hasard, j'apprenais qu'il avait adressé quarante mille francs à un de ses neveux Drouin et une somme égale à un jeune écrivain qui, à la manière de Lafcadio, profitait de son hospitalité au Vaneau pour faire argent de ses éditions de la Pléiade.

Il était si long à sortir son porte-monnaie que, toujours, c'était moi qui payais le trolleybus. Jamais l'idée ne lui vint, durant notre longue cohabitation, d'une fleur ou d'un bonbon à offrir. Pour Noël, mon mari soldat revint d'Italie les bras chargés de cadeaux. Gide se laissa gâter: un tricot, des livres, sans rien offrir en retour. Jean Lambert raconte dans son *Art d'être grand'père* que jamais il n'apporta un jouet à ses petits enfants. Pour moi, je savais qu'aucune générosité n'égalait la sienne. Quand, vers les années 50, l'idée du Foyer de Cerisy émergea de mes soucis de reconstruction, je lui en parlai. Cela, au moment où, dit-on, il se livrait aux calculs les plus retors pour éviter de payer à sa secrétaire les sommes qu'il lui devait. Tant qu'il vivrait, je pourrais accueillir à Cerisy les écrivains en chômage, me réservant l'idée des générosités, Gide m'en donnant les moyens. Aussi, est-ce sans hésitation que je lui parlai de la vente possible d'un de ses manuscrits en faveur des boursiers de Cerisy. Il me donna son accord.

Parmi les traits féminins de la nature de Gide, entrait pour une large part – on l'a dit – la coquetterie. Son infatigable besoin de plaire, d'être aimé... Un mot plus sec, l'oubli de lui dire «bonsoir», c'en était fait de sa nuit! Il était mal tombé à la maison où, chez deux de mes enfants, l'impossibilité du bonjour et du bonsoir tournait à la manie. A la phrase prononcée machinalement chaque matin: «Vous avez bien dormi?» – «Oh non, répondait-il d'un air dolent, Marc ne m'avait pas dit bonsoir» et, poursuivant son idée, «Pensez-vous qu'il puisse m'en vouloir de quelque chose?»

Derrière ses politesses transparaissait ce rien d'appliqué qui prêtait à sourire à ceux qui le connaissaient. Durant les dernières années glorieuses de sa vie, dans ses relations avec ses secrétaires – Yvonne Davet et Béatrice Beck – cela prit la forme d'un véritable ballet de la séduction. Non pas que le souci qu'il apportait à leur confort ou à leur santé fût excessif, mais il «en remettait» et jouait de sa sollicitude en acteur accompli. Si j'ai recopié la phrase que Béatrice Beck, dans le numéro d'Hommages, met dans la bouche de son père, c'est que je la trouve juste et belle: «Gide est le seul riche dans la littérature française pour qui cet autre versant du monde, la pauvreté, existe».

Ce qui frappait aussi chez lui, c'était la crainte, avec son inguérissable gaucherie, de ne pas trouver le mot qu'il fallait. Surtout durant ces années où, avec la gloire montante, il prenait conscience de ses nombreuses possibilités de faire plaisir. Une marque d'attention, une signature – sans que je m'en aperçusse à Alger, il avait fait le tour de notre bibliothèque, signant les livres dont l'édition en valait la peine. Parfois il ajoutait simplement: «signature d'André Gide», par honnêteté, ne souffrant pas d'avoir l'air d'offrir ce qu'en fait il n'avait pas offert.

Comme on l'a raconté ailleurs, Antoine de Saint-Exupéry rentra d'Amérique en 1943, pour reprendre du service en Afrique du Nord. Ayant endommagé un appareil en Tunisie, il fut jugé trop âgé pour piloter des avions rapides et relégué par l'Etat-Major américain dans les services administratifs. Il s'en désolait et tempêtait contre le gouvernement de Gaulle, dont il avait connu en Amérique les plus mauvais éléments, contre les Américains dont il connaissait mal la langue.

Durant leur séjour commun en Algérie, je me suis souvent attristée de l'éloignement croissant de Gide pour lui, en comparaison de l'influence prépondérante que Jean Amrouche exerçait sur sa pensée. A la suite de ce dernier, Gide se croyait ou se voulait gaulliste; aussi, les boutades souvent très spirituelles de Saint-Exupéry contre le général ne l'amusaient pas. J'en eu la preuve une fois qu'Antoine était venu déjeuner et, avant de faire la partie d'échec, avait poussé plus loin encore la moquerie. Gide se taisait et Antoine avait deviné son agacement. Le lendemain, il m'appela au téléphone: «Dites-moi, j'ai peur d'avoir

fait de la peine à Gide, hier?» – «Mais non, qu'allez-vous penser!» Tandis que
notre conversation se prolongeait, Gide qui était entré dans la pièce, m'écoutait
d'un air désapprobateur et, s'emparant de l'écouteur: «Oui, Tonio, pourquoi
vous le cacher, vous m'avez fait de la peine hier!» Par discrétion je tirai la porte,
mais en voulus à Gide de chagriner ce grand enfant qui l'aimait beaucoup.

La seconde raison qui écartait insensiblement Gide de Saint-Exupéry était ses
succès féminins. Hormis sa cousine, Yvonne de Lestrange, les femmes qui gravi-
taient autour de Saint-Exupéry lui étaient insupportables au point de lui faire
subrepticement quitter la Suisse à l'idée d'en rencontrer une. A peine eut-il
débarqué à Alger que l'une d'elles apparut, après avoir franchi sans difficultés les
Pyrénées et l'Espagne où tant de patriotes restaient des mois enfermés. Le jour
où Gide vint m'annoncer la nouvelle, il frétillait d'excitation et, le même soir,
accepta une réception, lui qui détestait sortir après le dîner, pour l'amusement
de les voir ensemble.

Enfin, Saint-Exupéry corrigeait *Citadelle* qui semblait à Gide une œuvre
ambitieuse et irrémédiablement manquée.

Pour clore le chapitre de nos relations avec Saint-Exupéry, il faudrait parler
des repas qu'il venait prendre à l'improviste. Ayant enfin obtenu des Américains un avion de reconnaissance, il cantonnait en Corse avec son escadrille.
Atterrissant à Alger, il nous téléphonait de Maison-Blanche pour s'inviter à
déjeuner, claironnant: «J'apporte des langoustes!» (une bonne dizaine de langoustes qui faisaient des heureux autour de nous). Durant le repas, il reprenait
le récit de ses nombreuses aventures, des graves accidents dont il s'était miraculeusement tiré, de ses randonnées actuelles au-dessus de la France, pris dans les
nuages, naviguant, trop bas au-dessus des montagnes tandis que hurlaient à ses
oreilles les appels angoissés de la radio américaine, dont il ne comprenait pas le
sens. Nous l'écoutions, comprenant que ce qu'il appelait sa bonne étoile ne
durerait pas toujours et que, la prochaine fois, il ne reviendrait pas. Avec son
goût du risque, il riait d'autant plus qu'il avait craint de ne plus jamais voler. Je
m'emportais: «Vous savez, Tonio, cela ne nous amuse pas… Un jour, vous y
resterez! Ces missions de reconnaissance, ces photographies, d'autres que vous
pourraient les faire, tandis que votre jugement si clair sera utile au retour, dans
la confusion générale.» Si je faisais allusion à son jugement, c'est que, dans la
période que nous vivions à Alger depuis le débarquement américain – le procès
Pucheux, la publication de *Silence de la Mer* de Vercors qu'André Philip nous
avait rapporté – nous discutions passionnément de tout cela, admirant avec
quelle lucidité Antoine départageait les uns et les autres, pesant les responsabi-
lités de chacun – celles de Pétain, celles de Giraud, celles de de Gaulle.

Mais, avouons-le, Saint-Exupéry n'avait plus envie de vivre. A ce fameux
déjeuner de langoustes, ce que nous disions pour le retenir parmi nous ne faisait

que l'exciter davantage. Des ultimes miracles qui lui avaient permis de rentrer de ses dernières missions au-dessus de la France, il en revenait au sauvetage de la baie d'Hyères, à celui du Sahara et poursuivait: «C'était l'année où j'étais fiancé à Loulou de Vilmorin...»

Nous devions le revoir une dernière fois le 26 juillet au matin. André Maurois était reparti. Notre charmant ami René Lehmann, après une année passée près de nous, s'envolait à son tour pour l'Amérique. Il avait offert à Saint-Exupéry d'emporter aux U.S.A. une lettre pour sa femme, Consuelo. Ce matin du 26 juillet, il passa donc à huit heures, tandis que nous prenions le petit déjeuner. Je l'entends dire à Gide: «J'ai ma voiture en bas, cela m'amuserait de vous montrer mon jouet... Pourquoi ne viendriez-vous pas à Maison-Blanche avec moi? – Pas ce matin, mon vieux... la prochaine fois, je vous le promets» et, comme pour justifier son refus, Gide se força à tousser.

Tonio partit seul et il n'y eut pas d'autre fois! A trois jours de là, ayant du courrier d'Amérique à lui faire suivre, je téléphonai au Dr. Pelicier, son hôte d'Alger, qui m'apprit que Saint-Exupéry, parti le matin pour un vol de reconnaissance, était porté disparu.

J'ai gardé, mêlé à mes papiers, jusqu'à il y a trois ans, la photocopie par les services américains des deux dernières cartes de sa femme. Sur la dernière, cette simple phrase: «Je me suis cassé un doigt. Je vous écris de la main gauche. Pourrez-vous me lire? Mais vous, mon cher amour, je vous en prie, ne vous cassez rien!»

En résumé, si l'on satisfaisait aux deux exigences fondamentales de sa nature – empêcher qu'il ne prît froid et assourdir les bruits de la maison pour lui permettre de dormir – il n'y avait pas d'homme plus facile à vivre que Gide. Prêtant la main pour descendre chercher un légume chez le moutchou ou pour desservir la table, il était aux petits soins pour m'épargner une fatigue. Je le revois, dans la souplesse de ses soixante-douze ans, expliquant à ma fille Catherine ses devoirs de latin, étendu à ses côtés, tout de son long, sur le tapis du salon. En grammaire française – il s'en excusait – «Je suis nul, tout a changé depuis mon temps». D'un bond il se relevait, étonnamment jeune, avant que son coeur ne fût touché par l'altitude d'un voyage en avion ou, écrira-t-il plus fièrement, par ses excès licencieux dans les jardins d'Egypte.

Il y eut son émerveillement d'assister, pour la première fois, à l'éveil d'un enfant:

«La petite Edith Heurgon commence à marcher. Jamais encore il ne m'avait été donné d'assister à cette chose merveilleuse: les premiers pas d'un petit enfant. Soutenu jusqu'alors, voici qu'il commence à comprendre qu'il peut se tenir debout sans appui, avancer seul... L'humanité n'en est là qu'à peine, encore chancelante et prise de vertiges, devant l'espace à franchir, mal équilibré, mal sevré du lait des croyances.» (*Journal* – 15 juillet 1943).

Quand, au retour de la guerre, je revis Roger Martin du Gard, il me dit, avec le plaisir que nous éprouvons à gronder de la voix ceux que nous aimons: «Que de peine vous avez dû avoir avec Gide? Le jour où vous lui offrez une côtelette, c'est une escalope qu'il souhaite, celle que vous aviez mise de côté pour le soir! Au Tertre, par exemple, ma pauvre femme...» Parlions-nous du même homme! Lequel était le vrai? Celui que caricaturait avec encore un peu d'indulgence Martin du Gard, celui dont Elisabeth Herbart essayait, les derniers jours, de satisfaire les désirs d'enfant gâté ou celui que j'ai connu durant un an et demi, tout occupé des autres?

François Mauriac, prêtant l'oreille à mes souvenirs, me disait: «Oui, vous avez raison, Gide était parfait! Il n'avait pas de défauts... (un temps avec, aux lèvres, le sourire caustique que vous lui connaissez) ... il n'avait que des vices!» Et il ajoutait: «Ce qui lui a nui, c'est d'être si mal entouré au Vaneau!» Le «Vaneau»! Qu'il y aurait de choses à en dire depuis l'offre que lui avait faite Madame Théo d'y déposer leurs valises côte à côte. Gide était très influençable et, comme le caméléon, prenait la couleur de l'univers ambiant. Rentré d'Alger, les histoires de pédérastie reprirent toute leur importance. Durant chacune de mes visites, la porte de la bibliothèque s'ouvrait pour laisser entrer ou sortir le garçon qui logeait dans l'ancien studio de Marc Allégret. Poussé par son entourage, il durçit son attitude anti-chrétienne. A Alger, c'était des problèmes sur lesquels il aimait à revenir, déplorant que sa fille fût élevée en dehors de toute religion (ce qui lui semblait une marque d'inculture), et se promettant d'ajouter à ses *Conseils pour une jeune actrice* des conseils religieux.

Ce que je puis affirmer c'est que, durant son séjour près de nous, par ces sortes de ratures de la mémoire auxquelles la solitude incline, le «Vaneau» auquel nous faisions souvent allusion n'apparaissait, aux yeux de Gide, que comme entre parenthèses. Il vivait perpétuellement dans le souvenir de Madeleine Gide: «Je ne puis vous donner aucun conseil pour Marc. A son âge, je ne vivais déjà que dans et pour l'amour de Madeleine». C'est dans la salle de bains, tandis que je me coiffais, assis sur la chaise laquée blanc, camouflé derrière l'armoire à glace, qu'il me fit la confidence des cruels souvenirs qui forment la trame de son *Et nunc manet in te*. Cela avec horreur quant à sa bêtise, ses incompréhensions, cet affreux silence de tant d'années: – «Mais elle, ne vous a-t-elle jamais rien reproché?» – «Non, à ses yeux, tout était de sa faute. Elle n'était pas assez charmante, pas assez...»

Presque chaque nuit, il rêvait d'elle et me le racontait. La même éternelle histoire. Ils étaient ensemble au cours d'un voyage, dans une réunion d'amis, pour une lecture, tout d'un coup il la perdait de vue; il courait, courait, sans jamais pouvoir la rattraper. Alors il se réveillait. Madame Denegri, ici présente, m'a écrit: «Je tiens à vous prévenir que je suis du côté de Madame Gide». Ce à quoi je lui ai répondu: «Mais Gide aussi!»

Avoir connu les gens, les avoir vu vivre de près a son importance, surtout quand il s'agit de Gide. Je pense à la discussion avec Bernard Guyon, durant notre décade «Proust», et à ses savantes déductions pour nous prouver l'insincérité de Gide – puisqu'on se trouve actuellement devant deux textes différents de la fameuse lettre à Proust pour expliquer le refus de Gallimard de publier *Du côté de chez Swann* –. «Gide ment», disait Guyon, «puisque le double qu'il a lui-même publié diffère de la lettre retrouvée chez Proust.»

Il suffit d'avoir vécu avec Gide pour savoir qu'il faisait des brouillons de ses lettres difficiles – brouillons qu'il améliorait en les recopiant. Donc, sans faire intervenir la duplicité, il est normal que les deux textes ne correspondent pas. Il en est de même avec l'étude si perspicace que notre ami Rambaud m'a adressée avant la décade sur «la petite phrase de Madeleine Gide», prononcée après le voyage qui les ramenait de Biskra: «Tu avais l'air ou d'un criminel ou d'un fou». Durant des pages, on discute avec une subtilité, une profondeur, une compréhension admirables sur la date et les différentes versions de cette fameuse petite phrase. Mais c'est Gide le premier qui nous répétera que les chronologies et les lieux se confondent pour lui, qu'il oublie, qu'il interprète! Pour ceux qui ont eu l'immense privilège de vivre dans son intimité, les questions qui embarrassaient les critiques universitaires sont toutes simples. Oui, bien qu'il la fît travailler encore chaque jour – réapprenant des fables de La Fontaine – la mémoire de Gide était d'une infidélité qui le désolait.

Nous brodions à l'infini autour des premières lettres qui nous viendraient de France: «Vous verrez, répétait-il, quand les nouvelles arriveront de ma Catherine, il y aura du nouveau. Je ne puis dire quoi, mais il y aura quelque chose. Je ne la retrouverai pas telle que je l'ai laissée». Les deux premières lettres que je reçus étaient de Figeac, l'une de Zoum Walter et l'autre de Roger Martin du Gard. Je revois Gide, les jours suivants, assis sur le fauteuil de peluche marron du salon, son tas de lettres sur les genoux, en lisant une, me la passant, lisant l'autre, les mêlant, les embrouillant, laissant glisser les feuillets à terre, relisant certaines phrases à haute voix pour tenter de mieux faire surgir l'image exacte.

Après son départ, j'ai retrouvé dans son tiroir le brouillon de sa première lettre au «Vaneau». Elle est écrite à l'encre rouge sur une grande feuille quadrillée et commence ainsi:

«Chère Amie, Chers amis,

C'est déjà vous retrouver à demi que de pouvoir enfin vous écrire. Je vis en vue du revoir. Puissé-je vous retrouver tous et en bon état! Profitez de la première occasion qui s'offre pour me renseigner; car, depuis longtemps, je ne sais plus rien d'aucun de vous. Y a-t-il d'autres deuils que ceux de Marcel Drouin et d'Odile? De Ghéon, de Saint-Exupéry?... Comment allez-vous tous les trois, vous-même et Elisabeth, et Catherine? Où êtes-vous et où est Pierre? J'attends impatiemment des nouvelles des Bussy, des R. Martin du Gard. Nadine Allégret a-t-elle échappé à la terrible crise d'urémie, ainsi qu'on me l'a fait espérer?

La mort de Pierre Vienot nous a beaucoup assombris. Où est Andrée? et Loup? Et Jean S. et les Groeth...? Mais à quoi sert de vous poser des questions, vous savez tous ceux qui me tiennent au cœur, tout ce que je souhaite apprendre. Il faudrait un volume pour me satisfaire; c'est seulement de vive voix que vous pourrez me bien raconter comment vous avez traversé ces derniers jours tragiques. En attendant le détail, donnez-moi, du moins, les faits importants et dites-moi sommairement ce que devient Catherine. Vais-je bien la reconnaître encore? Enfin, quels sont vos projets pour l'hiver? Je crains que la vie à Paris ne soit encore très dure et que l'on manque en particulier de moyen de chauffage...»

Parmi les amis que Gide préférait, à côté de Pierre Herbart, qui était le seul qu'il eût voulu faire venir à Alger, nommons Roger Martin du Gard. Ainsi nous arrivait-il souvent, pour couper ce que notre vie avait de monotone, de poursuivre la conversation autour de la table de la salle à manger, une fois que les enfants étaient repartis pour la classe. Depuis longtemps, pour Gide, n'existait plus l'effort du début pour entretenir la conversation - malgré ce que je dirai tout à l'heure, le silence entre les êtres le gênait comme une grimace, lui semblait l'amorce d'une mésentente possible. Comme il savait que j'aimais beaucoup Roger, souvent nous l'évoquions ensemble. Mais, malgré le besoin de Gide de donner tout ce qui avait valeur d'échange - ses costumes, ses livres, ses amitiés - durant ces longs mois il n'y eut jamais d'indiscrétions entre nous. Assurément, il se plaisait aux détails intimes, mais ce qui me frappe aujourd'hui, c'est le choix qui s'opérait en lui, inconsciemment, pour souligner les traits qui mettaient ses amis le plus en valeur. Il leur prêtait naturellement ses qualités ou sa propre grandeur. En un mot, il vous les faisait aimer, si bien qu'il me fallut un temps au retour pour m'adapter. Je ne parlerai pas de déception, mais je les retrouvais vivant quelques coudées au-dessous de la place que Gide leur avait assignée.

En raison de cet «esprit de l'escalier» dont, maintes fois, il se plaint dans son *Journal*, il revenait sur ceux de ses propos qui lui paraissaient trahir sa pensée: «Anne, je ne voudrais pas qu'après la lettre de ma Catherine, vous pensiez que je critique la vie qu'elle s'est choisie; je m'inquiète seulement de ce qui peut paraître légèreté dans des questions si graves...»

Une autre fois: «Ne concluez pas de la lettre de la petite Dame reçue aujourd' hui que ce ton impérieux lui soit habituel. C'est ma faute. Je lui avais promis de rentrer à Paris, ou, mieux, de la rejoindre dans le midi – je n'en ai pas envie, alors elle s'impatiente».

Je ne trouve donc pas que ses amis si vétilleux aient le droit de se plaindre des indiscrétions de Gide qui, d'après les récits de Pierre Herbart, risquaient de dresser les êtres les uns contre les autres. Quand on voit le portrait qu'après sa mort ils ont tracé de lui, on n'en prise que plus le regard indulgent de leur trop confiant ami. Il donnait un air de grandeur, des allures de destinées à ce qui apparaissait aux yeux des profanes simplement équivoque. Combien de fois, en souvenir de lui, quand j'entendais des propos malveillants et curieux chercher à éclairer les liens qui unissaient la curieuse colonie du «Vaneau», me suis-je essayée à cerner du même halo de poésie ses familiers qu'il aimait tant!

A cette époque, il n'avait plus guère besoin de tel être en particulier. Il aimait habiter chez l'un, chez l'autre. Madame Théo s'en impatientait: «Pourquoi avez-vous toujours besoin de vous installer chez les gens que vous ne connaissez pas?»

Des lettres à Ernst-Robert Curtius expriment son contentement d'avoir vécu à Alger, incorporé à une famille qui n'attendait rien de lui. Après son prix Nobel, il aurait rêvé de vivre à la «Mi-voix», en marge du ménage de sa fille, de voir grandir les enfants, de cultiver son jardin ... Les siens s'en sont étonnés.

Au retour, quand une ou deux fois, je dînai avec lui au «Vaneau», chez Madame Van Rysselberghe, je fus stupéfaite de les entendre sans arrêt se disputer, comme un vieux ménage. Déjà, à Alger, la conversation toujours aussi brillante de la petite Dame le fatiguait et non pas seulement en raison de leur double surdité.

Pour terminer, je voudrais vous relire ce bref passage du *Journal* de Gide, à la date du 19 août 1927:

«Je ne supporte plus la société que de ceux près de qui, si je me tais, ne se croient pas tenus de parler. Il est bien rare que ce qu'ils me disent me paraisse valoir cette pensée que j'avais, que leur voix met en fuite et que je ne puis, ensuite, rattraper.»

LE REGARD D'ANDRÉ GIDE

André Gide s'effrayait de la cécité de Milton, mais pour s'apercevoir aussitôt que l'aphasie de Baudelaire la dépassait en horreur (J. I, 392). Il n'est donc rien de pire pour lui que de ne pouvoir parler : un écrivain peut-il proclamer plus hautement la primauté de la littérature ? Si une comparaison s'établissait concernant la perte de l'ouïe ou de la vue, l'oreille, à qui Gide doit tant de délices, lui apparaîtrait sans doute comme un organe plus précieux. L'usage des yeux, sans doute essentiel, finit par devenir autonome, et ne plus avoir besoin de prolongement dans l'écriture. Pour celui qui ne cesserait, avec une constance infatigable, d'enregistrer leurs données, la parole s'imposerait quelquefois avec une nécessité moins inéluctable.

En fait André Gide souligne très souvent l'importance du regard. Il trouve du plaisir, à certaines heures du jour, à s'examiner dans une glace (J. I, 126). La redécouverte de la lumière par une aveugle apporte son dénouement au plus pur de ses récits. Le problème de la cécité, des transpositions visuelles qui pouvaient correspondre chez une infirme à des sensations équivalentes, l'a préoccupé à plusieurs reprises (J. I, 914). Si les yeux existent, c'est pour qu'ils aient quelque chose à voir : dans *les Faux-Monnayeurs*, Vincent Molinier, jeune biologiste, obtient un gros succès devant sa maîtresse en faisant à la table d'un café une démonstration improvisée sur les poissons des abîmes marins qui émettent autour d'eux des rayons lumineux ; car il faut bien que leur capacité de recueillir des images trouve à s'employer au milieu de si profondes ténèbres.

Ses familiers confirment le goût de l'auteur de *la Symphonie pastorale* pour l'optique. Il aimait aller au cinéma ; en villégiature dans la baie de Naples, il renonce à un bain (et l'on sait l'attrait du bain pour Gide) sur la plage de Positano afin de ne pas manquer une séance de cinéma (Jean Lambert : *Gide familier*,

p. 169). Il prenait du plaisir à se faire photographier, à se trouver le sujet d'un film documentaire; et l'on ne peut guère, dans ce cas, invoquer le goût de la publicité. Il trouvait là une occasion de souligner des rapports nouveaux entre un écrivain et son œuvre (id. 176). Lors du retour du Congo par le Tchad, il se passionne pour les prises cinématographiques que Marc Allégret fait des indigènes; il se rend compte que les meilleurs de ces documents seront dûs à des gestes non concertés, à des effets de hasard. Il voudrait que l'appareil, tout prêt à se déclencher, comme une arme à feu que commande la gachette, saisisse les êtres dans leur mobilité: ainsi les cultivateurs qui s'absorbent dans leurs travaux, ou une jeune mère qui abreuve son enfant en portant son pouce ruisselant d'eau à la façon d'une tétine, jusqu'aux lèvres de ce dernier (J. II, 925).

Il se préoccupe de ses propres capacités optiques; rassuré par une consultation au Havre, en 1916, où il lui est seulement prescrit de porter des verres plus forts, il s'inquiète, en 1925, de constater que sa vue a beaucoup faibli (J. I, 548, 806). Il met en doute l'exactitude de nos réceptions rétiniennes; dans *Ainsi-soit-il*, il évoque une visite à Paris du roi d'Espagne, visite à laquelle il assista, accompagné de sa jeune femme, au milieu de la foule; en rentrant le soir chez eux, il crut se souvenir que l'uniforme du jeune souverain était rouge, alors que sa femme affirmait qu'il était blanc. Les journaux, le lendemain, se turent sur la couleur de l'uniforme et ils ne purent se départager.

Vaut-il mieux voir ou ne pas voir lorsqu'il s'agit du meilleur développement de notre être? Le débat, ouvert, dans *la Symphonie pastorale* n'est pas vraiment résolu. Le pasteur déclare à Gertrude que «ceux qui ont des yeux ne connaissent pas leur bonheur» (R. 895), et lorsque celle-ci, à la suite d'une intervention réussie, peut contempler le monde, elle trouve le jour, l'air, le ciel plus lumineux qu'elle n'avait pu jusqu'ici l'imaginer (R. 929). Mais en revanche la cécité offre peut-être plus d'avantages. Charlotte, la fille du pasteur, se laisse distraire par la moindre mouche qui vole; et son père se demande: «Tout de même, comme elle écouterait mieux, si seulement elle n'y voyait pas» (R. 899). Et, parmi les paroles de la Bible soulignant la faiblesse de ceux qui ont des sens et qui ne savent pas s'en servir, il retient de préférence pour les citer à Gertrude celles qui ont trait à la vue: «Ceux qui ont des yeux sont ceux qui ne savent pas regarder» (R. 910); – «Si vous étiez aveugles, vous n'auriez point de péché» (R. 915). Ce n'est pas là simple désir d'encourager une aveugle. Certes l'auteur sourit un peu du pasteur, et il s'amuse de la réflexion ironique d'Amélie: «Que veux-tu, mon ami, il ne m'a pas été donné d'être aveugle» (R. 917). Mais certains propos du pasteur le trouvent prêt à y souscrire. L'absence de la vue peut aider le développement d'un être, pas celle de l'ouïe. Nous voyons mal André Gide s'intéressant à une Gertrude qui ne serait pas aveugle, mais qui, sans être sourde, manquerait seulement d'une certaine justesse d'oreille.

La pensée de Gide sur ce point se dirigea assez tôt (c'est-à-dire à l'époque des *Nourritures terrestres*) vers un moyen terme: le regard est bien l'une des mani-festations les plus importantes de notre vie, mais non la chose regardée (R. 155). Il définit ainsi toute sa conception de ses rapports avec le monde. Son action compte, par tout l'exercice intérieur qu'il met en branle, créant ainsi notre expérience, provoquant notre joie et notre déception, notre enthousiasme et notre langueur; merveilleux mécanisme qui nous enchante, qui nous permet d'engranger en nous-mêmes (à ce que nous croyons du moins) de larges riches-ses, sans avoir eu à recueillir beaucoup à l'extérieur. L'abondance de la récolte ne doit pas tant nous retenir, mais la transformation, le dépassement indéfini du peu qu'il nous a suffi de ramasser. Dès le départ un retour trop fréquent au concret ne s'impose plus au même degré. Nous transportons en nous tout ce que nous avons perçu de ce monde, afin que justement nous n'ayons plus à le regarder, c'est-à-dire à le regarder là, devant nous, mais seulement à le voir. Voir, ce sera notre façon de posséder; et, au premier chef, cet être qui est Dieu: «Posséder Dieu, c'est le voir; mais on ne le regarde pas» (R. 162). Nos rapports avec Dieu s'affirment donc comme des rapports de passivité, bien éloignés de l'attitude d'un Joubert pour qui «penser à Dieu est une action». Dieu demeure tout entier pour Gide; son regard vers l'extérieur n'alimente pas ce qui de Dieu tend à devenir une idée plutôt qu'une présence. Nous ne pouvons que renvoyer à l'analyse de Charles Du Bos (*Dialogue avec André Gide*, 302): «En tel état, il devient inévitable que Dieu alors apparaisse abstrait (dans l'acception courante, c'est-à-dire vide, du terme), et à partir de ce moment, à l'intérieur de l'esprit Dieu se volatilise, ou du moins ne retient plus qu'une valeur de position...» Satan, pour Gide, demeure un être concret, parce qu'il ne l'a jamais perdu du regard, ne se contentant pas de le «voir».

«Que l'important soit dans ton regard, non dans la chose regardée» (R. 155). Tout naturellement Gide fut donc amené à douter de la réalité du monde exté-rieur. Il note (23 juin 1930) qu'il n'a jamais pu souscrire au mot de Théophile Gautier: «L'artiste est un homme pour qui le monde extérieur existe» (J. I, 992). Et cette mise en doute part d'une expérience optique qui a tenu en suspens un grand nombre d'esprits; dans le *Cahier noir* (les *Cahiers d'André Walter*, Œuvres Complètes I, 141) nous avons vu qu'il se surprenait contemplant de-vant la glace, pendant la nuit, son image. Il se plonge les yeux dans les yeux, se demande quel est le véritable être de chair: est-ce lui le fantôme, ou celui que renvoie la surface brillante? «Dans ses prunelles profondes, je cherche ma pen-sée».

Et que dire lorsque le monde lui-même joue le rôle de miroir? S'il s'y mire, il s'étonne de ce qu'il le reflète mal (et cela dès juin 1891: J. I, 20). Quarante ans plus tard (juillet 1929), il constate qu'il est toujours «décollé» de ce monde, qu'il ne peut se défaire d'une certaine «incroyance à sa réalité» (J. I, 929). A l'âge de dix-huit ans, lors d'un voyage en Bretagne, il faillit être victime d'un accident de voiture à cheval, aux environs de Douarnenez; le cocher, homme d'âge, tomba de son siège. La première réaction du jeune voyageur est de ne pas croire à cette chute; il s'agit pour lui d'un spectacle «en dehors de la réalité» qu'il ne peut prendre au sérieux. Aussi, résultat fort avantageux, il ne se laisse pas gagner par la peur et il saisit les rênes à temps, malgré les difficultés; il arrête la voiture sans dommage (J. I, 800). Même incapacité de croire à la réalité lorsque plus tard, à Venise, un gondolier l'emmena à minuit dans quelque canal désert et là, ayant éteint sa lanterne, lui demanda son portefeuille; cette incapacité de prendre au sérieux le spectacle qui lui est offert permit de garder son sang-froid et de contraindre le dit gondolier à le ramener aux Schiavoni, d'où ils étaient partis.

De là à se demander s'il est encore un être vivant, il n'y a qu'un pas; et ce pas Gide le franchit quelquefois. Dans *Ainsi-soit-il* (J. II, 1177) il se persuade que de toute évidence le monde n'a plus besoin de lui: «Durant un assez long temps (cela dura, je pense, un quart d'heure) je m'absentai; il me semble que je n'étais plus là; et ma disparition passait inaperçue». Une telle disparition convient-elle bien au travail du romancier? On peut se le demander lorsqu'Édouard-Gide note dans son journal (R. 1023) que la réalité l'intéresse comme une matière plastique, et qu'il a plus de regard pour ce qui pourrait être que pour ce qui a été. Point de vue de sculpteur ou d'architecte, qui n'a pas besoin de nous mettre directement en rapport avec la présente réalité humaine, mais plutôt de nous en séparer, de nous la rendre en quelque sorte inutile. Un romancier comme Gide sera toujours tenté de voir dans cette réalité une simple buée; en fait il préfère que cette réalité ne soit qu'une buée. Il se sentira moins vulnérable devant elle; car il la redoute. Il ne l'admettra que métamorphosée par l'écriture, ce qui est le meilleur moyen de la conjurer. Le Dr. Delay rappelle le cri d'André Walter: «Elle est morte, donc il la possède» (I, 581). Ainsi en est-il de la réalité, que l'écrivain doit d'abord anéantir. Aussi l'Olivier des *Faux-Monnayeurs*, lorsqu'il cherche à briller devant Bernard sortant d'un examen, ne s'éloigne-t-il pas tellement de la pensée de l'écrivain: «Celui qui creuse s'enfonce,... et qui s'enfonce s'aveugle» (R. 1142). Alors pourquoi ne pas se tenir à la surface du monde: «La vérité c'est l'apparence, continue Olivier, le mystère c'est la forme; ce que l'homme a de plus profond, c'est sa peau...», définition qui, aux yeux de Baudelaire, ne concernerait que la moitié de l'art, puisque l'autre moitié, selon la formule du *Peintre de la vie moderne*, c'est «l'éternel et l'immuable».

De cette mise en doute du monde extérieur découlent de nombreuses tentations. Et tout d'abord celle d'être le créateur de son propre monde, de reconstituer ces apparences sur lesquelles nous ne pouvons pas nous prononcer. Partant d'une simple lecture de *Guerre et paix*, l'auteur récrira «pour son propre compte quelques paysages» (J. I, 25). Il ne sera plus nécessaire d'avoir vu quelque chose pour la décrire, et Gertrude s'émerveillera de tous les tableaux que réalise son imagination. Au milieu de sa cécité, elle discerne les sapins, la prairie verte et bleue tantôt illuminée, tantôt dans l'ombre, qui se déploie comme un livre ouvert sur le flanc de la colline, dressée comme un pupitre (R., 910). Beaucoup d'images chez Gide ressemblent en fait à des reconstitutions d'aveugle.

Second penchant: dans les échanges perpétuels entre le monde et lui, tantôt, comme l'Édouard-Protée des *Faux-Monnayeurs*, il prend la forme de ce qu'il aime (R., 1094); tantôt, et plus fréquemment, la part de l'univers qui tombe sous ses sens prend tout naturellement la forme de son âme. A l'exemple de Pascal, il porte ses soleils et ses brouillards en lui-même; et à certains jours le brouillard réel d'un petit pays à l'immense horizon le force à rechercher le soleil dans son cœur (J. I, 667). Mais ce soleil intérieur ne suffit ni à la protéger, ni à le réchauffer; s'il pleut de «grands désespoirs» sur la plage d'Ostende, cette pluie baigne son cœur (comme dans le lied de Verlaine), et peut-être est-ce finalement son cœur qui déverse de «grands désespoirs» (J. I, 22)? Est-ce Prague (où il se trouve en août 1934) qui présente son visage douloureux et tragique; ou bien est-ce la tristesse de celui qui tient son journal qui lui impose cet aspect? Si Dakar (à son arrivée en juillet 1925) lui apparaît comme «une morne ville endormie», peut-être l'enveloppe-t-il à l'avance de toute son appréhension? Le paysage devient fonction de son désir; le jeune homme ardent des *Nourritures terrestres* peut s'enfoncer dans «l'amoureuse beauté de la terre» (R., 164), mais il peut aussi créer cette beauté qui lui appartiendra alors plus consubstantiellement. Lors de son passage à Gabès (novembre 1930), il isolera sur un rivage solitaire «un âne, un palmier, une falaise d'argile»; et par-dessus tout «un ciel ineffable» (J. I, 1018). Il considère ce paysage qu'il compose comme le plus extraordinaire et le plus émouvant qu'il ait rencontré.

Naturellement Gide tend à ne voir que ce qu'il a le désir de voir. Citant un texte du *Journal* de Delacroix: «les génies inspirés qui tirent des choses seulement ce qu'il faut en montrer à l'esprit», il trouve la formule creuse, et va jusqu'à parler de la «noble impropriété des termes» (J. I, 1080). En fait, si on laisse de côté la mention «les génies inspirés», qui devait irriter ses nerfs, cette déclaration de Delacroix correspond sensiblement à la démarche de la perception chez Gide. Si l'esprit de Gide se montre hostile au choix, il n'en est pas de même de son regard qui, lui, aime à choisir; et Gide ne veut admirer que ce que son regard a choisi.

D'où ce dédain marqué pour les paysages trop renommés; il reste terriblement froid devant les rochers noirs d'Assouan (janvier 1946: J. II, 289), pensant à tous les sots qui se sont extasiés devant eux. Cette extase devant les merveilles du monde n'ajoute pas alors aux objets contemplés cette épaisseur que confère aux œuvres d'art l'admiration des grands esprits qui nous ont précédés. Ne nous étonnons pas que Bernard, le secrétaire d'Edouard qui l'accompagne à Saas-Fée, sente ce paysage de montagne «déclamatoire» (R., 1068), et que l'Immoraliste, à son arrivée dans la vallée de St. Moritz avec Marceline, trouve le lac «hideux», la montagne «brutale» (R., 456). L'aspect déclamatoire de la montagne, la hideur du lac sont en quelque sorte préfigurés.

Le journal de novembre 1905 fait état d'une conversation entre Madame Van Rysselberghe et Le Dantec, celui-ci se prétendant incapable de se représenter la moindre image. Son interlocutrice l'ayant fait se retourner, elle lui demande quelle est la couleur de ses cheveux; il répond qu'ils sont gris. Mais cette réponse lui est dictée par ce qu'il sait; en fait il ne voit pas les cheveux, il sait qu'ils sont gris. A une autre question sur sa taille, toujours une réponse de même nature: «Je sais que vous êtes petite». Et ainsi de suite: «Je sais que vous avez les paupières lourdes». La méthode de Gide se rapproche quelquefois de celle de Le Dantec; comme les enfants, comme Gertrude, comme la plupart des écrivains classiques, il décrit ce qu'il sait d'avance.

Troisième tentation. Dans la mesure où il aborde vraiment la réalité, il faudra du moins que celle-ci ne pèse pas trop sur lui. Aussi la choisira-t-il légère, évanescente. Dès le *Traité du Narcisse*, il n'est question que de «mince apparence» qui se répand à la surface des eaux. Qu'il s'agisse de troncs d'arbres, de fleurs, de petites parties de ciel entrevu, ce ne sont que rapides images qui ne s'enregistrent que faiblement (R., 4). Si Urien voyage sur mer, sous la protection de la lune qui éclaire les rochers, la lumière qui irradie de ceux-ci luit vacillante. La navigation se déroule au milieu de reliefs qui se transforment: falaises, promontoires, berger; et la plus grande mobilité agite le cœur des spectateurs: «Votre aspect change par notre fuite, malgré votre fidélité» (R., 17). Comme les poètes de l'effacement, il est sensible aux formes pâles, attiré (quitte à en être effrayé ensuite) par ce qu'elles ont de «peu sûr» (J. II, 37). Urien se baigne dans des eaux de couleurs changeantes et légères, se laissant surtout pénétrer par leur molle tiédeur (J. II, 20); et le Luc de la *Tentative amoureuse* (R., 73), après la traversée matinale d'un bois, s'assied devant une prairie toute parsemée d'une «eau vaporeuse et brillante».

Recherche donc de ce qui apparaît moins saisissable, plus transparent, plus fluctuant. Et tout d'abord les premiers élans d'Urien se plaisent au froid, le poussent à respirer l'odeur d'une menthe glaciale (R., 39). Toute une partie de son périple traverse une mer arctique, toute irisée de «glaces bleu pâle» (R., 52).

Il s'abreuve d'une eau de glace «si limpide et si bleue qu'elle a toujours l'air profonde» (R., 30). Et *les Nourritures terrestres* semblent maintenues en réserve dans un froid protecteur. Tout s'y trouve réuni: les étoiles qui se fânent, les caresses glaciales de l'air (R., 161), le vent froid de la nuit, le pâle rayon de la lune. En réalité cette pâleur, cette transparence nous rappellent l'essence de la poésie des *Méditations:* un Lamartine avec des arrière-pensées critiques, des prudences calculées, mais au fond encore plus emporté par le romantisme des brumes. Gide n'aurait peut-être pas repoussé la comparaison; il souriait de la crème au chocolat que le châtelain de Saint Point, âgé et gourmand, répandait sur son plastron et sur sa redingote; mais, sans trop le dire, il devait admirer des pièces comme le *Soir* ou le *Silence*. Le romantisme des brouillards envahira l'œuvre de Gide (R., 157) et les soleils du *Voyage au Congo*, loin de les dissiper, ne feront que les renouveler.

Tantôt la brume du soir estompe Montmartre (J. I, 13), tantôt les vapeurs montent de la Seine (J. I, 135). Un grand bien-être envahit le jeune homme, lorsqu'assis près du lac de Neuchâtel, par une matinée froide, il n'a devant lui que de l'eau et de la brume (J. I, 399). Le lac de Zürich, qui s'engourdit dans un brouillard argenté, lui apporte cette même impression de... mer du Nord (J. I, 834). Une brume d'argent l'accompagne sur une Méditerranée lisse entre Bonifacio et Ajaccio (J. I, 1010). Pendant l'hiver de 1917, à Cuverville, la poussière de neige, semblable au sable du désert, estompe la plaine d'un léger rideau (R., 167). Et pendant l'hiver de 1934, à Syracuse, les pétales d'amandiers soulevés par le vent voudraient se faire passer pour des flocons de neige (J. I, 1197). Avec une constante certitude Gide se met à la recherche de l'incertain. Dans *les Nourritures terrestres* «l'indistincte vie» s'endort; et sa confusion culmine, si l'on peut dire, lorsque, pendant son voyage au Congo, alors qu'il descend le fleuve Chari, il entre dans une région essentiellement vague: «Derrière moi, le plus étrange mélange d'herbes et d'eau qui se puisse rêver; de nouveau cette énormité, cette informité, cette indécision». Il ajoute que «cette absence de parti-pris, de dessin, d'organisation... l'affectait à l'excès dans la première partie de ce voyage»; mais cette «informité» répond si bien au paysage intérieur souhaité par Gide qu'il finit par ne plus pouvoir s'en détacher (J. II, 829).

De ce sentiment de l'informité découle l'attrait de l'écrivain pour tout ce qui se rattache au jeu des ombres. Il les aime pour leur mobilité, lorsqu'un platane agite la projection de ses feuilles contre le mur blanc d'une mosquée. Ces jeux nous obligent à un perpétuel état d'alerte; les ombres, qui ne sont pas tellement vaines, représentent, sinon une part réelle, du moins un symbole de l'être; et il faut les saisir avant qu'elles s'évanouissent. Or «toute forme ne prend que pour bien peu d'instants le même être» (R., 181). Gide aime par-dessus tout dans l'ombre ce qu'elle prépare, et elle prépare ce vers quoi tend sa nature: l'air limpide, d'autant plus limpide qu'il succède à l'obscurité, – cet air limpide qui mettra la joie au cœur de l'Édouard des *Faux-Monnayeurs* après une réclusion de trois jours (R., 1191). André Gide s'attache à l'ombre, parce que sans ombre il ne peut y avoir une véritable victoire de la lumière : «Éblouissement pur, puisse ton souvenir, à l'heure de la mort, vaincre l'ombre!» s'écrie-t-il dans l'appel de *Si le grain ne meurt* (J. II, 497). Suivons à la trace les ombres : elles engendrent la lumière, annoncent cet état de pureté qui présage peut-être même le vide.

Cette recherche de l'indécis s'harmonise généralement avec un regard dépouillé, ce regard où Gide voyait une des marques de l'écrivain classique. Mais le regard a besoin d'une matière pour s'alimenter. En 1928, il se rappelle ses affirmations des *Nourritures terrestres* : «L'esprit a besoin du point d'appui de la matière» (J. I, 881). Jamais de gourmandise naturellement; mais il sait apprécier «l'apparence onctueuse et polie» des troncs d'arbres dans un jardin de Sorrente (J. I, 100); et l'entrée d'une abeille dans sa chambre de Cuverville l'aide à lui révéler que «la lumière oint chaque objet comme de miel» (J. I, 216).

Il redoute ce moment où la réalité, comme il le dit, «entre en scène» (J. I, 127). Car alors, selon sa crainte, «tout se précise», mais «tout se durcit». Une barre noire qui se dessine à l'horizon sous l'effet de la chaleur lui fait l'effet d'un «trait de fusain», mais qui vient «salir» la pureté de l'air. Il a besoin de cet estompage sans lequel il ne se trouve pas assez à l'abri des choses. Quelquefois il se sent gêné d'un besoin aussi constant de protection, qui est lié à toutes ses hésitations, à toute sa timidité. Il évoque la possibilité de recommencer sa vie; mais alors il souhaiterait que ce soit avec un peu plus d'audace dans l'affirmation. Cette modestie qui lui est inhérente, il finira par la condamner comme un «péché» (juin 1944).

Son regard veille attentivement à éviter tout ce qui peut le blesser. A l'inverse de ceux de Jean-Paul Sartre, ses écrits ne contiennent jamais la mention de détails repoussants. Une scène comme celle de *l'Immoraliste* où Michel, lors de l'accouchement par Marceline d'un enfant mort, aperçoit dans la pénombre de la pièce des instruments qui brillent, un linge ensanglanté (R., 438), ne se retrouve guère dans d'autres ouvrages.

Le besoin de protection de son regard, l'écrivain l'éprouve tout particulièrement en face du problème de la laideur. Comme Flaubert contemplant les misérables humains accroupis sur leurs bagages qui encombrent le pont de la «Ville de Montereau» au début de *l'Education sentimentale;* comme Jean-Paul Sartre redoutant de rencontrer des visages difformes parmi les passagers d'un avion à bord duquel il s'embarque, Gide se sent mal à l'aise devant la laideur. En face des grands champs qui se diaprent sous le soleil de juillet 1914, comme les hommes avec qui il vient de voyager dans le train lui paraissent laids! (J. I, 429). Et ces émigrants à destination de Cherbourg et du Mexique qu'il observa étalés le long d'un quai de gare ne possèdent pas même cette couverture rouge qu'Apollinaire avait placée au milieu de leur groupe, comme un cœur plein de rayons (J. I, 769).

La misère morale le frappera encore davantage. Lors d'un passage à Marseille, en 1932, assistant à une prise de vues de *Fanny*, il a l'occasion d'observer la foule: «Mes regards cherchent parmi le public, cherchent en vain quelque visage sur qui prendre plaisir à se poser». Ils ne discernent que «veulerie, sournoiserie, ladrerie et même souvent cruauté» (J. I, 1135). En 1934, croisant un groupe de séminaristes qui se promènent un jour de sortie, il tente de découvrir parmi ces visages, mais en vain, les reflets de la spiritualité; il ne perçoit que «les nuances de la niaiserie, sournoise ou béate ou rechignée». Il note toutefois qu'il peut s'attendre à cette question: «Eh quoi! vous avez pu discerner tout cela, simplement le temps de les voir passer?» Alors, pour s'évader de ce contact avec la laideur, faut-il souhaiter le sort des aveugles? Il regrette de ne pas avoir manifesté ce désir plus ouvertement dans sa *Symphonie pastorale*. Il est vrai que des compensations se présentent; en 1936, entrant dans le salon du paquebot *Canada* qui l'emmène à Dakar, il regarde longuement, alors que deux prêtres disent la messe, deux religieuses agenouillées dans «une attitude très simple, très belle...» (J. I, 1244).

En fait ses yeux auront toujours peur de s'attarder à des délices. Comme ceux de Saül, au moment de son aveu à David, ils sont tentés de se fermer: «Tout ce qui m'est délicieux m'est hostile». Si délices il y a, elles devront être cherchées dans la chambre intérieure, cette chambre où rien ne vient déranger les subtils jeux de l'écrivain, – cette chambre qui abrite l'atelier d'une certaine préciosité, celle où il demeure libre de mieux habiller sa vision (tout comme Chateaubriand habillait la sienne, parsemant de reflets multicolores ses souvenirs de voyage, en réalité peut-être un peu gris).

Autre conséquence de sa défiance de la matière, l'aboutissement au roman pur, celui d'Édouard qui veut le débarrasser de tous les événements, de tous les accidents (R., 990) comme de toute observation trop exacte; car il pense que ce n'est pas avec un bon naturaliste que l'on fait un bon romancier (R., 1076).

En vérité cette élimination naturelle de tout ce qui le gêne, si elle allège (quelquefois avec le danger de la stérilité) son regard, elle le désencombre aussi de tout l'inutile et lui permet de réaliser des tableaux d'une merveilleuse simplicité. Ainsi évoque-t-il le souvenir de Rousseau près du lac de Neuchâtel que la vue d'aucune montagne ne disproportionne et dont les bords s'effacent sous les rencontres indéfiniment variées des touffes de roseaux avec des branches d'arbres qui descendent vers les eaux (J. II, 577). Lors de son arrivée à Grand Bassan, il entre «dans une mer couleur thé, où traînent de longs rubans jaunâtres de vieille écume» (J. II, 686). Le voyage au Congo abonde en tableaux de cette qualité.

Le large marais que l'on appelle le «Grand Marigot» évoque la rigueur d'un dessin japonais avec ses «étroites passerelles de lianes et de branches», ses «palmiers bas qui trempent leurs palmes dans l'eau courante» (J. II, 740).

Il réalise des effets d'une rare austérité par l'isolement de la sensation, par une sorte de recherche du vide. Après la disparition de la lune, à leur arrivée à Nola (Cameroun) une absence se fait dans le ciel: «Rien de plus triste, de plus morne que l'abstraite clarté grise qui la remplace» (J. II, 753). Même sentiment de vacuité à l'approche d'Aba quelques semaines plus tard (J. II, 781): le ciel s'est nettoyé de ses nuages; tout l'espace s'agrandit et la lisière des forêts recule à l'horizon sous l'effet d'un léger rideau de fumée qui se déploie. Et cet immense vide prépare l'apparition de la lune dans sa première moitié, et surtout, à longue distance d'elle, la présence de deux étoiles brillantes (J. II, 782). Fuite de l'excès des détails, qui lui permet de rivaliser avec la ténuité du crayon d'Ingres lorsque, en face d'une femme indigène, il retrace dans toute sa pureté la ligne des hanches, du bassin, des jambes (J. II, 759).

Le regard de Gide redoute donc le solide, le relief, et surtout (en cela il s'oppose à celui de Proust) le développement des volumes. Lorsqu'Albertine (Proust, Pléiade, II, 372) choisit de nouveaux morceaux pour le pianola, elle se livre à un travail de modelage, comme s'il s'agissait d'une «nébuleuse encore informe». Elle s'essaie à donner à cette musique qu'elle joue pour la première fois justement un volume, et ce volume musical s'étend parallèlement à celui de la «multiple chevelure» de la musicienne. Cette chevelure se déploie en quelque sorte à la façon même des sonorités qu'elle tire de l'instrument (cf. Roger Shattuck: *Proust's Binoculars*, Chatto & Windus, London, 1964, 48). Plutôt que le déploiement, Gide préfère un amenuisement («Quand tout se développe, tout se durcit»); d'où une certaine prudence dans ses rapports avec la couleur, dans la mesure où celle-ci contribue à modeler les volumes. Il ironise assez volontiers sur ceux qui prétendent ne pouvoir se passer des couleurs; il transcrit l'anecdote contée par Jean Cocteau sur la dame venant de voir Debussy sur son lit de mort et répondant à celui qui lui demande: «Comment était-il? Mais je ne sais pas: je ne l'ai pas vu. Moi je ne peux voir que des couleurs» (J. I, 651). Et il suppose la même prétention au Dhurmer des *Faux-Monnayeurs* qui n'a pas pu continuer la lecture d'un livre parce que celui-ci ne contenait pas une seule couleur. Il ne peut savoir quelle est la couleur de la robe d'une femme: «Moi, quand il n'y a pas de couleur, c'est bien simple, je ne vois rien». Gide raille encore ceux qui ont trop d'ambition en matière de couleurs, ainsi le peintre Besnard au sujet duquel il rappelle le mot de Degas. Devant l'*Ecurie arabe* de ce peintre, où un cheval qui se cabre projette une ombre violette, il remarquait: «Savez-vous pourquoi le cheval se cabre?... C'est à cause du violet». Sourire également à l'égard d'un peintre qui pour prouver que «le noir n'existe pas dans la nature» n'employait que de l'encre bleue (J. I, 804).

Gide n'en est pas moins parfaitement sensible à la couleur. Décrivant un écran en tapisserie de soie de la maison familiale, il note que les «bleus» d'une espèce de pont chinois lui sont restés dans l'œil (J. II, 461). Et pendant le retour du Tchad, le séjour à Mala lui permet de noter dans ce village des rapports de tons et de masses (J. II, 921) où le bleu du ciel, le gris rose des maisons, le vert-gris-bleu des eaux du Logone forment un enchantement. En fait, le plus souvent il s'amuse un peu du jeu des couleurs, sans trop y croire. Il apprécie modérément les grottes d'azur de Capri, estimant que c'est un dieu, médiocre coloriste, qui les a baignées de reflets d'indigo (J. I, 66).

Ses appréciations sont en général plus intellectuelles que sensibles. La chair violette d'une bête dépecée, à Toggourt, ne parvient pas à rappeler le *Boeuf écorché* de Rembrandt (J. I, 81). Les façades des maisons de Tunis passent du blanc au mauve, le soir; du blanc au rose, le matin (J. I, 69); tandis que le ciel subit un changement correspondant: rose-thé, le soir; légèrement violet, le matin. En rade d'Ajaccio, les premiers rayons du soleil rosissent les maisons du port (J. I, 1074). S'intéressant à un sweater gris et vert-artichaut de Marie Laurencin, il remarque que pour les différentes variétés de vert, il faut redire ce mot avant celui qui précise sa nuance: «vert-pré, vert-émeraude, vert-épinard, vert-nil» (J. I, 759). Le plus souvent, il perçoit les couleurs avec une grande exactitude; ainsi celle des vagues, à l'approche des côtes de Tunis: vagues vertes d'abord, puis jaunissantes, le tout sous un ciel violet; tout cela répondant en écho à Delacroix. A Cuverville, pendant l'automne, il admire la parure dont les hêtres pourpres se sont dépouillés sur le gazon. En route vers Bayonne, il ressent jusque sur sa langue l'aigreur charmante des verts gazons qui viennent de s'éveiller.

Parce qu'il redoute tout ce qui est volume, Gide n'a que peu d'attirance pour les objets. Ces objets, si petits soient-ils, sont irréductibles; par rapport à leur environnement, paysages, intérieurs, êtres humains, ils tiennent toujours une place prépondérante, qu'on ne peut leur enlever, même difficilement, par la pensée, et où ils sont irremplaçables. Les objets ne sont pas assez diaphanes, ce qu'à l'occasion peuvent être les humains. Les objets s'imposent trop et ils demeurent immobiles. L'on ne sait plus comment s'en débarrasser. Ils restent là comme des bornes immuables qui jalonnent le parcours de nos pensées et le développement de nos sentiments. Quel encombrement pour un esprit, comme celui de Gide, qui ne veut jamais s'arrêter, ne jamais être retenu, qui vit sous le signe de la succession, mais qui tend à se décharger de la masse du souvenir.

A l'opposé, un La Bruyère, vivant dans une époque où seuls les peintres,

parmi les artistes, s'attachent à la réalité et en marquent solidement la présence,
a besoin de faire entrer les objets dans ses propos. Se penchant sur certains personnages falots dont l'être se réduit presque au néant, il les secoue dans son tamis
et ne garde d'eux que l'or des habits, la garde d'onyx de leur épée, les diamants
de leurs bagues. Dans un monde déjà menacé par l'épouvante de l'absurde (les
agissements de Ménalque en témoignent, lui qui, le lendemain de la mort de sa
femme, demande si sa femme a été avertie que le déjeuner est servi), La Bruyère
se cramponne en quelque sorte au verre d'eau que le «distrait» jette sur le tric-
trac et au cornet dont il avale les dés. Les quatre puces qu'un habile montreur
avait revêtues d'un casque et d'une armure (avec cuirasse, brassard, genouillè-
res, la lance sur la cuisse) et qu'il a enfermées dans une fiole, en découvrant le
moyen de les y faire vivre, constituent pour La Bruyère une sorte de lest qui lui
permet, tout en dévoilant l'effarant égarement des humains, de maintenir leur
marche selon un centre de gravité et de les empêcher de tomber dans un vide
total.

On sait l'admiration, souvent affirmée, de Gide pour les *Caractères:* «Si claire
est l'eau des bassins de La Bruyère qu'il faut se pencher longtemps au-dessus
pour en comprendre la profondeur» (J. I, 826). Mais Gide ne sait peut-être pas
assez que dans ces bassins d'eau claire, il y a justement de beaux galets, quelquefois d'une fort jolie teinte, qui nous aident à estimer que ce fond n'est pas hors
de la portée de notre vue, et même de notre main. La Bruyère a toujours peur
de trouver les humains trop légers, et il s'en attriste; il faut les alourdir avec du
plomb à leurs semelles, comme les scaphandriers, pour qu'ils restent debout.
Gide, au contraire, a toujours peur de les trouver trop pesants, même s'il arrive
que ce poids soit le poids de leur sérieux, de leur foi la plus intérieure; et il
préfère les débarrasser de tout ce chargement qui les maintient à terre pour
qu'ils puissent s'envoler comme des cerfs-volants, qu'il pourra diriger lui-même, à sa volonté, par le maniement d'une ficelle.

Il est vrai que lorsque Gide se met à décrire une nature morte, il le fait avec
une largeur, un sens des proportions, pour tout dire un admirable sens du poids
des choses. Nous en trouvons la preuve dans la présentation du tapis qui recouvrait la table du salon maternel, rue de Tournon: un tapis en velours qui donne
un sentiment d'épaisseur. Épaisseur dans l'espace qui se manifeste par des débor-
dements au-delà de la table, des retombées sur les côtés, des torsades de fleurs et
de rubans; ce tapis s'étend même au-delà de lui-même puisque le velours rejoint
la couleur havane des fauteuils ses voisins. Mais aussi épaisseur dans le temps,
car cet ouvrage a été produit par la patience d'Anna et de sa mère.

Mais en général Gide recherche l'allègement; et que cet allègement, correspondant souvent à une atténuation encouragée des souvenirs, affaiblisse quelquefois le regard de l'écrivain, c'est incontestable. Il répète qu'il ne faut pas laisser

le regard devenir opaque afin que ce regard ne perde pas contact avec le créateur; et il perdrait ce contact s'il se montrait trop sensible à l'épaisseur de la
création. Alors, selon Gide, il se mettrait à convoiter les créatures, qui per-
draient leur transparence. Voir les créatures avec tout le poids de leur présence
constitue évidemment une tentation; mais les méfaits de cette tentation peuvent
être évités si l'on suspend une contemplation trop prolongée.

Une autre tentation, au rebours de la précédente, consiste à évider les créatures, à les assimiler à des objets poreux, qui diminueront à leur égard le souci
que nous aurons de leur présence, et par là même rétréciront le sens de notre
responsabilité envers eux. Peut-être, dès le début, l'écrivain a-t-il eu trop confiance en lui, redoutant d'inscrire ce que ses sens enregistraient: «J'aime mieux
regarder seulement, sachant bien que rien n'est perdu et que toute vision se
retrouve au moment qu'on a besoin d'elle» (J. I, 37). Pouvait-il vraiment penser
que «rien ne s'est perdu» et qu'il a toujours retrouvé à sa disposition l'intégralité
de sa vision? Peut-être, à force de craindre que celle-ci ne garde trop d'ampleur
(et l'ampleur pour Gide se confondait assez souvent avec l'énorme), elle a fini
par s'amincir dangereusement.

L'important est d'éviter toute surprise. Comme le montre Ramon Fernandez,
la vie est d'abord chez Gide un idéal; et «cet idéal découpe une zone limitée
dans la substance illimitée de la vie réelle» (R.F.: *André Gide*, Corrêa 1931,
234). Il faut donc aborder un à un chaque élément d'une vision possible. Sur ce
point le jeu du kaléidoscope, pour lequel Gide se passionnait dans sa jeunesse,
offre un exemple révélateur au début de *Si le grain ne meurt* (J. II, 351). Le four-
reau circulaire de carton contenait un rubis clair, un grenat sombre, une éme-
raude, un saphir, quelques débris mordorés; à chaque changement de la rosace,
l'enfant s'émerveillait. Mais alors que ses cousines, passionnées elles aussi pour
ce jeu, secouaient, après chaque composition, l'appareil pour obtenir une image
entièrement nouvelle, le jeune Gide retournait le kaléidoscope avec le plus de
délicatesse possible, lentement, afin d'obtenir une très légère modification du
vitrail illuminé: «J'étais autant intrigué qu'ébloui». Aveu bien significatif: en
effet le spectateur amusé finira par ouvrir le tube de carton, mais pour n'y
remettre que trois ou quatre verroteries. Voilà l'élimination recherchée; les
accords deviendront beaucoup plus ténus. Mais quel avantage en revanche:
«Ces changements ne causaient plus de surprise: mais comme on suivait bien
les parties! Comme on comprenait bien le pourquoi du plaisir!» Ainsi chaque
changement de perception se fait à la fois insensible et cependant nettement
séparé. L'interlocuteur de Nathanaël avait déjà pris cette résolution: «Je pris
ainsi l'habitude de séparer chaque instant de ma vie», et la contemplation d'une
rosace compte bien pour un instant de sa vie.

Il faudra donc fuir tout ce qui rassemble, et en particulier les descriptions synthétiques, ces descriptions dont il pense qu'elles rallient le plus grand nombre de suffrages parce qu'elles décrivent les êtres et leurs cadres, en expliquant leurs relations. Cette méthode qui est celle de maint roman, il fit tout pour l'éviter dans les *Faux-Monnayeurs* (J. I, 938).

Comment donc procède-t-il en général? Il s'efforcera de décrire, en délimitant bien tous les plans. Une vue de San Miniato par un temps splendide nous restitue tous les étages d'une fresque de Fra Angelico où les anges et les escaliers d'or seraient remplacés par des toits illuminés: d'abord le ciel d'azur, la ville elle-même plongée dans une «étuve d'or», les toits «couleur de prunelle», le dôme, le Campanile, la tour du Palais Vieux, les collines à l'horizon, la montagne en feu de Fiesole, l'Arno et, pour tout encadrer, une rangée de cyprès mortuaires (J. I, 58). Et, à l'occasion d'un retour par les bords de l'Arno, il nous montre une eau qui se perd dans les sables d'or, des pêcheurs, une fumée qui s'étend au-dessus des toits, les murs blancs des villas, les cyprès sombres (J. I, 63). Son sens des plans lui permet de saisir une perspective très originale, analogue à celle d'un Braque qui replie les objets (tel un billard par exemple) vers le spectateur; à Toggourt, il fait se relever l'horizon dans notre direction «ainsi qu'une couverture qu'on ramène» (J. I, 79). Le quai de Calvi nous laisse entrevoir une fuite de palmiers, une effusion de leurs palmes, des balcons, des terrasses, une ruelle, un peuple demi-nu composé de passagers de yachts de plaisance et de pêcheurs (J.I, 1009).

Quelquefois les plans se mélangent, comme à Alkmaar où des mâts de navire se promènent par-dessus les toits (J. I, 23). Mais même dans ce mélange, les parties restent bien distinctes; ce n'est pas l'imbrication totale que Proust a réussie dans le Port de Carquethuit. La traversée du Stanley-Pool (J. II, 697) sur le Congo s'opère dans un débordement d'îles couvertes de buissons et d'arbres, de champs de roseaux, à travers la «grise surface» du fleuve, au milieu de «larges remous circulaires» et de contrecourants. En une expression bien caractéristique, le voyageur se donne ce conseil: «Épelons le paysage lentement». Répétition de la même épellation dans le pool de Bolobo (J. II, 700); la nappe d'eau comme une écaille intacte, les nuages longs, le soleil, les îlots... L'habitude d'épeler un paysage ou tel autre aspect de notre monde peut amener celui qui l'emploie au procédé un peu simplifié de la table alphabétique; autrement dit l'énumération. Procédé vieux comme le monde, tant utilisé par Homère qui inventorie les bateaux de guerre et les armées en bataille; procédé qui garde toute sa grandeur lorsqu'il est magnifié par le recul du temps. L'*Iliade* est un beau temple en ruines dont nous aimons les restes. Mais procédé qui paraît bien inutile lorsqu'il s'agit du monde que nous voyons; car alors nous n'avons pas besoin qu'un poète (fût-il l'auteur d'une future *Iliade*) vienne dresser un catalogue de ce que nous savons déjà fort bien. D'où l'étrange illusion d'un critique comme Roland Barthes qui voyait dans Michel Butor notre Homère, parce que dans *Mobile* il recopie les pages d'un guide des Etats-Unis avec l'énumération des motels et des postes d'essence.

A vrai dire nous ne sommes pas spécialement attirés par ce morceau de paysage à Cavalière (J. I, 406) : un toit de tuiles, la forge, devant un appentis deux cages à lapins. Gide entend décrire comme un écolier qui s'applique ; et il finit par avouer qu'il ne peut qu'énumérer : un chaudron cassé, une échelle, une cage à poussins, une pierre à repasser, deux cages plates remplies de vieux torchons, une planche à repasser, un banc, une bille d'eucalyptus, un ressort à boudin, des bouts de fil de fer. Mais s'il ne peut qu'énumérer, alors qui l'oblige à le faire ? Et dans le cadre de Syracuse (J. I, 1200), nous avons un véritable inventaire de tout ce qui avoisine l'hôtel : le roc excavé, le creux marquant l'emplacement des plaques funéraires ; puis tout un catalogue de fleurs : asphodèles, tapis blanc de cardamines et de pâquerettes. Ailleurs nous est offert l'état détaillé de la boutique du Père Clément, installée dans le jardin du Luxembourg (J. II, 403) : billes, hannetons, toupies, du coco, bâtons de sucre, cordonnets de réglisse, tubes de verre remplis d'anis. Vraiment le regard n'accroche plus rien ; il s'agit plutôt d'une commande du Père Clément pour le grossiste. Après l'inventaire du commerçant, nous trouvons celui du fonctionnaire chargé d'établir le cadastre de la région de la Morinière (près de Lisieux) dans *l'Immoraliste :* des bois taillés, quelques champs, des prés, des pacages de pommiers, des troupeaux, des étangs, des mares, des rivières (J. III, 409). Le fonctionnaire n'a pas de raison de coucher sur son registre les eaux plus que les prés : il se doit d'abord d'être complet.

Cette manière un peu trop distante d'aborder ce qui tombe sous son regard, rejoint, lorsqu'il s'agit des humains, les méthodes mêmes de l'anthropométrie… Dès son début, le *Journal* établit le signalement d'un jeune garçon, candidat au baccalauréat : petit, pâle, menton têtu, lèvres blanches, cheveux rabattus jusqu'aux sourcils (J. I, 17). Même technique pour le portrait d'une petite fille dans une distribution de prix : menton carré, chaude couleur des joues ; cheveux mal peignés et trop abondants (J. I, 372). Et les personnalités notoires n'échappent pas à l'appareil du laboratoire d'identification. Stefan Georg : teint blanc bleuâtre, peau mate et plus tirée que ridée, ossature accusée, impeccablement rasé, abondante et solide crinière, mains fines et exsangues (J. I, 265). De la comtesse de Noailles, à l'exception des cheveux d'un noir de jais qui, coupés court sur le front, retombent comme mouillés sur les épaules, l'identification se fait par son vêtement : chemise roumaine qui flotte largement autour des bras nus ; une écharpe (il hésite pour définir le jaune de sa couleur) circule autour d'elle (J. I, 291). Rubinstein : visage plat aux pommettes marquées, large front noyé dans des cheveux abondants, sourcils broussailleux, regard absent du dominateur, mâchoire volontaire, bouche lippue (J. II, 465). L'attrait physique pour un être désiré n'échappe pas au goût de la précision. D'Ali, nous savons qu'il est blanc de teint, le front pur, menton bien formé, bouche petite, joues pleines. Le ton de l'écrivain se hausse pour les yeux: yeux de houri; et il peut ajouter aussitôt: «Mais sa beauté n'exerce sur moi point d'empire» (J. II, 597).

Lorsqu'il s'agit d'un être plus lointain, la fiche devient plus indifférente; elle ne concerne plus que le vêtement comme s'il s'agissait d'un criminel entr'aperçu au moment de sa fuite. Anthème Armand-Dubois se présente ainsi: pantalon de coutil blanc; veston d'alpaga; petit col droit, échancré pour le cou; nœud droit de satin noir; chapeau de paille. De l'être proprement dit ne sont mentionnés que l'œil gris, les ongles plats et carrés, les cheveux gris-jaune toujours plaqués (J. I, 309). Lorsque, juré à la cour d'assises, il pourra «croquer» tel accusé comme ce représentant de commerce qui se nomme Alphonse, Gide hésitera dans son signalement entre la méthode judiciaire, tout à fait à sa place dans une circonstance de ce genre, ou le relevé d'un catalogue de tailleur (J. II, 621).

Gide veut être complet, et il ne parvient pas à la totalité. Si beaucoup de portraits tracés par Gide rappellent les services de l'identité judiciaire, le regard de Gide est essentiellement un regard de naturaliste, et plus spécialement de botaniste. Tout jeune, alors qu'il essayait de résister aux leçons de son précepteur, il se consolait en allant observer une colonie d'*oryctes nasicornes* auprès d'un tas de sciure de bois (Jean Delay, I, 182). Tandis que sa mère essaie de lui lire des tranches de *l'Histoire de la littérature* de Paul Albert ou des *Trois Mousquetaires*, lectures dans lesquelles il ne trouve pas le moindre intérêt, il dévore les ouvrages d'histoire naturelle que lui a confiés le Dr. Boissier (id. I, 202). Un peu plus tard, faisant un séjour aux îles de Lérins avec sa gouvernante, il s'absorbe pendant des heures dans la contemplation du monde sous-marin: rochers, algues, oursins, pieuvres (J. I, 522). Il se plongeait alors dans une sorte d'adoration et d'ivresse. Contemplant des coquillages, il veut arriver à les comprendre; et il avoue (J. I, 325) qu'il aurait plus volontiers suivi la carrière d'un médecin que celle d'un écrivain. De passage à Zürich (en mai 1927), il visitera la galerie de zoologie. Les descriptions de fleurs abondent tout au long de son journal: les asphodèles (J. I, 149) qui portent sur une tige leurs fleurs à la façon des tritomas, l'iris xiphoïde bleu porcelaine (J. I, 314); un énorme lis blanc verdâtre qui pousse dans les sables de la Méditerranée (J. I, 735); les gentianes, les myosotis d'un bleu céleste (J. I, 765); de flamboyantes touffes de pivoines sauvages (J. I. 400). Avec la minutie d'un expert, il reproduit la physionomie des fleurs d'eucalyptus: boutons couverts d'une prune résineuse qui ressemblent à de petites cassolettes fermées.

Même attention pour les papillons, les abeilles (J. I, 757); surtout les oiseaux dont les moeurs nous sont décrites avec un soin sympathique (J. I, 313). Avec quelle complaisance les couleurs des plumes des oiseaux rencontrés à Yakoua, au Congo, sont détaillées (J. II, 836): tendre bleu pastel, bleu clair, bleu sombre. Le zoologue se double d'un ethnologue qui déroule devant nous la danse des Dakpas, lors de son passage à Bambari, et, comme s'il restituait un modèle pour le Musée de l'Homme, il passe en revue tout l'accoutrement des vingt-huit petits danseurs: casques, frange d'anneaux sur le front, fouet en joncs, maquillage des yeux, jupe de raphia (J. II, 729). Examinant sur une plage de la Méditerranée un petit animal (J. II, 75), dont le corps plat a la forme d'un disque allongé, il s'émerveille et se sent plus ému par cet examen qu'il n'aurait pu l'être par le plus beau paysage. Mais justement le naturaliste examine; son rôle est de dissocier tous les éléments d'une plante ou d'une anatomie animale, sans chercher à établir (du moins au premier stade) des rapports entre eux. S'il examine, peut-être ne voit-il pas? Car voir c'est aller au-delà quelquefois de ce que les yeux nous montrent. En tout cas cet entraînement à l'isolement d'un trait le rend particulièrement sensible à la beauté des lignes. Il sait que l'on ne peut décrire une ligne; mais la légère incurvation des cornes d'un boeuf à Yakoua (J. II, 835) révèle une telle noblesse qu'il songe au Boeuf Apis. A Moosgoum, une des cases du village offre une beauté parfaite: «Sa pure ligne courbe, qui ne l'interrompt point de la base au faîte, est comme mathématiquement et fatalement obtenue» (J. I, 880); elle est pure comme un «nombre premier» (J. II, 881).

Cette recherche du complet au détriment de l'absolu se lie chez Gide à une dissociation du regard, qui permet de voir plus de choses, d'observer chacune avec plus d'attention (parce que plus isolées) et en même temps donne le moyen de les contenir dans une même prise. Ramon Fernandez est allé jusqu'à parler d'un certain «strabisme» chez Gide. L'exemple le plus précis se trouve dans les Faux-Monnayeurs lorsqu'Édouard (R. III, 999), devant l'étalage d'un bouquiniste, s'intéresse aux mouvements d'un jeune lycéen de treize ans, qui fouille les rayons en plein vent couverts de livres. Édouard, lui, feint de contempler l'étalage; mais en fait, du coin de l'oeil, il surveille le lycéen. Celui-ci, on le devine, ne tardera pas à glisser dans une poche de son manteau le livre qu'il tient à la main. Le regard de Gide ne se maintient pas toujours dans la direction normale, et ses deux yeux ne demeurent pas toujours parallèles (le non-parallélisme des yeux définit justement le strabisme). Il sait fort bien que le poids de son regard en fausse un peu la direction (R., 1000); et les êtres jeunes qui, comme cet enfant, le subissent, cherchent à se cacher derrière des attitudes. Aussi l'observateur conclut-il: «Il faudrait pouvoir ne les regarder que de biais, de profil» (R., 1000). Regarder de biais représente peut-être un prudent moyen d'approche pour ne pas alerter les natures trop vives; ce n'est certes pas le meilleur moyen de saisir un être, ou tout autre aspect du monde, dans sa totalité.

Les regards divergents ouvrent naturellement la voie à toutes les acidités de l'ironie, celle-ci provenant de la rencontre plus ou moins fortuite de deux plans visuels. Mais justement l'ironie peut-elle se maintenir chez celui qui regarde, non pas séparément deux plans au même moment, mais deux fois le même plan à un intervalle espacé? Ou le plan aura changé d'aspect dans plusieurs de ses éléments, ou celui qui regarde se sera transformé. Au second regard il y a une entente, presque déjà une connivence. Vladimir Jankélévitch rappelle qu'«un instantané, reproduisant mot à mot le visage d'une seconde, est toujours moins équitable et moins vivant qu'un portrait qui tient compte des innombrables profils de la personne». Les retouches successives du regard composent ce qu'il appelle «la justice de succession».

La litote, ce principe de l'atténuation où Gide voyait l'expression même du style classique, préside à l'usage qu'il fait du regard. Le regard de Gide recherche l'atténuation, le regard de Gide a besoin de la litote. Et nous en avons de suite le sentiment dans la mesure où l'écrivain se fie davantage à l'oreille qu'à l'oeil. Il trouve dans le domaine visuel le nombre des variations plus élevé que dans l'audition (J. I, 873); c'est sans doute de cette abondance qu'il se défie. Il n'hésite pas à penser que Dieu se laisse approcher plus par l'ouïe que par la vue, et que les formes ont moins de transparence que les sons (J. I, 959). Même ses rêves sont plus auditifs que visuels et, à l'occasion, il ressent un imperceptible dédain pour les visuels en comparaison des auditifs (dont il soupçonne qu'au fond ils comprennent mieux que les autres).

Aussi ne nous étonnons pas que dans cette recherche de l'atténuation, dans cet emploi de la pédale sourde, les sensations visuelles cèdent assez vite le pas aux sensations auditives, ou même se transforment en elles. Si les sables de Biskra (J. I, 76) l'attirent par leurs veloutements dans l'ombre, il perçoit immédiatement dans chaque souffle de l'air des bruissements merveilleux. Si un pommier de Cuverville sourit aux derniers rayons et devient rose, il écoute avant tout son murmure (J. I, 216). A Brousse (J. I, 401), il enregistre près d'un bassin «un gonflement d'eau qui palpite» (J. I, 401). Il s'intéresse plus, à Lamalou, au chant du ruisselet qu'à la fumée qui s'en dégage (J. I, 427).

Par une pente moins naturelle, il passe des sensations auditives aux visuelles; et il lui faut le cas particulier de Gertrude pour qu'il imagine des transpositions de sonorités différentes d'instruments de musique en des colorations rouges (pour les cors et les trombones), jaunes et vertes (pour les violons et les basses), violettes et bleues (pour les flûtes, les clarinettes et les haut-bois) (R., 893–94). Le passage le plus étonnant de l'ouïe au visuel se situe au moment de sa visite au théâtre de Syracuse, puisqu'il y *voit* la plus rare des impressions auditives: le silence: «Je n'ai rien vu de plus silencieux» (J. I, 68).

Une autre atténuation des impressions visuelles s'obtient, d'une façon encore plus diffuse, par une transformation des sensations tactiles. Ne proclame-t-il pas (N.T.R., 210) qu'entre toutes les joies, celle qu'il envie le plus est celle du toucher? Il surveille l'éclat du soleil, le mouvement des pins, qui se répercutent dans ses yeux, dans ses oreilles, mais surtout dans sa chair (R., 226). Ainsi il sentira l'azur du ciel bleu autant qu'il le verra (J. I, 136). Et cet azur devenu pâle mouillera l'horizon comme un lait (J. I, 154). Les rayons du soleil sur Tanger doreront la ville, mais encore mieux l'animeront (J. I, 755). Et ces sensations tactiles créent en lui de la façon la plus sûre les conditions de la jouissance. Il jouira de l'air tiède et de la chaude lumière (J. I, 162), et il préférera sentir le gel sur sa joue plutôt que de le décrire (J. I, 310). En mer, près de la côte, l'air frais est si ineffablement vif qu'«on croit respirer à même l'azur du ciel, et boire l'ambroisie comme un dieu» (J. I, 1246). Et ce besoin de jouissance apparaît si grand qu'une marche en Corse qui ne le paie pas de sa peine lui apporte une vraie déception (J. I, 768). Une masse de hêtres qui constitue une sorte de falaise lumineuse lui paraît si neuve, qu'il en verse des larmes; ce sont larmes, non de tristesse, mais d'admiration (J. I, 216). Il se plonge dans un fleuve et, tourné vers le ciel, il s'abandonne sans risque à son courant. Cette sensation tactile atteint pour lui le sommet de la jouissance: «O sensation plus belle encore que la pensée!» (J. I, 309).

Cédant à ce besoin de jouissance, Gide embrasserait volontiers, à la façon de Stendhal, une madone (ou du moins le Tireur d'épines); mais aussitôt il est retourné par ses tendances ascétiques. Il se situe toujours à mi-chemin, et la jouissance lui enlève alors une certaine liberté dans le développement de son jugement; mais en même temps ce retournement contre la jouissance l'empêche de sentir assez la matière. On sait la célèbre définition qu'il a donnée de lui-même: un dédoublement entre un pasteur protestant et un petit garçon qui veut s'amuser. On pourrait aussi bien dire: entre un ascète et un artiste qui voudrait (sans arrière-pensée) sentir, tout comme un Flaubert le poids de la matière. Il pressent bien que, trop longtemps éprouvé, ce poids constitue une jouissance illégitime.

Mais la sensation peut-elle subir l'atténuation d'une litote? Ce besoin d'atténuation de la sensation aboutit à un évidement, lui-même prélude d'un assèchement. Au départ le regard de Gide se charge d'un intérêt humain, et même quelquefois de tendresse. Apercevant un petit cul-de-jatte à Alexandrie, il le suit longtemps des yeux, d'autant plus que personne ne semble le remarquer, ni même le *voir;* et il ajoute avec une terrible évidence: «Les regards passent au-dessus de lui» (J. II, 76). Ayant séparé en lui le désir érotique du domaine moral et sentimental, ce dernier prend quelquefois une dimension à laquelle on ne s'attendait plus. Son regard épousera alors avec force ce qui l'attire ou le surprend; mais en général il se retient et il regrettera dans *Ainsi-soit-il* d'avoir été si précautionneux toute sa vie (R., 1181). Le regard de Gide peut s'allier avec un tel élan intérieur que ses yeux sont, nous l'avons vu, capables de pleurs. Se promenant à l'approche du printemps sur les plateaux glacés des Alpes, il aperçoit tout à coup une multitude de petits crocus blancs; et il en aurait pleuré de tendresse (J. II, 1084). Il se laisse aller à pleurer; mais ses larmes ne brouillent pas sa vue; au contraire, elles nettoient l'œil et rendent sa vue plus claire.

C'est un peu comme s'il pleurait pour ne plus avoir à pleurer, pour s'assurer dès maintenant d'un regard vraiment sec; et il en arrive alors à confirmer l'affirmation de Marceline à Michel: «Vous aimez l'inhumain» (R., 468).

Cet assèchement, causé par un flux de larmes qui n'a coulé que pour mieux purifier les yeux, a stérilisé toute une partie de la littérature moderne. Beaucoup d'écrivains d'aujourd'hui, craignant que l'on suspecte en eux la moindre trace de sensibilité, se montrèrent prêts à dépouiller tous les arbres de la littérature de leurs rameaux feuillus. Ils préférèrent momifier ces arbres, si bien qu'aujourd'hui beaucoup d'œuvres semblent appartenir à ces forêts «pétrifiées» qui gisent comme des poteaux de ciment dans certaines régions désertes du sud des États-Unis.

Le regard de Gide n'est jamais celui d'un visionnaire. Jamais, comme un Georges de La Tour, un Balzac, un Dostoïevsky il ne perçoit de ses yeux la seconde réalité. Je dis de ses yeux; car, par sa conscience, il a pleinement conscience de cette seconde réalité. Après la mort de son père, il se prenait à penser que celui-ci n'était pas réellement mort; et il se demandait s'il ne venait pas secrètement, durant la nuit, rendre visite à sa mère. Nouveau tressaillement au moment de la mort d'un de ses petits-cousins, mort qui le plonge dans une profonde angoisse. Mais cette seconde réalité, Gide ne la visualise pas. Avec raison Maurice Nadeau constate (Préface R.) que la scène de l'ange et de Bernard est un des morceaux les plus faibles des *Faux-Monnayeurs*. L'ange entre dans la vie de Bernard d'un pied léger, mais si léger qu'il n'a pas la plus petite apparence d'existence; il joue le rôle d'une fausse note, heureusement sans prolongement. Et cependant dès le début, dès l'époque de *Narcisse*, le poète ressent la nostalgie de la vision; il doit saisir l'intime Nombre harmonieux de son Être et lui redonner une Forme Éternelle (R., 10). Urien (R., 21) rêve d'une cité prodigieuse «couleur d'aurore et musulmane», avec des minarets fantasques, des palmiers mauves; dans son rêve, les cathédrales se mêlent aux mosquées, et les mosquées aux clochers d'église avec leurs angélus. Il est vrai que les premières invitations à la vision que reçoit le jeune élève à l'École Alsacienne viennent en droite ligne du bazar. Sa gouvernante Marie le menait assez régulièrement au Musée du

Luxembourg et il y admirait par-dessus tout un paysage oriental, qui lui paraissait le plus beau du monde: un couchant couleur d'orange, des éléphants et des
chameaux s'apprêtant à boire, une mosquée pointant ses minarets vers le ciel.
(*Si le grain ne meurt*, J. II, 464.)

Et en fait, en bien des passages, Gide veut se mettre en état de grâce pour
obtenir une vision; il semble rechercher cet ébranlement intérieur qui lui per-
mettra d'aller au-delà de ce que lui révèlent normalement ses sens. Pensant à un
homme devenant aveugle, il se dit que «les visions les plus extraordinaires, il
les aura lorsqu'il ne sera plus en état de les décrire» (J. I, 392), – évoquant ainsi
les visions de la cécité, celles d'un Gabriel d'Annunzio qui, les yeux bandés,
couché dans une chambre obscure pendant des semaines, subissant un traite-
ment consécutif à un accident optique, voit au milieu des ténèbres de merveil-
leuses images sous-marines en formation.

Ces tentatives de vision s'offrent à Gide à de rares occasions, et sous des formes assez diverses. Tantôt c'est l'isolement d'un trait: pendant une traversée
mouvementée, il a l'imprudence de regarder une clavette détachée qui oscille
au bout de sa chaînette de cuivre, à contretemps du tangage; immédiatement
cette clavette se transforme pour lui en une énorme sauterelle du midi, vert-
jaune, aux pattes très longues, et qui cirerait des souliers (J. I, 99). Evocation
digne d'Alice au pays des merveilles! Quelquefois la métamorphose prend une
étrangeté monstrueuse, telle celle de ce pin sans branches que l'on va abattre et
qui se dresse comme un cauchemar dans le ciel. (J. I, 179) Nous entrons dans le
monde de Jérôme Bosch lorsqu'à Roquebrune il est témoin de la syncope d'un
villégiateur assez âgé qu'assiste son épouse; celle-ci, à l'étonnement un peu indi-
gné du témoin, ne lâche pas, tandis qu'elle porte secours à son mari, une demi-
barquette aux fraises qu'elle était sans doute en train de manger. Mais quand
le témoin regarde de plus près cette barquette, il s'aperçoit qu'il s'agit en fait
d'un dentier qui a jailli de la bouche du mari au moment où il s'affaissait, dentier qu'elle essaie de dissimuler discrètement (J. I, 924).

En général la vision se présente pour Gide comme une transformation subite
et passagère du champ optique qu'il a habituellement sous les yeux; mais cette
transformation nous ramène à un phénomène essentiellement naturel. Pendant
la guerre, réfugié à Tunis, il observe les «larges étoiles des fusées éclairantes»
qui illuminent la Goulette, les gerbes de balles traçantes qui font rayonner un
splendide feu d'artifice. Le réfugié ne veut rien manquer et, s'étant couché tout
habillé, il se précipite à la fenêtre à chaque reprise (J. II, 154).

Dans sa jeunesse, se promenant avec son père près du parc du Luxembourg,
il se plaît à l'étrange illumination des marronniers par les globes de gaz (J. II,
356). Aux îles de Lérins, en compagnie de la fidèle Marie, il recherche les criques

profondes, divisées en de nombreux bassins; il admire la splendeur des coquillages, des algues; mais peut-être par-dessus tout le rocher lui-même qui se met à
palpiter, à prendre vie (J. II, 436). Vision qui traduit plutôt une ferveur dans la
contemplation des phénomènes de la nature.

A certains moments, il est sur le bord d'atteindre la vraie vision, celle qui
s'entoure de mystère, comme la vision d'un Proust. Son vieux maître La Pérouse apparaît à Edouard comme un personnage de Rembrandt dont le réverbère qui s'allume révèle une joue luisante de larmes (R., 1026). Et quelques
instants plus tard, tandis que La Pérouse continue sa méditation, la lueur du
réverbère devenue plus fantastique envahit la petite pièce et des pans d'ombre
la baignent dans un grand calme. Les ténèbres se répandent autour d'eux, mais
pour se figer «comme par un grand froid se fige une eau tranquille»; et immédiatement ces ténèbres se figent jusque dans le cœur de l'observateur. La vision
atteint ici sa plénitude lorsqu'elle submerge toute la vie intérieure de celui qui
la reçoit (R., 1027).

Mais la vision ne dure pas assez longtemps pour prendre de la profondeur;
et elle ne se produit que rarement. L'attitude de Gide est avant tout celle de la
défiance; s'il voit la statue du Commandeur qui remue la tête, il expliquera
cette étrangeté par un trouble physique qui aura envahi son cerveau. Ainsi, une
petite tache, comme un trou, apparaît sur la tempe de La Pérouse; et le témoin
s'en inquiète. En fait ce n'est que l'ombre portée de la balustrade, provoquée
par la lumière du réverbère. Gide se défie de la vision impressionniste comme
d'une impression rapide et superficielle. Il se défie de tout ce qui s'impose à lui
dans un moment de prise soudaine; ce qui le rend assez inapte à saisir tout ce
que peut contenir un instantané. Nous en avons eu conscience dans le moment
où il juge avec la même rapidité, aussi bien l'aspect borné des jeunes séminaristes
qu'il croise que l'aspect extasié des religieuses en prière pendant une messe dite
sur un bateau. Si le regard de Stendhal peut quelquefois se dérégler, l'œil de
Gide n'est jamais surpris; il n'est donc jamais déréglé, il sait d'avance ce qu'il
va voir.

Son regard se montre incapable de ces erreurs dont un Proust est l'heureuse
victime, Proust qui, se promenant dans un verger au printemps, voit des anges
là où s'épanouissent des poiriers en fleurs; il recommence l'erreur de Madeleine
qui ne reconnaît pas le Ressuscité, le prenant pour un jardinier. Le regard de
Gide s'apparente au regard du botaniste qui identifie une rose sur une planche;
il compare l'image imprimée à l'image réelle; il ne découvre pas entre ces deux
images la marge qui fait la vision. Le botaniste déteste l'inconnu; il n'a qu'un
désir: celui de le rendre connu. Il y arrive avec une certaine sûreté par l'usage
de ses instruments. Il ne se risque pas à commettre la féconde erreur de Rim-
baud: «Le poète se fait voyant par un long, immense et déraisonné dérèglement

de tous les sens» (Lettre à Paul Demeny). Cette féconde erreur nous appartient vraiment; elle est un signe de notre propre personne. Aussi ne peut-on s'en détacher; elle nous commande, quelquefois pour toute notre vie. Elle ne peut être reléguée comme un souvenir. Elle s'empare de notre être; elle le suspend, ne lui permettant pour ainsi dire pas de se manifester, fût-ce par des larmes. On ne pleure pas devant une vision.

Enfin, nous l'avons dit, le regard de Gide est toujours partiel; et une vision ne peut être que totale. Une vision ne se décompose pas, ne se partage pas. Comment partager, par exemple, le tumulte du *Festin de Balthazar* par Rembrandt? Le regard du souverain stupéfait et effrayé se trouve lié, sans qu'il puisse s'en détourner le plus bref instant, de la main mystérieuse qui inscrit sur le mur les mots de menace. Tandis que les coupes renversées à droite et à gauche en une parfaite harmonie laissent couler les liqueurs précieuses, la peur se lit alternativement sur des visages qui nous font face ou sur des têtes dont ne nous est montrée que la chevelure. Il est impossible d'isoler un fragment de cette vision sans l'éteindre. Aussi n'est-il pas surprenant que Gide soit relativement peu touché par Rembrandt (J. I, 40). Pour un esprit pur, la clarté (qui n'est peut-être pas contradictoire avec une hésitation devant le choix) vient peut-être trop vite, avant que les yeux n'aient pris le temps de tout voir. Un regard très prolongé ne permettrait sans doute plus le balancement.

DISCUSSION

Henri Rambaud. – Je reviendrai sur ce que vous avez dit concernant le fait que Gide savait à l'avance ce qu'il allait voir. Il avait une telle défiance des idées préconçues qu'il devait également chercher à regarder sans savoir d'avance ce qu'il verrait.

Jean Mouton. – J'ai dit que Gide voyait souvent ce qu'il savait déjà, ainsi que font beaucoup d'écrivains classiques. Dans quelle mesure les classiques regardaient-ils ?

Henri Rambaud. – En tous cas, vous avez rappelé que La Bruyère regardait.

Jean Mouton. – Aussi La Bruyère est-il en avance sur son temps par ce besoin de s'attacher au concret.

Albert Memmi. – J'aime beaucoup Gide, mais je ne l'ai pas étudié systématiquement, et je parlerai avec les précautions d'usage. Il me semble qu'il y a chez lui deux attitudes conflictuelles envers le regard, et qu'il évolue de l'une à l'autre, avec des retours fréquents. Je m'explique :

D'abord, Gide est un *lyrique* et un *moraliste*. Un lyrique, c'est-à-dire qu'il se contente de donner de l'élan à des notations quelquefois assez schématiques. Un moraliste, c'est-à-dire davantage préoccupé de problèmes d'ordre humain. Le monde des objets, de la nature, ne l'intéressait pas outre mesure. Soit dit en passant, le symbolisme lui convenait parfaitement alors.

Plus tard, lorsqu'il décide de se libérer de la morale sévère, qui fut la sienne (voir l'*Immoraliste*), il s'efforcera de vivre avec son corps, de se nourrir du monde extérieur (*les Nourritures terrestres*) : la libération de la morale se traduit par la permission de regarder, très exactement, de se faire voyeur.

Mais ce n'est pas si facile, quand on est scrupuleux comme Gide. Apparaît alors un autre thème, transparent à mon sens : celui de la cécité, qui est lancinant dans son œuvre (*la Symphonie pastorale*, *Thésée*). Regarder est un péché. D'où la hantise de devenir aveugle, ou la tentation de se punir en se crevant les yeux.

Nous retrouvons d'ailleurs là un malaise profond de la plupart des artistes, et même de la pensée mythique. On sait que le Dieu des Juifs, par exemple, ne pouvait être regardé sans catastrophes. La vision de la lune, du soleil, rendait aveugle. Se voir soi-même, enfin...

Jean Mouton. – Gide craint en quelque sorte de trop regarder. Il est moins préoccupé que La Bruyère de s'attacher à des formes concrètes. Ce dernier veut donner du lest à des personnages qui, la plupart du temps, risquent de paraître très légers; aussi La Bruyère a-t-il besoin de les habiller avec un vêtement bien défini, de leur mettre une bague au doigt et d'attacher à leur ceinture une épée.

Albert Memmi. – Il y a donc chez Gide une constante dialectique du regard. Il va d'une indifférence au monde concret à un intérêt passionné. Mais il se reprochera cet intérêt comme un péché grave. D'ailleurs il a toujours fait un effort, pour décrire, comme s'il avait toujours fallu surmonter une interdiction. En vérité, les relations concrètes de Gide ne furent jamais très convaincantes. Albert Camus, autre lyrique et autre moraliste, s'est montré bien plus riche en descriptions que Gide, et devant la même nature: l'Afrique du Nord.

Jean Mouton. – On peut relier cette attitude de défiance du monde extérieur à une influence d'éducation janséniste. Comme dans les milieux sévères, Gide a peut-être été amené à «baisser les yeux».

Albert Memmi. – Cette névrose de Gide, ou ce conflit profond, en tous cas, rejoint très certainement son classicisme et son symbolisme. Mais ce n'est pas un hasard non plus. Ce serait trop long à développer: il existe certainement une corrélation entre le classicisme et l'absence de la nature concrète dans les œuvres classiques.

Jean Mouton. – Il y a peu de classiques qui regardent. Ils ne se sont en général pas intéressés aux arts. Fénelon, dans les *Dialogues des morts*, nous décrit les *Funérailles de Phocion* de Poussin; description toute abstraite, comme s'il s'agissait d'une carte de géographie. Il faut attendre Diderot pour voir un écrivain s'intéresser à la peinture.

Dominique Ponneau. – Il en est ainsi dans le domaine des traités sur l'art de l'époque classique. Ces traités expriment en général des idées. Beaucoup de peintres, même dont la vocation serait en fait de regarder, soulignent toujours, avant tout, l'importance de l'«idée». C'est le cas de Greuze dont on sait quel est l'attrait de Diderot pour lui; et cet attrait tient essentiellement à l'élément moral de la peinture.

Jean Mouton. – Notre collègue Seznec, qui a fait de grands travaux sur Diderot, nous a montré que Diderot était quelquefois capable de voir, par exemple, une tempête ou les jeux du soleil dans les tableaux d'Horace Vernet.

Yves Clogenson. – Un exemple de cette faiblesse de la capacité de «voir» chez les classiques me semble être la description de la fresque de Mignard au Val de Grâce par Molière.

Dominique Ponneau. – Il y a des classiques qui voient, Corneille par exemple (je pense à *Psyché*); mais il y a aussi La Fontaine, Saint Simon et bien d'autres. Certaines des pièces de Corneille sont construites sur les jeux du regard.

Jean Mouton. – Starobinski a en effet étudié de ce point de vue Corneille dans l'*Œil vivant*, alors que les autres études de son livre concernent plutôt l'être regardé comme Rousseau, par exemple, plutôt que l'être regardant.

Gabriel Germain. – Je tiens à souligner l'importance du thème de la crevaison des yeux de l'aigle; thème qui n'a en fait rien à voir avec le problème de la cécité. Il s'agit d'un symbole qui revêt diverses valeurs, en particulier, a-t-on dit, une valeur sexuelle, que j'aurai l'occasion d'analyser demain, à l'occasion de mon exposé sur «Gide et les mythes grecs».

Henri Rambaud. – Ne faudrait-il pas tenir compte des progrès de la technique de Gide? Comparez l'*Immoraliste* et *les Faux-Monnayeurs*. Il voit beaucoup mieux les êtres à mesure que son métier devient plus savant; et déjà la *Porte étroite* marque à cet égard un progrès sur l'*Immoraliste*.

Gaston baechtold. – Les romanciers du XVIIe siècle – un Scarron par exemple, – ne voyaient-ils pas?

Jean Mouton. – On pourrait aussi citer Sorel et son *Francion*, ainsi que les écrivains réalistes de la première partie du XVIIe siècle. Mais ils voient avec la volonté de faire réaliste, en accentuant des traits qui vont jusqu'à la caricature, dans le sens où Jacques Callot grave des silhouettes de saltimbanques.

Gabriel Germain. – Ces écrivains qui se préoccupent du burlesque voient-ils réellement, ou bien obéissent-ils à des procédés qui provoquent une vision grotesque, allant plutôt dans le sens de la déformation des données des sens généralement acquises?

Dominique Ponneau. – Pascal sait le faire voir admirablement. Ainsi le déguisement des magistrats, des souverains, qui impressionnent les foules par leur personnalité extérieure.

Michel Lioure. – Ne pourrait-on rattacher la nature du regard chez Gide à son hédonisme? Gide se défie de la vue dans la mesure où d'autres sens (en particulier l'ouïe et le toucher) lui apportent des jouissances plus fortes et plus sûres.

Jean Mouton. – La vue est un sens indiscret, violent, qui risque de blesser plus qu'un autre sens une sensibilité affinée.

Michel Lioure. – Comme il a été dit tout à l'heure par M. Germain, Gide donne sa chance à la matière, mais en se servant de préférence d'autres sens que la vue. Sa sensibilité se répartit à travers tous ses sens. C'est l'ouïe qui domine; Il entendait ses personnages beaucoup plus qu'il ne les voyait. S'il parle de la couleur de leur cravate ou de la forme de leur nez, c'est pour suivre la tradition descriptive du roman.

Patrick Pollard. – Ne pourrais-je faire une objection? Dans bien des cas, pour bien voir ne vaut-il pas mieux se passer des yeux? On a rappelé les textes de la Bible sur l'avantage qu'il y a quelque fois à ne pas voir. Le personnage de la Gertrude passionne Gide dans la mesure où elle lui offre un idéal de reconstruction de l'univers.

Jean Mouton. – On peut, à cette occasion, retrouver chez Gide le goût perpétuel pour l'éducation des êtres. Gertrude lui apparaît comme l'élève idéale sur laquelle il peut s'exercer.

Patrick Pollard. – Mais, je crois, pour ce qui concerne plus particulièrement Gertrude, la cécité tiendrait plus particulièrement du symbole. La crevaison des yeux est de toute évidence un symbole qui permet de quitter la connaissance de ce monde, chez Œdipe, pour se retrouver dans un monde qui ne nous est pas ordinairement d'accès facile. Chez Gertrude, c'est plutôt l'inverse: l'être qui vient finalement à la connaissance du monde ordinaire, banal et plein de compromission trouve que son monde d'aveugle était plus pur, plus simple.

Albert Memmi. – Symbole, oui, certainement; mais symbole de quoi? La connaissance pure, intérieure, oui certes; mais cela signifie, du même coup, que la vie était impure, grossière, et moralement condamnable.

Patrick Pollard. – Ce serait donc en quelque sorte le symbole de la vision intérieure pure et profonde où rien ne distrait notre regard de l'essentiel.

Reinhard Kuhn. – C'est Gide qui nous a donné la réponse dans *Thésée* et surtout dans la rencontre entre Œdipe et Thésée.

Michel Lioure. – Si la lucidité de Thésée est l'idéal dont se prévaut Gide, il faut remarquer aussi que la cécité volontaire d'Œdipe lui apparaît comme la marque d'une «noblesse aussi grande», dans la mesure où elle est ouverture de la lumière intérieure et surnaturelle.

Reinhard Kuhn. – C'est pourtant Thésée qui l'emporte...

MARGARET PILCHER. – Dans certains des textes que vous citez, spécialement dans les premières œuvres, Gide essaie d'autant plus de décrire qu'il est moins sûr de lui, qu'au fond même il voit moins bien. Il y a souvent dans ses textes un parti-pris descriptif qui n'est pas réellement en accord avec une vérité vue.

HENRI RAMBAUD. – Il faut se souvenir qu'André Gide a commencé ses premières œuvres au moment de l'époque symboliste, ce qui l'entraînait à la recherche de nombreuses correspondances. Très souvent, il décrit non pas tellement ce que ses yeux ont vu, mais des impressions visuelles qui lui ont été suggerées par le canal des autres sens, en particulier l'ouïe.

PATRICK POLLARD. – Mais encore, l'émotion que ressentait Gide dans les vergers me paraît dicter ses descriptions. C'est à dire que les beaux paysages qu'il nous présente ainsi reflètent ce plaisir sensuel qu'il y a trouvé. La joie des sens qu'il éprouvait en Afrique s'y trouve transposée: elle apparaît à travers la richesse de sa prose. Ici, il s'agirait donc plutôt d'un apport de la *sensibilité* de Gide que d'une description minutieuse pour évoquer l'Afrique du Nord telle qu'on en voit chez Flaubert.

MARCELLE CHARPENTIER. – André Gide a-t-il parlé de Saint-Simon? En fait personne n'a moins exprimé que Saint-Simon la jouissance du regard.

HENRI RAMBAUD. – En effet, Saint-Simon voit avec une exactitude rarement atteinte par d'autres.

JEAN MOUTON. – On sait qu'André Gide a lu Saint-Simon. Il en parle dans son Journal à l'occasion d'une longue lecture qu'il en a faite en chemin de fer. Il admirait Saint-Simon, comme Proust aussi l'admirait. Il est certain que Saint-Simon voit admirablement; mais Saint-Simon n'est pas un classique.

HENRI GOUHIER. – Je voudrais demander si le regard de Gide sur la Normandie est le regard d'un homme qui a saisi la nature même de ce pays.

JEAN MOUTON. – Je crois qu'il en a très bien saisi le caractère «gras». Il y a un mot que Gide aime beaucoup, c'est celui de «oindre». Il a admirablement senti la mesure dans laquelle la Normandie est une terre «ointe».

ANDRÉ GIDE ET LES MYTHES GRECS

Sans chercher une définition du mythe, sujette à débat, il suffit ici de prendre le terme au sens le plus ancien de μῦϑος: le «dire», et d'entendre par «mythes grecs» l'ensemble des traditions qui concernent les dieux et les héros de la Grèce. C'est ce que nos ancêtres des siècles classiques appelaient «la fable», et il est symptomatique qu'André Gide commence par ces mots: «la fable grecque» les *Considérations sur la mythologie grecque*[1] qui constituent la seule expression systématique de ses idées sur le sujet. Il semble renouer par là même avec la «mythologie» un peu courte d'âges pour lesquels, perdues les origines sacrées des traditions antiques, on n'y pouvait trouver qu'une collection de belles histoires ou de pensées ingénieuses.

A vrai dire le jeune André Gide avait esquissé, en tête de son *Traité du Narcisse* (1891) un état tout différent de sa pensée: «Les livres ne sont peut-être pas une chose bien nécessaire; quelques mythes d'abord suffisaient; une religion y tenait tout entière. Le peuple s'étonnait à l'apparence des fables et sans comprendre il adorait; les prêtres attentifs, penchés sur la profondeur des images, pénétraient lentement l'intime sens du hiéroglyphe.» Sous les oripeaux «symbolards» des hiérophantes ou l'allusion voltairienne au bon peuple imbécile se cachait une pensée juste: l'humanité n'a pas attendu l'écriture pour penser, la culture précède le livre, le mythe était un élément essentiel de la culture arabe.

Un peu plus tard,[2] c'est une conception romantique du héros grec qui séduit Gide un instant. Il note, dans un «projet de méditation», comme un sujet à développer, cette simple indication: «La grande inquiétude maladive des héros antiques: Prométhée, Oreste, Ajax, Phèdre, Pentée,[3] l'Œdipe.» C'est une liste entièrement issue des Tragiques grecs et qui va rester à peu près pareille à elle-même dans ses préoccupations. De ses Grecs favoris seul Thésée n'y figure pas, qui ne saurait être dit «maladif». En sortiront par la suite Oreste et Ajax, les seuls qui, aux yeux des Grecs, passent pour malades, non point d'un égarement naturel, mais par un châtiment divin.

Les *Considérations*, auxquelles il faut maintenant s'attacher, ne satisferont pas toujours leur auteur. Dix ans après les avoir publiées, quand il en donne lecture à Julien Green, tout de suite, par un mouvement bien caractéristique de sa pensée, il se repend de l'avoir fait: «les notes m'ont paru beaucoup trop 'écrites' et manquer de spontanéité.» On aimerait qu'il ait eu aussi quelque sentiment de leur fragilité.

Il le faut constater, quelque regret que l'on en puisse concevoir: c'est un texte faiblement pensé. Son idée centrale: «la fable grecque est essentiellement raisonnable», Gide n'a pu la soutenir que par des artifices destinés à ramener à ce «raisonnable», sinon au rationnel pur, certains éléments de la tradition grecque qui se prêtent fort mal à cette opération.

Le premier, c'était le culte dionysiaque, tel que Gide le voyait à travers les *Bacchantes* d'Euripide (et assurément, mais il n'y paraît point ici, à travers Nietzsche). Réapparaît donc maintenant le roi Penthée, déchiré par les Ménades parce qu'il n'a pas su reconnaître Dionysos sous des traits humains. «C'est par défaut d'intelligence que Penthée se refuse à admettre Bacchus». Oui, rétorquera facilement le contradicteur, mais le genre d'intelligence qu'il faut posséder pour reconnaître un dieu sous une forme humaine et un culte admissible sous des cérémonies orgiastiques, relève-t-il la raison? Tel n'était pas, à coup sûr, le sentiment d'Euripide, qui montre dans Penthée un homme trop attaché au sens commun. Quand, pour ébranler l'incrédule, Dionysos lui dit que tous les Barbares célèbrent son culte, le roi répond sans hésiter: «C'est que leur raison ne vaut pas celle des Grecs, loin de là!»[4] C'est bien son attachement obstiné au sens commun, même en face des miracles, que punira un dieu qui ne se dit sage qu'en bafouant la sagesse humaine.[5]

Cette confusion de deux notions, «intelligence» et «raison», qui ne se recouvrent pas en entier, était bien commode pour escamoter Dionysos et son culte. Il semblera en résulter que la religion dionysiaque n'offense pas la raison, au contraire de la théologie de saint Paul! Mais le tour n'échappera qu'à des yeux peu attentifs, qui auront mal scruté le paragraphe où Gide ne cesse de passer de «raison» à «intelligence» et *vice versa*.[6] Peut-être cette confusion tient-elle au désir de ne pas trop souvent répéter le mot «raison»; il se trouve néanmoins qu'elle sert admirablement une argumentation sophistique.

Les cultes à mystères du type éleusinien, qui constituent un deuxième obstacle, et de taille, voient leur compte réglé en une phrase: «La mystique païenne, à proprement parler, n'a pas de mystères, et ceux-là mêmes d'Éleusis n'étaient rien que l'enseignement chuchoté de quelques grandes lois naturelles.» Le début reste énigmatique: par rapport à quels mystères «à proprement parler» la Grèce semble-t-elle en défaut? Si ce sont les «mystères de la foi» au sens chrétien, c'est trop évident. Mais, pour être d'un autre type, les vérités cachées que révèlent à leurs initiés les cultes à mystères n'en seront pas forcément plus «raisonnables». Dans le cas d'Éleusis, le voile du secret demeure toujours épais; nous avons pourtant des raisons de penser qu'il se levait sur des images vivantes, de caractère allusif, plutôt que sur un enseignement direct. C'est leur contemplation qui ouvrait à l'initié la voie du Bonheur: «Heureux celui qui garde en lui ces visions», dit l'*Hymne homérique a Démeter*.[7] Quoi qu'il en soit, les aventures des Deux Déesses, si elles établissent un parallèle entre la renaissance de la végétation et celle de l'initié après la mort, n'introduisent pas la réflexion de celui-ci dans l'ordre des lois naturelles. La pensée grecque, surtout à date ancienne, n'oppose pas de façon nette un «naturel» purement physique à un «surnaturel» purement spirituel.[8] De plus, dans le cas présent, c'est par analogie qu'elle conclut du cycle végétal à la survie de l'âme, non par une opération de logique rationnelle, et quand elle attache à cette survie la notion de bonheur, elle opère un saut bien au delà de l'analogie. L'obstacle à la thèse de Gide reste insurmontable; il croit beaucoup trop aisément s'en être défait.

En fait l'idée de lois naturelles lui sert surtout de transition vers une autre discussion. Laissant là les mystères pour n'en plus parler, il en vient immédiatement aux héros des grandes «fables» grecques: même si elles contiennent «l'expression imagée des lois physiques»[9], les personnages qui incarnent les forces de la nature ne sont pas mus par la Fatalité ou, comme il va dire, passant au latin, par le *Fatum*. «Avec ce mot affreux l'on fait au hasard la part trop belle; il évit partout où l'on renonce à expliquer.» Pensée très juste, mais qui tombe à côté: la Fatalité, ou plutôt la Destinée (la Μοῖρα, l'Εἱμαρμένη) ne représente pas pour les Grecs ce qu'est pour nous le hasard, réalisation impersonnelle d'une combinaison parmi des millions d'autres possibles. La Destinée est une puissance, au reste indéterminée dans sa nature et jamais représentée sous forme humaine; mais elle s'impose aux dieux eux-mêmes et elle ne saurait être moins supérieure qu'eux à notre condition. Sa volonté demeure une source d'«explication», toute voilée de ténèbres qu'elle soit.

Gide avance ensuite avec raison que l'on atteint à une compréhension plus riche lorsque l'on considère que «c'est en eux qu'était cette fatalité; ils la portaient en eux; c'était une fatalité psychologique». Les Grecs n'ont pas ignoré non plus que le caractère de chaque homme fait son destin. Seulement, aussi longtemps qu'ils ont conservé le sens de l'élément secret que renferme toute vie humaine, ils n'ont pas cru que l'explication psychologique éliminât l'explication théologique. Du moins (car il n'est pas sûr qu'ils soient arrivés à formuler aussi nettement la difficulté) ils ont conservé côte à côte dans leurs œuvres les deux séries de motivations. La Destinée agit à l'intérieur du caractère, comme plus tard la Prédestination à l'intérieur de l'âme. Le drame n'en est alors que plus complexe, car la Puissance surnaturelle se glisse à travers les puissances de l'esprit, joue avec elles, se joue d'elles à l'occasion, mais sans les anéantir – et c'est bien pourquoi les personnages conservent le sens de leur culpabilité.

Que si, malgré tout, poursuit Gide, certains éléments d'une tradition grecque nous restent obscurs, n'allons pas en conclure qu'ils soient irréductibles à la raison. Pourquoi faut-il que Minos ait trouvé dans sa propre famille «des exemples de tous les crimes … Je ne sais pas; mais ce que je sais c'est qu'il y a là une raison. Il y a toujours une raison dans la fable grecque.» Sans doute! et dans toute «fable». Mais le principe qui permet de comprendre un mythe, sa raison explicative, ne relève pas forcément de la raison raisonnante; en réalité la logique des mythes est tout à fait particulière. Gide joue sur le sens du mot «raison», pour donner à croire que son principe directeur vaut jusqu'au bout; mais c'est encore une sorte de sophisme qu'il commet.

Devant les faiblesses de ces *Considérations*, on ne peut éviter de se demander quelles étaient l'extension et la profondeur de la culture grecque de Gide. Pour donner une réponse absolument satisfaisante, il faudrait disposer de ses carnets (lectures et journal) encore inédits (mais utilisés par Jean Delay dans *la Jeunesse d'André Gide*) et procéder à une revue complète de son oeuvre. Il n'était pas possible de greffer une telle enquête sur le présent exposé, mais je ne puis non plus avancer dans mon sujet sans présenter en raccourci les résultats auxquels de nombreux sondages m'ont conduit.

Si l'on se réfère aux déclarations de Gide lui-même, on peut en opposer deux qui ont presque l'air d'être contradictoires: «La culture grecque est entrée comme composante de ma nature»; «Je me console mal de ne pas savoir le grec». Il ne faut pas prendre au pied de la lettre le second aveu (et de toute façon, heureusement, on peut se donner une bonne dose de culture hellénique sans posséder le grec), mais il restreint la portée du premier, car l'entière familiarité avec une civilisation suppose quelque pratique de sa langue.

Gide n'aurait point passé le baccalaureat (où se sont arrêtées ses études scolaires) sans avoir fait du grec; il n'aurait pu davantage en citer comme il l'a fait dans *les Cahiers d'André Walter*. Mais tandis qu'il lui est arrivé d'évoquer ses classes de latin, il n'a jamais eu un mot pour celles de grec. Jamais une expression de cette langue ne vient spontanément sous sa plume, et c'est au contraire le latin qui lui fournit assez souvent le nom des divinités helléniques. Les citations grecques sont extrêmement rares après les *Cahiers*, où elles participent du caractère apprêté de l'ouvrage. «J'ai repris ma grammaire grecque et mon algèbre»

(p. 103): c'est un effort de volonté dont il n'est pas difficile de saisir l'origine. Le jeune André désire éblouir sa cousine avec laquelle il lit l'*Iliade, Prométhée, Agamemnon, Hippolyte;* «et quand, après en avoir eu le sens, tu voulais entendre l'harmonie des vers, je lisais...». Suit alors un pot-pourri de citations empruntés à la première et à la dernière de ces œuvres.[11] Pour tous les autres recours au grec, il s'agit dans ce livre de textes du *Nouveau Testament.*

On comprend maintenant ce que Gide veut dire dans sa vieillesse quand il regrette de «ne pas savoir le grec». Peu à peu, faute d'exercice, il a perdu toute facilité à le lire, ce qui l'a conduit à le délaisser. Le latin au contraire ne lui a jamais échappé et il s'est remis, à un âge avancé, à relire Virgile dans le texte.

Il serait naïf de limiter ses lectures d'auteurs grecs en traduction à celles qu'il relève dans son *Journal.* Du moins celui-ci permet-il de juger que leur proportion est très faible par rapport aux littératures étrangères modernes et même au latin. Dans les années d'adolescence, antérieures à ce document, il a connu une période de ferveur hellénique. Non qu'il ait usé beaucoup à ce moment de la bibliothèque grecque de son père, bien fournie.[12] C'est dans les traductions de Leconte de Lisle, alors dans leur nouveauté et qui le séduisaient par leur style,[13] qu'il a abordé Homère et Éschyle, entre quinze et seize ans. Les *Cahiers d'André Walter* (p. 28) sont fidèles à la réalité quand ils doublent l'enthousiasme du jeune homme par celui de sa cousine: «son admiration surexaltait la mienne.» C'est elle qui écrit, quelques années plus tard, avec une inflexion de tendresse qu'il n'aura jamais: «mes beaux Grecs».[14]

Dans sa maturité, l'intérêt de Gide reste attaché surtout aux Tragiques, plus rarement à Homère et à Platon (dont il paraît pratiquer de préférence les dialogues les plus «littéraires», *Phèdre, le Banquet).* Aucune mention qui atteste une lecture des grands Lyriques du VIe siècle, des Bucoliques, d'Aristophane (dont le comique doit lui paraître trop énorme), des historiens (sauf une fois Hérodote), des orateurs, dont les plaidoyers sont si précieux pour connaître la vie de tous les jours à Athènes, des philosophes pré-socratiques, jugés aujourd'hui si importants, ni de ceux qui sont postérieurs à Platon (sinon, pour l'écarter, de Plotin).[15] Il se trouve à peu près, par rapport aux Grecs, dans la situation d'un étranger qui, dans notre littérature, serait surtout familier avec Corneille et Racine.

Lui qui a visité la Grèce et beaucoup de musées d'Europe, il se réfère peu à l'art grec: pas un mot qui soit inspiré de l'architecture (au contraire de son ami Valéry) ou de la sculpture archaïque; peu d'allusions à la statuaire classique, mais davantage aux œuvres alexandrines. Jamais, semble-t-il, les peintures des vases grecs n'ont requis son attention.

Que l'on sonde ses notions sur la religion hellénique, en dehors des *Considérations,* on tombe sur des banalités forcément trop lâches pour ne pas être plus ou moins fausses. «Le paganisme fut tout à la fois le triomphe de l'individualisme et la croyance que l'homme ne peut se faire autre qu'il est»[16]; mais les cultes des cités ont exigé le sacrifice de l'individu à la collectivité! mais plus tard, quand la religion s'est intériorisée davantage, une longue lignée de penseurs a aimé proclamer que l'homme peut sculpter sa statue et, quand il atteint à la sagesse, s'égaler aux dieux! Il y a une plus grande part de vérité dans la réflexion suivante: «Les Grecs (...) reconnaissaient autant de dieux que d'instincts, et le problème pour eux était de maintenir l'Olympe intérieur en équilibre, non d'asservir ou de réduire aucun des dieux».[17] Encore faut-il préciser que bien des dieux grecs ne peuvent s'identifier avec un instinct précis, que la personnalité de chacun est d'ordinaire beaucoup trop complexe pour se ramener aux formules simplettes de nos «mythologies» classiques, et qu'ici Gide prête aux Grecs une façon toute moderne de transposer leur religion.

Complétons cette revue en rappelant tout ce que l'hellénisme de Gide a dû à celui de Goethe.[18] Or, par la force des choses, la Grèce qu'avait connu Goethe était une Grèce amputée de ses œuvres artistiques les plus pures; de plus il l'avait retaillée aux mesures de son génie. Cette Grèce du deuxième degré ne pouvait que confirmer Gide dans une interprétation de l'esprit hellénique dont il ne se cachait pas la valeur polémique: «La grande influence que peut-être j'ai vraiment *subie*, c'est celle de Goethe, et même je ne sais si mon admiration pour la littérature grecque et l'hellénisme n'eût pas suffi à balancer ma première formation chrétienne».[19]

Voilà un aveu bien net. Il explique du même coup pourquoi il importait à Gide, soucieux de se défaire de son christianisme, d'ignorer tout l'irrationnel de l'esprit grec: «l'enthousiasme», l'espérance éleusienne, l'ensemble mal défini que nous appelons l'orphisme, la foi dans les oracles, les dévotions personnelles, plus tard l'assimilation du *cosmos* à un Vivant qui l'anime de son souffle; et aussi, en se rapprochant de plus en plus des superstitions: l'astrologie, la croyance aux vertus des nombres, l'interprétation des songes, la théurgie qui veut plier les dieux à la volonté des magiciens, la sorcellerie populaire. Voir dans les Grecs le peuple du juste milieu, c'est négliger la démesure habituelle de ses héros, même les plus historiques, de ses innombrables aventuriers, l'instabilité de ses foules, même athéniennes, les violences épouvantables de ses révolutions et de ses guerres. Gide est aidé dans cette méconnaissance par l'aversion, plusieurs fois exprimée, qu'il éprouve pour les livres d'histoire. Mais, de toute façon, il était victime, avec bien d'autres, de la façon tendencieuse dont on présentait autour de lui la pensée grecque. «L'Homme est la mesure de toutes choses»; l'enseignement, la littérature se rangeaient en masse autour des sophistes et de Protagoras. On négligeait (on néglige encore souvent) de citer la réponse ironique de Platon: «C'est Dieu qui pourrait bien être pour nous par dessus tout la mesure de toutes choses, et bien plus qu'une vague espèce d'homme, comme l'on dit.»[20] Car il est non moins caractéristique de l'esprit grec de demander ce que l'on met dans la notion d'homme et de vouloir chercher si elle se suffit. Il aurait fallu à Gide, pour surmonter ces conditions défavorables, la volonté d'approfondir sa culture grecque pour elle-même, et non pas pour en tirer des arguments en faveur de sa révolte personnelle.

On voit pourquoi maintenant Gide aborde les mythes grecs dans l'état d'esprit des Français de l'âge classique, qui prennent les textes anciens sans trop rechercher quel sens leurs auteurs avaient voulu leur donner. Parlant de leurs personnages il pourrait transposer une phrase de Goethe qu'il a citée dans *Nouveaux prétextes* (p. 17): «Quand le poète veut représenter le monde qu'il a conçu, il fait à certains individus qu'il rencontre dans l'histoire, l'honneur de leur emprunter leurs noms pour les appliquer aux êtres de sa création.» Bien plus tard, après avoir composé son *Thésée*, il remarquera: «La fable grecque, à partir de Troie[21], perd sa signification symbolique, mais se charge de valeur psychologique et poétique pour le profit des dramaturges. Il n'y a plus lieu de chercher le sens secret de ces histoires, elles n'ont plus rien de mythique; leur pathos admirable doit suffire au poète ingénieux.»[22]

Ce n'est pas faux: à partir d'un temps plus récent qu'il n'imagine, du milieu du Ve siècle environ, beaucoup de Grecs, parmi les intellectuels, paraissent de moins en moins sensibles aux origines sacrées du mythe. Pourtant il continue à devoir la vie à ces sources profondes; c'est d'elles qu'il tire la faculté d'agir sur les esprits, non pas seulement en raison de ce que l'auteur fait dire à ces personnages, mais en vertu de ce qu'ils *sont*. Le moderne qui le met en œuvre sans souci du sacré, et à plus forte raison s'il le fait *contre* le sacré, risque de voir se retourner contre lui son sujet ou son personnage. D'une telle mésaventure Gide avait eu un exemple sous les yeux, qui l'avait frappé, avec l'*Antigone* de Cocteau. Il note au sortir de la représentation: «Intolérablement souffert de la sauce ultra-moderne à quoi est apprêtée cette pièce admirable, qui reste belle, plutôt malgré Cocteau qu'à cause de lui.»[23]

Bien plus, ayant songé à écrire un *Ajax*, d'après Sophocle, il avait découvert en 1907 qu'il ne pouvait traiter le sujet dans le sens qu'il souhaitait. La donnée fondamentale de la pièce[24] exigeait le surnaturel: «Examinant mieux le *sujet*, je crains de ne pouvoir expliquer, excuser même le geste d'Ajax sans intervention de Minerve ou de la folie; il faudrait les deux à la fois (…) Rien à faire.»[25] Le suicide d'Ajax, d'autre part, supposait en celui-ci une rupture intérieure que rien ne faisait prévoir chez un combattant aussi énergique, donc une incohérence foncière.[26] Ajax disparaît dès lors de la liste des héros grecs qu'aime à citer

Gide. Oubli qui lui permet de maintenir en 1919, en dépit de cette expérience, que les mythes grecs sont toujours raisonnables.

De tous les textes de Gide qui ont une attache réelle avec l'antiquité hellénique (elle n'a fourni pour *Candaule* qu'un point de départ et quelques noms de personnages; Narcisse, lui, appartient au domaine commun) seuls comptent vraiment ceux qui lui ont servi à se connaître et à s'affirmer, qu'il s'identifie au héros ou qu'il se serve de lui pour se débarrasser d'un élément de sa personnalité qui le gêne. On peut donc négliger des fragments: *Proserpine*, le *Traité des Dioscures* dont il parle entre 1912 et 1927 et dont il a détaché les *Considérations*, *Philoctète* qui sert à un débat de ton et de style «académiques», *Perséphone*, œuvre de commande d'où l'inspiration profonde paraît absente.

On peut au contraire s'arrêter un instant au personnage de Penthée, bien que Gide n'ait rien tiré de lui directement. C'est qu'en effet dans sa jeunesse, le temps d'une lecture, il s'est identifié à ce personnage: «Je rencontrai *les Bacchantes* au temps où je me débattais encore contre l'enserrement d'une morale puritaine. La résistance de Penthée, c'était la mienne à ce qu'un Dyonisos (sic) secret proposait. Sur la route que j'entrevoyais, je craignais de ne trouver que désordre et disharmonie.»[28] Voilà bien pourquoi, du jour où il a condamné sa propre opposition à la libération de la chair, Penthée lui a paru un homme qui manque d'intelligence!

Prométhée est de ceux qui ont reparu à plusieurs reprises dans les préoccupations de Gide. Ce n'est peut-être pas dans le *Prométhée mal enchaîné* qu'il trouve sa signification la plus profonde. Cette œuvre qui appartient encore à la jeunesse de l'auteur, puisqu'elle date de 1899, il n'a pas voulu qu'on la prît trop au sérieux. Il l'a conçue «à la façon d'un conte de Voltaire».[29] C'est un renversement plaisant du mythe classique: au lieu que le Titanide soit rongé par l'aigle, c'est lui qui mange son bourreau.[30] Mais non sans lui avoir crevé les yeux: cet acte symbolique, qui va reparaître dans divers textes de Gide, Jean Delay, avec raison, ce me semble, ne lui donne pas ici la valeur freudienne (qui y voit un sens homosexuel): l'aigle représenterait la conscience morale, et donc l'action de l'aveugler correspondrait à l'affranchissement pour lequel l'auteur opte de plus en plus résolument à ce tournant de sa vie.[31]

Mais cette «sotie» représentait en fait un pas en arrière dans les intentions de Gide. C'est dans une œuvre dramatique qu'il avait songé d'abord à reprendre le personnage, en 1892–1893, sous l'influence de Goethe. Il venait d'être profondément marqué par la lecture du *Prométhée* de celui-ci, poème d'un jeune homme en pleine révolte contre le christianisme. «Il me semble qu'aucun coup de ciseau, pour dégager ma figure intérieure, n'a enfoncé plus avant (même ceux de Nietzsche par la suite) que ne firent, lorsque je les lus pour la première fois à vingt ans, ces vers admirables du *Prométhée*.» Le *Journal*[32] procède ici par allusion; il est probable qu'il s'agit des expressions de sarcasme et de mépris que le Titan adresse à Zeus.

A ce Prométhée lourd de signification Gide revient en 1942, dans l'appendice à *Attendu que*[33] qu'il a intitulé «Dieu, fils de l'homme». Prométhée s'y retrouve, de façon imprévue pour nous[34], aux côtés du Christ tel que le conçoit Gide; ils s'opposent tous les deux à Zeus-Dieu, être personnel, souverain arbitraire du *cosmos*,[35] que l'on s'imagine pouvoir prier et fléchir, mais qui reste sourd. «Contre le Zeus des forces naturelles et contre la malignité des hommes», pour «réaliser le beau et le bien sur la terre» par «la lente maîtrisation de ces forces brutales», par la promotion d'un Dieu qui se crée à travers l'homme, Prométhée et le Christ représentent le «Dieu-vert». «L'erreur du Christ» (qui est d'avoir cru en un Jahvé-Zeus) ne lui est apparue que dans sa déréliction finale, quand il a poussé son dernier cri: «Mon Dieu, pourquoi m'avoir abandonné?»[36]

Il est très intéressant de le constater: dans ce texte qui représente, pour Gide, à cet âge avancé, un des points essentiels de sa pensée, où il pourrait se contenter de parler en son nom propre, alors qu'il jouit d'une autorité qui lui permettrait de le faire, il tient encore à renforcer sa voix en appelant à lui le héros eschylien. Sans doute pense-t-il ainsi faire entendre qu'il s'appuie sur le meilleur de la pensée antique, plus largement même: de la tradition humaniste.

En quoi il se trompe en partie: il s'en tient en effet à la seule pièce de la trilogie eschylienne qui nous soit parvenue, *le Prométhée enchaîné*. Mais il est hors de doute que les deux tragédies suivantes aboutissaient à la réconciliation de Zeus et du Titanide, et c'est d'ailleurs la tradition, en Grèce, de terminer le drame par un retour à la paix de l'âme. Prométhée renonce à sa rébellion et Zeus introduit désormais dans son gouvernement du monde plus de justice: c'est en quelque sorte une lointaine préface au providentialisme stoïcien. C'est contre toute inclusion d'une justice et d'une sagesse divines dans la marche du *cosmos* que Gide, s'adressant à des hommes du XXe siècle, devrait diriger directement sa critique, non contre un «dieu des forces naturelles» qui n'a pas de fidèles dans notre monde.

Pour Œdipe, si une seule œuvre lui est entièrement consacrée, l'*Œdipe* de 1931 (écrit en 1929–1930), c'est une des figures permanentes de la mythologie d'André Gide; aussi n'arrive-t-il à prendre toute sa valeur que dans le *Thésée* (écrit en 1944, publié en 1946), où il sert d'antithèse au héros sous les traits duquel Gide veut faire reconnaître sa personne et ses principes. Mais dès le moment où il prépare son œuvre dramatique, il la charge d'intentions qu'il note dans son *Journal* auquel on doit se reporter avec soin, car elles risquent de ne pas apparaître pleinement à la lecture de l'*Œdipe*.

Il écrit le 7 mai 1927: «Le palais de la foi… On y entre les yeux fermés; les yeux crevés. C'est bien ainsi qu'y entre Œdipe. *Œdipe, ou le triomphe de la morale.*»[37] C'est ce qui permet d'entendre, trois jours plus tard, cette notation tout à fait isolée et, sans ce rapprochement, difficile à interpréter: «Non pas *le Nouvel Œdipe* – mais bien: *la Conversion d'Œdipe.* Le titre me paraît excellent».[38] A quoi feront écho dans la pièce ces paroles de Tirésias: Dieu «n'inspire tout à fait bien que les aveugles».

On ne saurait donc concevoir de doute sur les intentions profondes de l'auteur. Œdipe devait incarner l'homme qui, sous le coup d'une grande épreuve, se «convertit» et, pour trouver abri dans la foi, doit faire abandon de sa raison. Le *Journal* atteste à de fréquentes reprises l'irritation de Gide contre certains de ses amis convertis ou revenus au christianisme: Ghéon, Du Bos, Copeau. En 1930, au moment où il travaille à son *Œdipe*, c'est en particulier à Copeau qu'il en a.[39] De façon générale, leur assurance intérieure, dans laquelle il voit surtout de la complaisance envers eux-mêmes, le repousse et suscite ses sarcasmes.[40]

L'Œdipe des deux premiers actes était le héros qui pouvait se glorifier d'avoir donné réponse à l'inquiétude humaine: «J'ai compris, moi seul ai compris que le seul mot de passe pour n'être pas dévoré par le Sphinx, c'est l'Homme(…) et que cet homme unique, pour un chacun de nous, c'est: Soi».[41] Fils de ses œuvres, il donnait en même temps l'exemple de l'énergie et de la maîtrise de soi. Il avait le droit de reprocher à ses fils d'avoir préféré «la licence», «laissant échapper la contrainte: le difficile et le meilleur».[42] Puis, il devait apparaître, à la fin, comme l'homme qui se sacrifie pour le bien de la cité. Se demandant, à propos du christianisme, si les faibles méritent d'être sauvés par le sacrifice des forts, Gide ajoutait: «Drame auquel je reviens sans cesse, je voudrais qu'il transparût aussi dans le troisième acte de mon *Œdipe*. Le sacrifice du meilleur. Mais c'est dans le don de soi, cet holocauste, que lui-même s'affirme le mieux et se prouve son excellence.»[43]

Cette abnégation, d'ailleurs gauchie, on le voit, dans le sens de l'orgueil, se retrouve en effet dans le troisième acte.[44] Mais la «conversion d'Œdipe»? L'action de se crever les yeux la représente, au sentiment de Gide. Mais seules quelques paroles peuvent le suggérer au spectateur. C'est d'abord, avant que le geste soit accompli: «Ah! je voudrais échapper au dieu qui m'enveloppe, à moi-même. Je ne sais quoi d'héroïque et de surhumain me tourmente. Je voudrais inventer je ne sais quelle nouvelle douleur. Inventer quelque geste fou, qui vous étonne tous, qui m'étonne moi-même, et les dieux».[45] C'est d'autre part, lorsqu'Œdipe aveuglé reparaît, l'apostrophe à Tirésias: «Est-ce là ce que tu voulais, Tirésias? Jaloux de ma lumière, souhaitais-tu m'entraîner dans la nuit? Comme toi, je contemple à présent l'obscurité divine».[46] Mais ces rares indications pouvaient échapper au spectateur de 1931 qui n'avait pas le *Journal* à sa disposition, d'autant mieux qu'elles étaient plus que contre-balancées par la constante rébellion d'Œdipe contre le dieu qui lui avait imposé son crime. La destinée, demande-t-il encore à Tirésias, aurait donc prévu sa «repentance» et la lui aurait imposée?[47] Il n'a pas soumis sa raison, puisque, les yeux crevés, il continue à argumenter.

En fait critiques et spectateurs ont été sensibles, dans ce dernier acte, au débat classique de la Destinée et de la Liberté, au problème de la culpabilité d'Œdipe qui dépend du sens dans lequel on tranche cette discussion. Gide s'en est aperçu: «Beaucoup feront de même et par ma faute», mais ce conflit «dans ma pièce même, me parait moins important, moins tragique, que la lutte (qui du reste en dépend étroitement) entre l'individualisme et la soumission à l'autorité religieuse».[48] Déjà, vers la fin de l'élaboration il en avait eu le pressentiment: «Je crains d'avoir perdu de vue le vrai sujet de ma pièce, dans tout le troisième acte».[49]

C'est que la légende d'Œdipe tient de trop près à une des inquiétudes ma-jeures de l'humanité: le sentiment de la culpabilité, pour qu'il soit possible d'en rétrécir le sens au conflit du libre penseur de haut vol et du «curé» le plus conventionnel et le plus médiocre qui soit (car tel est le niveau de Tirésias). Son aventure est également chargée d'un pathétique trop lourd pour qu'il s'ac-commode d'être interrompu de mauvaises plaisanteries, que Gide s'attache à défendre à ses propres yeux avec l'insistance de qui a besoin de se persuader.[50] Le moyen d'écrire, comme il l'aurait voulu, un Œdipe sans pathétique qui ne s'adresse qu'à «l'intelligence», qui fasse «réfléchir» et non pas «frémir ou pleurer»?[51] Au surplus, les pièces de Gide ont toujours quelque chose d'étriqué. Roger Martin du Gard avait-il tort de se plaindre «du peu d'ampleur et de développement» de la pièce? Gide, et c'est naturel, réagit contre cette critique, mais reconnaît dans une note (ajoutée, peut-être, lors de la publication du *Journal*?): «Je crois pourtant que j'aurais pu, dans le IIIe acte, me laisser aller davantage. Sans doute ma raison intervient-elle trop. Rien qui n'y soit voulu, motivé, nécessaire. Ce que j'appelais jadis 'la part de Dieu', réduite à rien, par inconfiance, incroyance en l'inspiration, qui me fait ne plus oser écrire que la tête froide.»[52] Le tempérament de l'auteur l'a desservi, mais son erreur a été de s'at-taquer à un personnage que l'on ne peut travestir: le mythe a été plus fort que lui.

Le personnage de Thésée n'est pas défendu, dans la mémoire humaine, par la présence de quelque oeuvre antique d'une grandeur incontestée. Même au temps où l'on lisait beaucoup Plutarque, sa *Vie de Thésée* n'imposait pas au lecteur la présence d'une personne vivante, avec la force que seules peuvent avoir les créations du théâtre ou du roman.

Il est vraisemblable que Gide se soit attaché dès l'adolescence à la personne de Thésée, à travers Plutarque; c'était le seul texte ancien qui pût lui donner l'ensemble de la légende. C'est à lui aussi, quand il écrit son *Thésée* définitif, qu'il emprunte tous les détails qui concernent la jeunesse du personnage. On peut même préciser qu'il les a relevés sur la traduction de Ricard (publiée de 1798 à 1802, mais longtemps réimprimée) ou sur quelque autre qui l'aurait reproduite jusque dans ses fautes (c'est un genre de malhonnêteté qui se rencontre, hélas!): un détail, qui repasse dans Gide, est caractéristique.[53]

La première expression littéraire de l'intérêt que Gide porte à Thésée se rencontre, en passant, dans le *Ménalque* de 1895, inclus ensuite dans *les Nourritures terrestres*. Ce n'est qu'une phrase, mais elle pose déjà un thème essentiel, celui du fil. «Le souvenir du passé n'avait de force sur moi que ce qu'il en fallait pour donner à ma vie l'unité; c'était comme le fil mystérieux qui reliait Thésée à son amour passé, mais ne l'empêchait pas de marcher à travers les plus nouveaux passages. Encore ce fil dût-il entre rompu…»[52] Ainsi, dans le stratagème du fil d'Ariane, ce qui compte, ce n'est pas le succès et le salut qu'il a donnés à Thésée, mais la gêne qu'il lui aurait causée s'il ne l'avait rompu en abandonnant la fille de Minos. De reprise en reprise, l'idée du lien qu'il faut briser s'exprime avec plus de netteté, et au détriment de l'héroïne: «C'est aussi Ariane qui fait, après qu'il a tué le Minotaure, Thésée revenir au point d'où il était parti (…) Dans le Thésée il faudra marquer cela – le fil à la patte, soit dit vulgairement.»[55] La femme est une entrave pour l'écrivain et l'artiste. On trouverait, du reste, à la fin du XIXe siècle et au début du XXe, bien d'autres manifestations littéraires de cette mysogynie, si commode pour l'égoïsme masculin;[56] l'originalité de Gide, c'est de la retourner contre la légende de Thésée. La tradition grecque reléguait le fil au magasin des accessoires après la sortie du Labyrinthe et il n'en était plus jamais question.

Dans les *Considérations*, plus de deux pages sont consacrées à l'exaltation de Thésée, «l'audacieux héros» dont la grandeur est dans «sa conscience et sa résolution», l'attrait dans sa «témérité presque insolente», et que sa «fatalité intérieure», qui se confond avec son caractère, «pousse aux exploits». Il se laisse aimer d'Ariane «aussi longtemps que cet amour peut le servir», mais, tirant sur le fil, «le voici qui s'avance avec horreur et ravissement dans le ténébreux repli de sa destinée».[57] Cette dernière phrase contraste singulièrement avec le ton léger que Gide affecte dans tout le passage. Peut-on en saisir la raison?

Le texte, paru en 1919, a été écrit, en fait, au début de 1918, comme l'atteste une note du 6 mars.[58] Or, deux jours auparavant, évoquant une promenade qu'il faisait à Cuverville, Gide se représente tout soulevé d'enthousiasme à la pensée du séjour qu'il ira faire en Angleterre, en compagnie de son jeune ami

Marc: «Je marchais à grands pas, tout ailé par l'espoir de ma prochaine délivrance, et imaginant M. à mon côté.» Sa «délivrance», c'est la rupture du «fil» qui le retient auprès de sa femme. L'éloge de Thésée prend du coup tout son sens secret: c'est une façon de s'affermir dans sa résolution. «L'horreur et le ravissement» du héros, ce sont les siens; le 4, il avait noté son ravissement; le 8, ce sera le tour de l'horreur: «Em. ne peut savoir combien mon coeur se déchire à la pensée de la quitter, et pour trouver loin d'elle du bonheur». Ce qui ne l'a pas empêché entre temps, le 6, fidèle à sa méthode d'oscillation entre l'Enfer et le Ciel, de lire à sa femme ses *Considérations*! Les mythes grecs sont «raisonnables», mais ils servent aussi à couvrir bien autre chose que la raison pure.

L'idée d'écrire *Thésée* n'abandonne pas Gide, à partir surtout du moment où l'élaboration d'*Œdipe* l'amène à relire les Tragiques. C'est alors, le 18 janvier 1931, dans le train qui l'amène à Cuverville, qu'il imagine «une rencontre décisive des deux héros, se mesurant l'un à l'autre et éclairant, l'un à la faveur de l'autre, leurs deux vies», sans se rappeler que cette rencontre, sinon cette confrontation directe, forme une des données essentielles d'*Œdipe à Colone*.[59] En septembre de la même année, c'est un *Dédale et Icare* qu'il songe à inclure dans l'oeuvre future, et les deux personnages s'y retrouveront en effet.[60] En revanche, un *Minos et Rhadamante*, qui aurait opposé les deux frères, n'aboutira pas.[61] En juin 1942, le dialogue avec Dédale est peut-être déjà écrit; du moins Gide en a une idée précise et découvre un texte qui pourra lui servir d'épigraphe.[62] La rédaction définitive, en tous cas, il l'opère en avril 1944, à Alger. Ainsi, pendant près de cinquante ans, à diverses reprises, il a marché derrière Thésée; pendant une bonne douzaine d'années, il a mûri son projet avec plus de précision.

Aussi n'est-il pas étonnant que l'oeuvre, où il n'est pas difficile de reconnaître l'auteur sous le héros, apparaisse comme un bilan de sa vie, satisfaisant selon lui, ainsi qu'un testament de sa pensée: «Si je compare à celui d'Œdipe mon destin, je suis content: je l'ai rempli (...) J'ai fait ma ville. Après moi, saura l'habiter immortellement ma pensée (...) Il m'est doux de penser qu'après moi, grâce à moi, les hommes se reconnaîtront plus heureux, meilleurs et plus libres. Pour le bien de l'humanité, j'ai fait mon oeuvre. J'ai vécu».[63] C'est dans un tel sens qu'il faut lire ce livre et que, d'ailleurs nous l'avons tous lu au moment de sa publication (1946).

L'important ne sera donc pas le cadre des aventures traditionnelles. En particulier on ne cherchera pas querelle à André Gide pour s'être enquis, sur le tard, dans Glotz et Charles Picard, des réalités minoennes, et avoir tiré de là un barbouillis de «couleur locale» à peu près digne de celui dont Evans a affligé les murs de Cnossos. On pourrait regretter davantage qu'en se débarrassant sur le monde parodique des exploits du héros, Gide passe à côté de thèmes légendaires riches de sens, dont l'ensemble fait de la légende de Thésée non pas «un conte de nourrices», mais un roman initiatique. Cette compréhension, il eût fallu la chercher du côté du sacré et de la grandeur; de toute façon, peut-être eût-elle distrait l'attention des débats d'idées qui devaient justifier l'entreprise.

Le thème de la libération des hommes, qui concluera l'ouvrage, est posé presque dès le début, et de façon assez nette (si l'on juxtapose les éléments significatifs) pour que l'on comprenne tout de suite que cette libération est avant tout d'ordre religieux. «J'ai (…) balayé certaines pistes aventureuses où l'esprit le plus téméraire ne s'engageait encore qu'en tremblant; clarifié le ciel de manière que l'homme, au front moins courbé, appréhendât moins la surprise (…) Tout paraissait divin qui demeurait inexplicable, et la terreur s'épandait sur la religion, au point que l'héroïsme souvent semblait impie. Les premières et les plus importantes victoires que devait remporter l'homme, c'est sur les dieux.»[64]

Deux épisodes contiennent ensuite les parties les plus chargées de pensée: la conversation avec Dédale, accompagnée du monologue d'Icare, et la rencontre avec Œdipe. Dédale conserve de la tradition grecque ses qualités d'artiste et d'inventeur; mais il revêt les traits d'un Léonard de Vinci ou d'un Faust dans leur vieillesse: «longue barbe, front vaste (…) coupé de profondes rides horizontales», «sourcils broussailleux». Son mélange d'intentions scientifiques et de réalisations voisines de la magie (pour les électuaires du Labyrinthe) le rapproche encore d'un homme de la Renaissance comme une longue phrase que lui prête la p. 54 simule le style cartésien. Il tient donc de l'Ancien et du Moderne, sans atteindre à la rigueur du savant contemporain: il est de ceux qui se perdent «dans leur labyrinthe particulier», représenté pour lui par des visions architecturales à la Piranèse. Par la force des circonstances, dans les conseils qu'il donne à Thésée, le fil d'Ariane retrouve sa signification bénéfique. Il représente, cette fois-ci, la persistance de l'individu dans son être: «le fil sera ton attachement au passé. Reviens à lui. Reviens à toi. Car rien ne part de rien, et c'est sur ton passé, sur ce que tu es à présent, que tout ce que tu seras prend appui.»

Puis Dédale appelle Icare, dont le rôle est de symboliser «l'inquiétude humaine, la recherche, l'essor de la poésie». Cette interprétation du jeune téméraire, faut-il le dire, est indépendante de la tradition grecque, mais tout à fait naturelle. Icare multiplie dans son monologue des questions plus théologiques que métaphysiques où il s'approche un instant d'une position chère à Gide: «Tout autant que Dieu m'a formé, n'est-il pas créé par l'homme?» Mais il ne peut s'y tenir plus qu'à une autre. «L'azur m'attire, ô poésie. Je me sens aspiré par en haut (…) J'irai seul. J'ai l'audace. Je fais les frais. Pas moyen d'en sortir, sinon.»[64] Ces derniers mots correspondent à la citation de saint Augustin «non erat exitus» que Gide avait pensé placer en épigraphe à cette partie. Mais cette évasion par les cieux n'a conduit Icare qu'à sa perte. L'apologue, déjà clair, trouve dans ce rapprochement avec le *Journal* toute sa signification. Il ne reste à la victime que l'honneur d'être devenu un héros dont «le geste dure et, repris par la poésie, par les arts, devient un continu symbole».[65] C'est le destin qui attend Thésée et auquel il n'a pas le droit de se soustraire.

Cette leçon placée avant l'aventure du labyrinthe aura porté ses fruits: Thésée ne se souciera plus que d'être lui-même et ne conservera du surnaturel, dans ses aventures, que les apparences qui pourront favoriser sa politique, «afin d'ancrer le peuple en des croyances dont il n'a que trop tendance, celui d'Attique, à se gausser».[66] Voltairianisme qui aurait bien surpris le Démos athénien, aux beaux jours de son indépendance, quand il cultivait avec fureur le procès d'impiété! Ce Thésée politicien, aussi dépourvu de scrupules qu'un prince italien de la Renaissance,[67] cesse naturellement d'être le porte-parole de Gide dont la politique n'est pas machiavélique. Mais il reprend son rôle de personnage exemplaire dans l'entretien avec Œdipe, qu'il annonce comme «le sommet, le couronnement de *sa gloire*».[68]

On s'attend, sur ces mots, à un dialogue où brillerait le héros athénien et d'où il sortirait en triomphateur. Mais déjà Œdipe est un «vaincu», encore que Thésée lui reconnaisse «une noblesse égale à la sienne». Où donc est sa défaite? Dans son renoncement à sa certitude première: «Il avait tenu tête au Sphinx; dressé l'Homme en face de l'énigme et osé l'opposer aux Dieux». Mais il s'est crevé les yeux, c'est-à-dire (retournons à l'*Œdipe*): il s'est converti: «Il y avait, dans cet affreux attentat contre lui-même, quelque chose que je ne parvenais pas à comprendre.» Sommé de s'expliquer, le vieux roi de Thèbes n'a qu'une réponse: «Personne ne comprit le cri que je poussai alors: 'O obscurité, ma lumière!' et toi, tu ne le comprends, je le sens bien, pas davantage. On y entendit une plainte; c'était une constatation. Ce cri signifiait que l'obscurité s'éclairait soudainement pour moi d'une lumière surnaturelle, illuminant le monde des âmes».

C'est si l'on veut, la réponse de l'expérience mystique, mais donnée sans ouverture sur ses modes dans l'intérieur d'une même âme, ses vérités selon les individus, ses rapports avec les autres facultés humaines. Si bien qu'elle se présente comme une pure affirmation individuelle, incontrôlable, dépourvue de tout élément d'universalité. De plus, le monde extérieur est présenté par Œdipe comme «une illusion qui nous abuse». Or, comme il va se faire le champion de la «terre originelle», qui «atteint ensemble toute l'humanité», on le verra soulever le masque antique pour représenter le chrétien. Mais alors son illuminisme qui nie le monde sensible paraît une déformation de la pensée chrétienne. N'est-ce pas une de ses originalités les plus fortes que d'enraciner profondément le surnaturel dans la nature? Il est caractéristique que Gide, quand il croit la représenter honnêtement, ne se soit pas débarrassé de cet idéalisme en l'air dont on avait nourri son enfance.

Mais il est non moins caractéristique de son esprit (par bonheur, cette fois, c'est sans gravité) qu'il prête à Œdipe, pour synthétiser son illumination, comme un cri connu, souvent discuté (et l'on songe alors à Sophocle) une exclamation qui provient en effet du Tragique grec, mais qui n'a jamais figuré dans *Œdipe Roi*. C'est dans son *Ajax* qu'il faut la chercher.[69] «Ἰὼ σκότος, ἐμόν φάος»: «Hélas! obscurité, ma lumière». Elle exprime simplement, selon la tradition grecque, l'effroi d'un homme qui, à l'instant de mourir, déplore la lumière du soleil à laquelle va succéder l'ombre perpétuelle du royaume de Hadès; elle n'a donc aucune signification illuminative. Or, je l'ai rappelé, Gide avait commencé à écrire un *Ajax*. Est-il victime d'une de ces infidélités de mémoire dont il se plaint volontiers dans les dernières années de sa vie?[70] Est-ce un remploi astucieux, qu'il a risqué en se disant que personne ne s'en apercevrait?[71] On ne sait. En tout cas, tout renvoi à la tragédie de Sophocle, même direct, eût été compromettant, car la pièce grecque ne s'achève point par une conversion.

A la profession de foi d'Œdipe, qui se présente, pratiquement, sous la forme d'un monologue, Thésée ne répond point par une critique et un essai de discussion. Après un salut de politesse un peu railleuse à «cette sorte de sagesse surhumaine», il s'en tient à une phrase qui est, elle aussi, une profession de foi. «Je reste enfant de cette terre et crois que l'homme, quel qu'il soit et si taré que tu le juges, doit faire jeu des cartes qu'il a». Il ne faut pas craindre de dire «profession de foi», puisque Gide, au moment où il se met à son *Thésée*, écrit à propos de *Dieu, fils de l'homme*, et par rapport aux fidèles des religions: «C'est en 'croyant' que j'y parle et que j'oppose à leur foi ma raison».[72]

J'ai marqué à l'époque ma déception, et je continue à le faire, devant un livre qui se présente comme le testament d'une longue carrière et n'aboutit qu'à une «profession de foi» de quelques lignes. Sans débat, où est le vainqueur? On ne peut que congédier les deux personnages. Je ne vois pas non plus ce que gagne la pensée à tout un remplissage pseudo-mythologique (les trois-quarts du volume, si l'on déduit les pages significatives) d'un type depuis longtemps désuet, et que ne rehaussent pas des plaisanteries érotiques qui messeyent à un vieillard. Pourquoi Gide ne parle-t-il point à visage tout à fait découvert, au risque de se borner à dix pages? Après tout, une vie peut tenir en dix pages – en moins de dix pages: bonnes, elles valent un livre.

Il n'est peut-être pas impossible de découvrir pourquoi le *Thésée* tourne court. C'est d'abord, chez Gide, le sentiment, très compréhensible, que la discussion ne sert de rien. Il l'a noté à propos de ce qui opposait sa propre pensée aux convictions de Copeau.[73] Mais quand on prend position en public, ne faut-il pas fortifier ce qu'aurait de trop fragile une pure affirmation? Sans doute, mais Gide s'est rendu compte qu'il n'avait pas le don de l'exposé suivi, du «discours» auraient dit nos ancêtres. Il en donne, sur le tard, une explication intéressante par tout ce qu'elle livre aux investigations des psychologues. «Par grand souci de faire court (toujours, et depuis mon enfance, la crainte de ne pas être écouté jusqu'au bout) je ne présente, à l'ordinaire, que des aboutissements de pensée.»[74]

Mais, plus profondément encore, ne faut-il point parler, puisque lui-même emploie le mot, d'une «impuissance» à parler directement en son propre nom? Il écrit le 2 mai 1931, donc après avoir achevé *Œdipe*: «L'extraordinaire difficulté que je trouve à m'exprimer aujourd'hui ne vient-elle pas aussi de ce que plus aucun personnage imaginaire ne m'habite et que c'est en mon nom propre que je cherche à parler? Je le crois volontiers, et que le meilleur moyen de triompher de cette impuissance (j'allais dire: de cette aphasie) serait d'inventer de nouveau un héros responsable.»[75] Propos dont il faut rapprocher celui-ci, proprement terrible, et de résonance pascalienne, qui précède l'autre de trois semaines: «L'être pensant qui n'a que soi pour but souffre d'une vacance abominable.»[76] On comprend maintenant pourquoi, après *Œdipe*, il lui fallait *Thésée*. Les mythes grecs proposent leur masque à celui qui, face à face avec lui-même, «souffre d'une vacance abominable».

Ce long examen risquerait de paraître assez négatif si l'on s'en tenait à ses résultats. Ne montre-t-il pas que l'hellénisme de Gide est prisonnier de limites assez conventionnelles; qu'il n'a pas le souci de comprendre les mythes dans le sens où ils dévoilent, à l'origine, les aspirations humaines; qu'ils ne servent pas aussi bien qu'il l'a cru l'expression de sa pensée? Mais le résultat de notre enquête serait pourtant positif si elle aidait à trouver pourquoi Gide n'a pas voulu ou n'a pas pu dépasser un certain état de sa pensée. Car enfin s'il avait prêté attention à l'évolution des idées de son temps, il aurait pu apprendre que le mythe a cessé d'être de la «fable». Même lorsqu'il paraît intervenir après coup comme la justification d'un rite, l'explication du caractère sacré d'un lieu, il exprime quelque besoin de l'homme, quelque hantise (peur ou joie), quelque image du monde ou de lui-même issue de son subconscient (ou faut-il dire de son supra-conscient?). L'image à face humaine, ainsi formée, prend corps et âme, se détache de l'homme et permet à celui-ci de se déterminer par rapport à elle comme en face d'un être vivant. Le héros mythique est un *vivant*, et non pas un symbole. Il existe une *fonction* mythique de l'âme qui est aussi capitale pour lui que sa *fonction* poétique; les deux sont étroitement liées.

Or l'une et l'autre peuvent coexister avec la raison: selon l'expression pascalienne, elles sont d'un autre *ordre*. Toutes ces puissances n'auront pas à se combattre si chacune règne dans son *ordre*. Une fois au moins, Gide a entrevu le danger que renferme une prééminence constante de la raison: «Les arts orientaux pourtant nous apprennent que la splendeur grecque n'est qu'une des formes, entre tant d'autres, de la beauté. Mais la formation de mon esprit (et mon hérédité sans doute) fait que je suis beaucoup moins sensible à toute manifestation de la noblesse humaine que ne tempère pas la raison. C'est ce tempérament qui fit, pour nous, la force de persuasion de la beauté grecque. Mais, la Raison, quelle imprudence de la laisser tout régenter! L'idéal chrétien s'y oppose;[77] et le grec même... Nous sommes à un âge où tout doit être remis en question». Mais cette remise en question de la pensée occidentale et de lui-même, il ne l'a pas opérée.

L'idée que «notre civilisation occidentale (...) est la *seule*», qu'il formulait au retour de son voyage en Turquie,[78] il refuse encore en 1943 de s'en laisser déloger, quand il lit Guénon: «Je tiens éperdument à mes limites et répugne à l'évanouissement des contours que toute mon éducation prit à tâche de préciser. Aussi bien le plus clair profit que je retire de ma lecture, c'est le sentiment plus net et précis de mon occidentalité; en quoi, pour quoi et par quoi je m'oppose (...). A présent, du reste, il est trop tard pour reculer.»[79]

Au nom de la raison, il a fini par se priver de cette part de «grâce» qui est nécessaire au poète. A propos de *Dieu, fils de l'homme* et de l'hostilité que marquait ce texte à toute «assistance surnaturelle», Jean Denoël lui avait objecté, avec raison, que lui paraissait «antipoétique cette sorte de suffisance de l'âme», qu'elle lui faisait prévoir «un tarissement de lyrisme». A cette critique trop juste (il y avait bien longtemps que la poésie avait déserté André Gide) le *Journal* ne donne que cette réponse accablante: «Mais peu s'en faut que l'état lyrique ne me paraisse un état d'enfance dont l'âme adulte fasse un peu fin».[80]

Dans cette méfiance à l'égard de toute inspiration, il entre une part de constitution mentale mais tout aussi bien une volonté arrêtée, qu'entretient en lui le souvenir de son âge lyrique et religieux. Ces années d'enthousiasme le gênent et l'irritent. En même temps elles font naître en lui l'illusion singulière qu'il a fait alors une expérience profonde de la vie mystique. On reste confondu de ce texte qu'il écrit en 1927: «Sous quelque forme qu'il se présente, il n'est pas de pire ennemi que le mysticisme. Je suis payé pour le savoir. Et je voudrais que ma connaissance profonde de la question, par expérience personnelle réitérée et par sympathie (...) pût donner à mon témoignage quelque poids».[81]

Quoi! parce qu'il a connu le besoin de la prière, ressenti, dans certaines émotions, que la nature sensible pouvait se révéler «divinement naturelle», pratiqué par à-coups ce qu'il appelle plus tard, assez justement peut-être, la «spécieuse austérité» d'André Walter,[82] il aurait une «connaissance profonde» une «expérience réitérée» de ce qui fait la vraie vie mystique: les années d'ascèse et leurs épreuves, la «nuit» et la sécheresse, mais le ravissement aussi dans l'union et la paix «qui passe tout entendement»; ou bien il aurait exploré le désert que l'on rencontre quand on s'enfonce au delà des formes divines, vécu la négation totale du *moi* et du monde que présupposent les voies bouddhiques, subi l'éclat déchirant du *satari* selon le *zen*? Quelle puissance d'illusion habite donc encore cet homme en sa cinquante-huitième année? Ou bien se laisse-t-il jouer par les mots lorsqu'à la fin de ce même texte il ajoute: «Mais qu'entendez-vous par 'mystique'? – Ce qui présuppose et exige l'abdication de la raison». Parlerait-il de «mysticisme» sans avoir mieux défini le sens et l'étendue de ce terme, et sans notion précise de ce qu'implique de méthodique et de «raisonné», dans son concert quotidien, la moindre pratique de la vie mystique? Aurait-il joué sa vie sur des équivoques?

Ainsi les mythes, grecs ou non, ne peuvent pas plus être admis et respectés par Gide dans leur sens sacré, ou les civilisations différentes de la nôtre être admirées dans leurs valeurs propres, qu'il n'a pu reconnaître, dans sa maturité, aux états intérieurs qui débordent l'expérience courante le droit de figurer dans l'«intelligence» – cette intelligence qu'il identifie avec la raison. Pour qu'il en fût autrement, il lui eût fallu dissiper cette illusion qu'il connaissait assez le fond des choses pour n'avoir plus à regarder au delà de lui-même. Mais il était indispensable qu'il l'entretînt, pour ne pas avoir à changer l'orientation de sa vie et de son oeuvre. «A présent, il est trop tard pour reculer»: démission de l'esprit. Il fallait que Gide se préférât à la recherche inconditionnelle de la vérité.

NOTES

1. Publiées en septembre 1919 dans la *Nouvelle Revue Française;* reprises dans *Incidences*, pp. 127–132.

2. «Feuillets» intercalés dans le *Journal* entre les années 1896 et 1901 (Édit. de la Pléiade, I, p. 98).

3. Pour Penthée; la faute n'est peut-être pas typographique. L'orthographe de Gide n'est pas sûre, même en dehors des noms grecs que nous le verrons encore estropier.

4. Φρονοῦσι γαρ κακίον Ἑλληνῶν πολύ, v. 483.

5. V. 655–56, et comme souvent en grec tout un jeu de nuances est possible autour du mot σοφος: sage, savant, prudent, habile.

6. Il faut relire tout le texte en soulignant les deux mots en litige: «La fable grecque est essentielle-ment *raisonnable*, et c'est pourquoi l'on peut, sans impiété chrétienne, dire qu'il est plus facile d'y croire qu'à la doctrine de Saint-Paul, dont le propre est précisément de soumettre, supplanter, «abêtir» et assermenter la *raison*. C'est par défaut d'intelligence que Penthée se refuse à admettre Bacchus; tandis que c'est l'*intelligence*, au contraire, de Polyeucte qui s'interpose et obscurcit d'abord sa triomphante vision. Et je ne dis pas que l'*intelligence* ne trouve pas dans le dogme chrétien, en fin de compte, une satisfaction suprême, ni que le scepticisme soit de plus grand profit pour la *raison* que la foi; mais cette foi chrétienne pourtant est faite du renoncement de l'*intelligence;* et si peut-être la *raison* ressort de ce renoncement magnifiée, c'est parce qu'au contraire celui qui veut ici sauver sa *raison* la perdra» (p. 128).

7. Ὄλβιος ὅς ταδ' ὅπωνεν, v. 480.

8. Gide ne s'est pas avisé de cette indistinction et en 1940 encore (*Journal*, II, p. 49), parlant des *Bacchantes* et d'Euripide, écrit: «s'il lui suffit d'éclairer et de développer le conflit entre les forces naturelles et l'âme qui prétend se soustraire à leur empire.»

9. Ni Thésée, ni Ulysse, qui vont servir d'exemple, ne peuvent être pris pour une telle «expression». Seul Héraclès, qui occupe les deux derniers paragraphes, pourrait passer pour un personnage solaire: «Il suffit pour que cela soit grec, que cela ne soit point irrationnel». Gide a cru que «la météorolo-gie» peut expliquer «certains mythes grecs» (*Journal*, I, p. 541, 16 févr. 1916).

10. *Carnets d'Egypte*, 2 février 1939; *Ainsi soit-il*, vers 1950 (dans *Journal*, II, p. 1051, et p. 1181).

11. L'édition Gallimard de 1952 (ou celle qu'elle reproduit) a estropié toutes ces citations en im-primant partout des *chi* à la place des *kappa*.

12. *Si le grain ne meurt*, pp. 490–491 dans le t. II du *Journal*.

13. *André Walter*, p. 28, dont certains termes sont repris dans *Si le grain…*, p. 497. Jugement plus réservé en 1937 (*Journal*, I, p. 1271).

14. Note du 29 octobre 1891 (dans J. Schlumberger, *Madeleine et André Gide*, p. 47).

15. *Journal*, I, p. 796.

16. *Nouveaux prétextes*, p. 23.

17. *Journal*, I, p. 777.

18. Grâce d'abord à la lecture du *Second Faust*, en rhétorique, avec Pierre Louÿs, puis à la découverte des oeuvres complètes à Munich, en 1892. Cf. J. Delay, *La Jeunesse d'André Gide*, I, pp. 390–392; II, pp. 153–170 et 177.

19. *Journal*, I, p. 859 (4 nov. 1927) et cf. p. 1037 (17 mars 1931).

20. Toute l'ironie tient dans deux monosyllabes: ἤ πού τις, ὥς φασιν, ἄνθρωπος (*Lois*, IV, 716 c).

21. Il veut dire, j'imagine, «après l'épopée homérique».

22. *Journal*, II, p. 284 (17 févr. 1945).

23. *Journal*, I, p. 754 (16 janv. 1923).

24. Je rappelle la donnée : Ajax, frappé d'un accès de folie par Athéna qu'il avait méprisée, a massacré un troupeau, croyant frapper les Troyens; quand la raison lui revient, il se sent déshonoré et se suicide.

25. *Journal*, I, p. 241 (22 avril 1907).

26. *Journal*, I, p. 273 (mercredi [28] févr. 1912).

27. «Je me purge» écrit-il à Francis Jammes le 6 août 1902 (p. 199 de leur *Correspondance*).

28. *Journal*, II, p. 49 (21 août 1940).

29. Journal inédit (23 déc. 1895), cité par Jean Delay, II, p. 576.

30. Les Grecs, eux aussi, ont représenté Prométhée dans des oeuvres comiques, Éschyle tout le premier, dans un drame satyrique, Προμηθεύς πυρκαεύς, «Prométhée, l'allumeur de feu», qui accompagnait sa trilogie dramatique; Aristophane aussi, dans une scène des *Oiseaux*. Mais ils n'altéraient pas les traits constitutifs de la légende.

31. Jean Delay, II, p. 253.

32. I, p. 906 (15 janv. 1929).

33. Édition d'Alger, pp. 221 à 238.

34. Mais les Pères de l'Église n'avaient pas craint de reconnaître en Prométhée une préfiguration du Christ, *verus Prometheus* comme l'appelle Tertullien.

35. Cette opposition du Christ et de Dieu est une idée déjà ancienne chez Gide, qui la note pour la première fois le 13 janvier 1929 (*Journal*, I, p. 905).

36. Gide interprète ici littéralement, après bien d'autres, un texte qui, plutôt qu'une expression personnelle de Jésus, est le début du psaume messianique XXI; ce texte décrit les persécutions du juste, mais se termine par un chant de confiance dans la justice de Dieu. Il admet donc une toute autre interprétation.

37. *Journal*, I, p. 837. A ce deuxième sens de la crevaison des yeux, il faut ajouter celui qui figure dans des «feuillets» intercalés entre les années 1896 et 1902 du *Journal* (I, p. 98): «A propos d'Homère, rappeler la crevaison des yeux des rossignols (…) yeux fermés pour le monde réel. Le rossignol aveugle chante mieux, non par regret, mais par enthousiasme.» L'aveuglement «apparaît alors comme une condition du génie poétique fondé sur l'inspiration et, de nature, anti-réaliste».

38. *Journal*, I, p. 840.

39. *Journal*, I, pp. 1014–1015; pp. 1019–1021.

40. Ainsi, dans ces mêmes années, le 5 mars 1929: «Je ne jurerais pas qu'a certaine époque de ma vie je n'aie pas été assez près de me convertir. Dieu merci, quelques convertis de mes amis y ont mis bon ordre. Ni Jammes, ni Claudel, ni Ghéon, ni Charlie Du Bos, ne sauront jamais combien leur exemple m'aura instruit». *Journal*, I, p. 916.

41. p. 283 du *Théâtre*.

42. p. 302.

43. *Journal*, I, p. 1006 (10 août 1930).

44. «C'est volontiers que je m'immole. J'étais parvenu à ce point que je ne pouvais plus dépasser qu'en prenant élan contre moi-même, p. 301.

45. P. 297.

46. P. 301.

47. «J'admire que cette proposition de repentance vienne de toi, qui précisément crois que les dieux nous mènent et qu'il n'était pas en mon pouvoir d'échapper à ma destinée. Sans doute cette offrande de moi était-elle prévue, elle aussi, de sorte que je ne pusse pas m'y soustraire.» P. 301.

48. *Journal*, I, p. 1106 (22 janv. 1932).

49. *Journal*, I, p. 1013 (28 sept. 1930).

50. *Journal*, I, pp. 1129 et 1150.

51. *Journal*, I, p. 1151 (2 janv. 1933).

52. *Journal*, I, p. 1030.

53. C'est la faute qui attribue à l'enfant de Périgounè et de Thésée le nom de Ménalippe, dépourvu de signification, pour Mélanippe (Le Cheval Noir). En revanche, dans la même page de Gide (p. 20), l'orthographe fantaisiste: Seyron, pour Seiron, est à porter au compte de notre auteur.

54. P. 75 de l'édition courante.

55. *Journal*, I, p. 347 (Feuillets sans date, intercalés entre 1911 et 1912).

56. Ce serait une question à étudier, en recherchant ses origines intellectuelles (Schopenhauer, Nietzsche), littéraires (la femme dans le roman naturaliste), sociales (les liaisons misérables de beaucoup d'écrivains et d'artistes pauvres).

57. Pp. 129–130 et p. 132.

58. *Journal*, I, p. 650.

59. *Journal*, I, p. 1022. Une suggestion de Malraux l'a d'ailleurs orienté vers la tragédie grecque.

60. *Journal*, I, p. 1077.

61. *Journal*, II, p. 54 (9 sept. 1940).

62. Pp. 112–113 de l'édition courante.

63. Pp. 14–15 et 16.

64. P. 64.

65. P. 67.

66. P. 90.

67. La comparaison est de J. Delay, II, p. 662.

68. Il occupe les pp. 105–112.

69. V. 394.

70. *Ainsi soit-il*, pp. 1205–1207 en particulier.

71. Il avait peut-être raison; je n'ai pas souvenir que les critiques, au moment de la publication, se soient aperçus de la substitution (ni moi, parmi eux, qui aurais dû le voir).

72. *Journal*, II, p. 263.

73. *Journal*, I, p. 1015.

74. *Journal*, II, p. 290.

75. *Journal*, I, p. 1043.

76. P. 1042 (10 avril).

77. *Journal*, I, p. 1037 (17 mars 1937).

78. P. 416 (mai 1914); c'est lui qui souligne le mot *seule*.

79. *Journal*, II, pp. 254–255.

80. *Journal*, II, p. 263 (6 févr. 1944).

81. *Journal*, I, p. 860.

82. Préface de 1930. «Spécieuse» parce qu'elle couvrait un besoin de varier ses satisfactions sensibles et non pas de les dépouiller.

DISCUSSION

G. W. IRELAND. – Je demande tout de suite à être rassuré. En quoi le mythe de l'œil crevé peut-il être considéré comme un symbole homosexuel?

GABRIEL GERMAIN. – Le symbole semble assez clair. Il s'étend à une idée de possession, fort éloignée des pratiques de Gide.

HENRI RAMBAUD. – Vous minimisez la période mystique de Gide. J'entends celle de la seizième, dix-septième année, à peu près, où il me paraît vraiment avoir eu un contact authentique avec Dieu.

GABRIEL GERMAIN. – Il n'y a que Dieu pour être renseigné...

HENRI RAMBAUD. – Je crois pourtant pouvoir apporter à l'appui une oeuvre comme *Saül* où il se plaint nettement du silence de Dieu, ce qui laisse entendre que Dieu lui parlait auparavant.

GABRIEL GERMAIN. – Il ne faudrait peut-être pas entendre le mot «mysticisme» dans un sens trop large. Les vrais mystiques se laissent diriger par un maître.

HENRI RAMBAUD. – N'oubliez pas qu'il est protestant et qu'il n'a personne à qui s'en remettre.
D'autre part, ne refusez-vous pas à l'excès à Gide le sens du tragique? *Saül* m'en paraît un exemple véritablement indiscutable.

GABRIEL GERMAIN. – Je conviens, en effet, que l'on trouve davantage ce sens du tragique dans *Saül*.

PATRICK POLLARD. – Ce que Gide a cherché très souvent dans l'antiquité grecque, n'est très souvent, me semble-t-il qu'une justification de ses goûts pédérastiques. Mais il est de toute évidence qu'il ignore, ou qu'il veut ignorer, la différence fondamentale qui sépare notre civilisation de celle des grecs. Dans *Corydon*, Gide cite des exemples tirés de l'antiquité pour appuyer sa thèse – et il ne faut pas oublier qu'il s'est permis déjà dans la préface de considérer la question également «d'une façon historique». Or un tiers du livre y est consacré, de là son importance. La morale grecque était la morale d'une société guerrière où la sûreté de chaque état dépendait étroitement de la cohésion de ses forces: c'est ainsi que les Grecs (plus particulièrement à Sparte et à Thèbes et encore jusqu'à la fin du IVème siècle av. J. C.) conçurent le problème: ils l'admettaient comme «naturelle». C'est une chose que Gide n'a pas semblé comprendre quand il s'embarque à l'appui de sa thèse dans des exemples tirés de J. A. Symonds, de Plutarque, de Montesquieu, etc. Dans une société chrétienne, cette prise de position n'est plus possible – du moins à ce niveau de naïveté, car pour nous la pédérastie n'est plus partie intégrale ni de l'instruction publique ni de l'entraînement militaire. La façon dont Gide a tiré vers lui la morale pédérastique de la Grèce me paraît d'une valeur contestable: on n'est pas en même temps bon chrétien et bon athénien à la Périclès – et Gide, qui ne s'affranchit jamais de sa formation protestante, n'a pas cherché à résoudre cette disparité. (J'ajoute entre parenthèses que les Grecs mêmes n'étaient pas tous du même avis sur ce problème que Gide nous présente d'une façon si simpliste). Le point de vue de Gide reste pour moi, à cet égard, celui d'un amateur qui veut se justifier – mais après avoir fait quelques lectures de surface qui l'entraînèrent à méconnaître la Grèce antique véritable.

GABRIEL GERMAIN. – Je suis d'accord.

DOMINIQUE PONNEAU. – Les goûts artistiques de Gide sont peut-être à mettre en rapport avec le sens qu'il avait de la Grèce; nous avons parlé l'autre jour de son admiration pour le *David* de Donatello, pour la grâce de cette cuisse qui sort d'une sorte de botte. Les goûts de Gide allaient de préférence vers la culture raffinée des alexandrins. L'*Hermès* de Praxitèle symbolise assez bien les grâces qu'il recherchait.

PATRICK POLLARD. – Il est à remarquer qu'en lisant vers 1903 le gros ouvrage de Collignon sur la sculpture grecque, Gide s'est longuement attardé sur les planches du Doryphore et ne semble n'avoir retenu que cela de ses lectures. Je note l'expression «molliter juvenis» qui s'y trouve – et que Gide aurait évidemment pu trouver ailleurs, – et qui est reprise dans une page de *Corydon*. Cela montre assez bien d'où et avec quel éclectisme particulier Gide tirait ses renseignements. Il s'est surtout intéressé aux belles statues d'adolescents et se souciait fort peu de l'aspect historique des choses: il lisait Pline à travers Collignon.

HENRI RAMBAUD. – N'oubliez pas pourtant que, s'il couche sur une planche et se plonge dans une baignoire glacée, ce n'est pas par macération mais «par impatience de joie».

PATRICK POLLARD. – Peut-il s'agir ici d'une joie des sens?

HENRI RAMBAUD. – Non sans soute, mais c'est une joie qui prend tout l'être.

DOMINIQUE PONNEAU. – La Grèce lui apparaît sans doute – comme à tout honnête homme de son temps – à travers l'enrichissement mais aussi la déformation du regard des humanistes sur le monde antique. Il y a des mythes de la Grèce qui se sont aujourd'hui défaits, et auxquels nous restons fidèles. Par exemple, l'Arcadie de Poussin qui n'est ni l'Arcadie d'autrefois, ni celle d'aujourd'hui et cependant c'est bien l'une des Grèces qui vivent dans nos coeurs.

GABRIEL GERMAIN. – Sans doute se serait-il débarrassé de ces Grèces construites s'il s'était tenu au courant. Il s'est renseigné dans des ouvrages très anciens; il n'a pas lu le grand livre de Foucart sur le mystère d'Eleusis.

HENRI GOUHIER. – André Gide avait-il lu Renan? On trouve dans la *Prière sur l'Acropole* un affadissement de l'hellénisme qui apparaît aussi chez de nombreux contemporains parlant des mythes grecs. Il semble qu'il n'ait pas lu *la Naissance de la tragédie* de Nietzsche...

PATRICK POLLARD. – Il n'y a guère de doute que Gide n'ait été attiré par la doctrine du surhomme qu'il trouvait chez Nietzsche, mais quant à ses connaissances grecques, c'est ailleurs qu'il les a cherchées. Je retiens pourtant une page d'un livre de Herbart sur Nietzsche à laquelle Gide renvoie le lecteur dans *Corydon*. Il s'agit, chez Nietzsche cité par Herbart, de la guerre qui fait épanouir la fleur la plus pure de la race et de quelques individus. Chez Gide l'exemple appuie la thèse de l'esclavage et de la pédérastie. La doctrine du surhomme, de Prométhée, est quelque chose que certes les Grecs n'ignoraient pas – mais qui ne se situait pour eux que dans le domaine religieux. Gide est ici l'héritier du XIXème siècle.

Un autre problème qui se présente est celui d'Eleusis et de ses mystères tels que Gide les a vus. C'est à travers ses lectures de Pater et de Curtius que Gide les connaît. Il a bien lu l'Hymne homérique à Déméter (voir le *Retour de l'URSS*) mais semble avoir tiré très peu du mystique original. Il serait intéressant ici de faire la comparaison de *Proserpine* et de *Perséphone*: on y verrait un acheminement du drame mimé symbolique où ne se trouve aucune trace de préoccupations non-littéraires, jusqu'au drame où flotte l'allégorie de la sympathie humaine. Cette «religion» n'est certes pas celle du véritable mystère éleusinien, mais reste la patère à laquelle Gide peut pendre ses idées purement personnelles. Ainsi les corrélations entre la religion grecque et les soucis humanitaires de Gide restent superficielles.

HENRI RAMBAUD. – Je me semble que le morceau de *Prométhée* auquel vous avez fait allusion n'est pas tiré de la tragédie de *Pandora*, mais du fragment qui se trouve dans les poésies de Goethe et que Gide a traduit plus tard.

JEAN MOUTON. – Ce problème se rattache au problème général du choix. Les mythes ne cessant de se métamorphoser, ne peut-on considérer comme légitime de s'arrêter à une de ces métamorphoses ou même de participer à la naissance d'une nouvelle?

ARLETTE CLEMENT. – Ne pourrait-on rattacher à son goût du sacrilège la tendance de Gide à amenuiser les mythes?

YVES CLOGENSON. – Drieu La Rochelle a écrit: «Prudent, trop prudent Gide»; et l'on sait l'irritation que montra Gide devant ce jugement.

HENRI RAMBAUD. – C'est le moment où l'on écrit qui compte. La *Symphonie Pastorale* a été conçue en 1898; il est cependant manifeste que la rédaction que nous avons est nourrie de son amour pour Marc Allégret qui l'a précédée de très peu.

MADELEINE DENEGRI. – Peut-on vraiment dire que Gide était prudent? En des circonstances importantes, il n'a pas hésité à se compromettre, en particulier lorsqu'il a entrepris son voyage en U.R.S.S. contre l'avis de beaucoup de ses amis.

JEAN MOUTON. – On ne peut contester le courage et les imprudences de Gide; mais il y a une différence de dimension considérable entre partir pour l'U.R.S.S. et avoir le goût du sacrilège.

ANDRÉE PIERRE VIENOT. – Peut-on dire que Racine composant ses tragédies antiques, spécialement sa *Phèdre*, a vraiment respecté l'authenticité des mythes grecs?

MICHEL LIOURE. – En effet, Racine a composé sa *Phèdre* avec les vues de son temps sur cette légende. Il s'est en particulier assez éloigné de l'*Hippolyte Porte-Couronne* d'Euripide. Dans *Phèdre*, l'accent est mis sur le drame psychologique et moral plutôt que sur le conflit des dieux et le mythe solaire qui forment le noyau essentiel de l'*Hippolyte Porte-Couronne*. Il n'en est pas moins vrai que le mythe ne semble pas s'être retourné contre Racine.

GABRIEL GERMAIN. – Rappelons-nous que Racine était un des hommes de son temps qui savaient le mieux le grec.

MAURICE RIEUNEAU. – La situation de Gide devant les mythes n'est-elle pas analogue à celle de Jean Giraudoux composant ses pièces antiques?

MICHEL LIOURE. – Oui, mais chez Giraudoux l'anachronisme a quelque chose de plus brutal et de plus délibéré. Chez Gide, il est plus camouflé.

GABRIEL GERMAIN. – Le théâtre de Gide n'a pas eu de succès devant le public et, en particulier, l'*Œdipe*.

MICHEL LIOURE. – Cependant les représentations d'*Œdipe* au T.N.P. et au Festival d'Avignon ont obtenu le plus grand succès. En fait, Gide ne s'adresse-t-il pas, plutôt qu'à un public moyen en qui le sens originel du mythe ressurgirait inconsciemment, à un public de fin lettrés pour qui la trahison gidienne du mythe grec est un plaisir de plus, un jeu fin et subtil, permettant de faire apparaître, à la place du héros grec, et sous son masque, un héros purement gidien?

HENRI RAMBAUD. – Il est souvent bon qu'une pièce ne soit pas d'abord comprise. Il est vrai que le comique de Gide, dans son théâtre, a souvent quelque chose de resserré, de froid; il n'a pas l'ampleur, par exemple, du comique dans le *Protée* de Claudel.

YVES CLOGENSON. – Cela peut expliquer l'éloignement profond que Gide sentait pour Jarry. Dans *les Faux-Monnayeurs*, il raconte toute une partie de beuveries dans un café, qui transcrit une scène qui s'est authentiquement passée entre membres du Mercure de France. Jarry se livre aux fantaisies les plus folles.

JEAN MOUTON. – On en revient à cette défiance de Gide pour tout ce qui suggère une certaine épaisseur, contre tout ce qui est volume. Il n'a pas atteint un comique avec une dimension élargie.

GABRIEL GERMAIN. – Il semble que l'évolution de Gide marque un affaiblissement de l'élan poétique à travers sa vie.

HENRI RAMBAUD. – Ce n'est pas un phénomène unique, mais assez constant chez d'assez nombreux écrivains français. Ils ont tendance à s'éloigner de l'état lyrique pour se ranger du côté de l'analyse.

ANDRÉ GIDE, ÉPISTOLIER

Peu d'écrivains de sa génération – et nul n'ignore le rôle de premier plan qu'a oué dans leur vie la correspondance – ont écrit autant de lettres qu'André Gide. Un grand nombre d'entre elles ont été publiées; certaines déjà du vivant de l'écrivain, en particulier ses correspondances avec Francis Jammes (1948), et avec Paul Claudel, l'année suivante. La rencontre avec Jammes eut lieu dans les cénacles symbolistes que tous deux fréquentèrent dans leur jeunesse. Il fallut, pour que cessent leurs relations longtemps fort amicales, que le poète se convertisse au catholicisme sous l'influence de Claudel, et qu'il décide d'entraîner Gide à sa suite. D'où raidissement de l'auteur des *Nourritures terrestres*, qui lança à son correspondant comme un fin de non recevoir: «Moi, je fais profession de bonheur». Dans ces lettres, il est plus question de Jammes et de Gide que des grands événements littéraires contemporains.

Avec Claudel, le dialogue monte d'un ton. Le choc de ces deux esprits d'élite si foncièrement différents donne lieu à une joute de la plus haute qualité. Mais là où il avait réussi avec Jammes, Claudel cette fois-ci échoue. Gide est d'autant plus sur ses gardes que l'interlocuteur se fait plus incisif et pressant. Admirable échange de lettres ne se limitant pas au drame spirituel, et où les deux écrivains apportent un soin particulier à préciser leur pensée et à surveiller leur style.

La correspondance avec Paul Valéry, publiée en 1955, présente certes un intérêt aussi vif, mais elle est essentiellement littéraire. Cette amitié se place sous le signe du recours suprême à l'art. C'est Valéry qui confiait à Gide: «Je songe à cette littérature admirable que l'on inventerait: d'écrire chacun de ses livres totalement pour un seul... Mais n'est-ce pas la vertu magique et fragile de la correspondance?»

Le petit volume contenant les lettres échangées entre Gide et Marcel Jouhandeau (1958) n'a pas la même portée. Dans les quelque trente-cinq missives de Gide, comme dans celles un peu plus nombreuses de Jouhandeau, il s'agit surtout des livres de ce dernier. C'est à propos du *Parricide imaginaire* que Gide écrivait: «Que vous me dérangez! que vous êtes gênant! et qu'il est difficile d'oublier, de faire taire en soi le son de votre voix, après qu'on l'a vraiment écoutée. Quelles écluses secrètes ouvrez-vous dans mon coeur, pour que soudain je le sente s'emplir de larmes, de sanglots, d'amour surhumain, d'abominable désespoir. Comment pouvez-vous écrire, comment surtout porter en vous, sans en crever d'abord, de tels livres?»[1]

Les relations épistolaires entre Gide et André Suarès ont été plus épisodiques et ne semblent pas présenter le même intérêt. Enfin, les correspondances avec R. M. Rilke (1952), Edmund Gosse (1959) et Arnold Bennett (1964) nous introduisent dans les domaines allemand et anglo-saxon que Gide aimait à prospecter. Du reste, n'écrivait-il pas au critique britannique, en 1925: «Alors que presque personne encore ne me considérait en France, vous m'avez bien voulu prendre au sérieux.» En effet, Gosse tenait Gide à ce moment-là pour «the most important artist now writing in France.» Et n'oublions pas les lettres échangées avec Charles du Bos, dont les plus belles sont dues à l'auteur d'*Approximations*.

Ces diverses correspondances de Gide vous sont connues et ont déjà fait l'objet de bien des travaux. C'est pourquoi je me fonderai surtout sur des lettres de Gide encore inédites: il s'agit de la correspondance entre notre auteur et Jacques-Emile Blanche, le peintre-écrivain qui fut le familier et le portraitiste de tant d'hommes célèbres de son époque. Maurice Barrès, Marcel Proust, Paul Valéry, André Gide, Jean Cocteau, François Mauriac; et, de l'autre côté de la Manche, James Joyce, Thomas Hardy, George Moore et Henry James comptèrent, entre autres, au nombre de ses modèles. Blanche leur consacra également un volume de souvenirs du plus vif intérêt, intitulé précisément *Mes Modèles*.

Nous ignorons où Gide et Blanche se rencontrèrent pour la première fois. D'après *Si le grain ne meurt*, ce fut chez la Princesse Ouroussof. Selon Blanche, c'est le Comte Robert de Bonnières qui les présenta, chez lui, l'un à l'autre. Quoi qu'il en soit, nous savons qu'ils se connurent vers la fin de 1890, quelques mois avant la publication des *Cahiers d'André Walter*. La première lettre échangée entre les deux hommes est datée de mai 1891, la dernière, de 1939. Amitié qui dura près d'un demi siècle et connut comme tant d'autres des hauts et des bas.

Gide semble avoir été attiré d'abord par la conversation de Blanche, par ce qu'il nomme dans son *Journal* «l'espèce d'amusement jaillissant» que le peintre prenait à la conversation, qu'il s'agît de peinture, de littérature, de musique, aussi bien que des sujets les plus frivoles. L'aisance: voilà une qualité que Gide enviait à l'auteur de *Mes modèles*. En outre, Blanche était admirablement renseigné sur tout ce qui se passait des deux côtés de la Manche; sa connaissance de l'Angleterre, de ses moeurs aussi bien que de sa culture était, vers les années quatre-vingt-dix, un phénomène assez rare en France. Pendant plus de cinquante ans, Blanche fut une sorte de trait d'union entre l'intelligentsia britannique et française. Le premier séjour de Blanche en Angleterre remonte à 1870 – il avait neuf ans –. Plus tard il eut même un atelier à Londres. En outre, les deux hommes appartenaient au même milieu social, et à la même génération, quoique le peintre fût l'aîné de huit ans.

Cependant, de profondes différences les séparaient: «Il y a chez J.-E. Blanche, lisons-nous dans le Journal de Gide, quelque chose de content, de facile, de léger, qui me cause un inexprimable malaise. Il a trop d'atouts dans son jeu(...)»[2] L'existence «trop comblée, trop aisée» de Blanche, «l'excès» de son assurance et «le souci de ses commodités» irritait André Gide. Dans Si le grain ne meurt, il va même jusqu'à écrire: «Mais de celui-ci (J.-E. Blanche), il y aurait tant à dire (...)!» Cependant, dans un autre passage du même livre: «Il est des êtres qui s'éprennent de ce qui leur ressemble; d'autres de ce qui diffère d'eux. Je suis de ces derniers (...).»[3] Pour sa part, J.-E. Blanche éprouvait une vive admiration pour Gide: «Entre tant d'hommes intelligents que j'ai connus, Gide reste le plus surprenant, à mon sens, avec Paul Valéry, parce que capables, tous deux, à la fois de s'élever aux hautes sphères de la spéculation et de s'intéresser aux valeurs les plus humaines.»[4]

Nous examinerons maintenant les lettres de Gide à Blanche. Le premier aspect de ces missives qui frappe le lecteur, c'est la curiosité inlassable que porte Gide au spectacle si divers du monde. Un certain jour de décembre 1916, notre auteur accepte l'offre qui lui est faite de visiter des usines en Belgique. Voici une remarque qu'il note à ce sujet dans une lettre du 29 décembre 1916: «L'intérêt en a dépassé de beaucoup tout ce que j'attendais; mais bien que cette visite ait duré près de six heures, elle serait plus intéressante encore si l'on avait le temps de s'attarder un peu; les détails m'intéressent toujours plus que l'ensemble.»[5]

Dans une autre missive, pas datée, celle-là, mais probablement de 1913, je relève ce passage à propos du même problème: «Il manque à l'histoire de notre amitié, d'avoir pu, ensemble, et près l'un de l'autre, assister à la première de quelque scène de cette comédie humaine qui, je le vois, vous intéresse autant que moi. Ayant vécu beaucoup à part, j'ai peu vu de marionnettes, et j'apporte un œil assez neuf; mais j'ai facilement peur de trop montrer à autrui qu'il m'amuse. Ma femme a toujours peur, en voyage, qu'il ne m'arrive quelque histoire, tant, paraît-il, je regarde les gens obstinément et avec des prétentions indiscrètes.» Ici, ce qui est bien dans sa manière, Gide glisse une confidence: «C'est peut-être aussi parce que je ne comprends pas vite, et à demi-mot ceux que je côtoie. Que de fois ma femme a dû m'expliquer ce que je n'avais pas su bien voir, me redire des phrases que j'avais mal saisies (…). Les femmes ont, je crois, pour cela, une intuition plus vive et par là une compréhension souvent plus rapide que la nôtre (…). Mais, par contre, une fois que j'ai bien compris, comme je m'amuse!»

Ailleurs, ceci encore:

«J'eusse été seul que je me serais arrêté près de vous au retour de La Roque, ainsi que vous m'aviez très amicalement demandé de le faire; j'eusse trouvé près de vous plus grand intérêt qu'aux petits chevaux de Trouville, malgré que le public y fût assez curieux – mais je m'intéresse plus aux caractères qu'aux mœurs, à chacun en particulier qu'à plusieurs, aux questions morales qu'aux questions sociales, à la psychologie qu'à la politique; et si peut-être ici nous différons quelque peu, ce n'est pas, je pense, pour nuire à nos conciliabules, car les lumières un peu différentes que nous projetons sur chacun finissent quand nous les unissons par éclairer chacun sur toutes les coutures. Il me semble que le guignol du monde et du grand monde n'a jamais si bien joué que pour vous; pour moi qui ne m'amuse que dans les coulisses, je suis moins bien placé que vous pour le spectacle; c'est pourquoi j'aime tant en parler avec vous. Mais comme je m'instruis de mon côté! Comme je déshabille! Que de fausses barbes j'enlève! Que je fais changer les visages à les regarder de plus près!»[6]

Enfin, le spectacle de la nature ne laisse pas Gide indifférent. Nous connaissons ses goûts pour la botanique et l'arboriculture. La lettre suivante, du 10 octobre 1901, est assez caractéristique à cet égard:

«Après les parents et les amis, des ouvriers ont envahi Cuverville: menuisiers, maçons, terrassiers, peintres, bûcherons surtout – nous en avions certains jours onze à la fois. Notre petit jardin était dévoré par les arbres; plantés trop proches, ils s'étouffaient les uns les autres. On abat; on abat; l'automne aidant, c'est une vraie dévastation. Pour délivrer un superbe tilleul, écrasé autour des conifères, nous avons condamné dix arbres; l'exécution était très difficile car les branchages se mêlaient; mais très adroitement les ouvriers ont abattu les neuf premiers sans endommager le tilleul; le dixième mélèze, en tombant, a coupé le tilleul en deux, une extraordinaire malchance ayant déjoué tous les calculs. Je vous raconte cela comme je vous raconterais l'accident d'un ami; depuis trois jours, c'est le principal sujet de nos conversations, le but de nos promenades; on va voir comment va le tilleul, on va soigner ses branches, peindre au goudron ses plaies; Il nous semble que nous n'aurons plus si grand plaisir à vous présenter Cuverville; les Turcs ont l'air d'avoir passé dans le jardin.»

Bien que de huit ans plus jeune que son correspondant, Gide donne très vite à ce dernier des conseils sur l'exigence de l'art. En 1893 déjà, il n'a que vingt-quatre ans, il adresse ces mots à Blanche: «J'aime vous savoir écrire, et j'espère que ce que vous écrivez ne sera pas toujours rien que pour vous une occupation.» Quelques années plus tard, au sujet de l'*Immoraliste* qui a provoqué chez Blanche comme chez beaucoup d'autres lecteurs de graves malentendus, Gide riposte superbement. Il vaut la peine de citer la lettre presque en son entier:

«Non! non! mille fois non! Mon drame, pour *voulu* qu'il soit (je veux dire pour accepté qu'il soit) ne l'est pas par amour de l'intensité des passions, comme vous dites. Il y a là – il y aurait là – quelque chose que je réprouve de tout mon coeur. Nous n'avons aucun droit d'inventer des drames qui risquent de briser le bonheur d'autrui; j'ai vu quelques-uns oser cela; ce sont des misérables. Ils n'ont, à mes yeux, pas plus le droit d'inventer leur drame, que je n'ai, moi, le pouvoir de me soustraire au mien. Je crois d'ailleurs possible qu'à force d'amour, de soins, de dévouement, il continue, ce drame, à ne se jouer que dans mes livres et dans moi. Il n'a rien de «comique», je vous assure, et deviendrait tragique du jour où il attenterait à un bonheur qui m'est infiniment plus précieux que le mien propre, je ne dis pas assez: que puis-je appeler le mien propre? Il est fait tout entier de celui-là.

Mais Blanche, comprenez que je ne suis pas Michel; que si j'étais Michel, je n'eusse pas écrit l'*Immoraliste*; que ma femme et sa soeur ne seraient pas mes deux lectrices les meilleures, et que depuis longtemps c'en serait fait de leur bonheur.

Mais comprenez aussi que je ne suis pas libre de choisir ce que *je dois écrire*. Il y a là un impératif plus catégorique qu'une contrainte physique. Le livre naît en moi naturellement, puis me prend au collet comme un gendarme. Je ne puis pas plus écrire autre chose que ne pas écrire du tout. Ecrire n'est rien moins qu'un jeu; c'est une *obligation* pour moi.»[7]

Peut-être Gide n'aurait-il jamais envoyé les lignes ci-dessus pour ne pas «troubler» une amitié qui lui était chère, si Henri Ghéon, leur ami commun, n'avait imprudemment parlé à Blanche de ce que celui-ci ne savait encore qu'à demi. Si audacieux dans ses livres, Gide se montrait généralement beaucoup plus réservé dans sa correspondance. «Malgré toute mon amitié, ajoutait-il dans la même lettre à propos de ce qu'il venait d'exprimer, j'aurais bien pu vivre trois vies sans vous parler comme je fais ici.»

Blanche souffrait de se sentir accusé de dilettantisme par ceux-là même qui prétendaient être de ses amis. Les fées semblaient l'avoir comblé des dons les plus divers, et qu'il eut la bonne fortune de pouvoir développer librement avec quelques-uns des maîtres les plus éminents. La Comtesse d'Agoult ne lui a-t-elle pas appris à lire dans un volume des lettres de Mme de Sévigné? N'eut-il pas Gounod comme professeur de musique? (Dès l'âge de douze ans, il déchiffrait seul les partitions de Wagner). Mallarmé ne lui enseigna-t-il pas l'anglais, et Manet, la peinture? Blanche a été tôt l'objet de malentendus où la malveillance d'êtres moins doués et moins favorisés par le sort entrait pour une large part. L'on disait volontiers: «il est bien trop intelligent, bien trop l'analyste de la peinture pour être un bon peintre.» Et lorsqu'il déposait le pinceau pour prendre la plume, Blanche se voyait aussitôt reprocher sa versatilité et une certaine légèreté, reproches qui n'étaient pas, d'ailleurs, tout à fait sans fondement. C'est ainsi que Gide, dans une lettre du 22 septembre 1915, note ce qui suit: «J'ai fait avec vous, hier, le voyage de Paris à Dieppe, je veux dire: avec les deux numéros de la *Revue de Paris* que m'a prêté (sic) Mlle Langweil.[8] Je m'explique mal que les passages auxquels vous tenez le plus, ceux où se livre votre pensée, soient aussi les plus négligemment écrits; les meilleures pages, de beaucoup, sont celles de pur récit; certaines sont à peu près excellentes; mais ne suffisent pas à me consoler des autres, où mon pion de crayon trouvait beau jeu.»

Il serait erroné de penser que Blanche ait seul tiré profit de cette amitié. Gide savait qu'il pouvait traiter d'égal à égal avec son partenaire. Il n'était pas rare que l'auteur des *Cahiers d'André Walter* sortît fortifié d'un séjour à Dieppe chez les Blanche. Par exemple, cette lettre du 6 octobre 1916: «Cher ami, oui, le soir même de mon retour à Cuverville, je me remettais au travail, remonté à bloc par nos capitaux entretiens. N'est-ce pas que vous excuserez le précipitation de mon départ, en songeant que c'est grâce à quoi me voici sorti, je l'espère, de l'horrible «fog» où j'ai pataugé tout l'été.» Sur quoi portaient ces «capitaux entretiens»? Souvent, et en particulier ici, sur les travaux de Gide. A la fin de 1916, ce dernier préparait la seconde édition de *l'Immoraliste*. C'est de ce livre dont il est vraisemblablement question dans la suite de la même lettre: «La note dont nous avions parlé? Quelque chose dans ce goût-là: Que souvent dans ces cahiers, que spécialement ici, les noms réels aient été remplacés; qu'il me soit arrivé parfois, d'un seul modèle, d'animer diverses figures, de changer l'ordre des scènes, ou de changer les scènes de lieu, ou même parfois d'inventer le personnage, le lieu, la scène, est-il besoin d'en aviser le lecteur? Est-il besoin surtout de m'en excuser? Le lecteur ne comprend-il pas, sans que j'insiste, qu'un souci de vérité m'a guidé dans l'invention même, et que celle-ci n'intervient jamais dans mon récit que pour me permettre de raconter plus et de pénétrer plus avant que la discrétion ne m'eût sinon permis de faire.»

Un texte comme le paragraphe ci-dessus n'indique-t-il pas que le véritable Gide se trouve dans ses œuvres de fiction plus encore que dans ses pages autobiographiques?

Dans le domaine de l'art, Gide se refusait à toutes compromissions, à toutes facilités. Le parallèle esquissé par Albert Thibaudet entre l'auteur des *Faux-Monnayeurs* et celui de *Madame Bovary* nous revient en mémoire lorsque nous lisons cette phrase: «Le temps passe, et je voudrais bien avoir achevé mes *Faux-Monnayeurs* avant de m'embarquer, en juillet prochain, pour le Congo. Il ne me reste, à vrai dire, qu'une demi-douzaine de chapitres à écrire, mais je me refuse à profiter de l'élan acquis (vous comprendrez, en le lisant, ce que je veux dire) et il me semble que les difficultés s'aggravent à mesure que j'approche de la fin.»[9] Au sujet de Flaubert, rappelons que sa correspondance a remplacé la Bible pendant plusieurs années comme livre de chevet du jeune André Gide.

C'est encore à Flaubert que fait songer le passage suivant:

«Quelle excellente lettre! et quelle invite à causer! Je vais vous dire ce qui m'est arrivé: ces pages de *Journal* que vous lisez dans la N.R.F., et qui prêtent si fort à la critique, auraient dû, transposées, figurer dans le roman que je me proposais d'écrire.[10] Les faisant endosser à un personnage, selon ma méthode habituelle, j'eusse poussé jusqu'à l'absurde des théories dont, du même coup, j'eusse expurgé mon esprit et mon coeur. Cet ilote ivre qu'eût été pour sa sauve-garde, mon héros, m'eût permis, par la peinture de ses excès, la critique et l'ironie. Pour la première fois la *vis poetica* m'a fait faux-bond. Effet de l'âge, des événe-ments, des circonstances? Toujours est-il que ma *Geneviève* est restée en plan; et c'est ainsi que je me suis trouvé amené à assumer les passions dont je projetais d'animer mon personnage. C'est ainsi que je suis devenu mon propre cobaye; au grand détriment de mon équanimité. Ceci vous expliquera sans doute ce que ces pages ont de contestable et que vous relevez fort judicieusement. Mais n'allez pas croire que je me sois laissé endoctriner par X ou Z. En corrigeant les épreuves de mes *Œuvres complètes* (…), j'admire combien, à mon insu souvent, je m'acheminais de longue date vers *cela*. De sorte que, ce qui m'a empêché d'écrire mon nouveau roman (*Suite de l'Ecole des femmes*), c'est aussi que, ce personnage que je voulais créer, je n'ai pu le détacher de moi-même.»[11]

Cette *Suite de l'Ecole des femmes*, elle paraîtra quatre ans plus tard, en 1936, sous le titre de *Geneviève*. Il faudrait examiner dans le détail le texte ci-dessus dont je me bornerai à souligner l'importance. En particulier, il contient sur les relations du créateur et de ses personnages un développement qui éclaire l'œuvre entière de Gide.

A diverses reprises dans cette correspondance, Gide avoue la difficulté qu'il éprouvait à reprendre la plume après s'être laissé distraire de ses livres: «Je ne me remets pas si facilement que vous au travail», écrivait-il à Blanche, comme pour s'excuser de n'être pas plus souvent disponible pour ses amis. Bien peu parmi ses grands contemporains ont eu à ce degré besoin de continuité dans l'effort créateur, et de concentration sur un seul ouvrage à la fois. En cela encore ne ressemblait-il pas à Flaubert?

Le lecteur ne s'étonnera pas de trouver dans ces lettres certaines allusions à la littérature et à la philosophie. Ceci, par exemple, daté de l'automne 1893: «La grande influence de Goethe et de Spinoza me domine – ou plutôt me guide toujours plus, et certaines idées nouvelles que j'y ai prises éclairent pour moi maintenant bien des choses.» La suite de la lettre souligne, notamment, la force de cette influence: «Je voudrais cet hiver m'occuper de sciences, que j'ai toujours tant aimées, d'histoire, de science politique – j'ai peur que la littérature n'arrive pas à se féconder elle-même et ne sèche misérablement, alimentée que par l'idée des autres. Je crois nécessaire de penser fortement soi-même, et je ne sache pas qu'aucun grand littérateur ne soit soustrait à cette obligation. Tous, il me semble, ont été quelque chose de plus que simplement de grands littérateurs – savants comme Pascal ou Goethe, etc. je suis fou de chercher des exemples! – Pardonnez-moi cette tirade qui vient à propos de rien du tout.» (La réserve, chez Gide, reprend vite ses droits!). Et d'ajouter cette phrase qui n'a pas dû laisser J.-E. Blanche insensible: «Mais il n'y a qu'à vous, presque, que j'ose dire de ces choses – car aux littérateurs que je connais, cela semblerait une accusation personnelle.» Evidemment, pour Gide, Blanche était d'abord un peintre.

Lorsqu'il est question de littérature anglaise, Gide était capable de rendre des points même à un spécialiste des lettres anglo-saxonnes comme Jacques-Emile Blanche. Parfois, Gide se montre incisif. En voici deux exemples: «Ce que vous dites de *Lord Jim* me fâche un peu, car, trop peu de temps auparavant vous m'aviez avoué qu'un ennui mortel vous avait fait tomber le livre des mains dès la vingtième page. Finalement, l'avez-vous lu?»[12] Et ceci: «Quel âge attendrez-vous d'avoir pour découvrir que Browning est après Shakespeare le plus grand poète anglais?»[13] Il est permis de ne pas partager l'admiration quelque peu excessive de Gide pour Browning!

Pour ce qui touche les écrivains français, c'est à nouveau Gide qui le plus souvent suggère des lectures: Stendhal (*Lucien Leuwen*), le Cardinal de Retz, «écrivain admirable», Barrès, dont il a lu «avec passion» les *Scènes et doctrines*. Quant à Proust, que tous deux ont fréquenté, et que Blanche se flattait d'avoir été un des tout premiers à faire connaître, André Gide écrit assez finement à son correspondant: «Evidemment, ce que vous dites de Proust ne manque pas de perspicacité, mais tout de même!! votre admiration est trop vite gênée par celle des autres.» Et d'ajouter non sans rosserie: «Et je me félicite parfois d'être goûté par si peu de gens encore; quels défauts ne me découvrirez-vous pas si trop de monde commence à me louer!»[14]

Mais lorsqu'il s'agit de peinture – le contraire serait surprenant – Blanche devient le conseiller et le guide. C'est ainsi que Gide lui dut d'avoir rencontré Walter Sickert, dont il avait plusieurs toiles à Cuverville, Audrey Beardsley et d'autres peintres anglais que les Blanche recevaient à Dieppe et à Paris. Du reste, la première lettre de Gide ne commence-t-elle pas par ces mots: «O notre peintre»? L'écrivain s'arrangeait pour aller avec Blanche visiter des galeries de tableaux, et ces promenades artistiques se prolongeaient dans de longues conversations dont Gide ne manquait pas de tirer profit. Cependant, la peinture n'occupe qu'une place très limitée dans ces lettres. Et c'est grand dommage!

Sur la musique, une missive est à citer presque entièrement:[15]

«Cher ami,

J'ai horreur de la musique allemande – y compris le colossal Wagner, que je suis bien forcé tout de même d'admirer – mais y compris surtout Brahms (dans le temps *vous* m'avez fait acheter l'œuvre complet pour piano) que je tiens pour le pire rhéteur artistique des temps modernes – et Strauss, dont les partitions sans cesse ouvertes sur votre piano m'ont parfois gonflé d'indignation. Ce ne sont point là chez moi des opinions de temps de guerre; mais ce n'est pas longtemps avant la guerre que j'en suis venu à me persuader que les plus grands musiciens allemands du passé n'étaient arrivés à la maîtrise artistique qu'en s'opposant à l'Allemagne, au génie propre de l'Allemagne, et que ce par où ils cédaient à ce génie nous demeurait insupportable – et méritait de l'être. Je suis infiniment sensible à tout ce qui, dans la musique, rompt avec le germanisme, et même plus communément avec le pathos, l'amplification des sentiments.»

C'est le classique qui s'exprime ainsi, le Gide qui ressemble le plus, peut-être, à l'image que nous nous représentons généralement de lui. Il est piquant de constater que nous ne sommes pas loin, ici, des vues d'un Charles Maurras sur le romantisme et sur le nationalisme littéraire!

La suite de la même lettre est aussi à retenir: «Second point: après le génie allemand, c'est certainement le génie espagnol pour lequel je me sens le plus réfractaire. Une des plus grandes surprises de ma vie, c'est le goût extrêmement vif que j'ai pu prendre pour Albeniz – ou, précisons, pour les quatre cahiers d'*Iberia* à quoi je crains bien que ne se réduise sa musique. Quant à celle de Granados, il ne suffit pas de dire qu'elle est inégale. Je n'en connais que très peu: les premiers cahiers que j'avais vus de lui sont inexistants; mais soudain il y a dans le premier cahier des *Goyescas* deux ou trois pièces d'une expression si juste, si exquise et d'une si habile composition que je donnerais pour elle tous les oratorios de Strauss. Depuis que je vous ai vu, je me suis procuré le deuxième cahier des *Goyescas*, qui, je l'avoue, m'est à peu près insupportable.» Et la dernière phrase qui rejoint l'observation que je fais plus haut: «Tout ceci m'enfonce dans mon opinion que le salut doit venir de *nous* – je veux dire de la France. Mais tandis que dans Strauss je sens l'ennemi; dans Granados, c'est un allié (impuissant, hélas!) que je vois.»

Il serait inexact de prétendre que, dans ce temps-là, Gide condamnait toute la musique allemande. Une année plus tard, le 13 mars 1917, il écrivait: «Pour l'instant je ne connais plus que Bach.» Quant aux autres musiciens, nous connaissons le prédilection de Gide pour Chopin dont il était un merveilleux interprète.

Laissons là littérature, peinture et musique pour pénétrer, à l'aide de cette correspondance, plus avant dans l'intimité de notre auteur. Lors de la publication par Blanche de *Mes modèles* (1928), la librairie Stock l'interroge sur les portraits de lui brossés par le peintre. Et Gide d'évoquer leur vieille amitié:

« Ah! qu'il faut remonter loin en arrière, mais vers quels charmants souvenirs. Sans doute serai-je appelé, si je continue un peu plus tard la relation de mes propres mémoires, à dire ce que fut pour moi-même, et pour quelques-uns, votre atelier en ce temps, de quel attrait était votre conversation. J'aurais plaisir à cette occasion, d'aller à l'encontre de certaines idées fausses que l'on put se faire de vous, et d'exprimer toute ma reconnaissance pour une amitié que vous m'avez toujours fait sentir de la manière la plus exquise, et qui ne s'est jamais démentie. J'ai parfois, lorsque je pense à vous, ce qui m'arrive souvent, de véritables remords, car je suis resté, depuis mon retour du Congo, bien silencieux et distant à votre égard. Je serais désolé que vous puissiez vous méprendre sur un retrait où le cœur n'entre pas en jeu, est-il besoin de le dire. Mais, peut-être, avez-vous pu apprendre par les uns et les autres que je ne vois pas plus ces uns et ces autres que vous-même. J'ai de plus en plus besoin de tranquillité, de solitude, et deviens, de plus en plus, inapte à la conversation. Il n'y a là aucun dédain d'autrui, mais difficulté de plus en plus grande de livrer mes propres pensées autrement que par écrit – ce qui est déjà bien suffisamment difficile.»

On le voit, Gide pouvait témoigner au compagnon de tant d'années une exquise gentillesse, une amicale confiance, quelles que fussent, par ailleurs, les remarques beaucoup moins laudatives qu'il lui arriva de consigner dans son *Journal* et ailleurs.

Il est encore une missive dont je voudrais citer un paragraphe. Elle est datée de 1932. A Blanche qui se plaignait de ne le voir que rarement, Gide répondit: « Persuadez-vous, cher ami, que j'ai gardé pour vous une affection très vive. Il y eut un temps où votre conversation, comme celle de Valéry, me laissait assez déprimé, de sorte qu'il m'est arrivé parfois de préférer un peu vous éviter l'un et l'autre; c'est aussi que je n'étais pas suffisamment assuré sur ma propre position et craignais sans cesse de manquer de confiance en moi-même. J'ai moins de crainte aujourd'hui, non pas que je sois beaucoup plus confiant (en moi-même), mais parce que, sentant mon oeuvre à présent derrière moi, le doute et l'ébranlement prennent un peu moins d'importance.» Et cet aveu où, pour une fois, l'écrivain ne cherche pas à donner le change: «Vous ne sauriez croire le rôle qu'a joué dans ma vie ce que Freud appelle le «complexe d'infériorité»! Quel étrange aveu je vous fais ici: mais dans l'histoire de nos relations, c'est l'explication de bien des retraits de ma part, que peut-être vous vous êtes mal expliqués. Je termine cette lettre bien vite et ne la relis pas de crainte de la déchirer.»

Etrange Gide qui parfois se découvrait au premier venu avec désinvolture et cynisme, à d'autres moments fuyait devant certaines options, et brusquement pouvait «rendre un son pur, probe, authentique.»

André Gide et l'art épistolaire... Etait-il un grand épistolier au même titre que Voltaire, Diderot, Flaubert ou Paul Valéry? Je ne le pense pas, malgré l'intérêt évident que présentent ses nombreux volumes de correspondance. Dans ce domaine en particulier, Gide avait souvent conscience d'être inférieur à son partenaire. Combien de fois, par exemple, n'écrivit-il pas à Blanche: «Mes lettres me paraissent bien ternes et vides auprès des vôtres; mais vous, vous avez tout à raconter.» (Sous-entendu: je vis solitaire, tout entier à mon oeuvre. Je n'ai rien d'autre à dire.) Et Gide de reconnaître: «Je suis si peu dispos pour la correspondance.» Le pensait-il vraiment? Simulait-il pour s'excuser de décevoir? Cela dépendait sans doute des circonstances. A Robert Mallet qui lui disait: «Vous avez toujours écrit des lettres plus brèves que vos correspondants», Gide rétorquait: «Forcément. Je faisais métier de mon amitié. C'est un métier fatigant qui requiert des soins assidus. Je m'y usais. J'écrivais peu à chacun, mais j'écrivais à beaucoup.»[16] André Gide n'aurait probablement pas approuvé Jacques-Emile Blanche, lorsque celui-ci déclarait en 1938 en réponse à une enquête menée par les Nouvelles littéraires: «J'estime que l'art épistolaire est le genre le plus important.» Gide manque souvent de naturel, de spontanéité dans ses lettres qui trahissent l'effort vers une certaine perfection. Les plus belles sont généralement très littéraires.

Mais plusieurs des textes cités plus haut montrent que Gide, lorsqu'il se sentait dispos, se hissait naturellement au niveau des maîtres du genre épistolaire. Il lui arrivait alors de trouver des formules piquantes, telles que: «Je suis grippé jusqu'au bout de ma plume», «La société des plages serait divertissante si l'on pouvait la voir sans être vu»; «oui, j'ai fait un nouveau plongeon; je reviens à la surface.» Lorsque l'élaboration de son oeuvre lui laissait quelque répit, André Gide se faisait dans ses lettres plus incisif, plus direct, plus ironique aussi, et ses moindres billets portent la trace de ce qu'il y avait en lui d'unique: une haute intelligence unie à un véritable tempérament d'écrivain, et alimentée par une curiosité toujours renouvelée.

NOTES

1. Marcel Jouhandeau, *Correspondance avec André Gide* (Paris, 1958), p. 29.
2. De 1916.
3. Paris, 1928, p. 281.
4. *Mes modèles*, (Paris, 1928), p. 194.
5. Lettre inédite, en la possession de M. Georges Mévil. Je remercie vivement M. Mévil ainsi que le Comité André Gide d'avoir bien voulu m'autoriser à publier cette correspondance.
6. Lettre inédite du 15 août 1901.
7. Lettre inédite du 12 juillet 1902.
8. Gide parle probablement du deuxième volume des *Cahiers d'un artiste* (Paris, 1914–1917) qui lui sont dédiés, et dont la *Revue de Paris* publia d'importants fragments.
9. Lettre inédite du 28 janvier 1925.
10. *Suite de l'École des Femmes*.
11. Lettre inédite du 8 octobre 1932.
12. Lettre inédite du Ier février 1917.
13. Lettre inédite du 20 novembre 1919.
14. *Ibid.*
15. Du 19 mai 1916.
16. Cf. Préface de Robert Mallet à la *Correspondance* entre André Gide et Paul Valéry (Paris, 1955).

LA CORRESPONDANCE HUYSMANS – GIDE

La correspondance Gide–Huysmans n'a pas l'importance, ni la signification, des correspondances avec Valéry, Claudel, Louÿs ou Edmund Gorse; elle ne durera que quatre années, 1891–1895, celles qui vont de la première œuvre de Gide; les *Cahiers d'André Walter*, à *Paludes*. Correspondance à sens unique, puisqu'il ne reste que les lettres de Huysmans, remerciant Gide pour l'envoi de ses livres. Il y eut certainement, accompagnant ces livres, des lettres de Gide, mais ou Huysmans ne les a pas conservées ou elles ont été détruites, égarées après son décès. Cependant, par recoupements avec des passages des autres correspondances de la même époque, on peut reconstituer ce qu'avait pu écrire le jeune débutant à son aîné de 20 ans, l'auteur qu'*A rebours* et *En route* venaient de placer en marge du symbolisme après avoir été le très orthodoxe naturaliste des *Soeurs Vatard* en d' *En ménage*. La fréquentation de Mallarmé et de Redon faisait déjà la transition entre Zola et le symbolisme chrétien de la *Cathédrale*.

Ces cinq lettres ne sont pas entièrement inédites. La première, celle où Huysmans accuse réception des *Cahiers,* a été publiée, avec l'autorisation de Gide, en appendice à une réédition de l'œuvre par la Société des Médecins bibliophiles en 1925. Deux autres furent communiquées par Gide lui-même, sous forme de copies, à Mr Pierre Lambert en avril 1948, et leur texte a paru dans le Bulletin de la Société J. K. Huysmans en 1951, l'année même de la mort de Gide. Deux seulement sont encore inédites et appartiennent au Fonds Doucet.

Sans ces lettres et les références à Huysmans, nombreuses dans les correspondances avec Valéry et Louÿs, on pourrait croire que Gide a échappé à l'influence de *A rebours* et de *En route*; car, à l'exception de quelques notations furtives dans le *Journal* et dans un article sur Villiers de l'Isle Adam, repris dans *Prétextes*, Gide a gardé au soir de sa vie le même silence que son ami-antagoniste

Claudel sur le cas Huysmans. Les raisons de ce silence ne sont peut-être pas les mêmes; l'état d'esprit qu'il décèle ne me semble pas si opposé, le désir de prendre ses distances avec une période de sa vie littéraire.

Thibaudet traite Des Esseintes de robot de la littérature, mais le jeune Valéry déclare, en 1882, dans une lettre à Albert Dugrip: «C'est ma Bible et mon livre de chevet». Et à Pierre Louÿs, un an plus tard: «Votre lettre exhale l'amour secret de *A rebours* que vous venez de boire longuement. Quel livre; Quel *Faust* plus exaspéré, plus malade, plus tordu et sans rémission, et sans ange de la fin!» (14 septembre 1890). De Whistler à Paul Bourget, on voit dans le personnage d' *A rebours* l'incarnation du héros décadent, le diagnostic du nouveau mal du siècle. Or, que veut Gide quand il écrit fiévreusement les *Cahiers d'André Walter*? Ecrire un livre qui «répondait (ce sont ses propres termes) à un tel besoin de l'époque, à une si précise réclamation du public, que je m'étonnais même si quelque autre n'allait pas s'aviser de l'écrire, de le faire paraître, vite, avant moi.» Son amour pour sa cousine, le désir de trouver une issue à son problème intime, étaient l'occasion plus que la raison profonde du livre. Qu'il ait eu sous les yeux pour le stimuler la confession de Des Esseintes, une lettre de Pierre Louÿs, confident alors le plus intime, datée de juin 1890, le prouve sans ambage: «J'ai beaucoup réfléchi à ton projet. Pour le faire; oublie tout. Ne sache plus qu'il existe un *Werther* ou un *A rebours*.» (Cité par Jean Delay, *la Jeunesse d'André Gide*, I, p. 461). Il n'a donc pas attendu la rencontre avec le jeune Montpelliérain qu'enivrent la *Tentation* et *A rebours*, pour se fixer un but, exprimer la maladie de l'âme de la nouvelle génération de 1890, puisque Des Esseintes est un homme mûr, contemporain de ceux qui sont alors des Maîtres, Mallarmé, Huysmans, Redon. Louÿs n'insinue-t-il perfidement pas qu'il sera «une sorte de Musset très aimé.» Or, que sera la réponse de Huysmans à l'auteur des *Cahiers*? On imagine un peu l'attente d'un Chateaubriand après l'envoi de *René* à l'auteur de Werther. A une date qu'on peut fixer approximativement au mois de mars 1891, Huysmans répond: «Je viens de terminer *le Cahier d'André Walter* (sic) que vous avez bien voulu m'envoyer.

«J'ai été, dans le tohu-bohu des volumes modernes, singulièrement requis par certaines pages de ce livre pâle, pâle et tremblé – de convalescence et de commencement de maladie d'âme.

«Il y a des choses parfaites. Le «si tu voulais nous prierons ensemble» et l'adorable réponse d'Emmanuèle. – Puis la page sur la pensée amie qu'on sait d'avance. – Et tant d'autres, si mélancoliques et si murmurées. Je vous en veux un peu pour une note qui signale et ne fait pas – page 217 – les quatre dernières lignes! – c'eût été superbe à disséquer.

«Mais qu'est-ce que çà fait! Vous l'avez écrit: les chimères plutôt que les réalités! ah oui! et vous avez mis cette postulation à profit dans ce trop court livre.

«Cela sort de l'ordinaire et des abominables vulgarités qui nous assaillent chez tous les libraires!».

La lettre est louangeuse; quand on a pratiqué un peu Huysmans épistolier, il y a des passages qui ne permettent aucun doute, comme l'imprécation contre les «abominables vulgarités» de la littérature contemporaine. Les compliments portent juste et témoignent d'une lecture compréhensive. Bien plus, Huysmans semble reconnaître en André Walter un frère puîné de Des Esseintes, puisqu'il regrette que l'auteur ait négligé de développer un aspect du personnage; la névrose qui menace le mystique trop confiant en ses propres forces, ou du moins l'«angélisme» avec ses implications lucifériennes. «Une note qui signale et ne fait pas»: c'est une allusion au passage du *Cahier noir*: «le doute au milieu de l'extase et rester à genoux ne sachant plus... etc. Influence de la nourriture sur l'état religieux – Extase artificielle – La Chair entremetteuse obligée – Causes nerveuses (à faire).»

Déjà, chez Des Esseintes, la description de l'angoisse morale et métaphysique était liée à celle des manifestations de la névrose qui l'accompagne, sans que cette dernière, la névrose, explique l'angoisse. Mais, en mars 1891, à la veille de la parution de *Là-bas*, Huysmans est sollicité par le surnaturalisme qui le mènera à la conversion; bien qu'il n'en soit encore qu'au point d'où Gide partira, il tient ferme les deux extrémités de la chaîne, et il semble avertir son cadet du danger qui le menace.

Les contemporains qui apprécièrent l'œuvre du jeune auteur parlèrent dans des termes à peu près identiques à ceux de Huysmans. Marcel Schwob y trouve notée «cette terrible maladie de la volonté par laquelle passent les jeunes gens de la deuxième moitié du siècle.» Et Rémy de Gourmont, très lié alors avec Huysmans, approuve «la dissection de toute une jeunesse d'étude, de rêve et de sentiment, d'une jeunesse repliée et peureuse.»

Sur ce, Gide rend visite à Huysmans. Il y a été poussé par Valéry auquel le lie maintenant une amitié qui a tout l'emportement de la jeunesse et ne connaît pas les défiances de celle avec Louÿs. Il lit «*En rade* de votre Huysmans aimé» et, dans la même lettre du 23 juin 1891, décrit l'homme: «j'ai vu Huysmans. C'était un matin. Je l'ai trouvé en manches de chemise, pantalon et gilet gros bleu. Un air de (?). Je cherche un quart d'heure en vain. Rien n'est plus neutre que son visage, un peu bouffi et qui ne manifeste rien. Nous avons causé quelque temps. Je ne sais vraiment que vous en dire – anecdotes – cancans, etc.... Il ne m'a pourtant pas déplu. Que voulez-vous qu'on dise dans une visite comme cela? On met un masque, on joue un rôle. J'y retournerai d'ailleurs; il m'a demandé de revenir. Il a des gravures et des boiseries extrêmement curieuses et belles – et un chat.» Pas d'enthousiasme donc, mais des relations pleines de réserves, prudentes, nouées entre un débutant et son aîné. C'est que, sous ses allures bourrues, Huysmans est timide et Gide a dû le gêner avec sa retenue de grand bourgeois protestant, même déguisé en esthète. Bientôt il lui adressera les *Poésies d'André Walter* et le *Traité du Narcisse*. Une courte lettre de Huysmans le remercie des deux ouvrages en des phrases assez anodines, sauf pour le second: «votre insidieux et occulte *Traité du Narcisse* peut soulever, avec l'appui de sa note finale surtout, d'intéressantes discussions longues.» Mais d'invite à revenir, point, et les deux hommes ne semblent pas s'être revus, même quand Valéry, monté à Paris, sera très lié avec Huysmans. Bien que Gide déclare à son nouvel ami que «Rosny est avec Huysmans un des meilleurs pour la prose», il faut que Valéry lui fasse promettre (août 1891) «qu'à votre retour en Paris vous connaîtrez Docre ou Gévingey, de vagues érudits aux mains pâles, des astrologues. Il importe de s'inquiéter». Enfin, Gide obtempère à ces injonctions de son ami, seulement en août 1891: «Je lis *Là-bas* qui m'intéresse beaucoup, m'agace un peu avec ses élans vers l'au-delà, ses bonds vers le suprasensible, ses prurits d'âme. Enfin des moules de fin de phrase d'une monotonie vraiment crispante.» Dans une autre lettre à Valéry, antérieure, de mai 1891, il se dépeint d'une façon amusante, «tant ma tête lassée était sonore et vide, énervé comme des Esseintes au sortir de la Chambre aux parfums.» S'il échappe un peu à Valéry et à Huysmans, c'est qu'il vient de découvrir «l'esthète Oscar Wilde, ô admirable, admirable celui-là». Au cours de leurs entretiens, Wilde lui a-t-il révélé que le livre qui rend parfait Dorian Gray dans le sens Wildien, n'est autre qu'*A rebours*, prêté par Lord Henry au jeune homme. Celui qui vient de publier, il y a seulement quelques semaines les *Cahiers*, va jusqu'à écrire, toujours à Valéry: «Wilde s'étudie pieusement à tuer ce qui me restait d'âme, parce qu'il dit que pour connaître une essence il faut la supprimer.»

Valéry, qui n'a pas encore vécu sa nuit de Gênes, lui écrit par contre, de plus en plus sous l'influence de Huysmans; «il n'y a que l'Eglise qui a un art. Il n'y a qu'elle qui soulage un peu et qui détache du monde» (sept. 1891).[1] Ce catholicisme esthétique de Valéry, Gide en a fait aussi l'expérience, avant même sa rencontre avec lui et sans doute sous l'influence de la lecture d'*A rebours*, puisqu'on trouve dans une lettre à sa mère de mars 1890, la description d'une procession à Notre-Dame: «Je me suis trouvé, un cierge à la main, faire involontairement partie d'une procession au milieu de laquelle j'étais inopinément tombé, mais que j'ai lâchée très vite par scrupule de conscience. Le cortège était si long qu'il enveloppait toute la nef (à l'intérieur) – le coup d'œil était admirable, les deux orgues se répondaient – dans l'abside une théorie d'enfants de coeur (sic) en surplis blancs, portant des cierges, psalmodiaient des chœurs très élevés. C'était admirable: j'étais extrêmement ému.» Précisons qu'il s'agit des vêpres, et l'on ne pourra s'empêcher d'évoquer ces vêpres de Noël 1886, d'où Claudel datera sa conversion (J. Delay – I – p. 439).[2]

Le Voyage d'Urien et *la Tentative amoureuse* n'inspirent à Huysmans que des lettres de remerciements bien conventionnelles. «*Le Voyage d'Urien* est le seul livre qu'on ait fait paraître depuis longtemps, mais c'est pourtant vrai. Il tient des pages d'évocations superbes et écrites dans une langue de bel artiste. Les Minarets, la partie finale du voyage sur l'Océan Pathétique et les étonnants guillemots de la Mer Glaciale en sont une indéniable preuve. Ah! vous savez monter des féeries de cervelle, vous!» (Le compliment peut paraître bien ironique!) «Puis l'alentour de ces tableaux est un peu déconcertant – ce qui n'est pas fait pour me déplaire. L'ironique orgueil de ce Narcisse, de ce Moi, languissant, et préoccupé d'actions de vaillance, épris de la «gravité de sa tâche», le tout se consumant en fumée, en rêve, est si bizarre par le sérieux presque solennel avec lequel vous l'énoncez! Le cadre du livre est superbement établi: les illustrations intéressantes et curieuses, propices aux rêveries; celles de la page 36 et de la page 101 vraiment troublantes.»

La même remarque peut être faite pour la réponse à l'envoi de la *Tentative amoureuse*, et la réserve devient plus distante: «En somme c'est avec une note moins intense que *le Voyage d'Urien*, ce même frôlement fantomatique sur les lisières de la vie et ce jeu de soi-même suppléant à tout le *Traité du Narcisse*, comme vous l'avez écrit; c'est du Narcisse d'âme, de la contemplation ombilicale d'esprit. Ce serait discutable si ce n'était vous, qui êtes un artiste subtil et curieux, qui l'écriviez.» La formule cérémonieuse de la fin le souligne: «Merci donc et bien à vous, mon cher Confrère.»

Ne nous étonnons pas de ces réserves de Huysmans à l'égard des dernières œuvres de Gide. Huysmans qui vient de se convertir en juillet 1892, ne peut éprouver que de l'impatience devant des écrits où «le frôlement fantomatique sur les lisières de la vie» exclut tout engagement, sauf de forme, ou du moins l'annonce, car Gide ne s'est pas encore révélé l'homme du dialogue, l'homme qui se veut disponible par un choix qui, lui, est délibéré. Bientôt d'ailleurs, en 1895, *Paludes*, première «sortie», fait présager le secret de ressuscité qu'il rapporte d'Afrique et que proclameront les *Nourritures terrestres*.

Huysmans, dont Breton fait un des maîtres de l'humour noir, accueille le livre avec chaleur: «Je viens de lire l'énigmatique *Paludes* et il m'a vraiment intéressé comme une ironique étude de l'égotisme, des poussées impulsives et des manies régulières; puis l'amusante saute à cloche-pieds d'idées: il y a de bien dénigrantes et de bien jolies scènes chez Angèle et de tout ce je m'en fichisme de la littérature contemplative ombilicale, il sort de très pénétrantes pages d'art qui festonnent dans cette légère danse d'esprit qui semble faire remuer les lignes du livre.»[3] Huysmans a bien vu que Tityre est un «André Walter comique, une sorte de Gide rapetissé et ridicule, support falot de tous ses complexes», pour reprendre le jugement de Mr Claude Martin. «Discret, terrible badinage à fleur d'âme», déclare Mallarmé.

Ici s'arrête la correspondance Huysmans-Gide que nous possédons. Pas de trace d'un envoi des *Nourritures terrestres*, parues en 1897. Mais il ne faut pas en conclure que Gide a rompu littérairement avec l'homme que la *Cathédrale* va montrer, en 1898, engagé sans retour dans le catholicisme et qui sera, sous peu, le retraitant de Ligugé. Il est possible que Huysmans, requis par les formalités interminables exigées par sa demande de mise à la retraite et ses pérégrinations à la recherche d'un cloître, n'ait pas répondu à Gide, à moins que ce dernier n'ait jugé que Durtal se scandaliserait à lire cet évangile à rebours... «Agir sans juger si l'action est bonne ou mauvaise. Aimer sans s'inquiéter si c'est le bien ou le mal. Nathanaël, je t'enseignerai la ferveur.»

Par Valéry, Gide doit savoir que Huysmans n'a rien d'un fanatique, et que son catholicisme n'est pas le prosélytisme ombrageux d'un Bloy.

On peut présumer que *les Nourritures* lui furent adressées et que Huysmans négligea de répondre, car un billet de lui, écrit de Ligugé, nous apprend que Gide lui a encore fait le service de presse du «Prométhée mal enchaîné» en 1899. D'un ton, disons, assez vif, le passage marque la fin de relations qui avaient toujours été distantes et pleines de réserve. Il prie son correspondant Landry, qui est son homme à tout faire à Paris, de ne pas lui faire suivre l'ouvrage: «j'ai déjà lu des livres de lui, c'est du sous-Barrès, c'est-à-dire quelque chose qui m'est simplement odieux.» Huysmans n'a sans doute pas lu les articles antibarrésiens de Gide à propos des *Déracinés* écrits en 1897, mais ce Barrès qu'il retrouve et rejette en Gide, il ignore à coup sûr que l'auteur des *Cahiers d'André Walter* l'unissait, aux alentours des années 1890, dans son intérêt et son admiration pour *A rebours*. Le Cahier de lectures du 18 mars 1890, que cite M. Delay, porte: «*l'Homme libre* de Maurice Barrès. Lu depuis La Roque et médité tous ces derniers mois. Je reste convaincu, malgré les révoltes de Pierre [Louÿs] que c'est là une oeuvre maîtresse, une oeuvre type de la génération intermédiaire qui s'en va, un jalon de l'histoire littéraire.»

André Gide n'a pas eu connaissance de cette lettre à Landry, qui m'a été obligeamment communiquée par M. Pierre Lambert, à la collection de qui elle appartient. Je ne vois pas cependant qu'on ait à conclure de ces lignes rageuses que chacun d'eux, Huysmans comme Gide, ait dans ces relations mis un masque, joué un rôle, pour reprendre les expressions mêmes de la lettre à Paul Valéry. Tout n'a pas été négatif, il n'y a pas eu simple échange de politesses littéraires: hommage déférent et intéressé de l'un à l'égard de l'aîné encore influent, condescendance chez l'autre, qui se sent flatté par les avances de ce représentant de la génération qui monte. L'inquiétude, le malaise spirituel de Des Esseintes revit dans *André Walter*, comme dans *Paludes*; Durtal, dans *En route* montrait déjà les efforts qu'il lui a fallu faire pour s'intéresser à la vie, même si cette vie n'était pas celle que prônait Ménalque. Gide, trop proche encore de Huysmans, n'a pas su voir que lui aussi remettait en cause «la notion même de l'homme.» Un esprit, non prévenu certes de sympathie envers le converti de la *Cathédrale*, l'a très bien exprimé, André Breton: «Nul avant lui n'a su, sinon me faire assister à ce grand éveil du machinal sur le terrain ravagé des possibilités conscientes, du moins me convaincre humainement de son absolue fatalité, et de l'inutilité de chercher pour moi-même des échappatoires» (Nadja). Un tel programme n'est-il pas celui des *Caves*, comme des *Faux-Monnayeurs* et de *Si le grain ne meurt?*

Plus lucide que son ami, Valéry écrivait déjà à Huysmans à propos d'*En route*: «Vous précipitez le roman actuel à la chaudière des enfers de foire où est sa place», et dans un article du Mercure de France de mars 1899, intitulé *Durtal*, il reprenait la même idée: «Durtal unit trois livres qui seuls ont apporté une nouveauté générale au roman contemporain.» Victor Ségalen portera un jugement identique. Sans *Là-bas*, Gide aurait-il eu l'audace d'écrire le roman d'un romancier composant son œuvre, car Gilles de Rais est, pour Durtal, le héros d'un roman; les documents du procès ne sont qu'un tremplin de rêves. Après Durtal, il y a le narrateur Marcel de *la Recherche du temps perdu*, comme l'Edouard des *Faux-Monnayeurs*... et le personnage abstrait de *l'Homme sans qualité*: des héros pas comme les autres, qu'ils fussent Dominique ou Mme Bovary.

Il n'y a pas jusqu'à ce Malin, qui joue un si grand rôle dans l'oeuvre gidienne, dont on ne retrouve, je crois, l'origine chez Huysmans. Les diableries de *Là-bas* ne doivent pas, en effet, faire illusion: messe noire, maléfice, envoûtement. Sans doute Huysmans y a cru, il a aimé ces pacotilles, ces contes à dormir debout, dignes d'une «portière de l'enfer», pour reprendre l'amusante et cocasse expression de Valéry, mais il a aperçu «l'image dans le tapis». Durtal, c'est, après Des Esseintes, l'homme déchiré entre deux postulations simultanées, mais qui répond négativement à la question de Satan, du Raisonneur: «Comment ce qui t'est nécessaire ne te serait-il pas permis? Consens à appeler nécessaire ce dont tu ne peux pas te passer.» Les pages brûlantes d'*En route* parurent aussi gênantes aux contemporains que la confession de *Si le grain ne meurt*, et elles ne scandalisèrent pas moins les catholiques timorés. Gide se montre aussi injuste que Massis envers Gide, quand, à propos de Villiers de l'Isle Adam, il incrimine, chez les écrivains catholiques, dont Huysmans, mentionné expressément, leur «méconnaissance de la vie, et même haine de la vie, mépris, honte, peur, dédain, il y a toutes les nuances, une sorte de religieuse rancune contre la vie.» L'article, qui parut en 1901 dans la Revue Blanche et fut repris dans *Prétextes*, aurait donc pu tomber sous les yeux de Huysmans. N'est-ce pas aussi bien simplifier les choses que d'écrire, comme dans le *Journal* en 1933 : «Il n'est pas une de ces conversions où je ne découvre quelque inavouable motivation secrète: fatigue, peur, déboire, impuissance sexuelle ou sentimentale.» Ses ennemis avaient dit la même chose à son sujet.

Il n'y a pas jusqu'au problème de l'homosexualité, de la pédérastie, crucial dans la vie de Gide, qui n'ait été à plusieurs reprises abordé par Huysmans. Des Esseintes, avant sa retraite, a une liaison avec un tout jeune homme: «Et au hasard de cette rencontre était née une défiante amitié qui se prolongera durant des mois; Des Esseintes n'y pensait plus sans frémir; jamais il n'avait supporté un plus attirant et plus impérieux fermage, jamais il n'avait connu de périls pareils, jamais aussi il ne s'était senti plus douloureusement satisfait.» A côté de Des Esseintes, il y a Gilles de Rais et Docre où sont confondus sadisme ou débauche et pédérastie. Quand il écrit son *In mémoriam* puis *Corydon*, Gide semble ignorer la réponse faite par Huysmans à Raffalovich, l'auteur d'un essai intitulé *Uranisme et unisexualité*. Ce Raffalovich avait appartenu au cercle de Wilde, puis s'était converti. Les vues exprimées par Huysmans, même si elles allaient à l'encontre de celles de Gide, témoignaient d'objectivité compréhensive.

Par delà même la mort, Gide ne devait pas totalement échapper à l'emprise de Huysmans. Quand, en 1912, sous l'influence de Claudel, il est tenté de se convertir au catholicisme, et lui demande le nom d'un prêtre, c'est à l'abbé Fontaine que Claudel voudra l'adresser. Et ce prêtre, curé à Clichy, est précisément le dernier confesseur de Huysmans. On sait ce qu'il advint de ces vélléités, et le *Journal* ne devait mentionner le nom de Huysmans qu'à l'occasion d'un voyage en Belgique en 1929. Une annotation fugitive sur Huysmans «peintre des terrains de zone... et des humanités maladives.»

NOTES

1. Les deux amis lisent plus tard, en 1893, avec passion, Ruysbroek l'Admirable, dont Maeterlinck vient de publier, en 1891, *l'Ornement des noces spirituelles*, mais qui avait déjà fourni à Huysmans la phrase placée en épigraphe à *A rebours*: «Il faut que je me réjouisse au-dessus du temps, quoique le monde ait horreur de ma joie et que sa grossièreté ne sache pas ce que je veux dire.»

2. Le Dr Delay a justement rapproché du passage des *Cahiers* relatifs à la vie des chartreux, les lettres de Gide où il confie à sa mère la fascination qu'exerce sur lui la Chartreuse; ces lettres sont contemporaines de la rédaction des *Cahiers* (Delay, II, p. 456-457) – «La Grande Chartreuse qui m'attire pour bien des choses, c'est la plus splendide des folies que j'aie jusqu'ici rencontrées» (30 mai 1890). Il compte même y faire retraîte : «Pour la Grande Chartreuse, mes projets ne sont pas encore réalisables, car je compte m'établir ou à la Grande Chartreuse même ou pas du tout (on le peut)». Mais, pour finir, il y renoncera, contrairement à P. Louÿs, retraitant littéraire des chartreux en août 1890. «Je ne veux pas encore voir la Chartreuse et je t'en dirai les raisons plus tard». Mais, précise le Dr Delay, il ne les dira pas.

3. A remarquer ici la reprise de l'adjectif «ombilical» que l'on trouvait déjà sous sa plume pour qualifier *le Voyage d'Urien* et *la Tentative amoureuse*, et qui tire, de cette répétition dans le contexte tout son sens ironique.

GIDE ET VIELÉ GRIFFIN

Quand André Gide se retira dans le Dauphiné pour écrire son premier roman, *les Cahiers d'André Walter*, le poète Francis Vielé-Griffin était déjà sinon connu du grand public, du moins reconnu et accueilli par le monde littéraire. En 1891 il avait déjà derrière lui quatre volumes de poésie, le grand poème dramatique, *Ancaeus*, d'innombrables vers parus dans diverses revues, des traductions de son compatriote Walt Whitman, et de nombreux essais critiques. Un numéro des *Hommes d'aujourd'hui* lui avait été consacré, et c'est Verlaine lui-même, sous le nom de plume de Pierre et Paul, qui avait écrit sa notice biographique (très inexacte, d'ailleurs). Il était lié avec Mallarmé, et, quoique sa connaissance de la langue anglaise fût presque aussi défectueuse que celle de son Maître, il l'avait beaucoup aidé dans ses traductions de Edgar Allan Poe et il est à moitié responsable pour le texte du «Portrait de Whistler». En outre, il avait collaboré activement à plusieurs revues symbolistes, parmi lesquelles *Lutèce*, *la Vogue* et *les Écrits pour l'art*. Et en 1890 Vielé-Griffin avec l'aide de Paul Adam, Bernard Lazare et Henri de Régnier avait lancé *les Entretiens politiques et littéraires* qui devaient, pendant trois ans et demi, être une des revues les plus importantes pour les jeunes poètes.

Il y avait, bien entendu, des rapports entre le jeune Gide et le poète de naissance américaine. Leur rencontre était presque inévitable, car Gide commença à fréquenter les mêmes salons symbolistes où son ainé était déjà un habitué. Donc il se virent régulièrement pendant quelque temps, surtout chez Hérédia. Ils avaient les mêmes amis, tels que Henri de Régnier qui était encore l'ami le plus intime de Vielé-Griffin et Pierre Louÿs. Vielé-Griffin existait donc pour Gide en tant que personnalité littéraire, poète, et être humain. Ainsi il paraît intéressant d'analyser la nature de ces rapports pour voir s'ils eurent de l'influence sur le développement artistique du jeune Gide. Evidemment, il est toujours dangereux de parler d'influence. En abordant ce problème il faut se méfier même du témoignage de Gide lui-même, car il n'a jamais facilité la tâche du savant. Comme tant d'autres grands écrivains, Gide a, semble-t-il, fait de son mieux pour embrouiller les pistes.

Pour jeter un peu de lumière sur notre sujet, nous avons d'abord quelques faits à notre disposition qui montrent clairement que Gide avait du moins beaucoup d'estime pour l'auteur de *la Chevauchée d'Yeldis*. D'abord, nous savons que Gide avait soumis le manuscrit de son deuxième ouvrage, *Le Traité du Narcisse*, à Vielé-Griffin, et que c'est celui-ci qui l'avait fait éditer dans les pages des *Entretiens politiques et littéraires*. Evidemment Gide n'aurait jamais pensé à confier son manuscrit à n'importe qui. Il avoue d'ailleurs dans *Si le grain ne meurt* qu'il se trouvait extrêmement flatté de voir paraître son *Narcisse* dans les *Entretiens*. En second lieu, en 1893, un an après la publication de ce petit traité, Francis Jammes avait écrit d'Orthez une lettre dans laquelle il se plaignait amèrement de son isolement. Le jeune inconnu craint que son génie ne reste à jamais perdu dans sa province. Il demande donc à Gide ce qu'il devrait faire pour se lancer et pour obtenir la gloire qu'il croit son dû. En réponse Gide lui propose de s'adresser aux deux poètes les plus susceptibles de l'aider : Mallarmé et Vielé-Griffin. Ce conseil aussi semble indiquer que Gide considérait Vielé-Griffin comme une des puissances du monde littéraire de Paris. Un troisième fait est un incident que Gide nous raconte dans *Si le grain ne meurt* et qui montre clairement le respect peut-être exagéré que Gide avait pour le jugement littéraire de Vielé-Griffin. Gide avait préparé un compte-rendu très élogieux du roman le plus récent de Henri de Régnier, *la double Maîtresse*. Mais avant de faire éditer son essai, le critique avait montré ses pages à Vielé-Griffin pour connaître son avis. Toujours d'une franchise absolue, celui-ci trouvait le compte-rendu pire que flatteur et hypocrite. Il jugeait extrêmement faible le dernier roman de l'écrivain qui comptait encore parmi ses meilleurs amis et qui avait composé *le Trèfle blanc* dans un style arcadien et frais qui lui avait énormément plu. Pis que cela, il voyait dans cet ouvrage (qui aujourd'hui compte parmi les chefs-d'oeuvre de son auteur) une tendance si dangereuse qu'elle risquait, à moins d'être surmontée immédiatement, de dominer et ainsi de gâcher son oeuvre entière. Donc il croyait un compte-rendu brutal et négatif absolument nécessaire pour empêcher Régnier de suivre une voie pernicieuse qui allait autrement le perdre. Dans *Si le grain ne meurt* Gide explique qu' «... il (Vielé-Griffin) fit tant que me persuader que je rendrais aux lettres françaises, et à Henri de Régnier lui-même, notoire service en le ramenant... et en dénonçant franchement l'incartade» (Ed. de la Pléiade, p. 539). Et en effet Gide se décida à suivre ces conseils si erronés de Vielé-Griffin en remaniant entièrement son essai et en dénonçant *la double Maîtresse* : décision qu'il devait d'ailleurs regretter par la suite mais qui montre l'ascendant de Vielé-Griffin. Un dernier fait qui ajoute son poids aux indications précédentes c'est que Gide, chaque fois qu'il s'occupait activement d'une revue littéraire, sollicitait d'une façon pressante l'appui de Vielé-Griffin et attachait un grand prix à sa collaboration. De temps en autre il obtenait quelques poèmes, mais rien d'autre. Déçu par d'amères expériences (parmi lesquelles un duel avec Catulle Mendès, où il fut légèrement blessé au bras, et les attaques souvent virulentes de ceux qui l'accusaient d'être un métèque), Vielé-Griffin avait renoncé à s'occuper activement de la rédaction d'une revue. Ainsi, peu après avoir entrepris la direction du *Centaure*, Gide déçu doit avouer dans une lettre à Valéry que «... j'ai failli négocier une prodigieuse affaire et amener Griffin dans le *Centaure*... Bien mieux: il était convenu qu'il faisait la prochaine chronique... et puis Griffin file à Naples – donc rien de fait» (Gide & Valéry, *Correspondance*, p. 287). En somme ces quelques faits, pris ensemble, ne peuvent laisser aucun doute sur les sentiments de Gide: il admirait et respectait l'auteur de *Wieland le forgeron*.

Mais en dehors de ces faits, il y a le témoignage de Gide lui-même, tel qu'on le trouve dans sa correspondance éditée, dans ses *Journaux* et dans ses autres écrits autobiographiques. Ces écrits laissent voir que ce que Gide éprouvait pour son aîné était plus que du respect. Ainsi, dans *Si le grain ne meurt*, Gide nous donne le portrait suivant de Vielé-Griffin: «Rien de plus franc, de plus honnête, de plus primesautier que Griffin... Il s'affirmait par boutades, humoureusement, et malgré la plus sincère amour pour notre pays et pour le doux parler de France, il gardait je ne sais quoi de vert et d'insoumis dans l'allure, qui sentait farouchement son Nouveau Monde. Un léger grasseyement, qu'on eut dit bourguignon, dans sa voix donnait à ses moindres propos une saveur singulière. Il était de tempérament extraordinairement combattif; par générosité, grand redresseur de torts; au fond quelque peu puritain; il s'accommodait mal de l'extrême licence, souvent affectée, du milieu littéraire qu'il fréquentait. Il partait en guerre contre le vers alexandrin, contre Mendès, contre les moeurs, et terminait souvent un récit par cette phrase, qu'accompagnait un grand rire amusé (car il s'amusait de son indignation même) – Mais enfin Gide, où allons-nous? Il avait un visage tout rond, tout ouvert, un front qui semblait se prolonger jusqu'à la nuque... très coloré, un regard couleur myosotis. On le sentait très fort sous le boudinement de ses petites jacquettes» (p. 536f). Nous savons que Gide était capable de portraits fort méchants; celui-ci, par contre, fait preuve d'une sympathie affectueuse, même profonde, du peintre pour son modèle. Une sympathie limitée, il faut l'avouer, car plus tard, dans son *Journal*, Gide nous parle du sentiment de gêne qu'il éprouvait de temps en temps en présence de Vielé-Griffin, une gêne due à deux faits. D'abord, il lui était difficile de causer avec Vielé-Griffin, car il se sentait stupide devant les paradoxes et les boutades de celui-ci. Ensuite, il croyait apercevoir chez Vielé-Griffin une «susceptibilité toujours en éveil» qui donnait à Gide le souci de ne jamais le blesser. Ainsi cette gêne empêchait le sentiment de sympathie que Gide éprouvait de se développer en amitié profonde. Mais que cette amitié exista quand même c'est ce que montre une lettre adressée à Paul Valéry dans laquelle Gide parle de Vielé-Griffin comme de quelqu'un «en qui nous avons confiance très grande et que j'aime» (p. 53). Et que cette amitié joue pendant un certain temps un rôle important dans la vie de Gide est indiqué par Gide dans une lettre qu'il envoie à Francis Jammes en 1910 et où il écrit: «N'est-ce qu'avec moi que tu as eu des difficultés? Pour moi je n'en ai jamais eu qu'avec toi et une fois avec Vielé-Griffin qui est bien celui avec qui j'eusse désiré le plus n'en pas avoir». (Gide & Jammes, *Correspondance*, p. 271).

Mais que pense Gide de l'oeuvre poétique de Vielé-Griffin? Il nous le dit aussi, quoique brièvement, dans *Si le grain ne meurt*: «Griffin n'était rien moins que livresque, et ce qu'il apportait de meilleur c'était peut-être, avec la clef des champs, je ne sais quelle spontanéité encore gauche, quelle fraîcheur, dont notre littérature, il faut le reconnaître, avait en ce temps grand besoin» (p. 539). Gide avait vu juste. La plupart de ses contemporains voyaient en l'auteur des *Cygnes* le disciple de Mallarmé, le continuateur de la tradition symboliste. On n'a qu'à parcourir les titres de ses premiers recueils de poèmes pour se convaincre du contraire. Déjà *Cueille d'avril* et *Joies* annoncent une poésie tout autre que celle de l'esthétique mallarméenne. Rien d'hermétique dans ces vers qui chantent le bonheur de l'existence et qui ainsi ouvrent la voie aux *Nourritures terrestres*.

Ces quelques indications donnent déjà une idée de la nature des relations entre Gide et Vielé-Griffin. Mais le témoignage capital que nous possédons c'est leur correspondance, une trentaine de lettres encore partiellement inédites. Les lettres de Gide se trouvent toutes dans la réserve de la Bibliothèque de l'Université de Chicago. Des extraits importants en ont été publiés par Mme Beatrice Jasinski dans son article «Gide et Vielé-Griffin: Documents inédits» dans le numéro de novembre 1957 de *Modern Philology*. La plupart des réponses de Vielé-Griffin se trouvent dans le fonds littéraire de la Collection Jacques Doucet; seulement des extraits d'une de ces lettres ont été publiés par Yvonne Davet dans son étude *Autour des «Nourritures terrestres»*. Enfin il y a aussi d'autres lettres de Vielé-Griffin à la Bibliothèque Royale de Bruxelles.

Le commencement de cette correspondance date de la publication des *Cahiers d'André Walter*. Vielé-Griffin avait été le premier à écrire au jeune auteur anonyme et à le féliciter, fait qui a dû plaire à Gide. Il en parle avec reconnaissance dans sa réponse émue à Vielé-Griffin et il s'en souvient encore beaucoup plus tard quand il en écrit dans *Si le grain ne meurt*. En effet, Vielé-Griffin était un des meilleurs critiques de Gide, et celui-ci l'appréciait pleinement. Quand parurent les *Nourritures terrestres* elles passèrent presque inaperçues. Les quelques critiques qui en prirent note étaient presque tous hostiles. Les symbolistes, qui depuis le *Traité du Narcisse*, et même depuis le *Voyage d'Urien*, considéraient Gide comme un des leurs, étaient déçus. La brutalité, la frénétique adhésion à la vie, la ferveur et la franche volupté choquèrent leur sensibilité raffinée et ils voyaient dans le créateur de Ménalque un traître à leur cause. Mais ce sont justement les traits qui repoussèrent les symbolistes que Vielé-Griffin admire, et c'est ce qu'il dit à Gide. Dans sa réponse Gide montre son émotion: «*les Nourritures* ont pu tant déplaire à certains que j'avais pris le douloureux parti de ne reparler plus le premier à personne; donc j'attendais un mot de vous avec une vraie anxiété; et combien votre lettre alors, exquise et belle, me fut précieuse, parmi le silence de tant d'autres, vous pouvez malaisément l'imaginer.»

Dans une autre occasion, lors de la publication de *l'Immoraliste*, Vielé-Griffin devait exprimer son opinion publiquement. Nous trouvons dans un numéro de *l'Occident* de 1901 une analyse courte mais brillante de ce roman dans laquelle le critique fait ressortir le côté ambigu qu'il croit voir dans l'échec de Michel ainsi que le côté nietzschéen de sa tentative même. La réaction de Gide se trouve dans une lettre sans date envoyée de Cuverville. «Vos pages sur mon livre,» écrit-il, «m'ont fait plus de bien que tout mon voyage. On a voulu et su voir en effet dans ce livre tant de choses que je n'y ai point mises; on a si peu vu ce que j'y avais mis – que déjà j'allais m'accuser, croire que j'avais écrit faux. Votre article enfin me rassure. – Je sais ce que vous pensez aujourd'hui, c'est ce que beaucoup penseront demain et que c'est juste.» Mais l'enthousiasme qu'exprime Vielé-Griffin et son admiration pour le côté artistique de l'œuvre gidienne n'étaient pas sans réserves, ni sans être mêlés d'une certaine inquiétude. Bien avant d'autres il voyait déjà en Gide une tendance dangereuse, voire corruptrice. En 1898, à propos des *Lettres a Angèle* qui paraissaient dans *l'Ermitage*, Vielé-Griffin avertit Gide et essaya de lui faire comprendre la grave responsabilité de l'écrivain en tant que personnage public. Mais cet avertissement resta sans résultat: la réponse de Gide est d'une ironie féroce et impudente. Et dans une lettre qu'il écrit à Gide vingt-trois ans plus tard, le 23 juin 1921, Vielé-Griffin devait constater tristement son échec: «Rue Hamelin, je voyais que mon conseil d'optimisme obstiné vous paraissait court; peut-être n'insistai-je pas alors assez que cet optimisme se doit appuyer sur un pessimisme total et viril.»

Par contre l'enthousiasme que Gide exprime dans ses lettres pour l'œuvre de son aîné est sans réserve. Par exemple, à propos du volume de vers *Joies* il écrit au poète: «Je pressens, cher Griffin, que beaucoup osent à peine vous aimer, qui manquent alors de mots pour vous le dire et pour vous louer, parce qu'ils ne pourront comparer à rien de déjà lu vos poèmes. Il faut, pour bien goûter vos vers accepter une autre esthétique – ou ne plus en accepter du tout. Vos vers

valent pour des raisons neuves, des harmonies neuves, des gestes non encore
classés; et parce qu'il faut, aussi bien, des oreilles neuves pour les entendre, vous
risquez quelque peu d'attendre… Vous savez cela, et toute la spéciale attention
avec laquelle je vous écoute, et toute la joie avec laquelle je vous applaudis.»
Et ce que Gide lui écrit à propos d'un autre recueil de poèmes est non moins
flatteur: «A sentir la joie qu'ils laissent au cœur, vous me faites croire que mes
Nourritures n'ont jamais pu donner que la fièvre – et malgré tout j'ai la fa-
tuité de me trouver très parent de vous.» Evidemment l'exagération même
de ces éloges fait douter de leur sincérité. Mais on ne saurait douter de l'importance que Gide attachait à l'œuvre de Vielé-Griffin.

Voilà donc, très brièvement, ce que nous savons des relations entre Gide et
Vielé-Griffin. Il reste à juger si cette amitié a vraiment été utile pour Gide,
c'est-à-dire si elle a contribué à sa formation esthétique. La réponse à cette
question doit être, je le crois, affirmative. Dans ses débuts littéraires Gide vivait
dans les serres chaudes du symbolisme et c'est Vielé-Griffin qui l'a en grande
partie aidé à s'en sortir. Une notation significative dans le *Journal des Faux-
monnayeurs* confirme nettement cette idée: «L'école symboliste. Le grand
grief contre elle, c'est le peu de curiosité qu'elle marqua devant la vie. A la seule
exception de Vielé-Griffin peut-être (et c'est là ce qui donne à ses vers une si
spéciale saveur), tous furent des pessimistes, des renonçants, des résignés, 'las
du triste hôpital' qu'était pour eux notre patrie (j'entends la terre) 'monotone
et imméritée' comme disait Laforgue» (*Œuvres*, v. XI, p. 43). Et dans une lettre
inédite Gide avoue sa dette encore plus clairement: «… je veux vous remercier
surtout d'empêcher en moi, par votre lettre, quelque misanthropie qui voulait
naître, de protéger, et m'aider à garder intact notre optimisme. …O Griffin
décidément nous choisissons la bonne route. Merci de me le faire si bien
sentir.» En conclusion donc on peut dire que Vielé-Griffin avait aidé Gide à
devenir ce que tout grand écrivain doit être: un célébrant de la vie.

GIDE ET MARTIN DU GARD

Il est bien imprudent d'accepter de parler de Gide et Martin du Gard, même sous
la forme modeste et spontanée d'une causerie improvisée, lorsqu'on sait que
leur correspondance inédite va sans doute nous être révélée au cours des pro-
chaines années par les soins du Professeur Jean Delay. Qui pourrait, sinon lui,
traiter comme il convient ce sujet à la fois complexe et important, dans lequel
je me suis étourdiment lancé, avec la conscience que tout ce que j'allais vous
dire serait peut-être ruiné ou transformé par la publication de la double correspondance? Inutile donc de dire avec quelle prudence je vais m'avancer, bor-
nant ma prétention à regrouper quelques faits connus de tous, à réfuter quelques
erreurs, à émettre des hypothèses.

Au premier abord, ce qui saute aux yeux dans cette longue et profonde amitié
qui a uni André Gide et Roger Martin du Gard, c'est son caractère paradoxal.
Je m'étonne que des esprits aussi différents aient pu devenir aussi intimes, se
tenir au courant constamment de leurs travaux, se soumettre leurs livres avant
de les publier, vivre dans une intimité intellectuelle et affective extrêmement
poussée. Notamment sur le plan religieux: vous savez que Martin du Gard
était d'une incroyance assez extraordinaire, d'une irréligiosité native, du moins
le prétendait-il: «Je n'ai pas le sens du mystère», dit-il tout le temps, alors que
Gide était imprégné d'une sensibilité religieuse et que sa révolte, ses chemine-
ments étaient souvent d'essence religieuse, ne fût-ce que pour s'opposer. Ce
paradoxe, nous essaierons, autant que possible, de l'expliquer.

Je voudrais d'abord poser quelques jalons biographiques, rappeler des choses
connues mais qui montreront l'étendue et l'importance de cette amitié. La rencontre Gide-Martin du Gard a été racontée à la première page des *Notes sur
André Gide*. C'est en 1913, lorsqu'ayant vu son manuscrit de *Barois* refusé par

Grasset qui lui dit: «Ce n'est pas un roman, c'est un dossier», Martin du Gard rencontra dans la rue son ancien camarade de collège, Gaston Gallimard, qui voulut bien prendre le manuscrit et charger son lecteur, Gide, de le lire. Or, Gide ne connaissait absolument pas Martin du Gard. Personne ne le connaissait. Il avait publié un seul roman, passé totalement inaperçu, *Devenir*. Gide emporta ce gros manuscrit et il l'aborda en rechignant – il l'a dit lui-même – car c'était gros, c'était lourd, c'était un sujet historique. Il le lut pourtant avec le plus grand plaisir et d'un seul trait et télégraphia le lendemain à Gallimard: «A publier sans hésiter», et, dans la lettre qui suivait, il écrivait la fameuse formule que l'on trouve citée partout: «Celui qui a écrit cela peut n'être pas un artiste, mais c'est un gaillard.»

Eh bien, le gaillard rencontra l'artiste dans la boutique de la N.R.F. peu de temps après. J'aimerais vous rappeler ce portrait assez extraordinaire de Gide qu'a fait Martin du Gard alors qu'il ne le connaissait que par sa réputation – puisqu'en 1913, Gide était déjà un auteur installé:

«La porte s'entr'ouvre. Un homme se glisse dans la boutique, à la façon d'un clochard qui vient se chauffer à l'église. Le bord d'un chapeau cabossé cache ses yeux; un vaste manteau-cloche lui pend des épaules. Il fait songer à un vieil acteur famélique sans emploi; à ces épaves de la bohème qui échouent un soir de dèche à l'Asile de nuit, ou bien à ces habitués de la Bibliothèque Nationale, à ces copistes professionnels au linge douteux qui somnolent à midi sur leur in-folio après avoir déjeuné d'un croissant. Un défroqué peut-être? Un défroqué à mauvaise conscience? Gautier accusait Renan d'avoir gardé cet air prêtreux. Mais tous s'approchent (...) Il s'est débarrassé de son manteau, de son chapeau; son complet de voyage, avachi, ne paraît pas d'aplomb sur son corps dégingandé; un cou de vieil oiseau s'échappe de son faux-col fripé, qui bâille; le front est dégarni; la chevelure commence à grisonner; elle touffe un peu sur la nuque avec l'aspect terne des cheveux morts. Son masque de Mongol, aux arcades sourcilières obliques et saillantes, est semé de quelques verrues... C'est André Gide.»

Voilà le point de départ qui fut pour Gide, évidemment, un événement parmi tant d'autres de sa vie, mais qui fut pour Martin du Gard une véritable révélation. A partir de ce jour-là, Martin du Gard sentit sa vocation confirmée; il avait trouvé son milieu, il avait trouvé sa maison, il avait trouvé l'homme qui en était le grand prêtre, c'est-à-dire Gide. Il faut noter toutefois que les relations d'amitié entre Gide et Martin du Gard n'ont pas tout de suite pris leur essor. C'est bien plutôt Copeau qui a marqué ces années d'avant-guerre pour Martin du Gard, et même la durée de la guerre.

C'est en 1919-1920, en rentrant du front, que Martin du Gard a retrouvé Gide, a fréquenté le milieu de la N.R.F. et que véritablement leur amitié est

montée en flèche très vite pour atteindre, dès les années 1920, un degré de confiance et d'intimité assez surprenant. Le plan des Thibault, par exemple, a été
soumis à Gide dès qu'il a été conçu, en 1920 et Gide lui a dit: «Tout à fait dans
vos cordes! N'hésitez pas, Cher! Allez de l'avant!» C'était déjà un des encouragements que Martin du Gard a reçus tout au long de sa carrière.

Ensuite, leur amitié n'a pas d'histoire bien marquante. Il suffit de regarder
l'index du *Journal* de Gide pour se rendre compte de l'importance de leurs relations, de la fréquence des citations, des mentions. Et puis, lors de la guerre de
1940–1945, il y a eu une coupure du fait que Gide n'était pas resté en Europe,
qu'il voyageait. Ils se sont retrouvés après la guerre, malheureusement à un
moment où Gide était très vieux. Il faut mentionner deux faits importants de
cette dernière période de leur amitié: la maladie qu'eut Gide à Nice alors qu'il
rendait visite à Martin du Gard, en 1949, et finalement sa mort en 1951.

Je ne voudrais pas rouvrir, une fois de plus, ce fameux dossier de la mort de
Gide. Vous savez quelle polémique elle a suscitée. Toutefois, puisque je passe
par là, je voudrais en dire un mot.

Dans son brillant article sur l'état présent des études gidiennes, Claude Martin
a consacré une page à ce problème de la mort de Gide: quel sens faut-il donner
aux paroles qu'a rapportées Jean Delay: «C'est toujours le combat entre ce qui
est raisonnable et ce qui ne l'est pas»? Vous savez que Martin du Gard a violemment protesté contre l'interprétation qu'avait proposée François Mauriac et qui
était une interprétation religieuse. Le raisonnable, c'était d'accepter la mort dans
la perspective rationaliste, alors que ce qui ne l'était pas, c'était la foi religieuse
qui serait venue inquiéter Gide au dernier moment et qui peut-être même l'aurait sauvé. Martin du Gard a violemment protesté. Il a affirmé qu'il n'en était
rien, que les paroles que le Professeur Delay citait avaient un sens tout simplement profane. Ce qui est raisonnable c'est la résignation, l'acceptation raisonnable de la mort, alors que ce qui ne l'est pas, c'est la détresse, c'est l'inquiétude,
ce sont justement les fantasmes qui auraient pu assiéger cette mort. A ce sujet,
j'ai peut-être quelques lueurs nouvelles à apporter au problème, du fait qu'à
travers la correspondance générale de Martin du Gard, je découvre de nombreux récits de la mort de Gide. Il a raconté la mort de Gide à plusieurs de ses
amis, et partout on trouve cette conviction que Gide est mort sereinement, que
Gide est mort comme il avait voulu mourir et comme il avait voulu vivre
– dans les mêmes idées, dans la même philosophie –. Il n'y a pas eu le moindre
reniement et, encore moins, le moindre combat. C'est très frappant de voir
qu'il insiste tout le temps, en relatant presque heure par heure cette agonie de
Gide, sur l'extraordinaire sérénité, sur la dignité de cette mort. Il dit, presque
toujours dans les mêmes termes, que Gide s'est vu lentement s'enfoncer dans la
mort en se rendant compte de la grande chose qui se passait. Ce n'était pas du

tout un homme qui se débattait, qui était soumis à une lutte, à un conflit. Il a, au contraire, accepté la mort, sachant très bien ce qui arrivait, et avec beaucoup de grandeur. Les derniers mots, d'ailleurs, des notes sur Gide sont: «Il faut lui savoir un gré infini d'avoir su mourir aussi *bien*.» Entendons-nous sur le sens de cette phrase. On pourrait y voir une parole de partisan. Il y a un Martin du Gard d'Epinal qui circule, qui est le sectaire, le matérialiste étroit. D'ailleurs Gide a été pour quelque chose dans la diffusion de cette image. Rappelez-vous ces pages du *Journal* où il dit: «Longue conversation avec Roger Martin du Gard, tapi dans son matérialisme comme un sanglier dans sa bauge.» Le «sanglier dans sa bauge», cela a frappé les imaginations. Je ne crois pas que Martin du Gard ait voulu tirer à lui Gide, qu'il ait voulu disputer sa dépouille à ceux qui voulaient voir autre chose dans sa mort. Il y a davantage un souci de fidélité. C'est très touchant, quand on lit les lettres de Martin du Gard adressées à des tiers, à des amis qui connaissaient Gide également, de voir avec quel soin il pense à sa mémoire, il veut le conserver tel qu'il l'a connu, tel qu'il l'a été. Je crois qu'on ne peut absolument pas le soupçonner de donner le moindre coup de pouce à la vérité. Il a vu mourir Gide ainsi et il le dit parce que c'est ainsi et que, pour lui, ce serait une sorte de déchéance (pour Gide) de s'être renié à son dernier moment. Il est certain que son amitié en aurait souffert énormément.

A cet égard, je crois que l'on peut faire une comparaison intéressante, qui éclaire justement ce problème. Après la mort de sa femme, qui était intervenue quelques années plus tôt, Martin du Gard, qui était effondré, complètement bouleversé par cette disparition brutale, a fait dire des messes, très régulièrement, tous les ans, à Bellême, lors de l'anniversaire de cette mort. Lorsque j'ai reçu la première lettre du Curé de Bellême, qui m'a gentiment envoyé ces lettres de Martin du Gard lui demandant de dire des messes, les bras m'en sont tombés, je l'avoue. Comment cela! Un athée convaincu comme lui faisait dire des messes pour sa femme! Il est manifeste qu'il n'a jamais cru, depuis son adolescence et surtout à la fin de sa vie, à la religion chrétienne. Il le faisait parce que sa femme aurait aimé qu'il le fît. C'est la même chose pour Gide. Il a défendu Gide contre Mauriac, il l'a arraché des mains de Mauriac parce qu'il estimait que c'était un devoir de fidélité et qu'il n'y avait pas là une prise de position sectaire, mais au contraire un devoir d'amitié.

Mais revenons à la trame de cette amitié. Je voudrais essayer de dégager l'image que Martin du Gard nous donne de Gide, puisque, malheureusement, c'est à peu près tout ce que je puis vous proposer, connaissant Gide essentiellement à travers Martin du Gard.

Pour nous guider, nous avons d'abord ces *Notes sur André Gide* que tout le monde connaît, qui sont parmi les textes les plus importants qu'on a publiés après la mort de Gide; et puis, il y a la correspondance, comme je vous le disais. Ce qui frappe, c'est une double attitude. D'une part, manifestement, une séduction. Gide a séduit Martin du Gard par son intelligence, sa culture, sa valeur spirituelle. Il est certain que Martin du Gard était loin d'être aussi cultivé que Gide et que, par conséquent, dans leurs longues conversations, Gide lui apportait beaucoup. Mais à côté de cette amitié intellectuelle, et malgré son apparent déséquilibre, une très réelle affection et une confiance totale se développèrent entre les deux écrivains. Les témoignages en sont nombreux et indiscutables, dans le *Journal* de Gide, et dans la correspondance de Martin du Gard. Cette affection et cette confiance reposaient sur une mutuelle et impitoyable sincérité: par delà les échanges d'idées, l'amitié se nourrit de confidences. Gide semble bien avoir admis assez tôt Martin du Gard dans l'intimité de sa vie personnelle. La discrétion de ce dernier était telle qu'il faudra attendre la publication – encore lointaine – de son *Journal* pour confirmer les hypothèses. En tout cas Gide se montrait tout entier, avec ses bons et mauvais côtés, et Martin du Gard était homme à se sentir particulièrement touché par cette franchise.

On découvre aussi chez lui un perpétuel étonnement devant cet ami qu'il connaît depuis trente-huit ans, à sa mort, et qui, chaque jour, le surprend, reste insaisissable, mobile, changeant. Lorsqu'il dit à un correspondant: «Je connais mon Gide», il se dépêche de préciser qu'au fond on ne sait pas ce qu'il pourrait inventer, ce qu'il pourrait faire. Autant lui, Martin du Gard, était casanier, aimant son confort bourgeois, sa maison du Tertre, autant Gide aimait le voyage et, très souvent, dans les lettres qu'il vous écrivait à vous-même, Madame Heurgon, il parlait de «notre ami voyageur», de «notre grand vagabond». Gide était le «voyageur», pour lui. C'était celui qui bouge, celui qui n'est jamais en place, aussi bien dans l'ordre physique que dans l'ordre spirituel. Son infatigable activité intellectuelle également l'étonnait et, à cet égard, j'ai trouvé plusieurs lettres qui relatent la maladie que Gide eut à Nice en 1949 – celle dont je parlais tout à l'heure – et où il dit que Gide sur son lit de malade (il était très gravement malade du foie, je crois bien) prenait des notes et avait vu venir la mort avec curiosité. Chose extraordinaire, Gide avait été amusé en se disant: «Tiens, tiens, qu'est-ce que cela va être?». Il n'est pas mort cette fois là, et ce qui avait absolument renversé Martin du Gard c'était de voir qu'on pût approcher de la mort avec un sentiment nullement effrayé, mais de curiosité et presque d'amusement.

A côté de cet aspect, franchement admiratif et étonné, on voit pourtant se dessiner une certaine critique et même un certain agacement. Tous ceux qui ont lu les *Notes sur André Gide* savent que bien souvent Martin du Gard nous trace le portrait d'un Gide légèrement ridicule. Je ne vous rappelle qu'une de ses plus grosses farces, si je puis dire, l'affaire du cinéma: Gide et Martin du Gard re-

gardaient un film quand Gide dit en substance ceci: «Cher, j'ai mis deux cale-
çons parce que j'avais peur d'avoir froid, mais maintenant j'ai trop chaud. Vous
ne pensez pas que je peux en enlever un?» Martin du Gard dut alors le menacer
de quitter la salle, sinon, dit-il, Gide se serait déculotté en tapinois. Cela est un
peu gros, évidemment, mais c'est ce qu'il y avait de plus énorme dans les manies de Gide qui indisposaient Martin du Gard. La critique va même jusqu'à un
jugement sur le caractère de Gide. Vous savez que lorsque Pierre Herbart, en
1952, a publié son livre *A la recherche d'André Gide*, il a fait une manière de
petit scandale car il était surtout critique et légèrement caustique. Martin du
Gard l'a défendu, disant en substance: «Pour moi, l'amitié s'accommode très
bien de la lucidité, et je n'aime pas moins Gide parce que je vois ses côtés dé-
sagréables et même franchement déplaisants.» C'est notamment dans les lettres
à Dorothy Bussy que j'ai trouvé souvent cette argumentation, selon laquelle
Herbart avait bien vu Gide, avec sa peur d'être déçu et de décevoir. Je sais que
cela n'empêchait pas Martin du Gard de garder toute son amitié, tout son respect pour Gide.

Chose plus étrange, nous voyons à travers les *Notes sur André Gide* une double critique de fond formulée par Martin du Gard. C'est, d'une part, d'avoir
manqué d'audace dans ses confessions et notamment dans *Si le grain ne
meurt*. Martin du Gard disait encore à Dorothy Bussy, leur amie commune,
que si Gide était allé jusqu'au bout, s'il avait tout dit, s'il n'y avait pas tant de
demi-aveux, tant de dérobades, il aurait fait quelque chose qui effaçait les
Confessions de Rousseau, qui effaçait tout ce qu'on a pu écrire dans le genre
autobiographique.

Ce reproche est d'autant plus surprenant qu'on sait avec quel soin lui-même,
Martin du Gard, s'est appliqué à masquer sa vie privée, à la dérober aux regards
curieux ou indiscrets. Et tout particulièrement dans le domaine des sentiments
et de la vie sexuelle, il avait pris le parti de tout cacher. Nous commençons
seulement maintenant à découvrir des aspects secrets de la personnalité de
Martin du Gard et jusqu'ici, dans le public, on a toujours pensé qu'il s'agissait
d'un bon père de famille vivant tranquillement dans sa maison de province
alors que, disons les choses comme elles sont, Martin du Gard a eu une vie
sexuelle des plus complexes, peut-être encore plus complexe que celle de Gide.
Seulement lui avait choisi de tout cacher. Gide avait choisi de tout dire. Et il
lui reprochait, en somme, de ne pas être allé assez loin dans sa propre voie.

Mais, à côté de cette critique, une critique presque contradictoire, diamétralement opposée, se fait jour, qui est d'avoir le goût du scandale. Dans les
Notes sur André Gide, je viens de retrouver une page assez significative. Gide lui
dit qu'il éprouve le besoin de publier *Corydon*, de publier *Si le grain ne meurt*.
Martin du Gard lui déconseille de le faire (mars 1922):

«Gide me confie son «besoin» de publier, sans de plus longs délais, *Si le grain ne meurt* et *Corydon*. Je m'efforce, je m'ingénie, à l'en dissuader. – Je serais le dernier à vous retenir si j'avais le moindre doute sur l'inutilité, la pathétique inutilité, de ce scandale. Car le scandale est inévitable. Il donnera des armes décisives à vos ennemis, qui sont nombreux. Il écartera de vous les deux tiers de vos amis, – j'entends ceux qui acceptent votre vie privée tant qu'elle est discrète, plus ou moins voilée, tant que les apparences sont sauves; mais qui, le jour où vous vous serez affiché par un aveu cynique et public, devront prendre parti, et le prendront contre vous. Absurde... Vous allez créer autour de vous une atmosphère d'indignation, de méfiance, de calomnie. Je vous connais: vous en souffrirez cruellement. Et c'est ce qui me désespère: rien ne peut nuire davantage au bel épanouissement de votre maturité...»

Et Martin du Gard ajoute:

«A tout ce que je dis, il oppose son regard le plus affectueux, mais secoue la tête avec une douce obstination:

– Je n'en peux plus d'attendre... Il me faut obéir à une nécessité intérieure, plus impérieuse que tout! Comprenez-moi. J'ai besoin, besoin, de dissiper enfin ce nuage de mensonges dans lequel je m'abrite depuis ma jeunesse, depuis mon enfance... J'y étouffe!»

Puis, il développe le tragique cas d'Oscar Wilde, et il termine:

«Il ne raisonne pas, il suit ce qu'il appelle sa «pente»: plus le sacrifice sera démesuré, puis enivrante sera sa délectation mystique...»

Là, nous retrouvons le problème qui a été évoqué hier, c'est-à-dire ce goût de le macération dans le scandale chez Gide.

D'autre part – nous quittons le plan littéraire pour retrouver un plan personnel –, on voit très nettement chez Martin du Gard une certaine inquiétude vis-à-vis de Gide, de ses fantaisies, de ses tocades, de son indiscrétion. Martin du Gard avait peur de confier des secrets trop intimes à Gide. Bien qu'il les lui eût confiés volontiers, comme à son ami, il avait peur car il savait que Gide s'empresserait de les répéter. Il était impensable de demander à Gide d'être discret. Il était beaucoup trop curieux, beaucoup trop incapable de se contenir pour qu'on pût compter sur lui. Voici un témoignage de cette méfiance, exprimée dans les *Notes sur André Gide*:

«L'indiscrétion de Gide. Je constate avec mélancolie que les rapports de Gide avec ses intimes tendent à devenir unilatéraux. Impossible de lui rendre la confiance qu'il nous témoigne. La gêne que nous éprouvons à trouver dans son *Journal* des traces si fréquentes de nos conversations, n'est évidemment pas étrangère à notre réserve...»

Dans le même ordre d'idées, il faut rappeler que certaines excentricités de Gide, du moins ce que Martin du Gard considérait comme des excentricités, ses prises de position politiques, par exemple, l'ont toujours fait sourire et qu'il a fait preuve tout de même d'un certain bon sens en ce domaine, car il n'a jamais pris au sérieux la capucinade rouge de Gide; il a toujours considéré que c'était une méprise énorme, un grave malentendu, et que les communistes n'étaient pas bien sérieux de s'intéresser à Gide et de croire qu'il était des leurs. D'ailleurs, cette affaire a profondément mis en garde Martin du Gard contre une pareille aventure, cela n'a fait que renforcer son sens de la stabilité bourgeoise et par là même cela l'a encore plus écarté de toute espèce d'engagement politique.

J'en viens à un deuxième aspect de la question: celui de l'apport réciproque, c'est-à-dire ce qu'a valu à André Gide et à Martin du Gard cette amitié, cette longue fréquentation. Tout d'abord, je voudrais réfuter deux hérésies. Première hérésie: Martin du Gard est un disciple de Gide. Elle a des pères célèbres, Thibaudet et Fernandez, qui ont soutenu que Martin du Gard, en somme, appartenait au mouvement gidien. C'est Martin du Gard lui-même qui rapporte une phrase de Ramon Fernandez dans ses *Notes sur A. Gide* (décembre 1943):

«Ramond Fernandez écrit dans *Itinéraire français*: l'originalité de R.M.G. est d'avoir réuni et organisé dans son œuvre deux courants littéraires qui, jusqu'à lui, ne s'étaient pas rejoints: le courant naturaliste et le courant gidien.»

Commentaire de Martin du Gard:

«C'est là, je crois, une vue de l'esprit; (et d'un esprit systématique...); une de ces idées d'apparence neuve et séduisante (comme la géographie littéraire de Thibaudet), qui ne sont ni tout à fait fausses, ni tout à fait exactes, mais purement arbitraires.»

Je n'ai pas le temps de vous lire tout le passage, mais il montre ensuite qu'il ne peut appartenir à un courant gidien ni directement ni par le truchement de l'œuvre de Gide. Il écrit en effet:

«Car, c'est un fait, aucun livre de Gide n'a été pour moi un de ces livres de chevet, sur lesquels on se modèle insensiblement à la suite d'une lente et longue fréquentation. Tolstoï, oui. Tchékov, Ibsen, George Eliot, oui. Et d'autres aussi. Mais Gide, non. Même pas ses *Nourritures*, ni même son *Journal*.»

Dans le même passage, se trouve exprimée une idée qui me paraît très intéressante pour la connaissance d'André Gide. C'est que, dit Martin du Gard, Gide n'a jamais cherché à le tirer à lui. Non seulement, dit-il, il n'a pas cherché à le faire gidien, mais il a cherché à le pousser dans sa voie. Et cela est, je crois, très typique de Gide – autant que je le connaisse – d'avoir ce sens de l'originalité, de la personnalité de son ami, de façon à le pousser dans sa voie et non à le tirer à lui. Voilà ce que dit Martin du Gard:

«... En faisant état d'un «courant gidien», qui serait, selon lui, sensible dans mes livres, Fernandez vise une influence beaucoup plus immédiate et plus déterminée. C'est cela qui me semble peu justifiable. Les critiques, les conseils littéraires de Gide ne sont jamais subjectifs. Loin de chercher à exercer un ascendant «gidien», il s'oublie, il oublie ses propres tendances, pour se mettre dans la peau de celui qui le consulte et l'orienter très objectivement. (Ce qui lui plaît tant, au cours de ces séances de travail en commun, c'est justement, je crois, de se quitter lui-même, de se dédoubler pour endosser momentanément la personnalité d'autrui.) Je me remémore les multiples lectures de manuscrits que je lui ai faites; jamais je n'ai senti passer, de lui à moi, le moindre «courant gidien».

Lorsque Martin du Gard lisait à Gide son Manuscrit de *la Sorellina*, cette nouvelle «artiste» que Martin du Gard a introduite dans *les Thibault*, entre *la Consultation* et *la Mort du père*, qui aurait dû lui plaire, qui aurait dû le séduire, ne serait-ce que par cette tentative inouïe de Martin du Gard pour sortir de son style habituel, Gide lui a dit à peu près ceci:

«– Mais non, Cher, vos mains se voient, ce n'est pas dans votre talent... Continuez à écrire *les Thibault* comme vous savez les écrire.»

Curieusement, Gide n'aimait pas cela, il sentait qu'il y avait là un effort pour sortir de sa nature que Martin du Gard ne devrait pas poursuivre. On voit donc comment l'apport que Gide a pu faire à Martin du Gard n'est pas de l'ordre de l'annexion, mais au contraire de l'ordre de l'encouragement à se trouver et à poursuivre sur sa voie.

L'hérésie contraire consiste à faire de Martin du Gard un anti-gidien. A ce sujet, j'ai par chance, apporté un article dactylographié de Roger Ikor, paru en 1946, dans *Europe*, qui s'intitule «Humanité des *Thibault*». C'est un article sérieux, intelligent et, à mon avis, très intéressant sur *les Thibault*. Avant de le publier, Roger Ikor a eu la bonne idée de l'envoyer à Martin du Gard qui a mis quelques notes dans les marges. Or, il s'y trouve un long passage sur l'anti-gidisme de Martin du Gard auquel Martin du Gard a répondu. Je crois que le plus simple est de vous lire certains de ces passages et les commentaires de Martin du Gard.

Roger Ikor écrit:

«A certains égards, *les Thibault* m'apparaissent comme une sorte de réplique à Gide, une mise au point au terme d'une longue discussion.»

Et il parle de la tentation gidienne qui apparaît dans *les Thibault*. Je vous rappelle que Jacques et Daniel de Fontanin découvrent *les Nourritures terrestres*. Il y a même un fragment des *Nourritures terrestres* cité dans *les Thibault*: «Chambres quittées! Merveille des départs», «Famille, je vous hais», etc.... Ces phrases des *Nourritures* hantent les héros des Thibault, dit Roger Ikor. Il développe cette idée:

«Mais la tentation gidienne est assez importante pour s'incarner dans une famille entière qui, d'un bout à l'autre de l'œuvre, côtoie les Thibault: il saute aux yeux que, jusque dans leurs moindres détails, les Fontanin sont des personnages de Gide, de Gide vu par Martin du Gard, bien entendu.»

Martin du Gard a écrit en marge: «Non».

Ikor continue:

«Protestants comme il se doit: c'est là le détail le plus apparent, celui qui accroche l'attention du lecteur le plus superficiel. Mais de plus, pour Jérôme et Daniel, protestants libérés comme l'est l'homme des *Nourritures*: Jérôme (ce prénom même est celui de *l'Immoraliste*) présente sa vie comme une sorte d'exercice appliqué des *Nourritures*.»

En marge: «Non».

Un peu plus loin, R. Ikor dit:

«Devant ces Fontanin, *les Thibault* éprouvent une sorte d'horreur non toujours dénuée d'attirance…»

Commentaire: «Non, le Père seul».

«– Antoine, lui, condamne d'abord au nom de la *bonté* (et ce, en dépit de la séduction qu'exercent sur lui les Fontanin).»

Commentaire: «Non».

Tout le développement de Roger Ikor est contré par une suite de «Non» qui sont quelquefois serrés (non! non! non!). Voici le passage:

«Ainsi, en dépit de tous les fards, le gidisme n'apparaît que comme une glorification de la jouissance égoïste; cette croissance monstrueuse de l'individuel s'acquiert seulement par le mépris, etc.…»

«Non, non, non».

Vous voyez que le commentaire de Martin du Gard est on ne peut plus net. Il refuse d'admettre qu'il est anti-gidien et qu'il condamne moralement le gidisme. Or, c'est cela qui est important, car sur le fond des choses, Martin du Gard est persuadé que Gide est extrêmement moral. Enfin, entendons-nous, ne jouons pas sur les mots. Contre l'accusation d'immoralisme, d'immoralité et contre les accusations plus précises, Martin du Gard a toujours pris la défense de Gide avec beaucoup de sincérité et la certitude qu'on ne l'avait pas compris, que ces reproches étaient des calomnies.

J'ai eu la chance de lire deux lettres, écrites le même jour, sur le même sujet, Gide, l'une par Madame Martin du Gard, l'autre par Roger Martin du Gard. Et écrites au même ménage. L'une au mari, l'autre à la femme. Dans la lettre de Madame Martin du Gard, on peut trouver exposée la thèse traditionnelle de l'immoralité de Gide, qui est une sorte d'être diabolique, qui séduit la fille de ses meilleurs amis, qui pervertit les jeunes, etc.… Dans la lettre de Martin du Gard, parallèle à celle de sa femme (tout prouve d'ailleurs qu'il s'agit d'une pure

1. *Pontigny 1912. Départ d'Edmund Gosse: André Gide, Francis Vielé-Griffin et Paul Desjardins*

2. Pontigny 1922. Petit déjeuner: Roger Martin du Gard et André Gide

coïncidence), la thèse opposée est soutenue. C'est-à-dire que Gide est soucieux du bien, est désireux d'élévation, d'enrichissement, de faire monter l'être qui l'approche, qu'il n'est pas du tout pervers, qu'il n'est pas du tout l'espèce de démon qu'on a voulu voir en lui.

Nous trouvons d'ailleurs, dans les *Notes sur Gide*, toujours la même opinion et la conviction que les bien-pensants qui ont condamné Gide ont une morale stupide et complètement fausse, que personne n'a été plus profondément moral que Gide.

Voilà un passage de ces *Notes sur André Gide*:

«Je trouve Gide bouleversé. Il me montre une brochure où il est accusé de «pervertir la jeunesse». Rien ne l'émeut, ne l'indigne, ne le désespère davantage.

– Pervertir la jeunesse!... On sait bien, d'ailleurs, ce que les gens normaux entendent par là! Ce qu'ils supposent toujours!... Eux, quand ils courent après une femme, c'est pour la posséder: en conséquence, rechercher l'amour d'un garçon, c'est évidemment vouloir abuser de lui. Leur imagination ne va pas plus loin! Pervertir la jeunesse, cela veut dire, en clair: *faire de jeunes invertis*, profiter de leur complaisance, de leur passivité... Comment me défendrais-je, comment leur persuaderais-je que, en ce qui me concerne – et je ne suis pas une exception – rien n'est plus faux? Ils me riraient au nez si je leur affirmais que jamais, jamais...

Ah, si je pouvais tout dire, faire état d'expériences précises, donner des exemples, on verrait à quel point leurs accusations sont injustes! Que de fois j'ai été retenu par le respect que m'inspire un être jeune! J'ai souvent attendu des mois avant d'accepter une tendresse qui s'offrait... Pervertir la jeunesse! Comme si l'initiation à la volupté était, en soi, un acte de perversion! C'est, en général, tout le contraire!... On oublie, ou plutôt on ignore ce qui accompagne ces caresses, dans quelle atmosphère de confiance, de loyauté, de noble émulation, naissent et se développent ces sortes d'amitié, etc....»

C'est la conception de la pédérastie grecque, en somme.

«Oui, ce n'est pas un paradoxe», fait-il dire à Gide, «mon rôle a toujours été *moralisateur*». Toujours, j'ai cherché à éveiller ou à développer leur conscience; toujours, j'ai réussi à exalter en eux ce qu'ils avaient de meilleur! Combien de garçons, engagés déjà sur de mauvaises pentes, ai-je ramenés dans le droit chemin, qui, sans moi, se seraient abandonnés à leurs instincts les plus vils, et se seraient définitivement dévoyés.»

Je crois que Martin du Gard adoptait pleinement cette défense de Gide et qu'il la répétait autant de fois qu'il le fallait à ses amis et à tous ceux qui avaient une attitude, disons conventionnelle, à l'égard de son ami.

Quelle a donc été la nature de cet apport réciproque, si Martin du Gard n'a

été ni le disciple, ni l'antagoniste de Gide? Je crois qu'il faut chercher la formule
dans une espèce de complémentarité. On disait tout à l'heure que Gide aimait
davantage ceux qui différaient de lui que ceux qui lui ressemblaient. C'est là le
secret de cette amitié paradoxale; il a été attiré en Martin du Gard par quelque
chose qu'il n'avait pas et qu'on pourrait appeler la solidité, pour dire vite.
Comme le dit Claude Martin dans son livre, je crois que Martin du Gard a tenu
lieu de pôle positif, de pôle rationaliste dans la pensée, dans l'attitude de Gide.
L'autre pôle serait, si l'on veut, un de ses amis mystiques, Henri Ghéon, Charles
Du Bos, peut-être. Entre les deux, Gide savait qu'il retrouverait ces pôles à la
même place, lui qui voyageait, lui qui était mobile. Il savait que quand il allait
trouver Martin du Gard, il trouverait le roc, il trouverait quelqu'un qui n'aurait
pas fondamentalement bougé. C'est cela qui lui plaisait, cette sorte d'immuabi-
lité dans l'attitude de Martin du Gard. Et, inversement, je crois que Martin du
Gard était très séduit au contraire par ce que lui n'avait pas, c'est-à-dire ce
caractère ondoyant et infiniment mobile d'André Gide. D'ailleurs, je vous
rappelle cette note du *Journal*:

«Il (R.M.G.) se montre extraordinairement anxieux et désireux d'acquérir
certaines qualités qui sont à l'opposé de sa nature: mystère, ombre, étrangeté.»

Gide rapporte que Martin du Gard se soucie d'introduire du mystère dans
ses personnages, une part d'ombre qu'il manie assez mal, car il est au contraire
le romancier de la lumière, la lampe éclairant franchement les choses, alors que
Gide a connu, au contraire, ce jeu d'ombre et de lumière, plus subtil.

En somme, pour résumer et pour situer les deux personnages, l'un se rattache
et s'est rattaché lui-même à Tolstoï, l'autre à Dostoïevski. C'est assez dire leur
différence.

Gide aimait aussi, dans les conversations, dans les critiques, le caractère entier
de Martin du Gard. Il aimait que Martin du Gard lui résiste. Ce dernier était
très franc, ne mâchait pas ses mots, et très affectueusement, lui disait ce qui ne
lui plaisait pas dans ses livres. Il ne cherchait pas du tout à le flatter. Gide, je
crois, a été très attiré par ce personnage qui osait lui résister, qui osait lui proposer des critiques fermes alors que tant de gens l'encensaient ou lui échappaient.
Le *Journal* prouve qu'il tenait le plus grand compte de ses avis et de ses critiques,
tout en contestant souvent sa «manière» ou ses principes esthétiques; les nombreuses conversations des deux amis apportaient autant à l'un qu'à l'autre et
rien ne serait plus faux que de croire à un profit unilatéral.

Dès 1920, à propos de la rédaction de ses *Mémoires*, Gide notait: «Je voudrais
arriver à y satisfaire aux exigences de Martin du Gard» et de très nombreuses
pages insistent sur le «constant profit» qu'il retire de leurs rencontres. Les
Faux-Monnayeurs ont dû gagner beaucoup à ces fréquents échanges d'idées.

En sens inverse, Gide a été pour Martin du Gard l'éveilleur, celui qui proposait du nouveau, qui renouvelait tout, qui remettait toujours tout en question et qui en somme l'inquiétait.

J'ajoute – et ce sera, si vous le voulez ma conclusion – que finalement et fondamentalement, ce sont deux courbes parallèles qu'ils ont parcourues l'un et l'autre. C'est-à-dire que dans le domaine de leur sagesse, de la sagesse acquise par Gide et par Martin du Gard, je crois qu'il y a bien des affinités. L'un a voulu se libérer du puritanisme protestant, mais l'autre s'est libéré du catholicisme et de l'emprise sociale de son milieu d'origine. Martin du Gard appartenait à une bonne famille catholique et bourgeoise, très pratiquante et très conservatrice. C'est le Père Thibault qui a exorcisé ce démon, de même que Gide a cherché à exorciser son hérédité protestante. Leur seule différence importante, c'est que, chez l'un, cette libération s'est faite par une révolte, par un scandale, alors que chez l'autre, elle s'est faite très discrètement et par des voies purement rationnelles. Il n'y a jamais eu de crise chez Martin du Gard, du moins l'a-t-il toujours affirmé. On pourrait évidemment nuancer beaucoup, mais cette évolution s'est faite harmonieusement, beaucoup plus doucement, et surtout de façon beaucoup moins visible de l'extérieur que dans le cas de Gide.

Une petite anecdote précisera, pour terminer, les nuances de leurs tempéraments intellectuels, leur différence de caractère aussi, à propos d'un problème qui les voyait tout à fait d'accord sur le fond. Ils l'étaient très souvent ; dans les Notes sur Gide, Martin du Gard cite de nombreuses déclarations qu'il pourrait signer, des confessions d'athéisme, du genre : « Il faut haïr les églises, elles ont fait trop de mal, etc.... ». Il y a pourtant des nuances à souligner dans leur façon de réagir. Il existe un groupe de lettres de Martin du Gard à Dorothée Bussy, appelé, je ne sais pourquoi, les lettres du veau à cinq pattes – ou plutôt je crois savoir pourquoi –. Il y est question, de la Confidence africaine. Vous savez que la Confidence africaine est une petite nouvelle – à mon avis un des chefs d'œuvre de Martin du Gard – (et de l'avis de Gide également). Cette nouvelle a un sujet scabreux. Il s'agit de l'amour incestueux d'un frère et d'une sœur, le frère étant le narrateur et la sœur s'appelant Amalia. L'action se situe en Afrique du Nord et – je résume simplement la fin – de cet amour incestueux est né un enfant qui va mourir tuberculeux dans un sanatorium des Pyrénées. La fabulation consiste à faire raconter par le père l'histoire de cet amour et de cette mort de l'enfant. Dans les lettres à Dorothée Bussy, je vois que Gide n'était pas content de cette fabulation. Gide, qui admirait beaucoup l'art de cette nouvelle, reprochait à son ami d'avoir fait de cet enfant, né d'un amour incestueux, un tuberculeux. « Vous donnez raison à Mauriac », lui disait-il à peu près. « Vous plaidez en faveur de la morale traditionnelle. La nature condamne ces amours anormales et, par conséquent, vous apportez de l'eau au moulin de nos adversaires.» Martin du Gard disait à Dorothée Bussy qu'au fond, Gide ne lui reprochait qu'une chose, de ne pas «embêter Mauriac» et qu'il ne s'était pas soucié, lui, de polémique, ni de prouver ceci ou cela, mais qu'il avait raconté une histoire, simplement.

On retrouve là, évidemment, toute sa théorie du roman objectif: «Je n'enseigne pas, je raconte». Il est probable que Gide aurait fait de cet enfant un être plantureux et plein de santé. Et on voit comment l'un cherchait le combat, l'affrontement, alors que l'autre se refermait dans cette religion de la littérature, sans volonté de polémique, ni d'engagement, même sur le plan moral.

DISCUSSION

Jean Mouton. – Ce que Maurice Rieuneau a appelé une improvision était, en fait, un exposé d'un tact très subtil et d'une très grande pénétration, qui pose des problèmes fort importants et profonds, si profonds qu'on peut se demander s'il nous sera possible, par des questions, de les résoudre dans le temps qui nous est laissé…

Anne Heurgon-Desjardins. – Je voudrais remercier Maurice Rieuneau de son exposé que j'ai trouvé admirable. Pour qui, comme moi, a bien connu l'un et l'autre, le portrait jumelé de Gide et de Martin du Gard apparaît d'une exactitude parfaite. Comme vous n'avez pas entre les mains les trois correspondances principales, celle avec Copeau, celle avec Gide, celle avec Schlumberger, je n'en admire que davantage que vous ayez pu mettre le doigt sur ce qu'il y avait de plus significatif dans leur amitié. Avant de vous entendre, ce n'est que dans la remarquable étude du professeur Delay, dans les notes parfois si pertinentes de Claude Mauriac, que je retrouvais la présence de Gide.

A ce propos, je voudrais ajouter une anecdote amusante, qui complète le passage où vous opposez le besoin de confort chez Roger Martin du Gard à la simplicité de Gide, sinon dans les démarches de sa vie, du moins dans ses installations, ou plutôt son manque d'installation. Nous étions désolés et un peu inquiets, Jean Amrouche et moi, au retour d'Algérie, où nous l'avions tant dorloté (je sais, c'était l'après-guerre, tout était difficile à Paris), de le voir au «Vaneau» sans chauffage, sans nourriture, obligé de sortir pour tous ses repas. Une fois, j'en avais été si fort impressionnée que je ne pus m'empêcher de le lui dire, d'autant que je sortais du «Dragon», où Roger siégeait confortablement installé à son bureau, avec à son côté, la table basse spécialement aménagée pour recevoir ses dictionnaires et tout ce dont il pourrait avoir besoin. Arrivée chez Gide, je le suppliai: «Pourquoi acceptez-vous cela?… Pourquoi n'avez-vous pas de service?» (On répétait autour de lui qu'il avait horreur du confort). Gide, faisant mine de s'emporter, me répondit: «Roger vous a-t-il aussi montré l'installation de sa chambre à coucher où, sous la tenture du plafond, il a fait installer un éclairage de clinique, pour le cas où une opération d'urgence s'imposerait?» J'aimerais vérifier la chose auprès de Marie Rougier! Du moins apparaît-elle vraisemblable, tant était grande la peur que Roger avait de la souffrance et de la mort, et aussi, parce que Gide ne l'aurait pas dit si ce n'était pas vrai.

Un détail de votre exposé m'a également frappée: l'horreur chez Martin du Gard, des indiscrétions. Cette crainte était telle, que l'amitié entre nous, qui s'était approfondie durant la guerre où je l'approvisionnais d'Alger, au retour a brusquement cessé. Je puis me tromper, car il y avait aussi la montée de la vieillesse, le besoin de faire le vide autour de lui, pour achever son œuvre, mais j'eus l'impression qu'il avait peur de ce que Gide avait pu me raconter. En effet, le soir à Alger, durant les dix-huit mois de notre cohabitation, quand, épuisée par les complications de la vie matérielle, nous nous retrouvions près de Gide au coin de seul feu de la maison, bien souvent nous évoquions Roger. Eprouvant pour lui une tendresse semblable, nous en faisions le thème préféré de nos conversations.

Vous avez dit quelques mots très justes sur le besoin chez Gide d'éduquer, d'aider les jeunes. Au reste, peut-être s'en vantait-il trop? Je me suis demandé si dans la haine si évidente (quoiqu'elle eût échappée à ses proches) que Pierre Herbart ressentait envers Gide à la fin de sa vie, n'entrait pas, en même temps qu'une conception différente de l'homosexualité, une sourde exaspération devant le besoin continuel que Gide avait de lui (à Alger, il était le seul que Gide aurait voulu faire venir).

Que vous avez bien signalé également l'accueil de Gide envers les œuvres qui différaient de la sienne, sa curiosité des autres, son respect de leur personnalité! Durant son séjour chez nous, comme il le note dans son *Journal*, il a amplement profité de notre bibliothèque. Pour lui, le plus grand romancier français vivant était Simenon, pour moi Mauriac. Aussi a-t-il relu tout Mauriac. Il a relu aussi Martin du Gard. Il n'était guère intéressé par *les Thibault*, mais nous avions en commun un goût très vif pour la *Confidence africaine* et une admiration profonde pour la correspondance.

MAURICE RIEUNEAU. – Je vous demande pardon, Madame, de vous interrompre, mais M. Jean Delay m'a rapporté une phrase de Gide à propos de la correspondance de Martin du Gard: «Ce sera la correspondance de Flaubert». Pour Gide, donc, c'était une grande chose.

ANNE HEURGON-DESJARDINS. – C'est une chose que j'ai souvent répétée à Marcel Arland, peu sensible au style de cette correspondance.

Mais parmi les questions que soulève votre exposé, une autre me remonte en mémoire: le bouleversement de Roger Martin du Gard, à la mort de sa femme, que ses amis n'avaient pas prévu. Je me demande si, assistant à la mort si paisible de Gide, comme à celle du P. Valensin, Roger ne s'est pas trouvé délivré d'une partie de son angoisse de la mort, ainsi que du souvenir dramatique de la longue agonie de ses parents. Est-ce lui ou quelqu'un d'autre qui m'a rapporté cette phrase de Gide, émergeant pour un bref moment de son coma, à la veille de sa mort: «Tiens, je suis encore là!»

GEORGES-PAUL COLLET. – Je ne me souviens plus de ce que dit Gide, dans son *Journal*, au sujet des *Thibault*. Que reproche-t-il à cette œuvre? La trouve-t-il trop simple?

ANNE HEURGON-DESJARDINS. – Pour certains des amis de Martin du Gard, *les Thibault* apparaissaient un peu comme «un vêtement de confection». Pourtant, pour moi qui aimais tant ses écrits intimes j'ai mal réagi aux *Notes sur André Gide* – Il est vrai qu'il faut tenir compte du choix opéré à la demande de Jean Paulhan, et peut-être que, remises à leur place parmi les posthumes, ces notes apparaîtront à nos héritiers débarrassées de leur pénible insistance sur les ridicules de Gide. Qui, d'ailleurs n'existaient plus durant les années ou j'ai partagé sa vie. Si à la soixantième page le livre m'est tombé des mains, si j'ai même pleuré, c'est à cause du ton si différent de celui dont Gide gardait le souvenir.

Toujours Gide présentait à mes yeux Roger comme un ami qui se croyait indigne de lui: «Comment pouvez-vous vous attacher à moi?... Prendre mes conseils en considération...» Mais voici qu'après la mort de Gide, il se révélait tout autre.

MAURICE RIEUNEAU. – Il s'est employé à ne pas se mettre dans son roman. Il l'a refait quinze fois pour qu'il n'y ait plus rien de lui. Oui, j'ai l'impression que ce que Gide n'aimait pas dans *les Thibault* c'était une esthétique retardataire à ses yeux. Martin du Gard a voulu porter à la perfection une manière romanesque qu'il n'avait pas inventée. Je crois que, dans certains cas, il y est arrivé. Seulement, quand on veut écrire *les Faux-Monnayeurs* on n'aime pas cette façon de raconter un peu trop simplement les choses.

YVES CLOGENSON. – Son jugement s'était-il modifié à propos de *Jean Barois*?

MAURICE RIEUNEAU. – Je ne sais pas. Je ne pense pas qu'il y ait trace, dans le *Journal*, d'autres jugements sur *Jean Barois*. Mais le premier est d'autant plus frappant que Gide n'aimait pas l'histoire, qu'il n'aimait pas – on l'a dit – cet aspect «dossier» qu'il y a dans *Jean Barois*. Je ne sais combien de pages sont la sténographie du procès Zola!

YVES CLOGENSON. – Pourquoi l'a-t-il admiré, alors, à un certain moment?

MAURICE RIEUNEAU. – Je crois qu'il a senti un romancier, il a senti quelqu'un qui pouvait faire une grosse machine romanesque.

GEORGES-PAUL COLLET. – En somme, c'est la personnalité de Martin du Gard qu'il pressentait dans *Jean Barois*!¦ Vous venez de dire «romancier», vous pensiez que c'était le...

MAURICE RIEUNEAU. – Je crois plutôt un certain talent inné de romancier; il y a une façon de voir les choses, de sentir, qui est révélatrice. C'est mon avis personnel, et je n'ai aucune raison positive pour le soutenir: j'ai l'impression que Gide a senti dans *Jean Barois* un tempérament de romancier, dans la mesure où *Jean Barois* c'est un cycle complet, où il y a une cohérence interne et s'il y a des parties un peu lourdes, les personnages vivent. Même si c'est pesant, même si c'est d'une technique retardataire, pour qu'il l'ait lu avec une telle voracité, il a dû sentir aussi, je suppose, une force, une solidité: l'œuvre d'un «gaillard», comme il a dit. Je suppose qu'ils n'en ont pas parlé plus longtemps, car déjà, pendant la guerre de 1914-18, Martin du Gard ne voulait plus qu'on lui parle de *Jean Barois*. Il disait: *Jean Barois*, c'est terminé; maintenant, je vais faire autre chose; c'est une œuvre qui s'est détachée de moi et si, à un moment, elle a représenté quelque chose, maintenant je pense à faire mieux». De même qu'après *les Thibault* il a voulu écrire *Maumort*; seulement, il s'est lancé dans un roman monumental et, malheureusement, il n'a pas pu en sortir.

Je pensais, tout à l'heure, Madame, que j'ai oublié de citer un fragment d'une lettre qui vous était adressée et qui peut éclairer également les sentiments de Martin du Gard au moment de la mort de Gide. C'est lorsqu'il pressent la mort de Gide et qu'il l'accepte d'avance. Il vous écrivait:

«Nos derniers jours de travail ont été lourdement assombris par une mauvaise nouvelle du Vaneau. Pierre (il s'agit d'Herbart) a regagné Paris plus tôt que prévu et ma pensée l'accompagne au chevet de cet incomparable ami dont l'affaiblissement progressif est cette fois bien alarmant. J'arrive à cet âge cruel où il faut se résigner à voir disparaître un à un ses compagnons de route, en attendant que vienne votre tour. Faut-il plaindre ou envier ceux qui s'en vont? Question que je me suis souvent posée au cours de ces années de deuil. J'envie plutôt...»

Je crois que cela corrobore ce que vous avez dit: la mort de Gide l'a plutôt réconforté.

HENRI GOUHIER. – Quelle a été la réaction de Gide au moment du *Taciturne*?

MAURICE RIEUNEAU. – Je ne sais pas. Ou plutôt je ne sais que ce qu'en a dit Gide dans le *Journal*. Il rapporte plusieurs entretiens sur la mise en scène de la pièce, la distribution, et surtout l'accueil défavorable, scandalisé, de la critique et du public. Il se soucie surtout du problème que pose la pièce, plaide la cause de l'homosexualité et de sa libre expression en littérature. Par là même, il défend Martin du Gard et son sujet. Mais je ne sais plus ce qu'il dit de la pièce, en tant qu'œuvre d'art. Je ne crois pas qu'il émette un jugement très net. Sur le fond, en tout cas, il était aux côtés de Martin du Gard.

ANNE HEURGON-DESJARDINS. – C'est un des livres les plus révélateurs de Roger Martin du Gard. Il parle du drame que fut le mariage de sa fille…

HENRI GOUHIER. – Je pense que Gide ne pouvait que l'approuver.

MADELEINE DENEGRI. – Il n'a pas aimé l'interprétation de Jouvet… Je crois que l'on pourrait trouver cela dans le *Journal*, dans les années 1931… Je crois que Gide fait une comparaison avec *la Prisonnière* de Bourdet et qu'il trouve que l'entrée en matière de Martin du Gard dans *la Prisonnière* est bien supérieure à celle de Bourdet, mais qu'au cours de la pièce, *le Taciturne* devient meilleur.

HENRI GOUHIER. – Avant *le Journal*, comme ils se montraient leurs pièces, j'aurais aimé savoir quelle était la réaction de Gide, à ce moment-là, avant que cela ne devienne public…

MAURICE RIEUNEAU. – Nous le saurons bientôt, peut-être, grâce à la correspondance.

HENRI RAMBAUD. – Il faudrait peut-être apporter une nuance. Gide a été attiré chez Martin du Gard par un talent complémentaire. Mais il faudrait peut-être nuancer. Quand on dit qu'il est attiré par ce qui diffère de lui, il faudrait songer à son éloignement pour Balzac et pour Tolstoï et inversement à son attrait pour Dostoïevsky. Simplement, il y a eu deux tendances chez lui.

ANNE HEURGON-DESJARDINS. – Il aimait beaucoup Balzac, tout de même.

HENRI RAMBAUD. – Oui… Il faut lire *la Comédie Humaine* à vingt ans, après cela risque d'être trop difficile…

MAURICE RIEUNEAU. – Ce qu'on a rassemblé du dernier roman de Martin du Gard doit être publié prochainement. Je crois même que le manuscrit est chez l'éditeur. Je n'ose pas faire de pronostics encore. D'un côté, Gide avait dit: «c'est ce que vous avez écrit de meilleur», de certains passages. On m'a dit d'un autre côté que c'était bien décevant. En tous cas, c'est très fragmentaire: on m'a parlé de 10.000 fiches qu'il a fallu rassembler, de 10.000 fragments qu'il a fallu trier et assembler… Martin du Gard voulait faire une très grande chose. *Les Thibault* auraient paru un point à côté.

GEORGES-PAUL COLLET. – Vous me disiez hier qu'il y a quand même certaines parties qui ont été rédigées…

MAURICE RIEUNEAU. – Je crois qu'il y a au moins un épisode, «la baignade»…

C'est ce passage, que Gide avait beaucoup aimé. D'ailleurs, cela va encore apporter des lumières sur la personnalité de Martin du Gard, côté *Taciturne*, puisque je crois qu'il y a un aspect nettement pédérastique dans cette «baignade» de Xavier.

ANNE HEURGON-DESJARDINS. – Je n'ai pas, moi-même, très bien réagi à une *Note sur André Gide*, publiée après la mort... Il faut nous rendre compte aussi que c'est poussé par Paulhan qu'il a sorti de son *Journal* quelques fragments.

MAURICE RIEUNEAU. – D'ailleurs, dans son esprit, je suis persuadé que ce n'était pas une profanation de l'image qu'il se faisait de Gide. Au contraire. C'était le petit côté du grand homme. Dans leur amitié, il y avait souvent un aspect frère aîné chez Martin du Gard, parce que tout en le considérant comme infiniment au-dessus de lui par l'esprit et le talent, il sentait que Gide avait besoin de quelqu'un pour l'empêcher de faire trop de bêtises. Il était à ses yeux l'enfant trop bien doué qu'il faut sans cesse surveiller dans le vie courante. Oui, il y avait de cela dans l'affection de Martin du Gard pour Gide.

CLAUDE MARTIN. – Sais-tu si le volume publié chez Gallimard comporte la totalité des extraits qui concernent Gide, dans le Journal de Martin du Gard?

MAURICE RIEUNEAU. – Non, je ne crois pas du tout. Il a fait cela très vite, en 1951.

CLAUDE MARTIN. – Je trouve bizarre qu'il y ait une coupure entre 1913 et 1920.

MAURICE RIEUNEAU. – Cela correspond au trou de la guerre qui les a séparés· L'amitié pour Copeau a accaparé tout de suite Martin du Gard. On peut se demander même si Copeau n'aurait pas pu le détourner de Gide, à un moment, tellement il a senti en lui une personnalité extraordinaire. Et puis, c'est l'époque où il pensait beaucoup au théâtre. Il voulait faire du théâtre, il faisait partie de l'équipe du Vieux Colombier. Il voulait rénover la farce. Son amitié avec Gide commence vraiment en 1920...

GEORGES-PAUL COLLET. – Sur le plan de l'art littéraire, vous avez dit admirablement que Gide avait été l'éveilleur pour Martin du Gard. Lorsque Martin du Gard soumettait des manuscrits, dans quelle mesure est-ce qu'il acceptait les suggestions, est-ce que Gide réussissait à le persuader de modifier telle phrase, ou tel passage?

MAURICE RIEUNEAU. – Je crois qu'il les acceptait. En général, il était très franc dans la critique et d'une honnêteté extraordinaire dans l'acceptation de la critique. Il reprochait même à certains amis de ne pas le critiquer... «Si vous êtes mon ami, faites-moi des critiques...» Je crois qu'il était tout disposé à les admettre de Gide, qu'il admirait sincèrement.

Anne Heurgon-Desjardins. – Gide était si convaincu que Martin du Gard éprouvait pour lui une grande admiration qu'il aurait été fort chagriné – j'en ai le sentiment – s'il avait lu le livre de Martin du Gard paru après sa mort...

Maurice Rieuneau. – J'ai vu Martin du Gard en 1956 et il m'a parlé de Gide spontanément. Pendant que j'étais là, on a frappé à la porte et Martin du Gard me dit: «non, non, laissez, je n'attends personne»... Et il a ajouté: «Gide n'aurait pas pu supporter que je laisse quelqu'un derrière la porte sans aller voir, rien que pour voir qui c'était...»

Georges-Paul Collet. – En sens inverse, vous avez dit que, pour Gide, Martin du Gard représentait quelque chose de solide sur le plan humain. Est-ce que sur le plan littéraire, Roger Martin du Gard a pu avoir quelque influence sur Gide, bien qu'il se sentît en quelque sorte inférieur à Gide?

Maurice Rieuneau. – Je crois que *les Faux-Monnayeurs*, par exemple, ont été discutés cent fois avec Martin du Gard. Je vous rappelle que ce roman lui est dédicacé. D'autre part, *le Journal* des années 1921 à 1925 relate de très nombreuses conversations avec Martin du Gard sur des problèmes d'esthétique ou de technique romanesque. Et Gide dit chaque fois qu'il en a tiré grand profit. Or, nous savons qu'il pensait à son roman depuis de longues années. Voyez aussi la phrase relative aux *Mémoires*, que j'ai citée.

Anne Heurgon-Desjardins. – Et là, je voudrais faire intervenir Pontigny. Certes, ils se voyaient à Paris, mais Jean Schlumberger a souligné l'intérêt de Pontigny, qui a beaucoup ajouté à leur amitié.

ANDRÉ GIDE ET LA NOUVELLE GÉNÉRATION

(TABLE RONDE)

PATRICK POLLARD. – Nous avons pensé aujourd'hui organiser un débat collectif sur le thème *Gide vu par la jeunesse.*

J'aimerais le centrer autour de trois questions principales:

1. La jeunesse actuelle aime-t-elle Gide? Que cherche-t-elle, que trouve-t-elle en lui?

2. Comment la jeunesse comprend-elle et sent-elle l'éthique de Gide, c'est à dire le point de vue moral qu'il exprime dans sa littérature?

3. Enfin, que pense-t-elle de l'esthétique de Gide?

Commençons par la première question. Il serait intéressant d'interroger chacun des participants en leur demandant: «Quel est le premier livre de Gide que vous ayez lu?». Je réponds tout de suite à ma propre question. Personnellement, j'ai commencé la lecture de Gide par *les Caves du Vatican.*

MARGARET PILCHER. – En ce qui me concerne, j'ai commencé par *la Porte étroite.* J'avais à peu près quinze ans. J'ai été émue, mais l'histoire m'a semblé, au fond, un peu mince. J'ai été institutrice pendant très peu de temps, juste avant de venir en France et j'avais justement *la Porte étroite* à discuter avec mes élèves. J'ai été surprise de constater qu'ils avaient tous eu, à peu près, la même réaction que moi. L'histoire était émouvante mais assez mince, et ils ne paraissaient pas s'intéresser tellement à Gide.

MICHEL TAILLEFER. – Personnellement, j'ai commencé – par hasard d'ailleurs, je ne sais pas comment ce livre m'est tombé dans les mains – par *les Nourritures terrestres.* Ensuite, j'ai lu, je crois, *les Caves du Vatican* et *les Faux-Monnayeurs.* Des amis lisaient à peu près au même moment les mêmes livres, ces trois là.

Mais quand, voulant continuer sur ma lancée, j'ai acheté dans le «livre de poche» *la Porte étroite* – j'avais peut-être 16 ans – j'en ai lu la moitié et je n'ai pas pu aller plus loin. Cela ne m'intéressait pas.

PATRICK POLLARD. – Le problème sans doute vous paraissait dépassé?

MICHEL TAILLEFER. – Du moins, il m'intéressait moins, à ce moment là… Ce livre m'attirait moins que n'avaient fait les trois autres ouvrages. Je me demande si cet attrait ne venait pas essentiellement de ce que, dans ces livres, et en particulier dans *les Faux-Monnayeurs*, la plupart des héros sont justement des jeunes (de l'âge que j'avais à ce moment là) et dont les problèmes au fond étaient les nôtres. Je me demande s'il n'y a pas là une des raisons principales de l'attrait qu'exerce Gide – et qu'il exerce encore actuellement, cela je peux l'affirmer – sur des jeunes gens ou sur des jeunes filles de 17 ou 18 ans.

DOMINIQUE PONNEAU. – Je pense tout à fait comme vous. Je songe à mon jeune frère, en particulier, un garçon extrêmement solide et sain. J'ai l'impression que, pour lui et pour ses camarades, les *Faux-Monnayeurs* ne sont, avec toutes les différences, qu'une espèce de *Grand Meaulnes*, peut-être un peu plus poétique… Le livre répond à ce besoin de poésie, de lyrisme, qui est celui de cet âge, je pense. En tous cas, quand vous étiez plus jeune, aviez-vous le sentiment que l'aspect proprement littéraire des *Faux-Monnayeurs* comptât tellement pour vous?

MICHEL TAILLEFER. – Non, je ne crois pas. J'avoue que la première fois que j'ai lu le livre, les passages concernant Edouard – les extraits du Journal d'Edouard – m'intéressaient moins. Dans *les Faux-Monnayeurs*, si je les relis maintenant, c'est peut-être Édouard qui m'intéresse le plus. Mais, à ce moment là, ce n'était pas du tout le cas.

DOMINIQUE PONNEAU. – En tous cas, vous vous intéressiez peu aux recherches proprement formelles, aux recherches de technique romanesque ou de style…

MICHEL TAILLEFER. – Elles ne m'étaient pas indifférentes.

DOMINIQUE PONNEAU. – Mais elles ne constituaient peut-être pas l'essentiel. Ce qui laisserait entendre que l'élément proprement littéraire de Gide intéresse moins la jeunesse que la substance même de son œuvre.

PATRICK POLLARD. – Quand on aborde un livre à l'âge de seize ans, on cherche une histoire, une atmosphère et on se soucie très peu du point de vue littéraire, de la construction du roman.

MICHEL TAILLEFER. – Cela, qui est valable pour *les Faux-Monnayeurs*, l'est-il pour *les Nourritures terrestres*? La poésie des *Nourritures* est, je crois, l'une des premières choses que l'on ressent, même à cet âge là.

DOMINIQUE PONNEAU. – Si j'ai parlé de «style», c'est que j'ai cru sentir que c'était, dans l'œuvre de Gide, ce qui avait le plus vieilli pour des êtres très jeunes et que, peut-être, des thèmes voisins, traités en une autre langue, touchaient davantage. Il ne s'agirait pas seulement des *Faux-Monnayeurs*, mais de presque tous les romans de Gide que lisent les jeunes gens. Souvent, cette survivance dans son style de la vieille tradition classique leur apparaît singulièrement démodée. Quand je demandais si vous vous intéressiez au style et à la manière de Gide, je voulais surtout savoir s'ils ne vous avaient pas ennuyé, s'ils n'avaient pas constitué pour vous un obstacle.

MICHEL TAILLEFER. – Je ne crois pas, au contraire.

DOMINIQUE PONNEAU. – Mais cela commence à le devenir, de plus en plus, je pense.

PATRICK POLLARD. – Peut-être, mais à l'âge de seize ans on est ouvert à tout.

MARTINE DE ROUGEMONT. – Il me semble qu'évidemment des notions comme celle de l'absurde sont plus accessibles chez Camus, par exemple, que chez Gide. *l'Etranger* «passe» plus facilement que *les Caves du Vatican*: c'est plus simple. Mais vos remarques me font poser une autre question: tout ce que vous avez dit de Gide jusqu'à présent ne tend-il pas à le montrer comme un pervertisseur de la jeunesse, selon une imagerie ancienne: Gide répondant aux instincts troubles, aux angoisses adolescentes, etc....? A-t-il été cela pour vous?

DOMINIQUE PONNEAU. – C'est là une question un tantinet indiscrète! Mais j'y répondrai sincèrement.

MARTINE DE ROUGEMONT. – Ou, pour être moins indiscrète, vos élèves des collèges catholiques essayaient-ils, eux, de se pervertir ou de se former en lisant Gide?

DOMINIQUE PONNEAU. – Mais non! Ils ne voulaient pas se pervertir, les pauvres! Ils allaient à la messe tous les jours! Ils y étaient forcés, c'est vrai. Ce n'est pas vouloir se pervertir que d'être un garçon ou une fille sensible à dix-sept ou dix-huit ans, et d'aimer voir exprimé d'une façon souvent très belle des sentiments, des idées que l'on se formulerait mal soi-même. Ce que je voulais dire est différent: je me demande si, passé cet âge, on aime encore Gide. Je me demande si, en admettant l'intérêt de certains thèmes gidiens, certaines sensibilités (celles dont je parlais, celles que j'ai connues), une fois passé l'âge gidien, n'allaient pas directement à Proust et ne finissaient pas par oublier Gide.

PATRICK POLLARD. – Comment avez-vous connu Gide ?

MARTINE DE ROUGEMONT. – J'ai lu *la Porte étroite* à treize ans. Mais cela posait en problème quelque chose que je connaissais déjà, et qui ne me touchait plus guère. Ce qui m'a formée, c'était *Paludes* et c'était le *Journal*, c'est-à-dire à la fois l'ironie et surtout une méthode de formation de la personne. J'ai été beaucoup moins sensible à ce qu'il y avait, dans les romans justement, de trouble, d'inquiet, d'incertain.

DOMINIQUE PONNEAU. – Je vois mal – c'est votre cas, mais il est rare – la plupart des jeunes esprits entrer dans Gide par le *Journal*. Ils ont besoin d'histoires et d'atmosphère…

PATRICK POLLARD. – Et vous, M. Dupouy, comment y êtes-vous entré ?

GEORGES DUPOUY. – Vers l'âge de quinze ans et, précisément, par *la Porte étroite*. C'est une œuvre qui a gardé toute son importance, pour moi, encore, jusqu'à maintenant, parce que je crois avoir fait un long contresens sur ce livre. J'ai d'abord été extrêmement sensible à l'espèce de tendresse que Gide avait pour Alissa et j'ai cru, pendant très longtemps, que Gide favorisait en quelque sorte un certain développement du mysticisme dans la personne. Ce n'est que peu à peu que j'en suis venu à découvrir d'autres aspects de *la Porte étroite* et particulièrement un certain côté ironique, non pas comme l'entendent certaines personnes, c'est-à-dire un côté de drôlerie destructrice, mais beaucoup plus sous son aspect socratique ; c'est un livre – et peu à peu les autres me sont apparus de la même manière – qui m'a paru favoriser une sorte de dialogue entre Gide et moi-même sur certaines questions qui me préoccupaient.

CLAUDE MARTIN. – Je voudrais poser une question à Mlle de Rougement qui nous a dit, tout à l'heure, que lorsqu'elle a lu *la Porte étroite*, le livre ne l'avait pas beaucoup intéressé parce qu'il correspondait à «quelque chose qu'elle connaissait déjà.» Qu'entendez-vous par là ?

MARTINE DE ROUGEMONT. – Je suis d'origine protestante et la question du choix entre le sacrifice ou l'épanouissement de la personne me semblait familière. Pour une petite-fille de pasteur, c'est le genre de choses dont on parle à la maison. C'était mieux dit, peut-être, qu'à la maison, mais c'était la même chose. A la première lecture, je crois qu'on se laisse toujours prendre à l'apologie ; on admire Alissa, Jérôme n'existe pas.

CLAUDE MARTIN. – Avez-vous vu le récit comme une apologie ou comme une critique ?

MARTINE DE ROUGEMONT. – A la première lecture, je crois qu'on se laisse

3. *Pontigny 1923 (décade littéraire « Le trésor poétique réservé ou de l'Intraduisible»). De gauche à droite, rang du haut: Jean Schlumberger, Lytton Strachey, Mme Théo van Rysselberghe, Mme Mayrische Boris de Schloezer, André Gide, André Maurois, Johan Tielrooy, Roger Martin du Gard, Jacques Heurgon, Funck-Brentano, Albert-Marie Schmidt, Pierro Vienot, Marc Schlumberger, Jacques de Lacretelle et Pierre Lancel*

4. *Pontigny 1924. André Gide (décade « L'acquis du XIXème siècle »)*

toujours prendre par le côté apologétique. En tous cas, on trouve Alissa merveilleuse et Jérôme «nul».

PATRICK POLLARD. – Je crois qu'il est, en effet, très important, en l'occurrence, qu'on soit protestant, catholique ou incroyant. Selon les cas, l'accès d'une œuvre comme *la Porte étroite* est tout à fait différent.

G. W. IRELAND. – J'ai eu le même genre d'éducation religieuse que Gide. J'ai éprouvé à peu près les sentiments d'Alissa dans ma lointaine enfance et toutes ces questions là m'ont été, comme à Martine de Rougement, archifamilières. C'est pourquoi ce livre m'a empoigné. Lorsqu'on rencontre ses propres problèmes les plus intimes présentés avec tant d'art, on a l'impression de les partager de nouveau, comme si l'on rencontrait une âme soeur...

PATRICK POLLARD. – Et vous, M. Noguez, comment avez-vous abordé l'œuvre de Gide?

DOMINIQUE NOGUEZ. – J'ai commencé par lire *les Faux-Monnayeurs*. Je venais de lire la *Peste*, je venais de lire Sartre, *la Nausée* en particulier. Et j'ai trouvé le livre de Gide sans intérêt, il m'a paru manquer d'unité. Je ne savais pas très bien où l'auteur voulait en venir. J'ai donc d'abord été déçu. Et puis, mon professeur de philosophie – qui, une fois par semaine, avait l'habitude de nous lire les meilleures pages, à son goût, de la littérature du XXème siècle –, a entrepris un jour de nous faire connaître certaines pages des *Nourritures terrestres*. Cela m'a immédiatement séduit, enthousiasmé. J'ai lu plus tard les *Nourritures* pour mon compte. A ce moment là, je prenais des notes, j'étais un bon élève, sérieux. J'avais des fiches et un stylo à la main et j'essayais de noter les phrases qui m'intéressaient le plus. Je dois dire que j'ai copié ainsi à peu près toutes *les Nourritures terrestres*. Cela m'avait passionné. Pour des raisons éthiques, mais, aussi, parce que j'avais été séduit par le style éblouissant de Gide.

DOMINIQUE PONNEAU. – Il serait peut-être intéressant de savoir non pas tellement ce que nous tous, graines d'agrégés, nous aimons – et bien sûr nous aimons cela, cette langue si pure, si belle, etc.... – mais ce que ressent, en lisant Gide, une autre jeunesse, celle qui, à la différence de vous, de moi, ne cherche pas immédiatement dans un ouvrage la qualité stylistique mais veut qu'on lui dise quelque chose.

CLAUDE MARTIN. – Je voudrais apporter le témoignage d'une modeste expérience. Il y a deux ans, j'étais professeur dans un petit lycée de province, à Roanne, où je n'avais pas uniquement pour élèves, en classe de première, des graines d'agrégés... J'ai été fort surpris par les résultats d'une petite consultation que j'ai entreprise pour ma curiosité personnelle, pour savoir où en était la génération qui avait entre seize et dix-huit ans. J'avais d'abord cru que Gide était vraiment dans les ténèbres. Je pensais qu'on ne le lisait presque plus. Or, en poussant ces élèves, je me suis aperçu qu'il y avait trois auteurs qu'ils lisaient et qu'ils suivaient. Le premier c'était Camus – cela, je m'en doutais, j'attendais le nom. Le second était plus surprenant: c'était Zola. Intérêt aussi fort que le premier, mais, disons, de moindre qualité. Le troisième homme, c'était Gide. Que lisaient-ils de Gide? Là, j'ai une expérience absolument contraire à la vôtre. Ils lisaient avec un intérêt passionné *les Nourritures terrestres*. Certes il n'y avait pas le *choc* que les générations précédentes avaient connu. Ils s'y *intéressaient*, ils en notaient les formules – peut-être avec moins de ferveur… D'autre part, ils lisaient – ce qui m'a également surpris – *les Nouvelles nourritures* (il se peut que ce soit tout simplement parce qu'elles sont imprimées ensemble) et les romans, même *l'Ecole des femmes* qui les intéressait peut-être plus que *la Porte étroite*. Ce sont des résultats dont je vous garantis l'authenticité mais qui m'ont beaucoup surpris. Ce qui m'a également surpris, et ce qui s'oppose à ce que vous avez dit au début, c'est qu'ils n'étaient absolument pas attirés par ce qu'il y a de trouble chez Gide. Ils voyaient tout de suite Gide comme un maître à penser droit, honnête. J'ai demandé: «Est-ce que vous avez des formules qui vivent en vous?». Plusieurs de ces garçons de quinze à seize ans m'ont cité le «Famille, je vous hais». Je leur ai demandé: «Qu'entendez-vous par là?». Ils l'avaient compris, non pas en «adolescents», mais comme une révolte tout de suite consciente, organisée, contre toutes sortes de carcans; ils avaient compris le sens *général* de la formule. Et de même pour tout ce qu'ils retenaient. Je crois qu'à Lyon, les étudiants de la Faculté que j'ai pu interroger sont déjà bien différents. Pourtant il n'y a que quatre à cinq ans d'écart. A Paris la différence est plus sensible, encore.

MICHEL DECAUDIN. – J'ai constaté hier, au cours d'une conversation, que M. Taillefer avait une expérience tout à fait différente de celle que j'ai pu faire moi-même dans mon contact avec des étudiants. Il m'arrive assez souvent d'instituer de petites enquêtes, de petits sondages, de demander: «Quel est le dernier livre que vous avez lu?», «Qu'avez-vous lu de tel auteur, etc.?». J'ai été très frappé, d'une façon générale, par l'absence de Gide. Je pourrais, pour des années antérieures, donner une autre indication (qui ne concerne pas la France). J'ai été lecteur à l'Université de Gand entre 1951 et 1957. J'avais, chaque année, une quarantaine d'étudiants romanistes, de différentes années de licence. Je crois les avoir interrogés à peu près tous les ans et n'avoir jamais reçu qu'une seule réponse: ils avaient lu *la Symphonie pastorale*, à cause du film, naturellement; mais, à part ce livre, ils ignoraient tout de Gide. Ils s'y intéressaient, d'ailleurs, quand on leur en parlait, comme quelque chose à découvrir; mais manifestement cela n'était pas vivant.

Pour revenir à ce que les étudiants peuvent ou ne peuvent pas lire, cette confrontation prouve qu'il est très difficile d'affirmer définitivement qu'on lit ou qu'on ne lit pas. Je pense surtout à une époque où les fluctuations de lecture sont très vives, très rapides, ne serait-ce, comme vous l'avez dit tout à l'heure, qu'à cause des rééditions abondantes et bon marché, en sorte qu'on est tenté de lire des livres qui, jusque là, ne vous attiraient pas beaucoup. Il est très difficile, pour toutes ces raisons, de dire que Gide – ou un autre d'ailleurs – répond ou ne répond pas à tel ou tel besoin.

DOMINIQUE PONNEAU. – Vous parliez de Roanne, tout à l'heure. Etait-ce un externat?

CLAUDE MARTIN. – Pour moitié, je crois.

DOMINIQUE PONNEAU. – En tous cas, un lycée. C'est peut-être un point de vue partiel que je fais intervenir ici, mais je crois que les questions de milieu et de formation sont très importantes pour ma toute petite expérience de professeur que je mélange, certainement, à mes souvenirs d'élève. Je pense que la résonance de Gide est tout autre dans un internat catholique ou protestant, surtout lorsqu'il ne s'agit pas d'un collège parisien mais provincial et très marqué encore par une certaine vie religieuse et bourgeoise. Je crois que le plus intéressant n'était peut-être pas ce que mes camarades et moi-même pensions de Gide mais l'interprétation que nos maîtres nous en donnaient. Lorsqu'ils nous parlaient de l'œuvre de Gide, d'abord avec prudence, puis de plus en plus audacieusement, il y avait chez eux un certain plaisir comme de jouer un peu avec le diable. L'image qu'ils nous donnaient de Gide était, avant même que nous en eussions lu une page, celle d'un homme qui va nous ouvrir des paradis secrets que, dans ces collèges, on frôle beaucoup plus qu'on y pénètre. Mais, à ce moment là on semblait devoir y pénétrer. J'imagine – à tort peut-être – que, si sur certains points la formation calviniste de Gide le rend dans certains cas plus accessible à de jeunes protestants convaincus et qui voudraient se libérer, le jeune catholique s'y retrouve lui aussi de façon privilégiée. Je pense que Gide, au fond, est peut-être compris de façon plus traditionnelle dans ce type de collège que dans le genre de lycée dont vous parliez tout à l'heure, où on l'aborde d'une manière, assurément, plus saine.

PATRICK POLLARD. – Mlle Terracini, comment avez-vous commencé à lire Gide?

ANNE-MARIE TERRACINI. – J'a commencé par les Faux-Monnayeurs. J'ai été très déçue, je n'ai pas pu avancer dans le livre.

CLARA MALRAUX. – Au moment où vous avez abordé Gide, quelles étaient vos lectures antérieures?

PATRICK POLLARD. – Oui, ceci est très important, effectivement.

En littérature française, j'ai commencé par lire du Zola et puis du Simenon, car c'était tout de qu'il y avait à la bibliothèque. Quand je suis venu en France, j'ai vu tout un rayon de Gide. On m'avait déjà parlé de lui, je le connaissais par ouï-dire et j'ai acheté deux ou trois livres.

JEAN FOLLAIN. – Etait-ce alors une chose exceptionnelle de lire du Gide?

PATRICK POLLARD. – En Angleterre, oui, je crois bien; à cette époque-là, on lisait très peu de français.

JEAN FOLLAIN. – Je voudrais savoir si, parmi ceux qui ont commencé à lire Gide dans un collège ou un lycée français, les lecteurs de Gide étaient exceptionnels, à ce moment là, ou si, autour de vous, vos camarades le lisaient aussi abondamment.

MICHEL TAILLEFER. – Mes camarades le lisaient. Mais ce que je dois souligner, c'est qu'ils le lisaient spontanément sans que leurs professeurs en aient jamais parlé. Au cours de toutes mes études secondaires, j'ai dû attendre, je crois, la classe de philosophie, pour qu'un de mes professeurs nous parle de Gide.

JEAN FOLLAIN. – Cela correspond absolument à ce que je sais. Dans l'enseignement secondaire, les professeurs sont restés très longtemps sans parler de Gide. Quand j'étais au collège de Saint-Lô, dans les années 1923-1924, je peux vous assurer que pas un professeur ne savait qui c'était.

MICHEL TAILLEFER. – Tous les professeurs, actuellement, je suppose, ont lu Gide; mais s'ils ne parlent pas de lui c'est parce qu'ils pensent que cela n'a plus d'intérêt. Quand mes professeurs apprenaient que nous étions plusieurs dans la classe à le lire, quand ils le voyaient entre nos mains, ils s'étonnaient: «Comment! vous lisez *encore* Gide»? Ne croyez pas du tout qu'ils ignoraient Gide ou qu'ils le trouvaient dangereux. Mais ils pensaient que c'était de l'histoire ancienne.

JEAN FOLLAIN. – Je crois que même pendant la période pendant laquelle on l'a le plus lu, il est resté très ignoré de ce qu'on appelle le grand public. La fameuse influence de Gide s'est cantonnée dans un très petit cercle. Des auteurs comme Montherlant, par exemple, sont beaucoup plus lus par le grand public. Il n'y a guère que deux ouvrages qu'on ait commencé à lire dans le grand public, quand ils ont été publiés dans une édition à bon marché, c'est *l'Immoraliste* et *Si le grain ne meurt*. Et encore, il s'agissait d'un *Si le grain ne meurt* expurgé pour cette collection à grand tirage.

CLARA MALRAUX. – Je reprends ma question. Quand vous avez abordé Gide, où en étiez-vous de vos autres lectures?

MICHEL TAILLEFER. – Personnellement, je ne me rappelle pas. J'ai commencé assez tôt à lire Gide. Je me demande même si ce n'est pas un des premiers auteurs que j'ai lus sérieusement.

YVES CLOGENSON. – Je voudrais demander à M. Claude Martin si cet intérêt exceptionnel pour Gide n'avait pas été préparé par le fait que ce fût un professeur de seconde qui avait déjà parlé de Gide à ses élèves. Je dois dire qu'en première – ici mon expérience rejoint celle de M. Decaudin – je n'ai jamais vu un élève venir me parler lui-même de Gide avec un esprit non prévenu. Il me parlait de Dostoïevsky, de Kafka, de beaucoup d'autres auteurs, mais de Gide, jamais.

CLAUDE MARTIN. – Je connais très bien mes deux autres collègues qui s'occupaient de la classe de seconde et mes collègues de première. Aucun ne s'intéressait à Gide.

MICHEL TAILLEFER. – Je suis persuadé que, dans un très grand nombre de cas, les jeunes gens de dix-sept ans qui lisent Gide le lisent sans qu'on leur en ait parlé. Ils le lisent parce que des camarades le lisent, parce qu'ils ont trouvé ses œuvres dans le «livre de poche». Mais ils le lisent d'eux-mêmes, spontanément.

PATRICK POLLARD. – Je crois que de nos jours la situation est très différente, parce que Gide est entré, non pas dans la légende, pas tout à fait, mais dans l'histoire. On le connaît, on a entendu parler de lui. On trouve ses livres en librairie, à condition d'habiter Paris, n'est-ce pas. Il n'y a plus de nouveauté chez lui, pas de nouveauté littéraire, j'entends.

MADELEINE DENEGRI. – Les jeunes s'intéressent-ils au *Voyage au Congo* et au *Retour de l'U.R.S.S.*?

PATRICK POLLARD. – D'une façon purement documentaire, historique.

MARTINE DE ROUGEMONT. – Mais la position de Gide évolue. D'abord, les gens qui vont au lycée savent, sans qu'on ait à le leur dire en classe, qu'il y a quatre «grands» au début du siècle, Claudel, Valéry, Gide et Proust. S'ils voient le nom de Gide, ils sont prévenus. D'autre part, dans les manuels que j'ai eus entre les mains pour les classes de 6e, 5e et 4e, il y a des textes assez nombreux de *Si le grain ne meurt* et des *Nourritures*. Gide va commencer à être abordé par ce biais, c'est un Gide assez différent de celui des *Faux-Monnayeurs* ou même des *Caves du Vatican* – et plutôt celui que M. Claude Martin rencontrait dans son lycée, je crois, le Gide goethéen.

PATRICK POLLARD. – Oui, mais ce sera plutôt le Gide vu par l'université, le Gide des professeurs, des faiseurs de manuels. C'est déjà quelque chose de différent.

KLARA FASSBINDER. – On a vu Gide à la télévision. On a donné *la Symphonie pastorale*... Il est maintenant connu du grand public.

PATRICK POLLARD. – Effectivement, les Allemands s'intéressent beaucoup à lui, plus que les Français, peut-être. En Angleterre, cet intérêt reste purement littéraire, universitaire, à part quelques jeunes qui se donnent la peine de lire la traduction de Mme Bussy.

MAURICE RIEUNEAU. – Je me demande si la désaffection qu'a connue Gide dans les vingt ou quinze dernières années, ne tiendrait pas à un phénomène important, qui est la mode de l'engagement. Dans ma génération – je ne sais pas si cela ne devient pas moins vrai pour la suivante – nous trouvions en général Gide inactuel, vieilli, scruteur de consciences alors que ce qui nous intéressait davantage c'était l'engagement. Camus a bénéficié de cette mode là et Gide a paru vieilli parce qu'il pratiquait une littérature d'introspection. Je me rappelle très bien la réflexion d'un camarade qui venait de lire *Si le grain ne meurt*: «Mais, vraiment, qu'est-ce que cela nous fait qu'il ait eu ces crises, ces problèmes? Cela ne nous intéresse absolument pas». Ne croyez-vous pas que c'est le cas de beaucoup? Mais ce phénomène s'atténue sans doute à mesure que la guerre s'éloigne...

MICHEL DECAUDIN. – Je suis tout à fait d'accord avec ce que vient de dire M. Rieuneau. En face d'une désaffection du genre de celle qu'on signalait tout à l'heure – je pense à la réflexion de ce professeur de ma génération disant: «Vous lisez encore Gide!» – on peut penser qu'elle tient à ce que Gide a été trop admiré, trop aimé. J'appartiens à une génération qui, en 1939, est passée directement des bancs de la khâgne à l'uniforme. Nos maîtres à penser étaient Gide, Valéry et Alain. On ne jurait que par Gide à la fois du point de vue éthique et du point de vue esthétique. Il y avait vraiment une présence de Gide, une leçon de Gide dans tous les domaines. Mais quand tout cela s'est confronté avec les événements, avec la guerre, l'occupation, la résistance et les formes de pensée nouvelle qui sont apparues en 1945, effectivement, on a eu le sentiment d'une sorte d'absence, d'un vide à combler et ce n'est pas Gide qui pouvait le combler. De là vient cette désaffection. Chez les hommes de ma génération, le mouvement de défiance à l'égard de Gide ne signifie pas un refus définitif, mais comme un mouvement de recul, de balancier.

MICHEL TAILLEFER. – N'assiste-t-on pas actuellement à un retour du balancier? Je me demande si aujourd'hui on ne revient pas à Gide. Il me semble que Sartre intéresse moins...

MICHEL DECAUDIN. – Dans la mesure où cette question de ce qu'on appelle en gros l'engagement n'est pas primordiale, il est certain qu'un certain nombre de problèmes que posait Gide retrouvent une actualité.

DOMINIQUE NOGUEZ. – De toutes façons Gide ne nous paraît pas tout à fait désengagé; il a quand même écrit la fin des *Nouvelles nourritures* et *le Voyage au Congo*; nous avons l'impression qu'il a bataillé, lui aussi, un peu comme Sartre.

YVES CLOGENSON. – Il est curieux que Proust, qui fut moins engagé que Gide, n'ait pas connu, je crois, le même reflux que Gide; à ces mouvements de balancier, il doit y avoir d'autres raisons que l'absence ou la présence de l'engagement.

PATRICK POLLARD. – Il faut en venir – c'est inévitable – à notre seconde question: Que signifie aujourd'hui pour les jeunes la morale de Gide?

GEORGES DUPOUY. – On revient à Gide actuellement, on se penche à nouveau sur les problèmes moraux qu'il a posés mais sans renoncer, pour autant, je crois, à l'apport de la génération suivante. Sartre éclaire Gide comme Gide éclaire Sartre. On aperçoit, me semble-t-il, une sorte de continuité entre les deux.

DOMINIQUE NOGUEZ. – Vous parlez de la morale de Gide, mais y a-t-il vraiment une telle morale? L'œuvre de Gide signifie la mise en question de toutes les morales.

PATRICK POLLARD. – Il a quand même construit un système.

DOMINIQUE NOGUEZ. – Non, il n'a pas construit de système et c'est justement pour cela que nous l'aimons! Son œuvre représente une sorte de préambule.

DOMINIQUE PONNEAU. – Je ne trouve pas du tout qu'on puisse le réduire au rôle de «médiateur». Lorsqu'il écrit: «Je t'enseignerai la ferveur», cela veut peut-être dire: «Je te conseille de n'avoir pas de principes en fonction desquels exercer ta ferveur». S'agit-il d'un conseil susceptible d'être suivi? Je n'en sais rien, mais en tous cas, cette ouverture d'esprit implique, à mon avis, une morale positive, réellement différente de toutes les autres, et pourtant une morale très ancienne.

G. W. IRELAND. – Oui, très ancienne. Cette question de mode, de succès, de recul, me gêne un peu et je me pose une question. Je me demande s'il est possible d'avoir été un maître à penser, chez qui des milliers d'êtres ont puisé un enseignement qui leur a été précieux, et de cesser ensuite d'être ce maître à penser. Tout bon maître à penser garde sa fonction à tout jamais. Après tout, Montaigne et Socrate sont morts bien avant Gide et ils vivent encore parmi nous; pourtant ils ne se sont pas heurtés aux mêmes problèmes d'«engagement» que nous. Le problème de la foi, par exemple, est un problème qui se renouvelle à chaque génération. Je consulterai mon Gide comme je consulterai l'Evangile et Pascal.

KLARA FASSBINDER. – Je voudrais ajouter un mot. Après la seconde guerre mondiale, chez nous ce fut un effondrement complet. Or, la traduction du *Retour de l'enfant prodigue* a signifié pour nous un appel, une sorte d'espoir.

PATRICK POLLARD. – La situation entre les deux guerres avait quelque chose de très particulier. A ce moment là, en face de la lutte entre le fascisme et le communisme, il fallait prendre position, il fallait, d'une façon ou d'une autre, s'engager. Je me demande si une morale de l'engagement ou, peut-être, du dépassement de soi, de la liberté absolue, est aujourd'hui possible.

DOMINIQUE PONNEAU. – Je me demande aussi si Gide ne risque pas de n'être lu que par une minorité – sur le plan moral, j'entends – et par une minorité de lecteurs qui, au sens propre, sont des «réactionnaires», c'est à dire des hommes incapables de s'épanouir dans une civilisation qui, tout en étant moins engagée par une foi, assure de plus en plus la tyrannie de la collectivité sur l'individu. L'exaltation gidienne de l'individu, qui va à l'encontre de toutes les doctrines officielles, ne pourrait-elle pas encore servir de refuge à des gens qui, sans être pour autant des Narcisses, souhaitent relire tous ceux qui ont parlé de l'individu comme de l'essentiel?

GEORGES DUPOUY. – A cet égard, la position de Gide peut paraître insuffisante, trop individualiste.

REINHARD KUHN. – Je crois qu'on lit Gide et qu'on le lira pour des raisons beaucoup plus simples et peut-être beaucoup plus vagues. Après tout, Gide a écrit des histoires. Il est l'auteur de *la Symphonie pastorale*, d'*Isabelle*, de *l'Immoraliste*.

DOMINIQUE PONNEAU. – C'est pourquoi je disais que les enfants l'aimaient pour plusieurs raisons et, en particulier, parce qu'il raconte des histoires, et qu'il sait les raconter; les très jeunes gens, même s'ils n'excellent pas dans l'exercice scolaire de l'explication littéraire, sont parfaitement sensibles au style et à l'art du récit.

PATRICK POLLARD. – Pensez-vous que la morale de Gide soit malsaine? Que vaut son enseignement sur le dépassement de soi?

MARTINE DE ROUGEMONT. – Que signifie donc pour vous la morale de Gide?

PATRICK POLLARD. – Je songe à la morale qui apparaît dans ses œuvres, à cette morale plus ou moins nietzschéenne qui consiste à enseigner à l'individu à être soi et entièrement soi.

MARGARET PILCHER. – Vous simplifiez beaucoup l'enseignement de Gide. Dans les Faux-Monnayeurs, Bernard dit qu'il aimerait vivre pour lui, mais seulement s'il pouvait être sûr de savoir ce qui est le meilleur en lui.

DOMINIQUE PONNEAU. – Mais le meilleur en lui, pourquoi voudrait-il le découvrir? Pour être meilleur, pour aimer davantage les autres ou pour jouir davantage de soi-même?

MARGARET PILCHER. – Justement, il laisse la question en suspens.

DOMINIQUE PONNEAU. – Oui, mais d'après ce que nous savons par ailleurs de Gide, ne pouvons-nous pas répondre?

MARTINE DE ROUGEMONT. – «Assumer le plus possible d'humanité. Voilà la bonne formule», dit Gide.

MICHEL TAILLEFER. – C'est le choix qu'il nous laisse…

DOMINIQUE PONNEAU. – Mais quel est le sien?

MICHEL TAILLEFER. – Peu importe.

GEORGES DUPOUY. – L'intérêt de Gide, justement, et en particulier pour des jeunes qui, par définition, cherchent leur voie, c'est que justement il ouvre plusieurs voies et qu'il ne choisit pas. Après avoir lu Gide, alors on peut lire Sartre ou Nietzsche.

DOMINIQUE PONNEAU. – Vous dites qu'il ne choisit pas. En fait, il ne cesse pas de choisir. Il n'impose pas son choix, mais n'oublions pas que les questions d'esthétique interfèrent, au moins indirectement, avec les questions morales. Ce qui compte, lorsqu'on lit un écrivain et surtout un écrivain aussi artiste que Gide, c'est non seulement ce qu'il dit, mais aussi la tonalité de son discours. Comme en musique, il ne suffit pas de connaître la mélodie, il faut connaître aussi le mode. Lorsqu'on n'est pas un spécialiste et que l'on n'a pas cherché à cerner sa pensée, lorsqu'on le lit comme font les trois quarts des gens cultivés, seulement pour se distraire et peut-être pour apprendre quelque chose, je me demande si ce que l'on retient n'est pas surtout la qualité du ton. Je définirais le ton de Gide comme «alexandrin». On pourrait parler aussi de mode mineur, non seulement ni même essentiellement dans un sens moral, mais bien dans un sens musical. Je me demande si cet aspect mineur n'est pas un obstacle, apparemment invisible mais considérable qui s'oppose à ce que l'on continue à aimer Gide.

PATRICK POLLARD. – Je dirais plutôt que c'est le style de Gide qui introduit à sa pensée. Quand je lis *les Nourritures terrestres*, je trouve que la morale qui s'y trouve enclose est très subtile, qu'elle se cache et, si je suis inattentif (à l'époque de ma première lecture, je ne faisais pas attention, je me laissais entraîner par la prose) je finis par me retrouver malgré moi avec les idées mêmes de Gide. Vous avez dit que le plus important chez Gide est la musique de la phrase et je suis bien d'accord. Mais il y a là justement pour moi un grand danger.

DOMINIQUE PONNEAU. – Pour moi aussi. Je reprends l'exemple de la musique. Quand vous venez d'entendre du Bach, vous n'êtes pas dans le même état d'esprit qu'après une audition de Brahms. Brahms vous berce et vous séduit. Bach s'impose et vous le suivez, mais vous savez que vous le suivez. L'insinuation de Brahms est inconsciente. Il en va de même pour Gide, qui ressemble un peu à un serpent.

JACQUELINE MOULIN. – Il serait beaucoup plus juste de comparer Gide à Ravel ou à Debussy qu'à Brahms.

DOMINIQUE PONNEAU. – J'en conviens.

GEORGES-PAUL COLLET. – Pour en revenir au problème de l'éthique, ne pensez-vous pas qu'une phrase comme celle-ci a été extrêmement importante: «Ce qu'il importe c'est de suivre sa pente pourvu que ce soit en montant». Ne croyez-vous pas que, sur le plan de l'éthique, comme aussi sur le plan de l'esthétique, des phrases comme celle-ci – il y en a d'autres – sont décisives et marquent le lecteur?

PATRICK POLLARD. – Oui, ce qui est important, c'est ce dépassement. Il faut toujours aller de l'avant et toujours plus haut, mais il y a le revers de la médaille. Dans *les Nourritures*, Gide ne précise pas si le vrai dépassement est celui de l'enfant prodigue qui sort de la maison pour aller cueillir des grenades, de Saül qui se promène dans le désert, c'est à dire la recherche de quelque chose de trouble, de différent. Gide ne précise pas toujours et c'est là le danger de sa morale.

MARTINE DE ROUGEMONT. – Mais parlons d'un autre Gide, dans le *Journal* par exemple, qui dit tout simplement ce que d'autres suggèrent à travers des fictions: c'est un homme qui parle à des hommes et qui explique certaines difficultés à s'entendre avec soi-même que d'autres moralistes négligent. En tous cas, limiter Gide aux romans, aux *Nourritures*, à des expressions indirectes, c'est lui rendre un mauvais service peut-être.

PATRICK POLLARD. – Si j'ai choisi – je l'avoue – de parler ainsi, c'est parce que justement tout à l'heure on nous disait que les jeunes ont commencé par ces lectures et qu'elles continuent à entraîner la jeunesse.

MARGARET PILCHER. – Je suis assez d'accord avec vous, et je crois que la séduction des *Nourritures terrestres* a quelque chose de suspect. En tant qu'australienne, je me trouve dans une situation un peu particulière, car les étudiants de chez moi n'apprécient pas du tout *les Nourritures terrestres*. Ils sentent que Gide les entraîne malgré eux et qu'il leur faut lutter pour conserver leurs propres émotions, leurs propres pensées. Ils ont répondu d'une façon beaucoup plus directe aux *Faux-Monnayeurs* et aux *Caves du Vatican*.

Vous parliez tout à l'heure du premier Gide, très différent de celui des *Faux-Monnayeurs* – j'y reviens toujours – et du *Journal*. Le Gide de la maturité est un homme qui se rend compte des dangers du style, qui critique le style dans le style même, qui critique certaines attitudes en même temps qu'il montre ce qu'il y a en elles de valable.

PATRICK POLLARD. – Mais si vous prenez, par exemple, un écrit comme *Thésée*, que vous enseigne-t-il ? Je crois bien qu'il vous enseigne quelque chose.

G. W. IRELAND. – Permettez-moi – j'ai l'esprit lent – de revenir au problème du «maître à penser». Un maître à penser est-il quelqu'un qui vous entraîne à penser par vous-même, ou quelqu'un qui substitue sa pensée à la vôtre, qui vous empêche de penser en vous fournissant une pensée tout faite et déjà prête? Le cas de *Thésée* me paraît typique. Je sais bien qu'il me faudra chercher mes armes sous un rocher pesant. Je ne sais pas exactement quelles seront ces armes ni à quel usage; mais je sais bien que je devrai désormais les chercher sous un rocher. Mais ce sera *mon* rocher, *mes* armes pour l'usage que j'en ferai *moi-même*. Je pense que c'est un service considérable que rend un enseignement de ce genre, un enseignement qui est plutôt ce que Gide lui-même appellerait une «autorisation».

MICHEL TAILLEFER. – Cela me paraît très important. Les jeunes sont actuellement tellement sollicités de s'engager, dès l'abord, dans une voie où, ensuite, ils seront enfermés, que les livres de Gide me paraissent extrêmement sains. Il nous dit justement: «Attention! Réfléchissez! Attendez!».

PATRICK POLLARD. – Mais reste-t-il pour nous un maître à penser?

MICHEL TAILLEFER. – Si l'on accepte la définition de M. Ireland, je crois que oui.

JEAN FOLLAIN. – Sa pensée est assez peu de chose. Ce qui est intéressant, c'est l'homme même, celui qui nous dit: «Soyez sincère absolument avec vous-même et laissez-vous aller à toutes vos passions».

GEORGES DUPOUY. – N'y a-t-il pas contradiction entre «être sincère» et «se laisser aller à ses passions»?

JEAN MOUTON. – On peut dire, tout de même, que l'important est la possibilité de choisir; c'est pourquoi – comme disait tout à l'heure M. Decaudin – Gide s'est éloigné de cette «notion d'engagement» qui nous sollicitait très fortement il y a quelques années afin d'avoir la possibilité d'un loisir avant de continuer.

PATRICK POLLARD. – Peut-être nous enseigne-t-il tout simplement l'instabilité...

JEAN MOUTON. – Il faut prendre et rejeter chez lui.

HENRI GOUHIER. – Puisque Gide a été inscrit cette année au programme de l'agrégation des Lettres, il serait peut-être intéressant de savoir ce que signifie pour les étudiants Gide «au programme»?

MICHEL LIOURE. – Je ne suis pas le seul ici à avoir fait cette expérience et d'autres seraient peut-être plus qualifiés que moi pour en parler. Je peux dire seulement que, parmi les divers problèmes présentés devant les étudiants, le seul qui ait vraiment soulevé les passions concernait l'ironie chez Gide. Il me semble que les étudiants aient été très émus et presque scandalisés par cette sorte de distance de Gide vis à vis de lui-même. Ils regrettaient que Gide présentât un personnage très noble, comme celui d'Alissa, en gardant vis-à-vis de lui une certaine distance critique, tant et si bien qu'on peut lire La Porte étroite sans en comprendre finalement le vrai sens. Il semble que ce qui ait choqué chez Gide, c'est ce perpétuel manque d'adhésion à lui-même, de continuel retrait, ce protéisme systématique. C'est la seule réaction typique et sincère que j'aie obtenue d'eux.

DOMINIQUE PONNEAU. – Je crois que c'est vrai. Les jeunes ont de plus en plus besoin d'un choix.

MICHEL LIOURE. – J'ai eu l'impression en face de Gide d'un perpétuel dilettantisme, d'un refus de l'engagement, non au sens politique du mot, mais d'engagement vis-à-vis de soi-même.

MARTINE DE ROUGEMONT. – Il faut voir aussi quelles étaient les œuvres au programme: la Porte étroite, la Symphonie pastorale et l'Ecole des femmes; ce sont trois des ouvrages les moins typiques, et cela mettait en porte-à-faux. Ce sont des romans, et assez nuancés pour que les professeurs puissent les imposer comme bien-pendants, ou mal, à volonté. Evidemment ceux qui ne connaissaient pas Gide étaient désemparés.

DOMINIQUE PONNEAU. – *La Porte étroite* n'est-elle pas le roman gidien par excellence, le roman de l'ambiguïté totale, le roman précisément où l'auteur dit «oui» et «non» en même temps et laisse constamment la possibilité du contresens? C'est ce qui explique que beaucoup aient une réaction d'exaspération devant Gide.

G. W. IRELAND. – Mais cette exaspération n'est-elle pas salutaire?

DOMINIQUE PONNEAU. – Je ne crois pas. Tout à l'heure, je disais qu'à mon avis Gide n'est pas entièrement négateur et, effectivement, il propose quelque chose. Mais ce «quelque chose» on s'aperçoit que ce n'est rien. C'est le «oui» et le «non» en même temps, c'est la vacuité. Je crois que les hommes ont eu toujours besoin (et maintenant au moins autant que jamais) de préserver ce que j'appellerai, par facilité de langage, leur âme. Mais cette âme, ils savent très bien qu'elle n'existe que dans un engagement à l'égard des autres.

JEAN FOLLAIN. – Gide cherche souvent à conférer une valeur universelle à des propos qui ne sont que ceux de ses propres humeurs. Pour jouer au maître de morale, il veut leur donner une valeur universelle. Mais il est trop lucide pour se faire à cet égard aucune illusion.

CLAUDE MARTIN. – Toute l'œuvre de Gide est une suite d'exemples : – Alissa, Michel, Isabelle, le pasteur de *la Symphonie* – à la fois particuliers et universels, car il s'agit d'une suite d'échecs. Aucun n'est un héros *gidien*, même Michel, qui est finalement condamné. Les héros gidiens seraient tous ceux-là à la fois – mais s'ils réussissaient. Il nous dit «suivre sa pente mais en remontant». Il reste à savoir quelle pente. C'est une morale très aristocratique, une morale pour ceux qui ont une «belle pente», qui ont quelque chose dans le ventre. Sur les faibles, Gide a une influence désastreuse; pour les forts, Gide est un maître.

HENRI RAMBAUD. – Ne pourrait-on résumer une grande partie du débat en rappelant ce qu'il dit dans le *Journal des Faux-Monnayeurs*: «Ces maximes ont ceci de charmant qu'elles ouvrent aussi bien la porte du paradis que de l'enfer».

PATRICK POLLARD. – Ce que vous avez dit rejoint un peu ma pensée. Ma question est celle-ci: A quoi bon être disponible? Parmi tant de gens, à quoi bon rester individuel?

CLAUDE MARTIN. – On a dit tout à l'heure que Gide était un préambule. Je crois que c'est vrai. Il peut introduire à Sartre ou à Nietzsche.

MARTINE DE ROUGEMONT. – Quelle que soit la vocation qu'on ait, Gide apprend à ne pas se mutiler pour la suivre. Qu'on arrive à l'accomplir sans trancher en soi; à faire que tout aille ensemble.

PATRICK POLLARD. – Mais pour recevoir cette leçon, est-il besoin de lire Gide?

MARTINE DE ROUGEMONT. – Je ne connais guère de moralistes qui enseignent à être tout à fait d'accord avec soi-même.

GEORGES-PAUL COLLET. – Ce que Gide veut nous dire n'est-il pas simplement: «Cultivez vos dons, quels que soient les obstacles»? Je reprends ce que disait Mlle de Rougemont: pas de contrainte, développez-vous au maximum dans *votre* sens.

PATRICK POLLARD. – C'est là un enseignement qui n'est fait que pour les forts, pour ceux qui le sont déjà. On a parlé tout à l'heure de «maître à penser». Gide n'est pas un maître à penser, c'est un homme qui encourage, mais si les faibles lui tombent sous la main...

MICHEL DECAUDIN. – C'est vrai de tous les moralistes...

PATRICK POLLARD. – Je lui reproche justement de n'avoir pas su former la jeunesse par ses livres; tout ce qu'il a su faire, c'est enseigner le doute.

HENRI RAMBAUD. – Il y a un mot qu'on n'a pas encore prononcé et qui me paraît pourtant essentiel. Toute la critique que vous faites de Gide revient à son refus essentiel d'indiquer une fin. Il refuse de choisir un but, même la mort... Il ne veut pas de but.

PATRICK POLLARD. – Oui, c'est tout à fait cela. Mais dans une société, peut-on se permettre de vivre de cette façon? On nous enseigne le dépassement, l'acceptation, etc.... On ne nous dit pas qu'il y ait une fin.

MICHEL DECAUDIN. – Je trouve que la littérature est assez riche actuellement en écrivains qui nous proposent des fins pour que nous pensions *d'abord* à lire Gide. Il faut savoir choisir sa voie si l'on en éprouve le besoin; personne ne peut faire ce choix pour nous.

YVES CLOGENSON. – Cette idée de perdre les faibles, est-ce qu'on ne la trouve pas chez Montaigne, par exemple?

G. W. IRELAND. – Mais où voyez-vous une délectation gidienne à «perdre les faibles»? Donnez-moi des textes!

PATRICK POLLARD. – Il y a dans *Corydon* une phrase extraordinaire sur l'esclavage, sur la petitesse des faibles; Gide l'a tirée de Nietzsche, textuellement. Et, dans le *Journal*, il écrit que ce n'est que dans un Etat où il y a des faibles, des esclaves, que la fleur la plus pure de la race peut s'épanouir.

G. W. IRELAND. – Je pense que Gide aurait voulu «supprimer les faibles» comme Bernard Shaw voulait «supprimer les pauvres...»

GEORGES CHARAIRE. – Valéry disait qu'il avait pensé à Gide en écrivant *Le Serpent*: «Cette incomparable saveur que tu ne trouves qu'en toi-même... etc....». A travers cette longue amitié entre Gide et Valéry, on peut trouver chez l'un comme chez l'autre un narcissisme analogue. Valéry a été beaucoup plus loin parce qu'il en a démonté le mécanisme intellectuel, tandis que Gide en est resté à cette «incomparable saveur».

CLAUDE MARTIN. – En tous cas, il serait injuste d'accuser Gide d'avoir voulu délibérément démoraliser les faibles... J'ai dit que Gide prêchait une morale pour les forts et qu'il n'était négateur que d'une morale *reçue*. Rien de plus. Permettez-moi de lire, à ce propos, une page du Journal qui n'est peut-être pas très connue et qui, à première vue, paraît tout à fait anti-gidienne. Il s'agit d'un passage daté d'octobre 1927:
«Il n'est pas mauvais, parfois, de se faire crédit à soi-même. Il est presque toujours bon de faire crédit à autrui, car le crédit qu'il voit que l'on accorde à telle vertu, l'engage et l'encourage à assumer ce qu'il n'eût pu maintenir en lui, réduit à ses seules forces. Certains êtres ne se maintiennent vertueux que pour ressembler à l'opinion qu'ils savent ou espèrent que l'on a d'eux.»
(C'est déjà Robert, n'est-ce pas, le Robert de *l'Ecole des femmes*). «Rien ne peut être plus préjudiciable, pour certains, que la recherche de la sincérité...»
Cela paraît choquant, paradoxal, mais Gide marque bien ici qu'il ne s'adresse qu'à certains. Et il ajoute entre parenthèses: «Il est plus facile de penser ceci à 58 ans qu'à 20 ans».

PATRICK POLLARD. – Abordons maintenant – il est bien temps – notre troisième question: pour nous, les jeunes, quelle valeur, quelle importance a aujourd'hui l'esthétique de Gide?

MARTINE DE ROUGEMONT. – Quant à l'éthique, donc, nous nous sommes aperçus que si Gide est un peu notre père à tous, dans la demeure de notre père il y a beaucoup de maisons.
Pour le style, je crois que c'est un peu la même chose. Les différentes personnes ici présentes ont acquis des richesses et des plaisirs différents en lisant Gide. Il y aura ceux qui auront préféré une certaine écriture artiste, comme celle des *Nourritures terrestres* – je dois dire que je ne suis pas de ceux-là, c'est un côté qui

m'est assez étranger – il y a ceux (et je pense en particulier aux étrangers) pour qui la vertu de Gide est surtout une extrême simplicité et une très grande pureté et là il nous sert de maître très évidemment à tous, et il me semble même qu'on ne peut faire des recherches, comme Gide dans *les Faux-Monnayeurs* ou comme certains écrivains du Nouveau Roman, qu'à partir d'une langue qu'on possède aussi bien que Gide possède la sienne. Pour moi, ce qui m'a intéressé davantage chez Gide, peut-être, c'est un langage en-deçà du meilleur style, certainement, c'est à dire cette expression directe du *Journal* et, plus encore, l'expression un peu discontinue, un peu fragmentaire, des écrits qu'il appelait lui-même «ironiques», comme *Paludes* ou comme *le Prométhée mal enchaîné*. Ce qui m'intéresse le plus chez Gide étant le dialogue, j'ai été naturellement surtout sensible, chez lui, à un certain style un peu discontinu, un peu haché, qui est un style de dialogue avec soi-même à l'intérieur de ce qu'on écrit. Mais c'est là un point de vue très partiel et qui ne représente pas le meilleur Gide ou le plus important pour tout le monde.

DOMINIQUE PONNEAU. – Tout au contraire, je suis et j'ai toujours été très sensible à la phrase de Gide, qui m'apparaît se situer dans la grande tradition des romans français, de *la Princesse de Clèves* à *Dominique*. Bien sûr il y a des différences, mais j'aime beaucoup cette langue ample, souple, très précise – ce qui n'exclut pas une certaine liberté dans la création des mots, dans certaines trouvailles stylistiques –. J'aime la poésie de Gide. Et c'est peut-être surtout dans la mélodie de sa phrase que je la trouve. Bien plus encore que dans ce qu'il dit. Je crains d'être en cela un peu retardataire, mais je pense que d'autres partagent des sentiments analogues aux miens. Je constate pourtant que beaucoup, aujourd'hui, n'aiment plus ou ne pratiquent plus cette manière d'écrire. Alors, je me demande si le Gide que j'aime, sur ce plan là, ne représente pas la fin d'un temps. Personnellement, malgré le triomphe de manières d'écrire tout à fait différentes aujourd'hui, je suis à peu près sûr qu'il n'en est rien.

CLAUDE MARTIN. – Personnellement, je serais assez d'accord avec Dominique Ponneau. Sur le plan étroit du style, non pas des techniques littéraires (c'est tout autre chose), j'ai bien l'impression que, malgré une incontestable évolution, il y a, de part en part de son œuvre, *un* style de Gide. Assurément, les *Cahiers d'André Walter* me paraissent illisibles, avec ces exclamations qui coupent les phrases, ces respirations hachées souvent insupportables. Le Professeur Delay, louant la phrase de *Thésée*, écrit: «De même que le visage de Gide avait évolué, qu'il n'avait plus rien de tout ce qu'il y avait de symbolard, d'un peu avachi dans le Gide de vingt ans, de même son style...» Et pourtant, je crois qu'il n'y a pas eu de rupture et que, pour en revenir à ce que disait Dominique Ponneau, le style de Gide marque bien la fin d'une époque.

PATRICK POLLARD. – Pour ma part, je discerne des styles différents chez Gide. Le «style symbolard» du *Traité du Narcisse*, par exemple, correspond à la recherche d'un effet, avec beaucoup de contorsions dans la phrase, beaucoup de mots vagues, diffus, et l'on pourrait faire le même reproche aux *Cahiers d'André Walter*. Au temps des *Nourritures*, nous trouvons ce style presque flamboyant dont on a parlé tout à l'heure. Et, à la fin de sa vie, il y a la phrase très pure de *Thésée*. Je sais que je simplifie. Mais je vois cela comme une série de courants successifs.

Pensez-vous qu'on apprécie encore le style «symbolard», par exemple, ou bien faut-il le juger comme tout à fait dépassé?

DOMINIQUE PONNEAU. – Il y a eu, évidemment, des excès ridicules, mais, dans ce grand courant de la littérature psychologique française que Gide représente bien, je crois que la qualité qu'on lui a le plus souvent reconnue (celle de la clarification des sentiments, de l'acuité du regard, sur soi et sur les autres) n'est aucunement exclusive d'un autre charme, qui serait celui du style poétique dont Gide lui-même parlait pour le critiquer. Cela tient, peut-être, seulement à la mélodie, au fait qu'indépendamment des choses qui sont dites il passe de la phrase même à la sensibilité du lecteur une sorte de courant diffus, quelque chose de comparable aux descriptions de campagnes dans *Dominique*, où Fromentin, à vrai dire, décrit peu de choses et où, pourtant, quand on a lu ces pages, on a l'impression de bien connaître ce paysage parce qu'on en est imprégné comme la bruine l'imprègne. Sans parler ici de bruine, c'est à la phrase du Gide des débuts que tient, je crois, ce charme un peu délétère peut-être, mais si séduisant que pour ma part j'y trouve.

DOMINIQUE NOGUEZ. – J'aime beaucoup le style du *Journal*, la pureté classique de Gide, mais ce qui m'a d'abord frappé, moi aussi, c'est évidemment le style chantant, le style rythmé, le style éblouissant des Nourritures. Je sais bien qu'actuellement cela peut paraître un peu dépassé. J'ai entendu quelqu'un dire – et je le rapportais tout à l'heure à M. Gouhier – que *les Nourritures terrestres*, c'est du «tchécoslovaque», quelque chose qui ne correspond plus au style habituel des romans, encore moins à celui de la conversation. C'est justement ce qui fait l'intérêt des *Nourritures*, qui sont d'abord un poème. C'est ce style chantant, cette suite d'incantations, ce ton de psaumes qui m'a le plus séduit chez Gide.

DOMINIQUE PONNEAU. – Bien sûr. Et si l'on n'aime pas cela, on n'aimera pas Gide. Si l'on cherche avant tout dans la littérature de la «beauté», qui peut prendre entre autres formes celle du lyrisme, on ne pourra jamais décrire ces états exaltés que par la voie de la poésie. Cela vaut aussi bien pour le style des *Nourritures terrestres* que pour d'autres aspects lyriques du style de Gide. Il s'en faudrait de peu que je n'admisse aussi les «ah», les «oh» – non pas toujours, mais de temps en temps – car ces exclamations sont parfois des moments de respiration indispensables. Je ne dis pas que ce soit toujours réussi chez Gide, pas plus que chez d'autres, mais, dans les moments de réussite, il y a là l'expression parlée ou écrite de quelque chose qui serait comparable à une expérience mystique sans la foi.

MARTINE DE ROUGEMONT. – En disant qu'on ne peut aimer Gide si on n'aime pas ce style là, il me semble que vous allez un peu fort. On peut apprécier, dans les *Nourritures terrestres*, des phrases comme «Famille, je vous hais» ou le poème sur la grenade sans aimer ce style un peu «sanglotant» qui, lui, ne passe plus.

DOMINIQUE PONNEAU. – Je me suis sans doute très mal exprimé. Je veux dire seulement qu'il y a différentes manières de se sentir heureux et d'apprécier la beauté.

MARGARET PILCHER. – Si je n'aime pas tellement le style des *Nourritures terrestres*, c'est peut-être parce qu'en qualité d'étrangère il m'est beaucoup plus facile d'apprécier le style plus simple, plus tendu, dans le fond plus nuancé, des romans, du *Journal*, des œuvres qui viennent plus tard. Gide fait observer, dans *Incidences*, que «chez nos auteurs romantiques, sans cesse le mot précède et déborde l'émotion et la pensée». Je crois que c'est une critique que l'on pourrait adresser à certaines parties des *Nourritures terrestres*.

DOMINIQUE PONNEAU. – Oui, je pense aussi cela. Je me faisais simplement l'avocat du style que j'aime et qui vise moins à définir les contours précis d'une pensée qu'à rendre compte – aussi précisément d'ailleurs – dans son flou même, de certains états. C'est pourquoi je parlais de musique. Mais je comprends parfaitement que d'autres, étrangers ou français, préfèrent une clarté plus grande – que j'aime aussi d'ailleurs – et qui n'est pas forcément moins harmonieuse (cf. Valéry)

DOMINIQUE NOGUEZ. – Après dix pages de Robbe-Grillet, il est réconfortant de relire quelques lignes des *Nourritures terrestres*!

MARTINE DE ROUGEMONT. – Ceux pour qui Gide est un maître apprécient moins les moments où l'écrivain est le plus faible devant ses propres émotions. Ils préfèrent ceux où il est plus fort, où il les exprime avec un certain contrôle, au lieu de sangloter, d'être essoufflé...

DOMINIQUE PONNEAU. – Oui, mais il me semble que vous substituez alors aux relations entre le lecteur et l'écrivain celles d'une fille par rapport à son père.

MARTINE DE ROUGEMONT. – Je ne puis séparer ce qu'il dit de la façon dont il le dit.

PATRICK POLLARD. – De toutes façons, Gide n'a jamais succombé à un romantisme larmoyant.

MARTINE DE ROUGEMONT. – Je n'ai pas dit larmoyant, mais sanglotant. Je songe à cette espèce de coupure du souffle qui est caractéristique de son style.

PATRICK POLLARD. – J'y verrais plutôt un halètement de joie.

DOMINIQUE PONNEAU. – *Les Nourritures terrestres* sont un hymne à la joie. Quand vous écoutez celui de Beethoven, si vous l'aimez, les paroles n'ont plus beaucoup d'importance.

MARTINE DE ROUGEMONT. – Ah si! En tous cas, chez Gide, on ne peut faire abstraction de ces paroles, puisqu'on les lit.

MICHEL TAILLEFER. – Gide lui-même confessait qu'il aurait toujours sacrifié le sens d'une phrase si, disant le contraire, elle se fût avérée plus belle.

PATRICK POLLARD. – Je songe aussi à ce qu'il a écrit de l'art de la traduction, à propos, je crois, de sa traduction de *Hamlet*. L'essentiel était moins la littéralité du sens – à laquelle il tenait pourtant – qu'une certaine manière de rendre une atmosphère.

MARTINE DE ROUGEMONT. – Si j'aime moins chez Gide le style énervé (énervé au sens propre), c'est parce que j'aime moins Gide sans nerfs que Gide nerveux.

DOMINIQUE PONNEAU. – Comment caractérisez-vous ce Gide nerveux?

MARTINE DE ROUGEMONT. – Il est précis, il est rapide, il est tout aussi mélodieux; mais il dit ce qu'il a à dire et la correspondance est exacte entre la pensée et le style.

DOMINIQUE PONNEAU. – Mais reste-t-il lyrique?

GEORGES DUPOUY. – Lorsqu'il est lyrique, il peut écrire comme Barrès, – un peu adipeux.

DOMINIQUE PONNEAU. – Adipeux! Jamais!

CLAUDE MARTIN. – En accordant tout à l'heure à M. Ponneau que le style de Gide est un style de décadence, je voulais dire seulement qu'il y a eu rupture entre le style de Gide – avec son «label Qualité France» – et ce qu'on a appelé depuis le «degré zéro de l'écriture». Je ne nie pas pour autant une évolution, qui apparaît dès *la Tentative amoureuse*. Je prends ces phrases presque au hasard : « J'entrai dans une allée profonde où le sable à mes pieds luisait, et cette blancheur poursuivie… »

G. W. IRELAND. – Là encore il *joue* avec le style, il nous le fait sentir, il y a de constants rappels à l'ordre. Il joue aussi avec le style dans *Paludes*. Rappelez-vous tout l'entretien avec Angèle. Elle s'attendrit, quand il est fatigué, elle l'invite à coucher chez elle… « Chère amie, si l'on ne peut pas parler de ces choses là sans que tout de suite… ». On voit un esprit très lucide en train de s'amuser avec le style. Le contrôle est total dans *la Tentative amoureuse*, ou très peu s'en faut.

CLAUDE MARTIN. – Je suis tout à fait de votre avis ; mais croyez-vous, précisément, que ce soit là le style moderne ?

G. W. IRELAND. – Je n'ose l'affirmer, mais je pense que si *Paludes* était publié aujourd'hui, par exemple, sous la signature de Raymond Queneau, le livre ferait les délices de tout le monde !

MICHEL DECAUDIN. – Je n'en crois rien, car il est marqué par l'époque ! L'humour de Gide est sans rapport avec celui de Queneau. Vous avez dit très justement qu'en écrivant *la Tentative amoureuse*, Gide gardait un parfait contrôle de son style ; cela tient justement à ce qu'il était alors symboliste et qu'il écrivait à la manière des autres symbolistes, d'une écriture un peu molle.

DOMINIQUE NOGUEZ. – Connaissez-vous Boris Vian ? A certains moments, le style du *Prométhée mal enchaîné* me paraît annoncer étrangement celui de Vian. Il y a des jeux sur les mots extrêmement plaisants et qui préfigurent les calembours, parfois douteux, le style farfelu de Boris Vian.

MICHEL DECAUDIN. – A cet égard, *le Prométhée mal enchaîné* n'a rien d'exceptionnel à son époque.

CLAUDE MARTIN. – Si *Paludes* et *le Prométhée mal enchaîné* sont des œuvres modernes, je ne crois pas que ce soit sur le plan du style.

G. W. IRELAND. – J'aperçois beaucoup plus de différences stylistiques entre *Paludes*, d'une part, et les *Cahiers d'André Walter*, d'autre part, qu'entre *Paludes* et tout ce qu'on écrit aujourd'hui.

MICHEL DECAUDIN. – Je ne suis pas d'accord, la différence est certaine, mais elle n'a pas de valeur stylistique intrinsèque. C'est celle qui sépare l'œuvre d'un vieil adolescent et celle d'un jeune écrivain.

PATRICK POLLARD. – L'ironie m'apparaît comme la constante du style gidien. J'aimerais savoir si, pour les jeunes d'aujourd'hui, cette ironie reste perceptible et dans quelle mesure elle les touche encore.

Georges Dupouy. – Le meilleur Gide, à mon avis, est le Gide de la litote, le Gide qui reste toujours en-deçà; ici l'esthète rejoint le moraliste.

Martine de Rougemont. – Pour moi, le vrai Gide est celui de l'expression directe et l'ironie est une des formes de cette expression.

Dominique Ponneau. – Assurément il y a beaucoup de choses qui datent dans l'œuvre de Gide, mais j'ai une certaine tendresse pour les fleurs un peu fanées. Je crois que ce style pose un problème important, celui de l'avenir éventuel de la prose poétique. Beaucoup de ceux qui, comme moi, sont sensibles dans son style au lyrisme de Gide – tout en reconnaissant ce qui a vieilli chez lui – pourraient admettre aussi que, contrairement à certaines prétentions tout à fait contemporaines, le style lyrique a encore un avenir devant lui.

Michel Decaudin. – Ne prenez pas ce que j'ai dit pour une condamnation.

Martine de Rougemont. – J'ai l'impression que l'admiration de M. Ponneau pour les fleurs fanées ne va pas sans quelque perfidie.

Dominique Ponneau. – J'ai dit seulement qu'il m'arrive de les aimer.

Clara Malraux. – Quant à prévoir l'avenir d'une mode, je ne m'y risquerais pas. Dans un autre domaine, nous sommes en train d'assister à la résurrection de ce qui m'a semblé longtemps le pire, le style 1905. On vend aujourd'hui les yeux de la tête les vieilles «stations de métro» en Amérique et même à la foire aux puces. Dans ces conditions, je me sens absolument incapable de vous dire si on aimera demain le «ah!» avec un point d'exclamation, au beau milieu d'une phrase où il n'a en réalité que faire. Il se peut très bien que demain, avec de parfaites justifications, on se remette à aimer le style de Gide.

Dominique Ponneau. – On assiste, en effet, aujourd'hui, dans ce pays réputé pour son goût des idées claires, à un curieux engouement pour le baroque, et pour le sous-baroque. C'est là, je crois, le signe que, sous la vague que l'on dit nouvelle – et qui déjà ne l'est plus tellement – et qui se caractérise par une extrême netteté, par le souci de ne parler jamais de ce qui peut concerner le cœur des hommes et leur soif de beauté, il subsiste un courant plus profond, qui pour l'instant s'exprime de façon extrêmement chaotique, avec de grosses fautes de goût parfois, mais très révélateur d'un véritable besoin de lyrisme.

Michel Taillefer. – Vous avez parlé, Madame, d'un «ah!» au milieu d'une phrase où il n'a que faire. J'aimerais vous demander si vous pensez que Gide pouvait écrire *les Nourritures terrestres*, et dire ce qu'il avait à dire, sans mettre des «Ah!» au milieu de ses phrases?

CLARA MALRAUX. – Je songe à un exemple incontestable de poésie exaltée, celui de Hölderlin. Il est évident que Hölderlin ne parsème jamais ses poèmes de «ah!» superflus.

CLAUDE MARTIN. – Il y a beaucoup d'exclamations chez Virgile!

DOMINIQUE PONNEAU. – Elles expriment chez Virgile la retenue de l'attention avant la chose qui va être dite. Elles jouent un rôle analogue – bien que différent – à celui du rejet chez nos classiques. Chez Gide, elles correspondent au moment de la respiration, à celui où l'on reprend son souffle et où le lecteur attend autre chose.

JEAN MOUTON. – Assurément, mais il y a aussi des moments faibles.

DOMINIQUE PONNEAU. – Ils correspondent aux silences en musique.

HENRI RAMBAUD. – A la fin des *Nourritures terrestres*, lorsque Gide s'écrie: «Ah! le plus irremplaçable des êtres», il me semble bien que le «ah!» est inutile.

PATRICK POLLARD. – Il est possible que certains lecteurs soient attirés aujourd'hui par ce style un peu vieilli, avec tout ce qu'il a pour eux d'étrange, un peu comme on apprécie une pièce de musée.

CLARA MALRAUX. – Ce qui me gêne dans *les Nourritures terrestres*, c'est le style ronronnant; les exclamations ont justement pour rôle de rompre ce ronronnement engourdissant.

MARTINE DE ROUGEMONT. – La question serait de savoir si l'on prend Gide comme un poète ou comme un prosateur. Je me demande s'il n'a pas un peu forcé son talent au début; par la suite il a trouvé une direction qui lui convenait beaucoup mieux.

JEAN FOLLAIN. – Son lyrisme chante faux…

PATRICK POLLARD. – Dans ses *Poèmes* peut-être, mais non dans *les Nourritures* où les exclamations lyriques ont un effet incontestable d'incantation.

MARTINE DE ROUGEMONT. – Le progrès n'est pas douteux des *Poèmes* aux *Nourritures*; et je crois qu'il tient surtout à ce que Gide passe alors de la poésie versifiée à cette prose poétique où il se sent beaucoup plus à l'aise.

PATRICK POLLARD. – Lorsqu'il a demandé à Stravinski de mettre en musique ses vers de *Perséphone*, le musicien les a jugés comme des vers de «caramel», sans aucune valeur lyrique. Effectivement, c'est dans les écrits en prose qu'il faut chercher le vrai lyrisme de Gide. Mais, ce qui est intéressant, c'est de savoir quel Gide plait aux jeunes. Est-ce le Gide très pur, à la Montaigne, ou bien le Gide incantatoire des *Nourritures terrestres*?

GEORGES DUPOUY. – Plutôt le Gide à la Montaigne.

DOMINIQUE PONNEAU. – Je ne trouve rien chez lui qui ressemble à Montaigne.

G. W. IRELAND. – Pas dans le style, mais on ne peut nier tout de même une parenté d'esprit, un humanisme et une curiosité qui vont dans le même sens.

CLAUDE MARTIN. – Dans le domaine du lexique, Gide s'inspire parfois de Montaigne, mais sa syntaxe est très différente.

CLARE MALRAUX. – Il voulait aussi imiter Goethe.

PATRICK POLLARD. – En écrivant *les Faux-Monnayeurs*, il a voulu s'inspirer plus ou moins de Richardson.

DOMINIQUE NOGUEZ. – M. Ponneau parle souvent du style «travaillé» de Gide. Je voudrais demander à ceux qui l'ont connu s'il écrivait du premier jet ou s'il raturait beaucoup, par exemple dans son *Journal*.

G. W. IRELAND. – Certaines œuvres ont été extrêmement travaillées, *les Caves du Vatican*, par exemple. *La Symphonie pastorale*, en revanche, a été écrite très rapidement.

DOMINIQUE PONNEAU. – Et le *Journal*?

CLAUDE MARTIN. – Les manuscrits ne sont guère raturés, mais il les reprend ensuite sur dactylographie.

ANNE HEURGON-DESJARDINS. – Je pense que tout cela était déjà très préparé dans sa tête. Il avait le travail lent et difficile.

DOMINIQUE PONNEAU. – Il lui manquait une certaine grâce jaillissante.

GEORGES-PAUL COLLET. – Il aurait voulu être spontané, mais il ne l'était pas.

PATRICK POLLARD. – En conclusion, Gide a-t-il ou non inventé un style que les écrivains modernes pourraient ou aimeraient utiliser?

MARTINE DE ROUGEMONT. – J'ai l'impression qu'ici personne n'a rendu justice au style critique de Gide, à celui des *Interviews imaginaires*, – un style qui est à mi-chemin entre la simplicité classique et l'ironie ou l'humour, et qui me semble un modèle encore parfaitement valable.

ANDRÉ GIDE ET LA LITTÉRATURE ANGLAISE

JEUDI 10 SEPTEMBRE

Au début, on ferait bien de tenir compte de la défense prononcée par Gide lui-même:

«N'eussé-je rencontré ni Dostoïevsky, ni Nietzsche, ni Blake, ni Browning, je ne puis croire que mon œuvre eût été différente. Tout au plus m'ont-ils aidé à désembrouiller ma pensée.»

Personne en fin de compte n'a plus de scrupules que Gide en tout ce qui concerne cette question douteuse et trouble des influences.

«On appelle *influence* parfois la plus simple autorisation. On a vu l'influence de Nietzsche dans le plus honteux laisser-aller de l'égoïsme (...). De même, quantité de poètereaux, s'imaginant flatteusement que la poèsie de Jammes consistait dans sa négligence et dans sa forme abandonnée, ont résolu d'être poètes simplement en ne se contraignant point (...). Il est certains poètes (...) qui, semble-t-il, eussent écrit tout de même leur œuvre en quelque temps qu'ils fussent nés (et quelle que soit leur ignorance de la littérature d'autrui).»

(*Feuillets*, 1921)

A mon avis, la littérature anglaise a servi à Gide à dégager sa différence, sa voix authentique. De toute façon, on peut être sûr de ce fait au moins, que pour Gide, et cela pendant longtemps, la littérature anglaise réserve toujours des surprises; elle a l'attrait puissant de l'inconnu. Il commence surtout par y voyager en touriste. Dans cette littérature, il est loin de se sentir en pays de connaissance comme en français par exemple, où il ne lui reste plus qu'à approfondir. Pour Gide, c'est la curiosité qui sert de piquant:

«Rien ne peut exprimer l'amusement et la curiosité avec lesquels je me précipite dans un nouveau livre anglais d'un bon auteur que je ne connaisse pas encore; amusement que, depuis longtemps, la littérature française ne pouvait plus me donner, ne me réservant plus, à proprement parler, de surprises.

Comme lorsque je lus pour la première fois un Balzac (c'était *Eugénie Grandet*).»

(*Journal*, p. 522, 7 décembre 1915)

Pour constater jusqu'à quel point André Gide a subi l'attrait de la littérature anglaise, il faut d'abord consulter l'auteur lui-même. A l'en croire, c'est à l'âge de quarante et un ans qu'il s'y est plongé pour la première fois *sans intermédiaires*, c'est à dire sans s'appuyer sur des traductions. A vrai dire, il y a piqué une tête plus tôt, car on n'a pas de peine à prouver que bien avant cette étape des quarante et un ans il en montre déjà une connaissance assez approfondie. Dès les toutes premières remarques qu'on relève dans son *Journal* (10 juin 1891), il s'agit de la littérature anglaise et ne fût-ce qu'à travers la *Littérature anglaise* de Taine.

Il se peut que, dès l'enfance de Gide, Anna Shackleton y ait été pour beaucoup en l'orientant vers ce royaume anglais qui avait bien de quoi l'attirer du reste. Dans *Robinson Crusoë*, roman d'aventure par excellence, Gide s'est délecté du trait pour lui essentiel de la littérature anglaise et qui encore, à son avis, manque quelque peu à la littérature française. C'est à la substance, à la moelle, à la «substantifique moelle» pour emprunter le mot de Rabelais, qu'il reconnaît la littérature anglaise. Il énonce la généralité que la littérature française pèche souvent par excès de garniture et qu'il lui manque quelquefois (et peut-être à Gide en même temps) la viande proprement dite. C'est bien la viande qu'il croit avoir trouvée dans *Robinson Crusoë*, *Moll Flanders*, *le Colonel Jack*, et *le Capitaine Singleton*, de la viande toute crue. Je reprends les mots mêmes de Gide au point où il redresse un peu le bilan des Français du côté de la viande. Il vient de dire qu'il lui est arrivé de tomber avec enthousiasme sur cette littérature, mais il ajoute: «Heureusement que les choses se sont remises et Mac Orlan, Giono, Céline et beaucoup d'autres encore ont retrouvé contact.[1] Il n'est jamais arrivé aux Anglais d'avoir renoncé.[2]» C'est là, selon Gide, ce qui fait de l'influence réciproque des deux littératures quelque chose de vraiment excellent. En revanche, l'absence de rigueur chez les écrivains anglais, surtout chez les poètes, achève de le désoler:

«Poésie anglaise, plus riche, plus abondante que la française; mais celle-ci, me semble-t-il, atteint parfois plus haut… Les cordes de sa lyre, presque toujours, me paraissent insuffisamment tendues.»

(*Journal*, 29 juin 1923)

Telle est ma thèse en quelque sorte, thèse sur laquelle je voudrais bien insister. En tant que critique de la littérature anglaise, Gide nous a légué comme «une composition en abyme». On voit refractée, à travers sa critique des écrivains anglais, l'essence même de son génie et de son œuvre. Comparez la façon dont, romancier, il s'exprime obliquement par ses personnages plutôt que directement et à la première personne, et également, comme critique, la manière dont son essence même se devine à travers ses jugements.

Une fois aux prises avec la littérature anglaise, Gide constate la part de l'effort, et le fait que sa jouissance d'une littérature quelconque se mesure à la peine qu'il se donne pour la maîtriser, pour arriver à la comprendre. Voyez les *Voyages dans la Littérature anglaise*[3], où il s'étonne quelque peu de se complaire toujours dans l'anglaise, étonnement d'autant plus grand qu'il en est venu à la lire avec une facilité croissante. Si souvent pour Gide c'est le plaisir qui se mesure à l'effort, il fait la part large aussi au charme qu'exerce sur lui l'incompris, qui lui lance en quelque sorte un défi: la littérature anglaise lui paraîtra d'autant plus belle que s'y mêle une part d'inintelligible.

D'abord, je voudrais examiner un peu la critique gidienne de Shakespeare. Gide n'a abordé qu'assez tard la lecture de Shakespeare en anglais; en effet, une fois l'anglais appris, il s'était occupé d'abord des écrivains anglais qui lui avaient été jusque là inconnus, même en traduction. Une autre raison pour laquelle il a retardé cette lecture est qu'il s'attendait à trouver l'œuvre shakespearienne d'un abord difficile. Surtout à cause de ce qu'on perd à lire en traduction, la découverte de Shakespeare en anglais l'a tout à fait ébloui. Selon Gide, l'œuvre shakespearienne supporte plus aisément que la racinienne l'épreuve de la traduction et en perd moins de sa beauté fondamentale. Si l'œuvre shakespearienne perd moins que la racinienne à être traduite, c'est (pour Gide tout au moins) que chez Racine et chez les Classiques en général, l'élément tragique reste beaucoup plus en deçà de l'action, s'extériorise beaucoup moins que chez Shakespeare. Mais comme on pouvait s'y attendre, étant donnée l'austérité de Gide, c'est le classicisme, la litote de Racine qui l'emportent pour lui sur la «diversité prodigieuse» de Shakespeare.

«J'admire Shakespeare énormément; mais j'éprouve devant Racine une émotion que ne me donne jamais Shakespeare.»

(Journal, 27 octobre 1933, p. 1187)

Un quelconque critique reproche aux personnages de Racine de ne point continuer à vivre une fois le rideau baissé, tandis que ceux de Shakespeare, dit-il, apparaissent un instant devant la rampe, mais nous sentons qu'ils ne s'achèvent pas là et que nous pourrions les retrouver passé la scène. Mais Gide ajoute – d'une façon quelque peu surprenante étant donné sa prédilection pour l'élargissement, pour le refus de conclure –:

«Précisément me plaît cette limitation exacte, ce non-débordement du cadre, cette précision des contours. Shakespeare... est plus humain, mais il s'agit ici de bien autre chose: c'est le triomphe d'une convenance sublime, c'est une ravissante harmonie où tout entre en jeu et concourt, ce qui comble de satisfaction à la fois intelligence, cœur et sens.»

C'est bien ici le classicisme de Gide qui l'emporte, son admiration pour Shakespeare nous vaut – intéressante, venant de lui – une interprétation de ce

même refus de conclure. S'adressant à Henri Ghéon, il déclare, le 23 février
1918:

«Pour Shakespeare, Eliot, Ibsen, Dostoïevsky, le refus de conclure n'est
nullement de l'artistisme comme, tu sembles inviter à penser; mais un besoin de
loyauté de leur esprit.»

(Journal, p. 647)

Ce texte nous éclaire beaucoup sur le procédé de Gide lui-même. Un peu
plus loin, il parle de «cette impartialité qui n'est que l'honnêteté de l'esprit»
(Journal, p. 647-648). A l'égard de Shakespeare, il lui arrive d'énoncer une
théorie, à la fois valéryenne et gidienne, sur les vies possibles que contient en
quelque sorte un homme de génie, sur toutes les personnalités, sur tous les
«possibles» enfin qu'il possède comme en puissance. Encore une fois, ces formules sont très éclairantes sur Gide et sur la création gidienne, sur l'impulsion
protéenne qui le pousse à épouser des formes successives. Parlant de Shakespeare, il précise:

«Ce n'est pas *lui* qu'il peint, mais ce qu'il peint, il aurait pu le devenir, s'il
n'était pas devenu tout lui-même. C'est pour pouvoir écrire *Hamlet* que
Shakespeare ne s'est pas laissé devenir Othello.»

(Journal, p. 829)

Pour ce qui est de sa préférence personnelle, Gide opte pour *Othello.* Il écrit
le 28 mars 1922:

«Achevé de lire *Othello,* dans de véritables transes d'admiration.»

(Journal, p. 732)

Mais je crois que Gide a beaucoup admiré *Hamlet* aussi – surtout à cause de la
«composition en abyme» – car *Hamlet* est déjà une pièce qui en contient une
autre. A ce propos il se laisse aller à une digression, bien intéressante d'ailleurs,
à partir d'une observation qu'il croit avoir trouvée dans cette pièce-là, mais qui
en fin de compte ne s'y trouve pas, du moins sous la forme que, peut-être à son
insu, il lui a donnée lui-même par la suite. La métamorphose qu'il fait ici subir
au texte shakespearien lui inspire un discours passionnant sur ce qu'a d'allemand le personnage de Hamlet (et même peut-être la pièce entière):

«Une petite phrase de Hamlet que je ne sache pas avoir été beaucoup remar-
quée me paraît d'une telle importance que pour un peu, je la voudrais inscrire au
fronton du drame dont elle me paraît en quelque sorte l'explication (et quelle
arme eût pu s'en faire Barrès!)[4] Elle est de Rosencrantz ou de Guildenstern,
(à vérifier, se méfier des citations inexactes!) adressée à Hamlet:

– Qu'alliez-vous faire à Wittenberg?»

Mais aussitôt, par un retournement tout à fait gidien, il ajoute:

«Si l'on n'a pas remarqué cette petite phrase que je croyais citer, c'est que, à
vrai dire, elle n'est pas dans le texte de Shakespeare, où je la recherche en vain.

Mais Hamlet n'en revient pas moins de Wittenberg où il voulait retourner.»
Et Gide de citer:
«*For your intent
In going back to school in Wittenberg*...»
lui dit le Roi qui le dissuade de ce projet. Et la Reine:
«*I pray thee, stay with us! Go not to Wittenberg!*»
De sorte que ma remarque au sujet de la possibilité d'une influence allemande
sur la carrière de Hamlet n'en reste pas moins valable.(...) Il a plongé dans une
métaphysique dont «To be or not to be» me paraît l'incontestable produit. Tout
le subjectivisme allemand, je l'entrevois déjà dans le célèbre monologue. (...)
Mais on peut admettre que, demeuré sur le sol natal et sans ce conseil étranger,
il eût moins incliné dans ce sens. De retour d'Allemagne, il ne peut plus
agir, il ratiocine.
Gide aboutit à cette conclusion foudroyante:
«Il n'est pas, dans tout le théâtre de Shakespeare (et je devrais dire plus absolument: dans tout le théâtre), de caractère, non tant germain, mais plus *germanisé*
que celui de Hamlet.»

(*Journal*, p. 1062–1063)

Gide admire aussi *le Marchand de Venise* où il trouve que «la clémence de
Portia, pas un instant ne se fait évangélique» (*Journal*, p. 762). A travers cette
pièce, c'est un peu «tout le tremblement de l'homme» qui se transmet à Gide:
   «Quelque chose d'ailé, de frémissant d'un bout à l'autre de sa texture, fait
passer outre ses défauts flagrants.»

(*Journal*, p. 762)

Des sonnets il s'avoue admirateur mais avec des réserves, avex des retours au
demeurant bien gidiens. Il dit les avoir lus et relus peut-être une douzaine de
fois et il conclut finalement:
   «Certes, je les admire; mais je m'admire aussi beaucoup d'être arrivé à les
admirer.»   (*Journal*, 18 juillet 1923)

Shakespeare mis à part, c'est dans la littérature du XVIIIe siècle, dans l'œuvre
des «*Augustans*» que Gide se plonge avec enthousiasme. Il se complaît surtout
chez Dryden (dans les pièces), chez Swift (dans le *Journal à Stella*), chez Pope
(dans les poèmes), chez Goldsmith, Sterne, Johnson, Gray (dans les lettres), chez
Boxwell (dans *la Vie de Johnson*).
   Selon M. H. M. Peyre, ce qui plaît à Gide chez Richardson et chez Fielding,
c'est «l'absence d'une théorie excessive et d'un formalisme par trop conscient
de soi». A mon avis, c'est l'essence plutôt intellectuelle de Gide qui trouve chez
Pope, par exemple, une pâture qui manque chez Shelley:
   «Cette poésie chargée de signification m'a plus profondément ému que les

flottantes éjaculations d'un Shelley par exemple, qui me force, pour planer avec lui, à abandonner insatisfaite une trop importante partie de moi-même.»

(*Journal*, 1889–1939, p. 979)

Comme le dit si bien M. W. B. Coley,[5] ce qui attire Gide chez les *Augustans*, c'est cette espèce d'équilibre dont «l'être de dialogue» qu'il est lui-même par excellence éprouve du reste un tel besoin, car, de son propre aveu, «tout en lui combat et se contredit».

Mais ce sont surtout les romanciers Richardson et Fielding qui ont passionné Gide. Il commence par attribuer au calvinisme ou plutôt – en quoi il se sépare de Taine – à un regimbement contre le calvinisme, le fait que les Anglais se soient acharnés à approfondir l'analyse psychologique, à la pousser de plus en plus loin dans leurs romans. On voit affleurer ici une psychologie toute gidienne; on n'évolue que par réaction, jamais en se laissant aller au fil de l'eau. «L'Art naît de contrainte, vit de lutte et meurt de liberté». Cette formule, qui vaut aussi pour Gide lui-même, lui sert en outre de pierre de touche quand il s'agit de ses lecteurs ou plutôt du lecteur idéal dont il exige toujours un rôle créateur et qu'il «prenne barre sur lui». En ce qui concerne le calvinisme, écoutons le parler:

«A part quelques très rares exceptions (Thackeray, par exemple), c'est en s'échappant du calvinisme (…)et souvent en se retournant contre lui, que ces romanciers ont pu réussir.»

(*Journal* 1889–1939. *Feuillets* 1911)

Je crois que Gide dit quelque chose de plus discutable quand il fait découler du calvinisme même le besoin qu'éprouvent les romanciers anglais d'approfondir, d'aller plus avant dans l'analyse du cœur:

«C'est aussi parce que l'habitude d'une certaine morosité et même le besoin de se trouver en faute, et le refus de soi aux sollicitations les plus aimables de la vie, l'invitent à rechercher la source de l'action et son retentissement le plus secret plutôt que simplement sa suite immédiate, comme il advient chez nombre de nos romanciers.» (*Journal*, p. 352)

Il semble qu'ici Gide se laisse entraîner quelque peu par son propre penchant à louer le calvinisme, le jansénisme, au point de renchérir sur la vérité en leur attribuant sur l'évolution de la littérature anglaise une influence qui est plus sûrement décelable sur sa propre évolution. Car il se peut bien que le calvinisme – et même un regimbement contre lui – aient eu pour effet d'aiguillonner Gide et de le pousser encore plus loin dans la recherche de soi.

Il n'en est pas moins intéressant d'opposer à l'avis de Gide, en ce qui concerne le roman anglais, l'avis tout opposé de Miriam Allott, pour qui le roman anglais se serait vu *borné* dans sa portée psychologique par le puritanisme des classes moyennes, de la bourgeoisie, en sorte qu'il aurait fallu attendre l'arrivée de Hardy, de Conrad, et de James – tous des écrivains admirés par Gide – vers la fin du XIXe siècle, pour que fût posé dans toute sa complexité le problème de la morale, (*Novelists on the Novel*, 1963, p. 30).

Avant d'aller plus loin, il faut signaler le trait, pour Gide capital, qu'il repère dans le roman anglais du XVIIIème siècle, c'est à dire la pureté de forme qu'il ambitionne partout dans l'art. Voyez par exemple son éloge de la litote: «rester *en deçà* de ses paroles» (*Incidences*, p. 40). De cette pureté il relève des traces chez Fielding et Defoe. Je me borne à citer dans le *Journal des Faux-Monnayeurs* le passage où Gide préconise la pureté comme but suprême du roman:

«Il est à remarquer que les Anglais dont le drame n'a jamais su parfaitement se purifier (au sens où s'est purifiée la tragédie de Racine) sont parvenus d'emblée à une beaucoup plus grande pureté dans le roman de Defoe, Fielding et même de Richardson.» (1er Nov. 1922, p. 74)

De cette pureté de forme à l'action gratuite, il n'y a pas loin. Et la question se pose nécessairement du lien possible entre le calvinisme et l'acte gratuit dans l'œuvre de Gide et de Fielding.

A cet égard M. Coley cite une remarque intéressante de C. S. Lewis, suivant laquelle le protestantisme d'avant le puritanisme et le calvinisme dès ses débuts eurent ce trait commun d'affirmer qu'aucun acte accompli en vue d'obtenir le salut ne pouvait mériter le Ciel.[6] Mais il faudrait analyser le calvinisme de Fielding, ce qui serait toute une étude en soi.

Du point de vue technique, Gide n'a pas manqué de trouver chez Fielding de quoi l'intéresser et l'éclairer. On sait d'ailleurs combien le fascinent les miroirs. C'est un fait que Claudel a souligné, lorsque – dans le même texte où il accuse le *Journal* de n'être «qu'une série de poses de la part de Gide devant lui-même» – il déclare très justement: «On dirait que chaque œuvre contient autant de miroirs que possible.»[7] Sur ce chapitre, Gide lui-même s'est expliqué à merveille en commentant ainsi *la Tentative amoureuse*:

«J'aime assez qu'en une œuvre d'art on trouve ainsi transposé, à l'échelle des personnages le sujet même de cette œuvre. (...) Ainsi, dans tel tableau de Memling ou de Quentin Metzys, petit miroir convexe et sombre reflète, à son tour, l'intérieur de la pièce où se joue la scène peinte.»

Il s'agit là de la «composition en abyme»; mais aussi quelquefois d'une parodie grâce à laquelle ce qui l'entoure semble plus réel que le monde extérieur à l'œuvre. Je crois qu'on doit à M. W. B. Coley[8] d'avoir décelé chez Fielding une technique déjà un peu gidienne avant la lettre. Coley fait un rapprochement passionnant entre le rôle que jouent, dans le *Tom Jones* de Fielding, des incidents comme ceux du *Vieillard de la Colline* ou du *Roi des Bohémiens*, et d'autre part, chez Gide, les incidents du type «composition en abyme» surtout dans *les*

Faux-Monnayeurs. Il reste encore beaucoup à écrire sur ce thème. Fielding a-t-il déterminé tant soit peu chez Gide une évolution de technique ou bien Gide, déjà orienté dans ce sens-là, n'attendait-il que de lire Fielding pour se lancer résolument dans la «composition en abyme»? Il se peut, en tout cas, que Fielding l'ait aidé à trouver sa voie. C'est peut-être chez lui qu'il a puisé des idées d'une portée décisive pour son œuvre, et surtout pour *les Faux-Monnayeurs*. Sur «la composition en abyme» chez Fielding, Gide ne donne guère de précisions mais sa relecture de *Tom Jones* en 1924 a suffi, nous dit-il, pour «l'éclairer sur les insuffisances de son livre»; et il se demande alors «s'il ne devrait pas élargir le texte, intervenir, malgré ce que lui dit Martin du Gard, commenter».

Le ton épique de Fielding l'a sûrement tenté. En ce qui concerne chez Fielding la présence de la «composition en abyme» – c'est à dire la présence d'un roman, ou plutôt d'une esthétique du roman à l'intérieur du roman même – W. B. Coley se demande si elle n'a pas échappé à beaucoup de critiques. C'est grâce à cette technique, que Gide peut se trouver à la fois détaché et engagé, à l'intérieur et à l'extérieur de l'œuvre, ce qui le met à même de trouver un équilibre, enfin cette conciliation toujours si vivement désirée entre les deux pôles de son être.

Gide marque bien l'étape où le romancier se dédouble à vue d'œil du critique, où l'artiste prend sur lui de tirer au clair, d'extérioriser ce qu'il y a de plus obscur, de plus intérieur en lui et dans sa technique. Il ne suffit plus d'un seul point de vue, de celui de narrateur qui fait agir les personnages pour que ceux-ci vivent d'une vie indépendante; au contraire, ce n'est point trop d'une multiplication de points de vue. Gide a qualifié *les Faux-Monnayeurs* de «carrefour de problèmes» et l'on sait qu'il aurait bien voulu y mettre absolument tout. Le reproche qu'il fait au roman est de s'être tenu trop servilement dans un sillage de convention.[9] Ce que préconise Gide, c'est par impossible une étape qui serait à mi-chemin entre la réalité et la stylisation: la forme stylisée la plus capable d'exprimer la vie dans son essence, en confondant le particulier et le général.[10] Il vise au «roman pur», et à ce que le roman connaisse «cette formidable *érosion des contours* dont parle Nietzsche, et ce volontaire écartement de la vie qui permirent le style aux œuvres des dramaturges grecs par exemple ou aux tragédies du XVIIe siècle en France.

Gide se rapproche en effet du roman pur, du roman qui a pour sujet le roman, qui réussit à présenter, d'une part, la réalité et, d'autre part, cet effort pour la styliser. En proie à un moment et à un élan vraiment valéryen, Gide en vient à dire: «L'histoire de l'œuvre, de sa gestation – mais ce serait passionnant... plus intéressant que l'œuvre elle-même...»[11]

Ce journal à l'intérieur et en marge de l'œuvre, rapproche Gide du romancier américain H. James, et lui attire les reproches du romancier anglais E. M.

Forster qui croit déceler un refroidissement de la température créatrice, «une baisse violente du thermomètre des émotions», un désir qui avoisine la folie, de pénétrer l'inconscient sans le détruire «to be consciously subconscious» – ce qui n'empêche pas M. Forster d'approuver que le narrateur nous transmette des connaissances intermittentes; car cette technique est prise dans la vie même, «où l'on déchiffre plus ou moins bien le caractère des gens qui vous entourent». En ce qui concerne le thème du narrateur tantôt omniscient tantôt à demi-ignorant, E. M. Forster dénonce la même absence de point de vue central chez Dickens et chez Gide, à cette différence près que ce qui advenait chez l'un par pur instinct se réalise chez l'autre en pleine conscience et de façon délibérée. Mais Gide lui-même observe que dans l'œuvre d'Emily Brontë comme dans celle de Dostoïevski, le romancier dit objectif se dédouble du romancier engagé et je crois qu'il vise lui-même à ce dédoublement idéal (*Journal* p. 829, 9 février 1927).

Est-ce l'*optique* ou est-ce la *musique* qui sert de modèle principal à la forme du roman gidien? Il me semble que Gide emprunte également aux deux. En voulant réaliser une œuvre littéraire qui tiendrait de la fugue, Gide fait pressentir A. Huxley et se rapproche de Proust, dont la technique du *leitmotiv* me paraît on ne peut plus réussie. A. Huxley tient de même à musicaliser la fiction, à la transposer en musique et à situer un romancier à l'intérieur du roman, mais il ne fait ici qu'imiter Gide; lequel pourtant a jugé *Contrepoint* illisible.

Du point de vue technique, je voudrais signaler en outre chez Gide cet effet d'*élargissement* qu'il sait si bien produire à la fin de ses romans. Au lecteur d'aller plus avant – encore un élan à dépasser. E. M. Forster voit là un emprunt à la musique:

«Non pas aboutissement mais élargissement. On a l'impression que les notes dont se composait la symphonie viennent de se dégager, ayant trouvé en quelque sorte dans le rythme du tout leur liberté individuelle.»

E. M. Forster cite comme conclusions de ce genre celles de *Wuthering Heights* et de *la Guerre et la paix* (*Aspects du roman*, p. 170).

Sur l'admiration de Gide pour Wilde il y aurait tout un chapitre à écrire. Je ne signale en passant qu'un commentaire gidien de grand intérêt et qui porte sur un paradoxe de l'écrivain anglais. Gide se félicite à la fois d'avoir lu chez Wilde: «L'imagination imite. C'est l'esprit critique qui crée», et d'avoir retrouvé «fort inopinément cette même profonde et féconde vérité en fouillant au hasard dans les *Œuvres Complètes* de Diderot – et énoncée par celui-ci à peu près dans les mêmes termes: *l'imagination ne crée rien; elle imite* (*Salon de 1767*, Ed., Assezat XI, p. 131).» Il commente alors l'intervention des protes qui, croyant à un aphorisme fautif, ont trouvé bon de lui substituer: «l'imagination ne crée rien; elle *invente*».

Quant aux poètes, Gide a beaucoup admiré Browning, qu'il qualifie de «capiteux». Browning appartient d'ailleurs à la «constellation» gidienne.[12] Gide se méfie pourtant de ce qui se mêle d'incompréhension chez lui à l'envoûtement qui le saisit en lisant ce poète (*Journal* p. 703, 29 novembre 1921). Gide envisage chez Browning un peu comme chez Shakespeare et chez tout génie créateur la façon dont le poète à l'âme «élastique» s'identifie à ses héros (*Journal* p. 952, 4 novembre 1929). Pour lui, à la multiplicité des héros façonnés par Browning correspond la multiplicité de chances que leur accorde le poète, (*Ibid.*, p. 1306). La théorie même de Gide se laisse deviner à travers son jugement de critique littéraire: «L'œuvre entière de Browning: Dieu vu à travers des âmes...».

Gide s'est fort enthousiasmé pour la poésie de Blake,[13] peut-être parce qu'il trouvait chez lui la mise en équilibre des deux extrêmes de sa contradiction intérieure, voir la solution de sa propre antinomie. Comme Blake, il veut lui-même «marier le Ciel et l'Enfer» et il discerne chez le poète anglais l'écho de son dialogue intérieur...

On pourrait discourir longtemps encore sur les rapports de Gide avec la littérature anglaise, sur le prototype de Lafcadio qui est peut-être le Melchisédée de Samuel Butler, sur le thème de l'inconséquence qui l'a déjà passionné chez Conrad et ainsi de suite... Tout au moins ce sont là des amorces que je vous offre et comme dirait Gide lui-même: A vous autres lecteurs de passer outre!

Je voudrais finir en citant quelques lignes de Gide qui montrent toute la portée magistrale qu'ont eues pour lui la langue anglaise et surtout la traduction en anglais de la Bible. Grâce à des nuances de langue, qui se manifestent à Gide d'une façon plutôt indirecte, nous voyons s'ouvrir devant nous toute une perspective de langue, de littérature et de morale au point qu'on serait tenté de faire à Gide le compliment suprême en l'appelant fils de son œuvre de *traducteur* et en avouant qu'il y a des moments-clefs où comprendre, c'est égaler:

«Mon attente ne doit pas être accrochée par les mots, fût-ce pour y prendre plaisir. Néanmoins je rouvre parfois le livre pour y chercher le texte que je viens de lire en français. Et parfois ce texte s'éclaire d'une lueur subite: «*Except a man be born again.*» (A moins qu'un homme ne renaisse). Tout ce matin je me suis redit cette parole et je me la répète ce soir, après que j'ai pu mesurer tout le long du jour l'ombre affreuse que mon passé projetait sur mon avenir.»

(*Journal*, 3 février 1916)

NOTES

1. *Verve*, I, 2, printemps 1938.
2. *Ibid.*
3. *Ibid.*, p. 14.
4. C'est là, de la part de Gide, une pointe d'espièglerie.
5. *La Littérature comparée*, Tome II, 1959, Vol. XI, p. 1–15.
6. *La Littérature Anglaise du XVIe siècle*, Oxford 1954, p. 32–36.
7. P. Claudel: «Fragments d'une interview de Paul Claudel» par Dominique Arban, 28 mars 1947. Voir *P. Claudel et A. Gide: Correspondance (1899–1926)*. Mallet, Paris 1949, p. 250.
8. «Gide et Fielding», *Littérature Comparée* 1959, Hiver, Volume XI.
9. *Les Faux-Monnayeurs*, II, 3, Pléiade, p. 1080.
10. *Ibid.*, p. 1083.
11. Cf. Valéry, *Mon Faust* («Savoir que l'on voit, c'est là toute une science», Pléiade II, p. 322), *-Rhumbs* («Ce qui m'intéresse – quand il y a lieu – ce n'est pas l'œuvre, ce n'est pas l'auteur – c'est ce qui fait l'œuvre», *ibid.*, p. 629), – *Variété*, Poésie et Pensée Abstraite («Quant à moi, qui suis, je l'avoue, beaucoup plus attentif à la formation ou à la fabrication des œuvres qu'aux œuvres mêmes, j'ai l'habitude ou la manie de n'apprécier les ouvrages que comme des actions», Pléiade, I, p. 1329).
12. Les autres membres de la constellation sont Nietzsche, Blake et Dostoïevsky.
13. *Journal*, 4 août 1922: «... c'est besoin de sympathie (– – –) qui ne fit (– – –) traduire Blake.» – , cf. aussi: *Journal*, 10 janv. 1923.

G. W. IRELAND

ANDRÉ GIDE
ET LA LITTÉRATURE ALLEMANDE

Dire que j'ai choisi le sujet, c'est une façon de parler; c'est plutôt le sujet qu m'a choisi dans des circonstances qui ne sont plus un secret pour personne et comme j'ai horreur des précautions oratoires, je fais très simplement appel aux bonnes volontés, à *toutes* les bonnes volontés, pour étayer mes connaissances insuffisantes et pour corriger mes erreurs sans doute nombreuses.

Gide était, nous le savons tous, un homme remarquablement cultivé. Pourtant si l'on regarde simplement l'index du *Journal* et si l'on pense à la quantité de livres cités, aux noms d'auteurs qu'il mentionne ici et là, cette liste correspond à peu près au programme de licence pour le certificat de littérature comparée, c'est à dire à une masse de textes qu'aucun étudiant ne peut prétendre étudier sérieusement.

Gide n'était pas du tout un érudit au sens universitaire, c'était un génie, et un génie créateur qui butinait dans toutes les littératures, dans toutes les philosophies à la recherche de ce qui pouvait lui être utile.

J'ai moins songé, donc, à faire, dans cet exposé, une étude sur la littérature allemande, en me demandant ce qu'elle aurait pu, ce qu'elle aurait dû peut-être apporter à Gide, qu'à saisir cette occasion de méditer sur l'activité même de Gide lecteur, sur sa manière de prendre contact avec les livres étrangers, pourquoi, comment et avec quels résultats et, simplement, parfois, dans quel espoir.

Gide savait-il bien l'allemand? Il est difficile de répondre à cette question de façon catégorique; Gide lui-même fournit des réponses disparates; tantôt il confesse l'insuffisance de son savoir, tantôt il se prévaut d'une assez bonne connaissance. Il est certain qu'il a pris contact de très bonne heure avec la langue et avec la littérature allemandes. Ce contact l'a marqué pour toute sa vie. Je pense que c'est Anna Shackleton, avec ses traductions de *Reineke Fuchs*, par exemple, qui a présenté la première un écrivain allemand au jeune Gide. Mais il faut signaler aussi – et tout de suite après – le rôle de Madeleine qui partageait ses lectures. Il s'agissait surtout, à ce moment là, de lectures de jeunes gens, d'adolescents. C'était, par exemple, Heine qu'ils se lisaient à haute voix au cours des soirées et des matinées enchantées de La Roque et de Cuverville. Un peu plus tard, à l'âge des études universitaires – mais Gide n'a jamais fréquenté la Sorbonne – nous le voyons entouré de jeunes germanistes très qualifiés, notamment Marcel Drouin qui, sans être un spécialiste, possédait, comme philosophe, une très solide culture allemande. N'oublions pas, d'ailleurs parmi les amis de Gide, Xavier Léon, auteur d'une thèse monumentale en trois gros volumes, sur *Fichte et son temps*.

Ainsi Gide entendait beaucoup parler d'écrivains, de philosophes, de littérateurs allemands. Il a lui-même passé des vacances à Munich, sans doute pour améliorer ses connaissances linguistiques; il en a certainement tiré profit et il sut très bien se débrouiller, par la suite, avec la langue allemande, – tout au moins la langue écrite, car en 1931, il note, avec une satisfaction mêlée d'un peu d'étonnement, qu'il arrive à comprendre très bien le peu d'allemand que parlent devant lui M. et Mme Thomas Mann; avec une modestie charmante, il ajoute: «C'est parce qu'ils avaient une prononciation tellement distincte».

Les contacts de Gide avec la littérature allemande se sont renouvelés tout au long de sa vie. Mais ils ne furent rien moins que systématiques. Par exemple, s'il a lu du Schopenhauer dès l'âge de 18–19 ans, sans doute en traduction française, ce n'est qu'en 1934 qu'il connaîtra les *Brigands* de Schiller, c'est à dire une œuvre que lisent normalement les candidats au baccalauréat. Il était très capable de saisir des nuances de style et d'en tirer une jouissance; mais ce n'était pas en général pour les effets de style qu'il lisait les auteurs allemands, c'était plutôt pour une autre raison dont nous allons parler maintenant.

Gide abordait la littérature allemande, la plupart du temps, en esprit prévenu; il n'avait pas l'esprit grand ouvert à toutes sortes de réactions possibles; il venait y chercher quelque chose d'assez précis: il venait s'y mirer, nullement par complaisance, mais dans l'espoir de mieux se reconnaître, de mieux savoir qui il était. Il éprouvait la satisfaction la plus vive à retrouver, chez un auteur allemand, ses propres pensées. On est un peu surpris de lire sous sa plume, en 1921, alors qu'il n'est plus du tout un jeune étudiant:

«Je note cette phrase du livre d'Andler – que je lis avec la satisfaction la plus vive: 'Il est facile aux médiocres d'appeler faiblesse une inquiétude, où il faut voir surtout le tourment d'une sensibilité plus vibrante et plus étendue. S'ils manquent d'énergie (il s'agit des autres) au premier moment, c'est que leur attention est sollicitée en plus d'un sens; et il leur faut extraire d'une passion multiple un vouloir plus riche, dont la constance a dû être laborieusement construite.'»

Et Gide remarque: «Cela est très bon; et méritait d'être mieux dit.»

Précisément, il l'a dit mieux. Mais il le pensait avant de le retrouver dans ce livre allemand.

Plus impressionnante encore est la page qu'il consacre à une expérience très importante, sur laquelle M. Delay s'est longuement penché – celle du *Schaudern*:

«Pourtant j'ai pu savoir ce que c'est que la peur; quand j'étais enfant, j'étais extrêmement froussard; j'avais des cauchemars affreux dont je me réveillais en sueur... Et brusquement la glande a cessé de fonctionner. A présent je puis faire des rêves affreux, me voir poursuivi par des monstres, zigouillé, coupé en morceaux... ça ne devient jamais du cauchemar. Ah! la philosophie allemande trouvait en moi un terrain bien propice. Quand je lus *le Monde comme Représentation* de Schopenhauer, je pensai aussitôt: c'est donc ça!»

Ceux qui connaissent Schopenhauer seront sans doute surpris du rapprochement. Mais le fait est que Gide s'est reconnu: «C'est donc ça!». Il ajoute cependant: «Mais déjà certaine phrase de Flaubert m'avait donné l'éveil.»

Ces actes de reconnaissance qui, en quelque sorte, se superposent les uns aux autres, constituent pour Gide une façon de préciser sa propre expérience en la retrouvant à distance, cette distance qui lui permettait de la contempler avec plus d'objectivité, et, en même temps, avec plus de confiance.

Certains auteurs allemands eurent pour Gide beaucoup d'importance et d'autres beaucoup moins d'importance qu'il ne lui plaisait de le laisser entendre. Le premier écrivain allemand qui eut sur lui une influence réelle est sans doute Schopenhauer. Mais nous l'imaginons mal, à 18 ans, sans autre préparation qu'une année de philosophie au lycée, aux prises avec les trois énormes volumes de la traduction française du *Monde comme volonté et représentation*. Il est remarquable que Gide cite très rarement le texte de Schopenhauer, et que ses rares citations ne manquent pas de bizarrerie. Il retient, par exemple, une formule isolée qui fait sa joie: «Le sujet qui perçoit tout et n'est perçu de rien, c'est le support du monde».

La phrase l'a tout de suite enthousiasmé. Il s'est dit: c'est bien ainsi qu'il faut penser. Ce qui ne l'a pas empêché de citer ailleurs le même texte en le transposant à la première personne: «Je suis... le support du monde.» Or, sa simple année de philosophie aurait dû le prémunir contre un contresens aussi grossier. Je ne suis pas ici pour faire la leçon à Gide. Loin de là. Il a su tirer de Schopenhauer bien plus que je n'en tirerai jamais, mais ce qu'il a tiré surtout de lui, c'était du Gide. Je ne suis pas très loin de croire que de ces trois gros volumes, ce qui l'a surtout enthousiasmé c'est le titre. L'idée de *volonté* et celle de *représentation* (que d'ailleurs il confondait de la meilleure foi du monde avec l'idée de manifestation) jouaient chez Gide un rôle très important. Qu'un grand philo-

sophe eût envisagé le monde tout entier en termes de volonté et de représentation, il voyait là pour lui-même ce qu'il aimait à appeler ailleurs une « autorisation ». Au reste, s'il a bien compris quelque chose à Schopenhauer, il l'a quitté
très vite et, à la fin de sa vie, il s'est gaillardement moqué de son enthousiasme
de jeunesse pour Schopenhauer. Le cas de Fichte est analogue. On sait que pendant un de ses voyages Gide avait emporté avec lui *la Doctrine de la science*, mais
il note que c'était « par provision » et il ne nous dit pas qu'il l'ait lu. Autant que
je sache, il ne le cite nulle part.

Je pense que c'est surtout dans une certaine atmosphère schopenhauerienne
qu'il s'est quelque temps complu, à l'époque de ce qu'il appelait lui-même
son mysticisme, à l'époque où, annonçant une étude sur Chopin, il pense aussi
à une étude sur Schumann. Et s'il est vrai que, dans son âge mûr, il parlera surtout de Chopin, au temps où il lit Schopenhauer, c'est surtout de Schumann
qu'il parle. Vous vous rappelez qu'il joue des morceaux de Schumann en
écrivant les *Cahiers d'André Walter*. Ce romantisme un peu trouble, ce mysticisme un peu vague, cet idéalisme un peu élémentaire, telle était l'atmosphère
où il croyait trouver la nourriture et la confirmation de sa propre inspiration.

Il était d'ailleurs très médiocrement philosophe. Au moment de son enthousiasme pour le communisme, il voulut faire l'effort de lire *le Capital*. Il se mit
à l'ouvrage avec l'extrême bonne volonté qui caractérise tout cet épisode de sa
vie. Mais il s'arrêta vite en route. Lorsqu'un jeune écrivain tchèque, un jeune
communiste, lui écrit pour lui dire combien sa pensée est marxiste, Gide répond
par une lettre charmante : « Si ma pensée est marxiste, permettez qu'elle le soit
en toute ignorance et en toute innocence, car je ne sais pas du tout comment
cela a pu m'arriver... ». Il dit ailleurs : « Je ne fais pas de métaphysique ». Le peu
de Kant qu'il avait lu dans sa jeunesse ne l'a guère enthousiasmé. Je ne pense pas
qu'il ait lu davantage Hegel. Il est certain, pourtant, qu'il a beaucoup entendu
parler d'eux. Son expérience d'écrivain l'associait à une succession de courants
de pensée auxquels il était extrêmement sensible, mais qui n'arrivaient jusqu'à
lui que déjà modifiés par un Marcel Drouin, par un Charles Andler, par un
Xavier Léon ou un autre. Il y trouvait un choc et une stimulation, non une
matière d'étude approfondie.

Le nom de Nietzsche revient chaque fois qu'on parle de Gide. Vous savez
que lorsque Renée Lang a fait sa thèse de doctorat, elle a arraché à Gide l'aveu
que tout de même il connaissait Nietzsche, au moins pour avoir pris contact
avec lui avant de se mettre à écrire *l'Immoraliste*. Mais vraiment Mme Lang
n'avait pas besoin de cet aveu. Vous n'avez qu'à jeter un rapide coup d'œil sur
les petites revues de cette époque pour voir que partout il n'était question que
de Nietzsche. Il y avait des articles de Nietzsche absolument partout dans ces

revues dont Gide faisait certainement ses lectures quotidiennes. Ici, l'initiateur de Gide n'a pas été Marcel Drouin; l'histoire est même assez amusante et très typique, je pense, d'une influence qui s'exerce par la conversation. Tout le monde, au début du siècle, parlait de Nietzsche. On s'en rend bien compte en parcourant la correspondance inédite entre Marcel Drouin et André Gide, que je cite de mémoire et peut-être de travers. Les deux amis s'entretenaient dans leurs lettres de leurs intérêts intellectuels communs. Et voici que vers 1900, Drouin, en toute innocence, demande à Gide des renseignements sur Nietzsche, qui lui répond aussitôt en substance: «Mon cher Marcel, j'étais justement en train de vous écrire pour vous demander si vous ne pourriez pas m'envoyer des livres de Nietzsche». Vous voyez le climat, l'atmosphère de ces débats et de quelle manière aussi une certaine influence diffuse de la pensée de Nietzsche a pu s'exercer chez Gide, qui était à la recherche toujours chez les autres de sa propre pensée et qui devait interpréter dans un sens gidien ce qu'il entendait dire ici ou là d'un auteur particulièrement stimulant.

En fait, lorsque Gide s'est mis lui-même à lire Nietzsche – surtout dans les traductions de Charles Andler – il s'est cette fois encore assez vite lassé. Il n'a certainement pas été jusqu'au bout car il note dans son *Journal* ou dans sa correspondance avec des amis des résolutions significatives: «Il faut que je lise ceci ou cela». Il s'étonne, par exemple, d'être resté si longtemps sans lire *les Origines de la Tragédie.*

Dans son *Journal*, il note:

«La pensée de Nietzsche se réduirait difficilement en système et c'est pour cela même qu'on aurait du mal à se débarrasser d'elle.»

C'est en 1927, je crois, qu'il a pris contact avec Hölderlin; à la Décade de Pontigny, en 1928, il n'avait pas encore lu *Empédocle*. Mais, dès qu'il eut en mains les œuvres de Hölderlin, il les a lues avec ravissement et, ici encore, il note sa surprise de les si bien comprendre.

Le cas de Goethe représente – en ce qui concerne le contact de Gide avec la littérature allemande – une grande exception, à tous les égards, d'abord parce qu'il l'a certainement beaucoup pratiqué et dans le texte. Il le cite très souvent et presque toujours en allemand. Il parle de lui à ses amis, il recopie des poèmes à leur intention. Comme vous le savez, il n'a jamais cessé de proclamer très haut son admiration pour Goethe. Mais, même ici, lorsqu'il se penche sur cette grande œuvre, c'est moins dans l'espoir d'y découvrir du nouveau que pour y trouver des précisions sur sa propre pensée, la réflexion modifiée par sa propre inspiration et, sans doute aussi, un appui. Je reviens à ce sentiment très important chez Gide, qui fut toujours à la recherche de *l'autorisation*. Songez au goût qu'il eut toujours pour les citations justificatrices et comment il s'appuie, par

exemple, dans son *Corydon*, sur des textes inattendus de Montaigne et de Pascal!
Non point que, sans Pascal et sans Montaigne, il eût pensé autrement, mais il
avait besoin de se sentir *rassuré* en découvrant ces mêmes pensées, ces mêmes
façons de voir chez d'autres grands écrivains.

En ce qui concerne Goethe, ce qu'il admirait surtout en lui, c'était d'abord
un certain courage humaniste. Goethe représentait à ses yeux l'homme qui accepte tout simplement d'être un homme, qui n'éprouve aucune angoisse à se
sentir enfermé dans sa condition humaine, mais qui sait en tirer tout au contraire
noblesse, grandeur et beauté. Ce n'est certainement pas le jeune Goethe qui
attirait Gide, mais celui de la période qui suit les *Elégies Romaines*, après la découverte de soi-même que rappelle Du Bos – non sans quelque malignité –
dans le *Dialogue avec André Gide*:
«Ich habe mich wieder gefunden aber als was?

Als Künstler». (Je me suis retrouvé, mais comme quoi? comme artiste).
C'est ce Goethe des années de maturité et de vieillesse qui fut le maître de
Gide, – le Goethe passionné pour les études de sciences naturelles (et Gide partage à sa façon le même goût, et il en tire à peu près les mêmes leçons et les
mêmes conséquences), le Goethe qui recrée dans l'Europe moderne une certaine image plus ou moins mythique de la santé grecque, le Goethe qui réussit
à équilibrer en lui-même la tendance olympienne et la tendance dionysienne,
le Sage qui s'est très consciemment construit, qui s'est cultivé comme on cul-
tive une fleur. Cette idée de culture, d'apprentissage, de formation, d'équilibre entre des forces adverses restées très puissantes, voilà ce qui enthousiasme surtout Gide. Mais aussi la maîtrise artistique, sans laquelle il n'aurait pas
trouvé tant de plaisir à citer Goethe. Il a dit son étonnement – que je partage
un peu – que Nietzsche ait pu préférer Schiller à Goethe. Il ne comprenait
absolument pas par quel absurde besoin de noblesse Nietzsche pouvait affirmer
une telle préférence. Je doute au demeurant que Nietzsche ait pu voir là une
sorte de devoir. En tous cas Gide était peu sensible à la noblesse de Schiller, qui
pourtant inspirait tant d'enthousiasme ébloui à Dostoïevsky; je pense toutefois
que, s'il avait su l'admiration de Dostoïevsky pour Schiller, il aurait peut-être
relu un poète qu'il connaissait mal.

Avec des écrivains plus modernes, il me semble que ses contacts furent de
caractère assez banal. Il entretint des rapports très cordiaux avec Rilke, qu'il
aurait voulu à tout prix persuader de traduire ses propres œuvres. Rilke
maniait le plume et les formules de politesse aussi bien que Gide, ce qui n'est
pas peu dire. Il réussit à se tirer d'affaire sans paraître discourtois. Leur correspondance, pour les esprits un peu méchants, est extrêmement amusante. On
voit les deux écrivains multiplier les gentillesses, mais finalement la réponse de

Rilke est négative. Que Gide d'ailleurs ait admiré Rilke sans beaucoup le comprendre, je n'en suis pas fort étonné, et il n'est certainement pas le seul dans son cas. Quant à Thomas Mann, qu'il considérait comme un «cher collègue», c'était pour lui un grand écrivain, mais rien de plus, nullement un maître, ni un miroir où Gide pût se retrouver lui-même.

Au terme de ce trop bref recensement il faut noter, je crois, que Gide, hors de toute question proprement littéraire, a éprouvé jusqu'au bout pour l'Allemagne une sympathie foncière que même les deux guerres mondiales n'ont pas profondément affectée. En 1914-1918 il fut un des rares écrivains français à se prémunir contre les ridicules du chauvinisme qui faisaient proscrire Wagner de l'Opéra. Gide n'a jamais cessé de croire que la France ne pouvait que gagner à mieux connaître et à mieux apprécier un pays dont l'apport intellectuel et artistique n'est guère contestable – l'Allemagne et tout ce qu'elle a apporté de précieux, tant à la France qu'au monde entier.

ANDRÉ GIDE ET LE LATIN

On s'est beaucoup interrogé sur les rapports entre Gide et l'antiquité grecque. C'est aujourd'hui de ses rapports avec le monde latin que je dois parler, tout en vous rappelant que l'on ne peut séparer entièrement ces deux questions.

Nous avons vu l'autre jour que Gide n'avait connu l'hellénisme qu'à travers son reflet moderne, plus ou moins déformé, en lisant des auteurs comme Walter Pater, John Addington Symonds, Collignon et quelques autres. Sa lecture des auteurs latins est plus directe et plus complète, mais elle comporte, comme toujours chez lui, du choix et des préférences. Elle s'appuie sur une connaissance de la langue, qui apparaît, par exemple, dans sa correspondance avec Claudel où il discute, non seulement sur le détail d'une certaine traduction de Tacite, mais sur le problème général du style qu'il faut adopter pour faire passer en français l'esprit des textes latins.

A la littérature grecque, Gide a emprunté des sujets littéraires, depuis le *Narcisse* de sa jeunesse jusqu'au *Thésée* de sa vieillesse. A la littérature latine, il a surtout emprunté des noms de personnages, comme Tityre, Ménalque et beaucoup d'autres, surtout dans les premières œuvres, celles de l'époque symboliste. Vous remarquerez qu'ils sont empruntés à Virgile. Mais il suffit de lire le *Journal* pour constater que Gide connaissait aussi Quinte-Curce, Apulée, Lucrèce, Virgile, Tacite, Salluste, César, Plaute et Cicéron. Mais si l'on examine cette liste de plus près – avec le *Journal* je prends aussi en considération *Si le grain ne meurt* et *André Walter* – on voit que parmi ces auteurs, très peu semblent à Gide vraiment très importants. La plupart ne sont guère plus que des noms. Quinte-Curce lui a fourni matière de thème et de version. De Lucrèce, on retrouve dans *André Walter* quelques morceaux, tirés un peu au hasard du premier et du quatrième livre et qui ont surtout pour but, me semble-t-il, de créer une certaine ambiance. Ils n'ajoutent rien de nouveau à ce que dit Gide lui-même, mais corroborent plus ou moins vaguement sa propre pensée. C'est de la même façon, on nous l'a dit, qu'il citait à l'occasion quelques vers de l'*Iliade* ou d'Euripide. D'Apulée, il remarque en passant que son œuvre n'est pas une lecture pour jeunes filles. Ensuite, il n'en est plus du tout question. Tacite, il l'a lu plus tard. Il disait même que c'était Mme Bussy qui l'avait entraîné dans cette lecture. Dans ses œuvres, il n'en reste rien. De même pour Salluste, César et Plaute. Il traite Cicéron de «grand raseur». Je doute qu'il l'ait beaucoup pratiqué. De toutes façons, je ne relève ni dans le *Journal* ni dans ses autres écrits aucune citation de Cicéron qui ne figure dans les pages roses du Larousse. Les citations d'Horace et de Pline y figurent de la même façon.

De toutes façons, Gide ne lisait le latin que pour son plaisir, non comme matière à études approfondies. Le cas de Virgile est peut-être différent et je vais y revenir. Mais je voudrais signaler d'abord le cas de la Vulgate. Le titre d'un de ses ouvrages, *Et nunc manet in te* est évidemment emprunté à la Bible latine. Mais, en bon protestant, Gide était surtout familier de la Bible française, et c'est seulement de façon occasionnelle qu'il recourait au texte grec du Nouveau Testament et au latin de Saint Jérôme. Il lui arrive, dans la marge de son exemplaire, de relever les «mots-clefs» grecs et latins les plus caractéristiques, et, du coup, de baser là-dessus son argument.

Passons maintenant au cas de Virgile. Il est certain qu'il a commencé très tôt à le lire, dès l'école et avec un intérêt certain. C'est bien du moins ce qui ressort du *Journal* de Pierre Louÿs, qui éprouvait le même enthousiasme. Plus tard, il semble qu'il ait lu *les Bucoliques* de façon suivie et dans tous ses écrits, jusqu'en 1910 à peu près, on trouve de nombreuses allusions à cette œuvre virgilienne. C'est à elle qu'il emprunte beaucoup de noms propres dont le plus célèbre est, bien entendu, Corydon. Mais il n'est jamais question, à cette époque, de l'*Enéide* ni des *Georgiques*. Plus tard, Gide semble se détourner un peu de Virgile; le nombre des citations diminue rapidement. Entre 1880 et 1900, on en relève une quarantaine, à partir de 1900, on n'en trouve plus que trois ou quatre par an. Pendant la deuxième guerre, il s'est remis à Virgile, dont la lecture reste presque quotidienne jusqu'au jour de sa mort. Cette fois-ci il ne se plonge pas seulement dans *les Bucoliques*, mais plus particulièrement dans *les Georgiques* et dans l'*Enéide*. L'atmosphère virgilienne est une des constantes de sa vie et il serait intéressant de la déceler tout au long de son œuvre. Une lettre à Madeleine Gide, que cite M. Delay, indique le rôle des *Bucoliques* dans les écrits de jeunesse et dans la formation de son Narcisse. Pour l'observateur extérieur, cette influence peut sembler surprenante, mais l'essentiel est ici le témoignage même de l'écrivain.

Il est certain que, pour lui, des noms comme ceux de Tityre et de Ménalque ont un caractère symbolique; Tityre correspond, par exemple, au thème de la paresse – on a dit tout à l'heure que Gide avait besoin d'*autorités*; il me semble que nous trouvons ici une confirmation intéressante de ce besoin –. Dans le *Prométhée*, vous vous souvenez de l'épisode de Mélibée qui joue de la flûte, et qui se promène nu, je crois, sur le boulevard Saint-Germain ou Saint-Michel. Or il s'agit, cette fois encore, d'un personnage des *Bucoliques*, qui représente ici la joie, celle des sens, celle de la musique. Dans *Ménalque*, qui a été publié dans *Vers et Prose* avant la parution des *Nourritures terrestres*, on retrouve un personnage virgilien, mais très sensiblement modifié. Le Ménalque de Virgile est très simple; s'il domine un peu les autres, s'il mène pour ainsi dire le jeu, il n'a aucunement chez Virgile l'importance qu'il prend chez Gide. Ici l'influence d'Oscar Wilde est décisive. Jusque dans *l'Immoraliste*, Ménalque conservera un rôle essentiel et symbolique de vagabond. Mais c'est surtout dans *les Nourritures terrestres* que le symbole prend chair, dans une atmosphère un peu trouble, où l'influence des *Bucoliques* virgiliennes n'est guère contestable.

Dans un tout autre domaine et sur un tout autre plan, le monde latin se manifeste enfin dans l'œuvre de Gide. On oublie trop souvent le goût qu'il eut toujours pour l'histoire. Il a rêvé d'écrire un *Sylla*. On ne sait presque rien de ce qu'eût été cette œuvre, mais je ne crois pas me tromper en conjecturant que le Sylla de Gide eût été proche de celui de Montesquieu, qu'il a beaucoup lu à la même époque. Mais son *Journal* montre aussi l'intérêt qu'il eut pour Michelet, pour Saint-Evremond, et pour la Plutarque que lui présentait ce dernier. Il a lu également Gibbon à qui il a recours dans *l'Immoraliste* en mettant dans la bouche du jeune archéologue Michel un passage presque littéralement emprunté à l'historien anglais:

«Mais, l'avouerai-je, la figure du jeune roi Athalaric était ce qui m'y attirait le plus. J'imaginais cet enfant de quinze ans, sourdement excité par les Goths, se révolter contre sa mère Amalasonthe (…) et, préférant la société des Goths impolicés à celle du trop sage (…) Cassidore, goûter quelques années, avec de rudes favoris de son âge, une vie violente, voluptueuse et débridée pour mourir à dix-huit ans, tout gâté, soûlé de débauches.»

L'exemple est significatif en *ce qu'il démontre* la façon *particulière* dont Gide s'intéresse à l'histoire antique. C'est dans les œuvres de Glotz qu'il aurait pu s'informer du roi Candaule. Il parle dans *Si le grain ne meurt* de la Bibliographie Universelle à laquelle il emprunte plusieurs renseignements sur les grands personnages historiques. S'il n'a sûrement pu lire Plutarque dans l'original, il l'a beaucoup pratiqué en traduction. Il avait même à sa disposition au moins deux textes français, qu'il cite dans son *Corydon*, sans s'apercevoir que, dans deux versions un peu différentes, ils renvoient l'un et l'autre au même passage de Plutarque.

Au total, ce qu'il emprunte aux historiens antiques, ce sont surtout et essentiellement des exemples moraux (ou «immoraux»). Mais, à la fin de sa vie, pour écrire son *Thésée*, il revient à Plutarque et joint à ses lectures antiques celle des ouvrages récents sur la Crète. Gide a déjà son idée personnelle et il cherche ici encore dans les livres cette «autorité» confirmatrice. Cela ne l'empêche pas, à cette époque, de s'intéresser personnellement à l'Antiquité, d'une façon pour ainsi dire désintéressée et qui ne se reflète que de façon secondaire dans son œuvre elle-même.

En conclusion, on pourrait constater, me semble-t-il, une sorte de progrès dans l'utilisation gidienne des Anciens. Alors que dans sa jeunesse, et notamment dans ses œuvres symboliques, il cherchait une atmosphère consonante à celle de ses propres pensées, on trouve au contraire dans des œuvres comme le *Thésée*, des données beaucoup plus précises sur la vie, sur les mœurs et sur l'histoire des peuples. Parallèlement on doit noter un progrès dans son attitude personnelle à l'égard des écrivains latins et dans sa compréhension de leur œuvre. Son intérêt à leur égard n'a cessé de s'élargir, mais c'est finalement toujours et avant tout pour son plaisir qu'il les a lus.

ANDRÉ GIDE ET FRANZ KAFKA

En l'absence d'une suffisante documentation et du loisir qu'exigerait une confrontation générale entre Gide et Kafka, je m'en tiendrai aujourd'hui à certains des problèmes que pose l'adaptation par Gide du *Procès* de Kafka pour la représentation scénique.

Je limiterai mon sujet davantage encore en ne retenant que deux chapitres du roman que je voudrais comparer à deux scènes de la version théâtrale.

L'un de ces chapitres est celui où Joseph K., le héros du roman, reçoit la première convocation du tribunal. Ce qu'on lui dit est bien simple, bien clair et bien court. Il doit se présenter tel jour, à telle heure et on lui indique l'adresse précise du tribunal. Rien de plus. Joseph K. se rend, au jour indiqué, à l'adresse indiquée et, comme vous le savez, il se trouve alors en présence de plusieurs escaliers, d'innombrables couloirs et la recherche du tribunal constitue l'une de ces scènes de cauchemar chères à Kafka.

K. choisit au hasard un escalier et un couloir. Il frappe à une porte. Mais, au lieu de demander: «Est-ce ici le tribunal?» ou «Pourriez-vous m'indiquer où se trouve le tribunal?», il dit à ceux qui lui ouvrent la porte: «Est-ce ici qu'habite le menuisier Lanz?». Kafka ajoute qu'il se comporte de cette étrange façon «afin de posséder un prétexte pour jeter un coup d'œil» à l'intérieur de l'appartement et pour voir si c'est ou non le tribunal. L'explication reste insuffisante. Si K. hésite à interroger directement les habitants de la maison, c'est évidemment surtout parce qu'il se sent *coupable* et qu'il voudrait dissimuler, même à des inconnus, cette impression de culpabilité. Finalement, ayant frappé de porte en porte, il finit par s'entendre répondre: «Entrez», et il se trouve effectivement dans l'antichambre du tribunal. Voilà la version de Kafka.

Voyons maintenant ce que Gide a fait de cet épisode remarquable. Il l'a transformé entièrement, en ajoutant un détail important au message reçu du tribunal. Sur la scène comme dans le roman, Joseph K. est installé dans son bureau lorsqu'on lui téléphone pour le convoquer. Chez Gide comme chez Kafka, la voix mystérieuse lui indique l'adresse, le jour et l'heure. Mais au théâtre elle ajoute une précision. Elle dit à K. que, pour entrer dans la salle, pour trouver le tribunal, il faut user d'un mot de passe qui est justement: «Est-ce ici qu'habite le menuisier Lanz?». C'est ainsi, en effet, que Joseph K. trouve le tribunal chez Kafka.

Il est clair que dès lors l'épisode perd beaucoup de son mystère. Comme M. Mouton le disait l'autre jour, je crois, Gide n'avait guère le sens de l'absurde. Or, dans le chapitre de Kafka, l'absurde joue évidemment un rôle essentiel. Il se peut que Gide ait été ici trompé par certaines interprétations de Kafka qui étaient plus ou moins à la mode, et qui insistaient sur le caractère non-psychologique des romans kafkaïens. En fait la motivation de K., dans le Procès, lorsqu'il invente le menuisier Lanz, est d'ordre psychologique. Ou Gide ne l'a pas vue ou elle l'a gêné. En tous cas, il a cru meilleur de l'éliminer.

La deuxième confrontation que je vous propose concerne le dernier chapitre du roman, qui est aussi la dernière scène de la pièce.

Vous vous rappelez comment les deux bourreaux entrent dans la chambre de Joseph K. et l'entraînent dans un lieu isolé pour le tuer. Les deux hommes ne possèdent qu'un seul couteau. Joseph K s'agenouille devant eux et, avec son humour noir, Kafka décrit alors une sorte de jeu vraiment atroce. Le premier bourreau, sortant l'unique couteau de sa redingote, le tend à l'autre qui le lui rend «avec d'horribles politesses». K. «sait très bien que son devoir serait de prendre lui-même l'instrument», non pour se défendre, bien entendu, mais pour «se l'enfoncer dans le corps». Il reste cependant immobile, car il n'a pas le droit, nous dit Kafka, de «décharger les autorités de tout le travail». Or, ici encore, Gide supprime l'épisode essentiel (et pourtant scénique) du couteau qui change de mains et des échanges de politesse entre les bourreaux en haut-de-forme. Etait-il insensible à cette sorte d'humour noir? Je n'ose pas dire qu'il ne l'avait pas compris. En tous cas, il a voulu l'éviter dans cette pièce.

Ce simple regard rapide sur deux chapitres de Kafka et sur leur adaptation scénique nous montre une différence significative, aussi grande peut-être qu'entre l'Œdipe des tragiques grecs et celui d'André Gide. J'ajoute cependant que le Procès, mis en scène par Jean-Louis Barrault lors de sa création en 1947 et lorsqu'il a été repris par la suite, a connu un grand succès très mérité, ce qui n'est pas le cas de l'Œdipe gidien, une de ses pièces effectivement les plus faibles. Cela tient sans doute au fait que, malgré les infidélités assez graves dont je viens de vous donner deux exemples caractéristiques, l'adaptation de Gide ne trahit pas complètement l'esprit du roman. Malgré sa relative insensibilité à l'humour noir et à l'absurde, Gide se reconnaissait plus ou moins dans les personnages de Kafka, en tant que héros qui cherchent à se dépasser et qui finalement échouent, mais plus encore en tant qu'ils ont mauvaise conscience. Gide a pu trouver aussi, dans l'œuvre de Kafka, – et il le dit expressément dans son *Journal* – une lutte qui était aussi la sienne entre la clarté et les ténèbres, entre la raison et le cauchemar.

C'est pourquoi on peut dire qu'en dépit de ses incompréhensions partielles il a trouvé dans le *Procès* bien plus que dans l'histoire d'Œdipe un mythe à sa mesure. Car, comme l'a dit M. Germain l'autre jour, le mythe œdipien risque de se retourner contre celui qui veut l'appliquer à son propre usage. Le mythe de Joseph K., dans le *Procès*, est peut-être au contraire ce qu'on pourrait appeler un mythe « détachable ». La réussite de Gide est d'autant plus remarquable qu'il s'agit à peine d'un roman, mais de fragments recousus par Max Brod. A travers cette ébauche, Gide a senti une sorte de tragique qui ne lui était pas entièrement étranger et dont il a su faire, pour un public plus vaste que les lecteurs français du roman, une œuvre véritablement achevée.

ANDRÉ GIDE ET LA LITTÉRATURE PERSANE

Parmi les œuvres de la jeunesse d'André Gide, ce sont surtout le *Voyage d'Urien* (1892), les *Nourritures terrestres* (1897) et *El Hadj* (1899) qui ont subi manifestement l'influence de la littérature persane. « André Gide et la littérature persane » est donc le sujet de ma thèse qui sera présentée à la Sorbonne ; mais je me borne pour le moment à indiquer quelques aspects de l'influence des poètes persans qu'on pourra décerner dans les *Nourritures terrestres*.

André Gide, à l'époque des *Nourritures terrestres*, est particulièrement requis par la poésie persane ; dans son *Journal* (des années 1896–1902), il évoque Hafiz dans ces termes :

« J'ai trouvé toujours mon bonheur à simplifier par des généralisations toujours plus grandes chaque chose – de façon à rendre ma possession aussi portative en vérité que la coupe où se grise Hafiz. »

C'est une citation de Hafiz qu'il met en épigraphe de ses *Nourritures terrestres* : « Mon paresseux bonheur qui longtemps sommeilla s'eveille. » (Livre I)

Il y parle de Hafiz et d'Omar Kheyyam : « Que te dirais-je de l'Alcazar ? jardin semblant de merveille persane ; je crois, en t'en parlant, que je le préfère à tous les autres. J'y pense, en relisant Hafiz :

> *Apportez-moi du vin*
> *Que je tache ma robe,*
> *Car je chancelle d'amour*
> *Et l'on m'appelle sage.* »   (Livre III)

Et encore : « Je rêve aux jardins de Moussoul ; on m'a dit qu'ils sont pleins de roses. Ceux de Nashpur, Omar les a chantés, et Hafiz les jardins de Shiraz ; nous ne verrons jamais les jardins de Nashpur. »

Et, au sixième livre des *Nourritures*, évoquant à propos des cafés algériens le petit café de Shiraz, célébré par Hafiz, il ajoute ceci : « Et je songe à toi, petit café de Shiraz, café que célébrait Hafiz; Hafiz, ivre du vin de l'échanson et d'amour, silencieux, sur la terrasse où l'atteignent des roses, Hafiz qui, près de l'échanson endormi, attend, en composant des vers, attend le jour toute la nuit.»

Il est très significatif qu'il ajoute, immédiatement aussitôt, cette réflexion sur la poésie: «Je voudrais être né dans un temps où n'avoir à chanter, poète, que, simplement en les démontrant, toutes les choses. Mon admiration se serait posée successivement sur chacune et sa louange l'eût démontrée; c'en eût été la raison suffisante.»

Et Gide aime à employer le mot persan «bulbul,» qui est chez Hafiz l'amoureux éternel de la rose, au lieu du mot français «rossignol» (Livre III des *Nourritures terrestres*, juste après la citation des vers d'Hafiz).

Il n'oublie pas non plus un autre grand poète persan en citant, au huitième livre des *Nourritures terrestres*, ce vers de Saadi:

«*On a dit au loin que je faisais pénitence…*
Mais qu'ai-je à faire avec le repentir?»

Deux ans après la publication des *Nourritures terrestres*, André Gide consacrera une lettre à Angèle (dans l'Ermitage, 2ème semestre de 1899, p. 155), à la poésie persane; il professera pour elle admiration et amour en ces termes:

«Le mot «sensualité» est devenu chez nous de signification si vilaine que vous n'osez plus l'employer; c'est un tort; il faudra réformer cela. Sachez que Coleridge, à propos de Milton, fait de la sensualité une des trois vertus du poète. La sensualité, chère amie, consiste simplement à *considérer comme une fin et non comme un moyen* l'objet présent et la minute présente. C'est là ce que j'admire aussi dans la poésie persane; c'est là ce que j'y admire surtout. – Car la littérature persane presque entière m'apparaît pareille à ce palais doré, dont il est raconté, dans le récit d'un des trois saalouks, que les quarante portes ouvrent, la première sur un verger plein de fruits, la seconde sur un jardin de fleurs,[1] la troisième sur une volière, la quatrième sur des joyaux entassés… mais dont la quarantième défendue, ferme une salle très obscure dont l'atmosphère saturée d'une sorte de parfum très subtil vous saoule et vous fait défaillir; une salle où l'on entre pourtant, où l'on trouve un cheval très noir, qui n'a l'air qu'étrange et que beau, mais qui, dès qu'on l'enfourche, déploie des ailes, des ailes «qu'on n'avait pas d'abord remarquées», – qui bondit avec vous, vous enlève au plus haut d'un ciel inconnu; puis brusquement s'abat, vous désarçonne et puis vous crève un œil avec la pointe de son aile, comme pour marquer mieux l'éblouissement que laisse ce rapide voyage en plein ciel. – C'est ce cheval noir que les commentateurs d'Omar et de Hafiz appellent «le sens mystique des poètes persans». Car on affirme qu'il y est. Pour moi qui n'apprécie que peu cette équitation aérienne, ni surtout la demi-cécité qui la suit, plus sage que le troisième saalouk, je n'ouvre pas la porte défendue et préfère m'attarder encore dans les vergers, et les jardins, et les volières. Je trouve là quelques voluptés si intenses qu'elles suffisent pour désaltérer mes désirs et pour endormir ma pensée (...)»

Il compare les traductions françaises, allemandes et anglaises des poètes persans; il rejette la traduction française de Nicolas qui est «littérale» mais il préfère la traduction anglaise de Fitz-Gerald qui est «belle» et «Omar Kheyyam, à travers Fitz-Gerald, paraît un poète admirable». «Pour Hafiz, si vous ne pouvez vous procurer la très rare de Rosenzweig, lisez-le dans la traduction de Hammer; c'est celle qui, en 1812, révélait l'Orient au grand Goethe. Voyez dans ses *Annales* avec quelle admiration il en parle.»

Et c'est d'après la même traduction de Hammer qu'il retraduit un ghazel de Hafiz et il porte un jugement définitif sur les quatre grands poètes persans: «Vous pouvez lire en français le *Gulistan* de Saadi et Firdousy tout entier; – je ne vous cache pas que je préfère Omar et Hafiz.»

Qu'est-ce que sont *les Nourritures terrestres* de Gide pour un connaisseur de la littérature persane? En majeure partie, un nouveau retentissement de la voix de Saadi, d'Hafiz et surtout de Khayyan. L'analogie même entre la composition formelle du *Gulistan* de Saadi et des *Nourritures terrestres* est frappante.

Les Nourritures terrestres sont divisées en huit livres, le *Gulistan* (Jardin des Roses) aussi; et je cite la traduction de Ch. Defrémery, publiée en 1858, trente-neuf ans avant la publication des *Nourritures terrestres*: «Ce jardin agréable et ce verger touffu s'est trouvé divisé en huit chapitres, comme le paradis a huit portes» [de la préface de Saadi].

Le cinquième chapitre de Gulistan est consacré entièrement à «l'amour et la jeunesse».

Le traducteur français (Defrémery) présente ainsi le *Gulistan*: «Ce qui fait le principal charme du *Gulistan*... c'est l'extrême variété qui règne dans cet ouvrage. On y trouve de tout: bons mots, sentences philosophiques, anecdotes historiques, conseils pour la conduite de la vie ou la direction des affaires de l'Etat; le tout *entremêlé de vers et de prose*.[2] A côté d'un trait d'histoire, on rencontrera une plaisanterie; à la suite d'une parabole, quelque sentence piquante et ingénieusement exprimée.»

On dirait, dans une certaine mesure, qu'il s'agit des *Nourritures terrestres!*

En ouvrant le premier livre des *Nourritures terrestres* nous rencontrons trois phrases de Gide sur Dieu: «Ne souhaite pas, Nathanaël, trouver Dieu ailleurs que partout (...).»

Le *Gulistan* de Saadi commence par la glorification de Dieu: «La pluie de sa miséricorde infinie descend sur tous...»

– De Gide: «Chaque créature indique Dieu, aucune ne le révèle»

– De Saadi: «Si quelqu'un me demande sa description, comment parlerais-je d'un être indescriptible, celui qui est hors de soi? Les amoureux sont les victimes de l'objet aimé, et les victimes ne poussent aucun cri.»

J'ai relevé bien des passages des *Nourritures terrestres* inspirés directement du *Gulistan* et la dernière page des *Nourritures terrestres* n'est pas loin, au fond, de la dernière ligne du *Gulistan*. La construction de bien des passages des *Nourritures terrestres* nous fait penser surtout au huitième chapitre du *Gulistan*. C'est vraiment dommage que je sois si limité pour un exposé vraiment incomplet. Mais le souvenir de la lecture du *Gulistan* ne quitte pas Gide, même à l'époque de ses *Nouvelles nourritures* (1935). Je cite seulement les premières lignes des *Nouvelles nourritures*: «Toi qui viendras lorsque je n'entendrai plus les bruits de la terre et que mes lèvres ne boiront plus sa rosée – toi qui, plus tard, peut-être me liras – c'est pour toi que j'écris ces pages.»

Et, de la préface de Saadi: «Ce poème et son arrangement subsisteront des années, après que chaque atome de notre poussière sera tombé en un lieu différent.»

Et, quelques lignes après: «Notre intention fut de donner de bon conseils, nous les avons proférés.»

(p. 21–22 de la traduction de Defrémery)

L'apport de Hafiz et de Kheyyam dans les *Nourritures* est encore beaucoup plus grand que celui de Saadi. Et ce n'est pas par les citations données par Gide qu'on pourra mesurer cette influence mais par une analyse subtile des *Nourritures* et une comparaison des traductions allemandes, anglaises et françaises des poètes persans, consultées par Gide. L'étude de Gide et surtout celle des *Nourritures* restera incomplète si on ne prend pas en considération les rapports de Gide avec les grands poètes persans. Je dois une grande reconnaissance à Gide, quant à moi, parce que c'est lui qui m'a poussé à apprécier mieux encore la littérature persane et à mieux comprendre sa valeur universelle.

Pour terminer, je citerai un passage d'une lettre de Gide envoyée à *La Revue littéraire persane (Parse)*, revue bi-mensuelle de littérature et de critique paraissant en persan et en français (Istambul, première année No. 3, 21 mai 1921. Directeur: Lahouti, Rédacteur en chef: Ali-No-Rouze).

«Je sais bien, écrit M. Gide, qu'il ne nous parvient d'eux (des poètes persans), à travers les traductions, qu'un reflet dépouillé de chaleur, de couleur et de frémissement. Mais, comparant les traductions entre elles, me servant de l'allemand, de l'anglais, du français, je vous assure qu'il parvient encore, de ces étoiles, assez d'éclat pour nous laisser supputer leur grandeur.

J'ai, pour ma part, vécu avec Saadi, Ferdousi, Hafiz et Kheyyam aussi intimement, je puis dire, qu'avec nos poètes occidentaux et communié étroitement avec eux – et je crois qu'ils ont eu sur moi de l'influence – oui, vraiment, une influence profonde, ils ont bu, et je bois avec eux, aux sources mêmes de la poésie...» (Parse, No 3, mai 1921, pp. 33-34)

C'est le moment, je pense de substituer à l'éternelle question de Montesquieu: «Comment peut-on être Persan»? une autre question – et cela en s'appuyant surtout sur les œuvres de deux grands écrivains de notre temps, Gide et Henry de Montherlant – «Comment peut-on n'être pas Persan?»

NOTES

1. Il est remarquable que *le Verger* et *le Jardin des Fleurs* sont le titre de deux œuvres de Saadi, traduites en français.
2. Non souligné dans le texte.

DISCUSSION GÉNÉRALE

GEORGES-PAUL COLLET. – Comment Miss Mein explique-t-elle l'admiration de Gide pour Browning, telle qu'elle s'exprime, par exemple, dans cette lettre à Jacques-Emile Blanche où il demande à son ami quand il se décidera à comprendre qu'après Shakespeare Browning est bien le plus grand écrivain anglais ?

MARGARET MEIN. – Il est certain que Browning appartient – avec Blake et avec Nietzsche – à ce qu'on peut appeler la constellation gidienne. Gide ne pouvait être insensible à une certaine violence de sentiment et presque de passion, à laquelle n'échappe peut-être aucun lecteur. Sur plusieurs points cependant, notamment en matière religieuse, Gide était bien loin de Browning. Au lieu de voir dans le mal du bien en puissance, il concevait plutôt le bien comme du mal en puissance.

G. W. IRELAND. – Une autre raison de l'admiration de Gide pour Browning est sans doute qu'il trouvait préfiguré chez lui une sorte de monologue drama-tique dont il a lui-même beaucoup usé. Gide donne pour ainsi dire délégation à un héros qui se substitue à lui pour s'engager dans des aventures où il craindrait lui-même de se risquer, ce qui permet à ce héros de vivre des expériences plus fortes et plus déraisonnables que celles de l'auteur. On trouve bien quelque chose d'analogue chez Browning, qui confie ses expériences dangereuses à des personnages imaginaires et s'enrichit lui-même de leurs aventures.

GEORGES-PAUL COLLET. – Il faut ajouter, je crois, au bel exposé de Miss Mein l'importance de Gide comme introducteur en France de la littérature anglaise, qui était, de son temps, plus encore qu'aujourd'hui, si mal connue chez nous. C'est là un de ses mérites essentiels et qu'il est bon de souligner.

DOMINIQUE PONNEAU. – M. Pollard a insisté à bon droit sur l'influence des *Géorgiques* sur l'œuvre de Gide. Peut-on penser que Gide ait été insensible à l'incomparable grandeur épique de *l'Enéide* ?

PATRICK POLLARD. – J'ai moi-même souligné que, dans la dernière partie de sa vie, il avait beaucoup fréquenté l'œuvre entière de Virgile. Mais, du point des influences littéraires, les *Bucoliques* ont joué un rôle beaucoup plus manifeste.

ANDRÉ BERNE-JOFFROY. – Dans ses dernières années, il n'est pas douteux qu'il a fréquenté *l'Enéide* de façon très assidue.

PATRICK POLLARD. – Mais pour son plaisir, pour son enrichissement personnel, non comme source d'inspiration littéraire.

G. W. IRELAND. – J'ai été très ému d'entendre dire par M. Honarmandi que Gide l'avait conduit à lire certains auteurs persans. Je pense que la découverte par Gide des *Memoirs of a Justified Sinner* de Hogg aura également révélé à beaucoup d'écossais une grande œuvre de leur pays dont ils ignoraient l'existence.

HASSAN HONARMANDI. – Je n'ai pas dit que Gide m'avait fait découvrir la littérature persane, qu'il ne connaissait que partiellement et à travers des traductions, mais simplement – et c'est déjà beaucoup – qu'il m'a permis de la mieux apprécier.

KLARA FASSBINDER. – M. Ireland a souligné à bon droit les raisons qu'avait Gide d'aimer Goethe. Je pense que ce qu'il appréciait surtout chez lui, c'était sa sérénité, cette sorte de «Heiterkeit», de paix intérieure obtenue après de longs débats intérieurs? Gide n'aspirait-il pas, lui aussi, à une telle sérénité?

REINHARD KUHN. – A mon sens, Gide appréciait surtout chez Goethe, à la fois et inséparablement, la sagesse et l'effort de dépassement, un dépassement qui est tout autre chose que la sérénité.

KLARA FASSBINDER. – La sagesse est le fruit du dépassement, l'œuvre de toute une vie.

GEORGES-PAUL COLLET. – N'oublions pas non plus que Goethe fut un homme de science. Et Gide écrit précisément à J. E. Blanche que Goethe et Pascal ont le mérite d'avoir fécondé leur œuvre littéraire par une œuvre scientifique, car la littérature est incapable de se féconder elle-même.

Mais, si vous me permettez de revenir à l'exposé de Miss Mein, j'aimerais signaler – d'après un article du *Mercure de France* paru en février 1960 – que Joyce appréciait beaucoup plus *la Symphonie pastorale* que les *Faux-Monnayeurs*. D'après l'auteur de cet article, la raison en est qu'à la différence de Joyce, c'est par la limpidité, non par l'obscurité, que Gide déroute son lecteur.

JEAN MOUTON. – Cette remarque rejoint ce que M. Kuhn nous a dit de Gide et de Kafka. En adaptant le *Procès*, Gide a réduit le côté absurde et vertigineux. En parlant du regard de Gide, nous avions noté, je crois, sa crainte des grandes lignes fuyantes. Rien de surprenant s'il a cherché à rendre l'expérience kafkaïenne par des procédés plastiques qui n'étaient pas du tout ceux du romancier tchèque.

CLAUDE MARTIN. – J'aimerais interroger M. Honarmandi sur l'influence des *Mille et une nuits* dans l'œuvre de Gide. Aux yeux d'un lecteur iranien, le symbolisme du *Voyage d'Urien* ne dénature-t-il pas l'atmosphère originale des contes orientaux?

HASSAN HONARMANDI. – Une certaine déformation est inévitable, mais je crois que Gide a très exactement saisi la sensualité réelle de la poésie persane, cette saisie de l'instant savoureux comme tel.

L'influence des *Mille et une nuits* est surtout sensible dans *le Voyage d'Urien*. Il est exact qu'André Gide, dans ce livre, n'arrive pas à nous donner l'impression d'un *Orient* réel. Il est certain que la lecture de toutes sortes de récits de voyage a agi sur l'esprit d'André Gide et il est possible de souligner dans *le Voyage d'Urien* toute une mythologie, tout un folklore commun à l'humanité entière.

Cependant cet Orient postiche et livresque offre des notations exactes. Le récit de la captivité et de la libération d'Urien a beaucoup d'affinité avec le récit de Sinbad. Dans l'ensemble du livre, la fantaisie se mêle à la réalité mais n'altère pas la vérité essentielle et *le Voyage d'Urien* restera une adaptation occidentale d'un conte oriental.

JEAN CHARAIRE. – Le problème du créateur est justement d'user des œuvres d'autrui comme d'autant de catalyseurs. Il est sûr, comme on l'a dit ici-même, que Gide «butinait» dans les littératures étrangères. Mais enfin, il a fait son miel, et il l'a bien fait. Je crois que nous sommes tous d'accord et que nous n'avons pas ici à lui faire subir une sorte d'examen.

DOMINIQUE PONNEAU. – Assurément, le point de vue de créateur n'est pas celui de l'universitaire. Mais, quand il s'agit de Gide, il n'est pas tout à fait inconvenant de le soumettre à la question. Il s'est lui-même posé comme héritier de la sagesse et de la culture antiques. On est en droit de se demander si cette prétention est soutenable. En particulier, lorsqu'il s'est agi pour lui de justifier à tout prix son homosexualité, il est clair qu'il a cherché des autorités chez Virgile et chez les Alexandrins, mais au détriment de la véritable Grèce, la Grèce chaleureuse, vivante et épanouie de la grande époque classique. Il semble que son anomalie sexuelle ait singulièrement limité et déformé son regard sur la Grèce, comme elle a limité, me semble-t-il, sa puissance créatrice elle-même.

LE JOURNAL DANS L'ŒUVRE DE GIDE

Je n'ai pas connu André Gide. Je ne l'ai pas approché personnellement, et je n'ai assisté à aucune des manifestations publiques où il m'aurait été facile de l'apercevoir, ne fût-ce que de loin, dans les années qui ont précédé la guerre.

Je mentionne ce fait pour plusieurs raisons. Ayant à parler de son *Journal,* il me faut essayer de pénétrer dans son intimité, au moins dans la partie de son intimité qu'il lui a plu de révéler, ou qu'il a lui-même connue. Je le ferai donc uniquement d'après ses écrits et d'après des témoignages sur lui, publiés par d'autres. Et si, chemin faisant, j'émettais un avis ou un jugement susceptibles de surprendre ou de choquer quelqu'un de son entourage ou de ses proches, je tiens à m'en excuser dès l'abord.

La rencontre physique d'un être, ses gestes familiers, le timbre de sa voix, renseignent sur lui de manière immédiate, et sont susceptibles de corriger des impressions trompeuses, nées de la distance ou de propos répétés par autrui. Si donc j'avais un tant soit peu approché Gide, l'image que je me fais de sa personne ou de son œuvre, pourrait se trouver, sinon changée de manière radicale, du moins modifiée sur plusieurs points.

Enfin, j'appartiens à une génération, grandie entre les deux guerres, dont la formation a fortement subi l'empreinte de Gide, qu'elle l'ait voulue et acceptée, ou au contraire rejetée. Son œuvre et sa personnalité éveillent en moi comme en ceux de mon âge des souvenirs et des sentiments personnels, et mon propos peut manquer du détachement et de l'objectivité désirables.

Mais n'est-ce pas Gide lui-même qui me souffle ces précautions oratoires? Ayant à l'occasion de cet exposé repris ses livres, n'y trouvé-je pas entre toutes les lignes une indication subtile et comme une première leçon: la vérité vers laquelle chacun s'efforce, dans quelque domaine que ce soit, n'est-elle pas enclose dans les particularités de sa nature ou de son histoire? Il n'est pas possible de s'en abstraire. La vérité, dans ce qu'elle a de commun à tous, ne peut être perçue hors du subjectif, qui tout ensemble la dérobe et la révèle. Il n'y a de vérité que du particulier. C'est donc l'être individuel qu'il importe de scruter dans ses replis les plus cachés, pour découvrir jusque dans ses dissemblances un aspect de la loi générale qui l'explique en le spécifiant. C'est à quoi Gide s'est employé sur soi-même se vie durant, n'oubliant jamais, à aucun moment, de se considérer avec une curiosité de naturaliste, tôt éveillée en lui. Telle est la fonction première du journal dans sa vie, et la raison de la place occupée par le journal dans son œuvre.

Un livre entier ne suffirait pas à expliciter et à préciser ce rôle du journal, tant il est important et essentiel. On ne peut prétendre embrasser en quelques instants l'ensemble du sujet, et je me bornerai à indiquer, s'il est possible, quelques directions où une telle étude pourrait s'engager, ou encore à fixer quelques points de vue. Les preuves seraient à chercher dans d'innombrables citations et dans des rapprochements et recoupements de toutes sortes. Faute d'un tel appareil critique, les aperçus présentés pourront peut-être, en dépit de leur imprécision et de leur imperfection, ouvrir la voie à une discussion très ouverte.

Abordons d'abord notre recherche par l'extérieur.

Toute sa vie, Gide a tenu un *Journal*. Très tôt il en a fait paraître des fragments. Plus tard il l'a publié lui-même, sous forme intégrale et définitive.

Ce *Journal* s'étend sur soixante années, de 1889 à 1949, c'est-à-dire de la vingtième à la quatre-vingtième année.

Encore convient-il d'ajouter aux dix-sept cents pages environ de l'édition de la Pléiade, plusieurs livres qui rétablissent la continuité dans cette masse déjà imposante: le *Voyage au Congo* et le *Retour du Tchad*, 1925-1926, plus tard *les Carnets d'Egypte*, 1939.

Deux autres livres de la vieillesse appartiennent de droit au *Journal*: *Ainsi soit-il ou les Jeux sont faits*, écrit «au hasard» de la plume et qui s'achève le 13 février 1951, six jours avant la mort; et *Et nunc manet in te*, souvenirs écrits par Gide après la mort de sa femme, et où il donne quelques passages supprimés dans l'édition de 1939 de son *Journal*, soucieux de ne rien laisser d'inédit à la discrétion d'éditeurs posthumes.

D'autre part, l'emploi du *Journal* comme procédé littéraire est systématique dans son œuvre, des *Cahiers d'André Walter*, où passent directement d'après son témoignage des fragments de son propre Journal, à *la Porte étroite* ou au roman *les Faux-Monnayeurs*, pour ne prendre que quelques exemples parmi les plus marquants.

Dans *les Faux-Monnayeurs*, le romancier lui-même est en scène, soit que la relation des événements provienne de son Journal, soit qu'il y réfléchisse lui-même sur les événements en train de se produire, ou sur les conditions même du roman qu'il veut écrire. Il s'en explique lui-même :

«(...) Sur un carnet, je note au jour le jour l'état de ce roman dans mon esprit; oui, c'est une sorte de journal que je tiens, comme on ferait celui d'un enfant (...). Songez à l'intérêt qu'aurait pour nous un semblable carnet tenu par Dickens ou Balzac; si nous avions le journal de *l'Education sentimentale*, ou des *Frères Karamazof*! l'histoire de l'œuvre, de sa gestation! Mais ce serait passionnant... plus intéressant que l'œuvre elle-même...» (2e partie, chp. III).

Gide se rend compte de ce qu'a d'excessif cette dernière affirmation, et il la place dans la bouche de son double, et l'énonce au conditionnel. A propos de Flaubert, il y aurait beaucoup à dire, mais on ne conçoit guère Dickens, Balzac ou Dostoïevsky rédigeant un pareil carnet. La force créatrice est chez eux comme une coulée de lave, un flot que rien ne peut arrêter, pas même la réflexion sur sa création de l'esprit qui crée. Ils connaissent eux aussi des difficultés, ils ont à lutter, mais un entraînement plus fort que toute critique leur permet seul de creuser le lit profond de leur œuvre. Gide, lui, comme beaucoup de nos contemporains, est passionné par le «contact sous-cutané avec l'écrivain», comme il a dit un jour[1]; il s'interroge sur les conditions de l'œuvre d'art, et sur les mécanismes intellectuels ou affectifs qui la rendent possible. Passant de la théorie à l'acte, il publie, à côté de son livre, le *Journal des Faux-Monnayeurs*, c'est-à-dire des réflexions relatives au roman qu'il élabore, avec l'indication de la date.

L'œuvre entière de Gide offre un commentaire psychologique et moral sur la création artistique et pivote autour du *Journal*. Sans son journal et sans le procédé littéraire du journal, son œuvre et le développement même de sa pensée seraient inconcevables.

Or, le *Journal* proprement dit n'est pas un journal intime, au sens où les journaux de Biran, de Constant ou d'Amiel, et de bien d'autres écrivains du 19ème siècle sont intimes, quelles qu'aient pu être les arrière-pensées de publication de ces auteurs. Gide ne s'y est pas trompé, et il n'a garde de le nommer autrement que «journal» lorsqu'il le publie. On pourrait d'autre part alléguer maints passages où il déclare lui-même que l'habitude qu'il a prise de le publier lui retire tout caractère de «confident intime».

La publication retire-t-elle *ipso facto* à un texte son «intimité»? C'est une importante et délicate question dont la discussion entraînerait trop loin. Mais le *Journal* de Gide n'a pas certains traits constitutifs d'un journal intime. Il suffit pour s'en convaincre de regarder comment il est fait.

Sauf pendant des voyages, destinés à former la trame d'un récit continu, le *Journal* est rarement quotidien. L'intervalle entre notations successives est le plus souvent de plusieurs jours. Il s'y rencontre souvent à toutes les périodes des blancs de plusieurs semaines, d'un mois ou de plusieurs mois, et un relevé des jours pleins et des jours vides ne manquerait pas d'être instructif. L'auteur avertit lui-même à tout moment que le journal est une discipline qu'il s'impose, qu'il y revient quand aucun autre travail ne le requiert tout entier, ou bien encore pour y verser des pensées qui ne trouveraient pas place ailleurs.

Il dispose de différents carnets, et il n'écrit pas indifféremment ses réflexions dans l'un ou l'autre. Les notations qui feront l'objet de la plaquette *Numquid et tu* sont tirées d'un carnet spécial, un carnet vert.

Une collation des manuscrits, s'ils subsistent, des dactylographies et des publications successives, devra être entreprise un jour. Il sera intéressant de relever les variantes, sur lesquelles M. Rambaud a déjà attiré l'attention[2], et que Gide lui-même n'a pas cachées. Je voudrais m'arrêter un instant sur un exemple.

Il s'agit des passages, écrit Gide, «ayant trait à Madeleine, qui ne figurent pas dans le volume de la Pléiade». Et en note: «Seuls les passages en italiques ont paru, parfois un peu modifiés, dans mon *Journal* (1889–1939).» Suivent vingt lignes datées du 15 septembre 1916, où l'on peut, en comparant avec le texte antérieur apprécier la nature des modifications.

Gide vient de déchirer, après les avoir fait lire à Madeleine, les dernières pages d'un carnet, reflétant «une crise terrible où elle s'était trouvée mêlée, ou, plus exactement dont elle était l'objet.» Et il ajoute:

Première version:

«Et sans doute m'en a-t-elle su gré, mais pourtant je regrette ces pages; non point tant parce que je ne crois pas en avoir écrit jamais de pareilles, ni parce qu'elles eussent pu m'aider à sortir d'un état maladif dont elles étaient le sincère reflet et dans lequel je n'ai que trop tendance à retomber; mais parce que cette suppression a du coup arrêté mon journal et que, privé de ce soutien, j'ai roulé depuis dans un désordre d'esprit épouvantable. J'ai fait de vains efforts dans l'autre carnet, je l'abandonne à moitié plein. Dans celui-ci au moins, je ne sentirai plus la déchirure».

Deuxième version:

«Et sans doute *elle m'en sut gré*; mais *tout de même*, à *parler franc*, je regrette ces pages, non point *seulement parce que je n'en avais jamais écrit de si pathétiques*, ni parce qu'elles eussent pu m'aider à sortir d'un état maladif dont elles étaient le sincère reflet, *état* dans lequel je n'ai que trop tendance à retomber – *je regrette de les avoir déchirées aussi* parce que cette suppression a du coup arrêté mon journal et que, privé de ce soutien, j'ai roulé depuis dans un désordre d'esprit *très pénible*. J'ai fait de vains efforts dans l'autre carnet. Je l'abandonne à moitié plein. Dans celui-ci *du* moins je ne sentirai plus la déchirure.»

5. *Pontigny 1926. Départ d'André Gide (décade «Un nouvel humanisme est-il possible?»)*

6. *Pontigny 1929. François Mauriac et André Gide*

Les modifications sont légères, mais qui ne saisit ici sur le vif le travail de l'écrivain, reprenant un texte et l'améliorant en le recopiant? La première phrase était longue, et il s'efforce à l'alléger en la coupant et sans craindre une redite; mais il remplace des pages «pareilles» par des pages «si pathétiques», qui ne rend pas le même son, ou un «désordre d'esprit épouvantable», qui est plat, par «très pénible», beaucoup plus précis et fort. Enfin, dans la dernière phrase le remplacement de «au moins» par «du moins», supprime un hiatus et ajoute une nuance.

Ce texte renseigne donc sur la manière de faire de Gide à propos de son journal, mais il introduit une question importante. Voilà donc la relation d'une «crise terrible», dont nous ne connaîtrons ni la nature exacte ni les raisons. Les motifs de la suppression sont légitimes puisque le texte mettait en cause une autre personne, mais les sentiments dont l'auteur veut garder malgré tout la trace ne sont-ils pas légèrement modifiés par le travail ultérieur de rédaction? En réalité, tout le problème de l'expression se trouve ainsi posé, sinon celui de l'art même. Exprimer un sentiment n'est-il pas déjà le modifier; travailler l'expression n'est-il pas le modifier à nouveau? Mais s'il s'agit de rendre ses propres sentiments, seuls comptent l'exactitude dans la peinture, et l'effet produit, l'écho suscité dans la conscience du lecteur. La question de la sincérité, fondamentale à propos de Gide, et sur laquelle nous reviendrons, se trouve d'emblée vidée de tout contenu.

Une autre fois, beaucoup plus tard, en 1948, Gide avertit le lecteur qu'il veut verser dans son *Journal* quelques pages qu'il vient de relire avec dégoût, mais non sans les avoir «remaniées» (T. II p. 316).

Un dernier exemple, assez curieux. Le recueil des *Lettres de Charles Du Bos et Réponses d'André Gide*, paru en 1950, contient, sur la demande de Gide, «un feuillet de Journal par lui oublié et non publié». Pour le contenu de ce feuillet, daté de Pontigny en 1928, nous renvoyons au livre.[3] Mais n'y a-t-il pas là un étrange oubli, et encore un plus étrange repentir, saisi presque in extremis, lorsqu'une occasion se présente, à propos d'une querelle qui lui a tenu à cœur?

Mais, s'il n'a peut-être pas publié tout ce qu'il a conservé, Gide, à maintes reprises, ne verse pas au *Journal* bien des pages, qu'il ne cherche pas à remanier, mais qu'il détruit. Par exemple, 5 mars 1916: «Après-midi, achevé de ranger mes papiers, c'est-à-dire de classer par séries les pages d'anciens carnets qui me paraissent valoir d'être conservées, et déchirer tout le reste. J'ai déchiré, déchiré, déchiré, comme la veille je coupais et arrachais le bois mort des espaliers. Comme il y en avait!» Et il ajoute quelques lignes plus loin: «Plus rien de moi ne me plaît que ce que j'obtiens au prix du plus modeste, du plus patient effort».

Ce qui donc est écrit au courant de la plume, tel un jaillissement du cœur, spontané et sans détour, comme c'est le propre d'un journal intime, est ce qui déplaît à Gide quand il le relit, et dont il «prend honte». A tout le moins, son journal, par suite de toutes ces destructions, pèche-t-il par omission. Il a livré au public beaucoup de lui, mais il n'a pas tout livré. Ou plutôt il n'a donné de lui qu'une image amputée, voulue et construite. Non pas dans son abondance naturelle ou sa nudité, mais pour reprendre son image, émondée de tous les rameaux qui ne lui paraissent pas dignes de porter des fruits. Mais en même temps, pour porter à son actif ce que certains lui reprocheraient, tendu vers la plus haute idée de lui, répondant à l'appel d'une «secrète exigence».

Ainsi, et même si nous n'en étions pas avertis par l'auteur lui-même, il ne fait pas de doute que le *Journal* de Gide est un journal habillé, travaillé, arrangé. Une seule note pour 1889, la première année du texte publié, et qui retentit comme l'ouverture d'une symphonie. C'est le récit d'une visite à Pierre Louÿs, dans une mansarde de la rue Monsieur-le-Prince, d'où l'on domine les toits. «Et à ses pieds, devant sa table, Paris. Et s'enfermer là avec le rêve de son œuvre, et n'en sortir qu'avec elle achevée. Ce cri de Rastignac qui domine la ville, des hauteurs du Père Lachaise: «Et maintenant - à nous deux!» Un journal intime ne s'ouvre pas ainsi. Mais ce cri qui répond au «j'ai besoin d'être quelqu'un» du journal de Pierre Louÿs (21 avril 1888), c'est l'appel de la gloire, et l'espoir qu'à force de volonté, l'œuvre viendra, qui obtiendra la gloire.

Ces quelques mots ne seront publiés que plus tard, mais ils seront choisis dans une masse d'autres réflexions détruites. Très tôt Gide sait qu'il n'écrira pas un journal intime:

«8 octobre 1891. Des blancs de plus d'un mois. Parler de moi m'ennuie (...) Il n'y a plus en moi de drame; il n'y a plus que des idées remuées. Je n'ai plus besoin de m'écrire.

«3 juin 1893. Inutile d'écrire son journal chaque jour (...) le travail d'une simplification nécessaire faisait alors [mes émotions] moins sincères, c'était déjà une mise au point littéraire; quelque chose que ne doit point être le journal».

«août 1893 (...) Le désir de bien écrire ces pages de journal leur ôte tout mérite même de sincérité. Elles ne signifient plus rien, n'étant jamais assez bien écrites pour avoir un mérite littéraire; enfin toutes escomptant une gloire, une célébrité future qui leur donnera de l'intérêt. Cela est profondément méprisable (...) Peu s'en fallait que je ne déchirasse tout cela; du moins en ai-je supprimé bien des pages». Et en note à ce passage:

«Depuis, j'ai brûlé presque complètement ce premier journal (1902)», et les sept premières années, 1889-1895, ne comptent pas cinquante pages dans le livre publié.

En outre, Gide n'avait pas attendu 1889, et d'avoir vingt ans, pour tenir un journal. Nous renvoyons ici au très important ouvrage de M. Delay sur *la*

Jeunesse d'André Gide.[4] C'est en réalité vers sa quinzième année qu'il commence à tenir son journal intime, au sortir de la lecture d'Amiel, qui «faisait fureur», dira-t-il dans *Si le grain ne meurt* : «Il serait absurde, écrit M. Delay, de prétendre que sans cette rencontre il n'eût pas tenu un journal, car il était voué, tant par sa complexion que par ses complexes, à ce genre littéraire, voire à ce que Paul Bourget, précisément à propos d'Amiel, appela la maladie du journal intime. Mais il est vraisemblable que la lecture du Narcisse genevois lui a fait devancer l'appel». Gide n'a pas voulu reconnaître cette influence, et il procède à ce sujet comme en d'autres par demi-confidence, puisqu'il a fait état dans ses souvenirs de la lecture d'Amiel. Mais dans son premier livre, surchauffé de littérature, où sont évoqués cent auteurs les plus divers, «il est un nom que l'on chercherait vainement (...), où pourtant tant de phrases l'évoquent, c'est celui d'Amiel», note M. Delay, qui essaie «de préciser le lien entre la condition narcissique et celle d'écrivain intimiste.»

Le moment où Gide parvient à l'adolescence est justement celui où paraissent en force les journaux posthumes de nombreux écrivains du XIXe siècle, où le public se montre avide de ces révélations, et où les fragments du *Journal* d'Amiel valent d'emblée la gloire à son auteur. Sans insister ici sur ce sujet, il importe de saisir à quel point Gide trouve la forme du journal tout instituée, à cette époque de sa vie, où l'être, encore indistinct, est le plus malléable et ouvert aux influences du dehors. Il n'est pas impossible que le jeune Gide, dans son avidité d'être, ait fait tout inconsciemment le calcul suivant: à défaut d'une œuvre dont il rêve, il aura toujours son journal intime pour témoigner de la force et de l'originalité qu'il sent en lui, et pour être reconnu des autres au prix qu'il vaut. Mais ce journal intime, il le détruira plus tard, quand l'œuvre sera venue, pour ne garder que quelques notes, améliorées peut-être dans leur forme, comme autant de repères sur la trajectoire d'une vie désormais tout droite. Ainsi, de janvier 1890: «Mon orgueil sans cesse s'irrite de mille infinis froissements. Je souffre ridiculement que déjà tous ne sachent pas ce que plus tard j'espère être, je serai; qu'à mon regard on ne pressente pas l'œuvre à venir». Ou encore du 18 mars 1890: «O ces journées longues de lutte avec l'œuvre! Leur vision me poursuit toujours et me gâte le travail présent».

Il n'y a pas à se demander ce que put être le véritable journal intime de Gide, mais à considérer qu'il lui fut sans doute une méthode pour se libérer dans une certaine mesure de ses complexes, en prenant par rapport à eux une distance, qui était la condition de son œuvre. Mais, préoccupé de soi plus que quiconque, et soucieux de poser à ses propres yeux et à ceux des autres l'image qu'il cherchait à se faire de soi, Gide, pour ne pas être accusé d'avoir rien voilé, et comme pour combler le trou de ses journaux déchirés ou brûlés, rédigera ses souvenirs d'enfance et d'adolescence. Sa vie tout entière, de la naissance à la mort, sera donc exposée à ses regards comme aux regards d'autrui. Le cercle est clos qui englobe *Si le grain ne meurt* et *Ainsi soit-il ou les Jeux sont faits*, et a pour centre d'où tout part et où tout revient le journal publié, c'est-à-dire en tous les points de la circonférence une réflexion sur l'homme et sur le moi. Rédigeant ses souvenirs, Gide obéit à une tendance inscrite d'ailleurs au cœur de tous les écrivains intimistes, selon laquelle le passé exerce une attirance dominante, et où le présent de l'écriture quotidienne est déjà remémoration et effort de reconstruction d'un passé où l'individu cherche à obtenir de lui-même une identité qui le fuit. Pour n'être plus intime, le *Journal* de Gide, ou le journal des contemporains qui recourent à ce mode d'expression, n'en gardent pas moins des traits communs avec les journaux intimes antérieurs, dont ils sont une modalité nouvelle.

Non intime, le *Journal* de Gide l'est encore à un autre titre, plus profond. On y trouve essentiellement, en un dosage variable selon les époques de sa vie, des descriptions de nature, des impressions de voyage, des indications sur sa santé, des notes de lecture, quelques rencontres avec des amis et des jugements sur eux, des notes sur la littérature et l'art, des réflexions psychologiques ou morales, ça et là des indications sur les événements sociaux, le degré d'avancement de ses livres, et surtout l'état successif de ses sentiments et de sa pensée sur les problèmes philosophiques et religieux.

Sans doute y a-t-il là une part non négligeable de l'aspect le plus personnel d'une vie, mais il s'agit de l'aspect que chacun livre le plus couramment à autrui. Mais sur la part proprement privée, celle qui d'ordinaire ne se confie pas, les expériences amoureuses par exemple, dont on sait l'importance qu'elles eurent pour Gide, on chercherait en vain une trace dans le *Journal*, sauf peut-être dans les dernières années, quand l'œuvre est achevée, et surtout lorsque tout a déjà été jeté sur la place publique, et qu'il n'y a plus rien d'essentiel à révéler.

Ce que Gide avait à dire en ce domaine, certes il l'a dit, non pas en confidence à son journal, mais dans son œuvre. Sa particularité sexuelle, il l'a proclamée dans la défense et illustration que représente *Corydon*, et dans la deuxième partie de *Si le grain ne meurt*; ses sentiments les plus subtils à cet égard, il les a exprimés dans *les Faux-Monnayeurs*, par la bouche d'Edouard en présence d'Olivier. Il lui fallait le manteau, sinon le travestissement de l'art, pour exprimer le plus intime de lui-même.

Je ne sais si l'homosexualité, comme il le prétend, est normale, mais on peut se demander si la découverte qu'il fit des penchants où l'inclinaient ses goûts n'allait pas tellement dans son sens qu'il l'accueillit comme un signe. Normale ou non, elle le faisait différent, et c'était un avantage appréciable. On se souvient du cri de l'enfant dans les bras de sa mère : «je ne suis pas pareil aux autres ! je ne suis pas pareil aux autres !» Il est possible, et il dut souffrir durement de ce sentiment, mais n'a-t-il pas plus tard édifié toute sa conscience de soi sur l'orgueil de cette différence ?

La part du mensonge dans sa vie ne fut-elle pas extraordinaire ?

Il note le 1er juin 1917, du moins lisons-nous dans *Et nunc manet in te* à la date du 1er juin 1917 :

«Il m'est odieux d'avoir à me cacher d'elle. Mais qu'y faire ? ... Sa désapprobation m'est intolérable, et je ne puis lui demander d'approuver ce que je sens que pourtant je dois faire.

«J'ai l'indiscrétion en horreur» m'a-t-elle dit. – Et moi, le mensonge plus en horreur encore. C'est pour pouvoir enfin parler un jour, que je me suis contraint toute ma vie».

Mais par suite des données mêmes de la situation où très tôt il vécut, par son mariage, par son angélisme et par son égoïsme comme par ses mœurs, ne s'était-il pas condamné lui-même au mensonge et à la dissimulation ? Sans doute lui fallut-il un courage indéniable pour rompre en visière avec les interdits de la société, mais ce n'est qu'auprès d'une seule personne que l'aveu dut lui coûter, et encore ne le fit-il auprès d'elle que d'une manière oblique. La contrainte où il ne dut cesser de vivre des années durant a sans doute été la condition de son art. S'il se délivra jamais du sentiment et du goût du péché, ce ne fut sans doute que tard et après la mort de sa femme. On saisit la place dans sa vie et dans son œuvre de ce qu'il nomme Dieu et de ce qu'il nomme le diable : deux postulations qui le tiraient simultanément en sens contraire, et dont il refusait à sacrifier l'une ni l'autre.

Mais il vivait en art comme on vit en religion et c'est là sa marque authentique, sa vérité première et dernière. La vie ne lui paraît donnée que pour alimenter son œuvre. Les expériences de sa vie nourrissent son œuvre. Toute construction esthétique est toujours plus ou moins autobiographique. Mais, chez Gide, l'œuvre se confond avec la vie ou la vie avec l'œuvre, et ne peuvent en aucune manière être séparées. Il était impropre à la création ou son imagination ne pouvait s'exercer qu'à partir de ses expériences, réfractées dans sa conscience.

Rien de spontané ou de naturel chez lui, dans son style ni dans sa vie. Rien qui ne soit concerté, chez ce théoricien de l'acte gratuit. Ou bien tout acte est gratuit dans la mesure où il n'importe pas en lui-même, mais seulement dans le spectacle qu'il offre à l'esprit, dans l'occasion qu'il présente de réfléchir sur ses conséquences imprévisibles. Toute démarche est acceptée en vue de sa transposition esthétique, de l'effet qu'elle peut atteindre, en vue du mot et de la phrase.

Roger Martin du Gard a noté à son sujet:

«Ce poète, cet indépendant, ce sensuel: le contraire d'un flâneur. Pas une minute de sa journée, pas un moment de ses insomnies, où la pensée soit en vacance, où le cerveau cesse de produire de la matière à livres... *Homme de lettres*, du matin au soir. Même dans le plaisir, même dans l'amour... La plus fugitive impression est aussitôt captée, traduite en style gidien, condensée en une formule marquée de son sceau, prête à *servir*. Le seul but de sa vie: l'enrichissement de l'œuvre; (ou de l'homme, mais de l'homme *pour* l'œuvre). Il paraît s'enivrer de joies «gratuites», se gorger du suc des fleurs. Regardez mieux; il ne butine jamais sans rapporter du miel à sa ruche.»[5]

Peu de jugements sur Gide vont aussi loin que ces remarques de Martin du Gard. «Produire de la matière à livres», voilà bien l'objectif qui sans cesse se présente à son esprit. Son œuvre est le reflet de cette tension. Elle n'a jamais cédé à l'entraînement, à l'inspiration. Il avait le génie aussi peu créateur que possible. C'est dans le *Journal*, écrit ou non, déchiré, recopié ou publié, qu'il emmagasinait cette «matière à livres» que fut pour lui la vie. En vérité, comme un de ses premiers personnages, il n'a jamais cessé «d'écrire *Paludes*», implorant de la vie et des autres qu'ils lui révèlent le sens caché de son résistance de son besoin d'évasion.

Telle est sans doute la raison profonde, par delà tout autre motif, pour laquelle la question de la sincérité s'est posée à lui avec tant d'insistance: si tout sentiment ou toute pensée se transforment en expression, ils n'existent plus à la limite que dans la transcription même, et il devient en quelque sorte impossible de discerner la réalité. Il y a lieu de se demander si, par un effet de choc en retour, les mots ne créent pas les sentiments et les pensées qu'ils veulent exprimer.

Quelques mots reviennent toujours chez un écrivain, sous la richesse de son vocabulaire, échappent en quelque sorte à son contrôle ou résument son expérience la plus constante, et définissent sa conscience de la vie et de soi. Retenons en trois, parmi quelques autres, dans le cas de Gide. Ils se retrouvent dans le *Journal*, à toutes les époques, et leur fréquence n'est pas fortuite: *ferveur, retombement*, il écrit même parfois «retombement de ferveur», et enfin *contention* ou *contention d'esprit*. Les deux premiers vocables expriment les deux temps de l'alternance, à laquelle sont sensibles tous les écrivains intimistes, le troisième manifeste l'état très pénible de l'âme – «l'âme», encore un mot gidien, au moins dans la jeunesse, et sur lequel on pourrait insister – lorsque la pulsation de la vie semble tout à coup s'arrêter, pour faire place à une véritable mort. Il n'est pas trop alors d'un effort extrême, et qui paraît vain, pour sortir de ce désert et de cette solitude, et retrouver l'élan qui permet de s'oublier.

Ces trois mots s'inscrivent naturellement dans le registre religieux, et la contention correspond à ce que les mystiques appelaient l'*acedia*. Mais chez Gide la ferveur exprime une sorte d'état lyrique, où la prière ne réalise pas la sortie de soi, parce qu'elle ne s'adresse à nulle autre personne qu'à soi, et où les valeurs poétiques prennent d'emblée le pas sur les valeurs religieuses. La prière n'est pas offrande mais incantation. Le retombement, c'est le retour à la condition habituelle, le poids de la matière sur l'esprit, la rentrée dans le corps, ou en langage gidien, dans la chair, avide d'autres nourritures.

L'écriture, pour Gide, puis l'œuvre d'art, sont d'abord une méthode pour echapper au dédoublement, et pour recréer la ferveur et tenter de s'établir en élle.

La vie ainsi confondue avec l'expression de la vie, Gide se tourne alors ver. l'œuvre pour lui demander d'alimenter sa vie, et de le révéler à lui-même, Il est impossible de se connaître, mais on peut agir pour se faire. De cette vérité, Gide a toujours été très conscient. On lit dans le *Journal*, dès les premières pages. en 1893:

«J'ai voulu indiquer, dans cette *Tentative amoureuse*, l'influence du livre sur celui qui l'écrit, et pendant cette écriture même. Car en sortant de nous, il nous change, il modifie la marche de notre vie (...) Nos actes ont sur nous une rétro-action (...) Nulle action sur une chose, sans rétroaction de cette chose sur le sujet agissant. C'est cette réciprocité que j'ai voulu indiquer; non plus dans les rapports avec les autres, mais avec soi-même. Le sujet agissant c'est soi, la chose rétroagissante, c'est un sujet qu'on imagine. C'est donc une méthode d'action sur soi-même, indirecte, que j'ai donnée là. (...) Cette rétroaction du sujet sur lui-même, m'a toujours tenté. C'est le roman psychologique typique.»

Ces remarques, où le jeune André Gide définit le sens de son œuvre à venir, annoncent déjà *les Faux-Monnayeurs*, écrits vingt-cinq ans plus tard, parus en 1925, et qui offrent le «roman psychologique typique». Mais elles livrent aussi la signification profonde du *Journal* dans sa vie et de l'emploi, comme mode de présentation, du *Journal* dans son œuvre.

Dans le même passage de 1893, ne précise-t-il pas:

«J'aime assez qu'en une œuvre d'art, on retrouve ainsi transposé, 1 l'échelle des personnages, le sujet même de cette œuvre (...). Ainsi, dans tels tableaux de Memling ou de Quentin Metzys, un petit miroir convexe et sombre reflète. à son tour, l'intérieur de la pièce, où se joue la scène peinte (,,,) Ce qui dirait mieux ce que j'ai voulu dans mes *Cahiers*, dans mon *Narcisse* et dans *la Tentative*, c'est la comparaison avec ce procédé du blason qui consiste. dans le premier. à en mettre un second «en abyme».

Ecoutons plus tard Edouard, Edouard-Gide, dans *les Faux-Monnayeurs*:

«Ce journal s'arrêtait à mon départ pour l'Angleterre. Là-bas, j'ai tout noté sur un autre carnet; que je laisse, à présent que je suis de retour en France. Le nouveau, sur qui j'écris ceci, ne quittera pas de sitôt ma poche. C'est le miroir qu'avec moi je promène. Rien de ce qui m'advient ne prend pour moi d'existence réelle, tant que je ne l'y vois pas reflété.»

Les Faux-Monnayeurs, le livre le plus important de Gide, en même temps que le plus classique, par la forme et par l'écriture.

Une édition critique pourrait s'attacher à démêler ses éléments autobiographiques. Aucun personnage, aucune scène, aucun dialogue ne sont exempts de souvenirs personnels, où ils prennent directement racine, et dont ils offrent la transposition dans la trame du livre. Bornons-nous ici à indiquer deux ou trois rapprochements entre le *Journal* et le livre: le récit d'une «visite à La Pérouse» le 14 juin 1905, et le dialogue rapporté qui s'ensuit; l'apparition d'Edouard dans le *Journal*, ou encore les pages de 1917, où Gide lui-même devient Fabrice, et remplace le pronom «je» par le pronom «il», lors d'un voyage en Suisse avec le jeune Michel et qui le conduit à Saas Fée, un des hauts lieux du roman:

«Encore qu'il soit trop silencieux, j'aime de voyager avec Fabrice (…) Il m'avoua qu'il avait éprouvé d'abord, à revoir Michel à Chanivaz, une déception singulière. Il ne le reconnaissait presque plus. Après à peine un mois d'absence, se pouvait-il?» N'est-ce pas déjà le roman que nous croyons lire? Et quelques jours plus tard, le 20 septembre: «Que me sert de reprendre ce journal, si je n'ose y être sincère et si j'y dissimule la secrète occupation de mon cœur?»

Evoquons encore quelques pages de *Si le grain ne meurt*, où la silhouette d'un camarade d'enfance, qui s'est suicidé, Armand Bavretel, offre un crayon plus que ressemblant du personnage d'Armand dans les *Faux-Monnayeurs*.[6] Gide d'ailleurs l'a lui-même indiqué.

On ne saurait dire à quel point se confondent chez Gide, sans souci de chronologie, le présent et le passé, l'œuvre et la vie, l'expérience vécue et l'expérience écrite, dans une sorte de contrepoint incessant, ou encore de jeu de miroirs qui se reflètent les uns les autres d'un texte à l'autre, avec, «en abyme», la personne même de l'homme ou de l'auteur, qui se cherche et se perd, se fuit et se retrouve, se quitte et se reprend, sans jamais pouvoir démêler si lui-même et les autres sont ce qu'ils sont ou ce qu'ils imaginent être.

Nul doute qu'un romancier ne trouve en lui la substance de ses personnages, mais, chez Gide, cette évidence s'impose avec une force particulière. Parce qu'il n'a jamais cessé de poursuivre en lui une image de lui et des autres, les personnages de Gide ne sont tous que des reflets de lui-même, sans épaisseur, pourrait-on dire, et sans autre réalité que d'incarner un instant l'une des postulations diverses de sa conscience.

Mais ici, c'est à Jacques Lévy qu'il convient de laisser la parole. Parce que le sujet s'y prêtait, et parce que lui-même traversait une crise religieuse qui le conduisit plus tard à se convertir au catholicisme, Jacques Lévy donna dès avant la guerre, dans un travail inachevé et publié quelques années plus tard à titre posthume, un des premiers exemples, et des plus achevés, de ce que l'on appelle aujourd'hui la psycho-critique.

Il écrivait à propos du roman de Gide:

«Que cette histoire soit réelle et non point imaginaire, c'est ce que suffit à démontrer la rigueur quasi objective de la notation. Quel est maintenant le sujet de cette histoire? On ne peut douter que ce soit l'auteur lui-même. *Les Faux-Monnayeurs* nous retracent le drame gidien, et leur valeur est celle d'une sorte de chronique spirituelle.» Ou encore:

«L'histoire des *Faux-Monnayeurs* n'est que l'histoire de la conscience de l'auteur. Les personnages du roman sont les puissances qui dialoguent à l'intérieur de cette conscience. Enfin, les événements qu'il contient sont les événements purement spirituels: découvertes ou engagements, ou tous autres événements... qui constituent la vie propre de la conscience».[7]

Nous ne pouvons reprendre ici l'interprétation que Lévy donnait du livre. Elle est de nature essentiellement religieuse: la mort de Boris, dont l'atrocité lui paraissait insupportable, correspondrait dans la conscience de l'auteur au refus de la grâce.

On peut certes n'être pas d'accord sur cette interprétation, mais il n'est pas indifférent que Gide, ayant pris connaissance de la tentative, à un moment où elle n'était pas encore poussée jusqu'à ses dernières conséquences dans le sens religieux, ait écrit à son auteur: «à tout ce que vous avancez (et que souvent vous me découvrez à moi-même) je donne mon assentiment total» (25 juillet 1939).

Lévy n'avait-il pas d'ailleurs songé à mettre en épigraphe à son travail ces quelques lignes de l'avant-propos de *Paludes*: «Avant d'expliquer aux autres mon livre, j'attends que d'autres me l'expliquent. (...) Ce qui surtout m'y intéresse c'est ce que j'y ai mis sans le savoir, – cette part d'inconscient, que je voudrais appeler la part de Dieu. (...) Attendons de partout la révélation des choses; du public la révélation de nos œuvres.»

Le plus entravé des êtres par ses propres difficultés, Gide n'a cessé d'écrire tout au long de sa vie pour en débrouiller l'écheveau et pour échapper à son tourment. En dehors de tout jugement sur son œuvre et sur son art, telle apparaît la fonction centrale de l'observation de soi, par soi et sur soi, grâce au procédé du journal.

Le drame gidien. Au témoignage de plusieurs, Gide n'était pas fait pour le tourment, mais pour le bonheur.[8] Il ne se plaisait pas dans son tourment et toujours rechercha l'équilibre. Il n'est pas impossible qu'il l'ait atteint. Du moins peut-on lire le *Journal* dans cette perspective.

Journal d'un écrivain d'abord, qui ne cesse de réfléchir sur la littérature et sur l'art, et sur son effort personnel vers la création.

Non pas journal intime, retraçant ses manques et ses faiblesses comme ses échecs, dans un effort ultime et nécessaire pour les surmonter, mais journal de la pensée.

Nous ne prétendons pas ici composer une biographie intellectuelle de Gide, mais il semble bien que cette longue vie trace une trajectoire unique. Il advint une étrange aventure. Nombre de ses amis les plus proches se convertirent, et il fut mêlé de très près à une poussée de fièvre religieuse. Mais il n'était pas dans sa destinée d'aller vers la religion. Il conquit peu à peu, et comme sans effort, en se délivrant au contraire peu à peu de la contrainte et de la contention où il était longtemps demeuré, la sérénité dans l'agnosticisme. D'aucuns lui reprochèrent le plus cette sérénité, car elle était sans Dieu.

Mais Gide lui-même n'avait-il pas noté un jour, le 6 novembre 1927: «Je suis un incroyant. Je ne serai jamais un impie.» L'interrogation suprême de l'homme en présence du monde n'a jamais cessé de retentir en lui. Qu'importe après tout la réponse que chacun apporte à cette interrogation? L'essentiel, et qui pourrait réconcilier les esprits les plus opposés, n'est-il pas de l'avoir entendue, et de chercher, sans relâche ni répit, à lui donner, dans les voies les plus personnelles, le gage d'un effort où s'accomplit le meilleur de soi?

Le *Journal* de Gide comporte bien des scories, ou plutôt il contient beaucoup d'insignifiant à côté de pages plus importantes. Il n'est pas fait pour être lu d'un trait, et bien peu de personnes, oserai-je le dire, hormis quelques spécialistes, pourraient prétendre l'avoir lu dans son entier. Un journal en effet n'est pas une œuvre, et les hommes qui aujourd'hui rédigent et publient un journal, auraient sans doute le plus grand intérêt à se souvenir de cette évidence. Pour Gide, il semble bien avoir été le moyen nécessaire de la création.

Quelle est l'œuvre dont toutes les parties résistent? Il est toujours possible d'ouvrir au hasard le *Journal* de Gide, c'est-à-dire ce qu'il en a laissé subsister et ce qu'il en a publié, d'y passer ce qui l'encombre ou ce qui ennuie, pour y découvrir tantôt la pureté de l'expression, tantôt la pénétration psychologique. L'œuvre d'un moraliste non plus ne se lit pas d'un coup et dans son entier, et c'est par la culture dont il témoigne et par son humanisme que vaut le *Journal* de Gide.

C'est aux *Faux-Monnayeurs* que nous emprunterons une dernière réflexion. «Nous n'aurions à déplorer rien de ce qui arriva par la suite, si seulement la joie qu'Edouard et Olivier eurent à se retrouver eût été plus démonstrative,» (Ière partie, ch. IX), est-il écrit vers le début du livre, quand rien n'est encore décidé.

C'est parce qu'ils ne savent pas exprimer ce qui leur tient le plus à cœur, ni en face d'eux-mêmes, ni en face des autres, que les hommes, avec les meilleures intentions, ne cessent d'écouler, sinon de fabriquer, de la fausse monnaie.

Et à la fin du livre, lorsque Bernard demande conseil sur une règle à suivre, Edouard ne donne pas de conseil: «La réponse me paraît simple (dit-il): c'est de trouver cette règle en soi-même, d'avoir pour but le développement de soi». Et quelques instants après: «Il est bon de suivre sa pente, pourvu que ce soit en montant.» (3ème partie, ch. XIV).

Libre à chacun de trouver cette morale fallacieuse, et à bien courte vue. C'est cependant la leçon qui se dégage des écrits de Gide. Il a suivi sa pente, et nous pouvons la suivre dans son *Journal*. A-t-il réussi à exprimer ce qu'il croyait avoir à dire, ou plutôt ce qu'il découvrait au fil des jours, attentif à saisir et à retenir les impressions? Fut-il moins «disponible» qu'il eût aimé, prisonnier de soi, quoi qu'il en eût? A-t-il laissé la fausse-monnaie chasser la bonne? A-t-il jamais rien recherché d'autre que «le développement de soi.»? On pourrait difficilement prétendre, à moins d'être sûr de posséder la vérité, que pareille tentative est vaine.

NOTES

1. JEAN SCHLUMBERGER, *Madeleine et André Gide*, Paris, Gallimard, 1956, p. 198.

2. HENRI RAMBAUD, dans *l'Envers du journal de Gide*. Paris, Le Nouveau Portique, 1951.

3. Paris, Corréa, p. 11 et pp. 196–197.

4. JEAN DELAY, *La jeunesse d'André Gide*. Paris, Gallimard, 2 vols., 1956 et 1957.

5. ROGER MARTIN DU GARD, *Notes sur André Gide*, Paris, Gallimard, 1951, pp. 81–82.

6. Edition de La Pléiade, t. II, pp. 474–477.

7. JACQUES LÉVY, *Journal et correspondance. Fragments précédés d'une étude sur « Les Faux Monnayeurs » d'André Gide et l'expérience religieuse*. Grenoble, ed. des Cahiers de l'Alpe, 1954.

8. Voir notamment JEAN SCHLUMBERGER, *Madeleine et André Gide*, op. cit. passim.

DISCUSSION

MARCEL ARLAND. – Nous vous remercions pour votre exposé si complet malgré les limites que vous vous êtes imposées, et si précis dans ses nuances. Tandis que je vous entendais parler, il m'est arrivé d'écrire un mot en songeant: «Ah! je lui dirai ceci»; mais, l'instant plus tard, vous répondiez de vous-même à cette objection.

JEAN FOLLAIN. – Vous êtes-vous penché sur un problème abordé par Guillemin, et d'autres, celui des mensonges patents du *Journal*? Quand vous avez dit qu'il y avait beaucoup de mensonges dans la vie de Gide, cela nous le savons; mais dans le *Journal* lui-même, il y a des faits relatés et qui sont certainement faux; et puis, dans la dernière partie du *Journal* notamment, comme l'a montré Guillemin, il y a eu des reprises de Gide sur son texte (entendons-nous bien, pas des reprises pour nuancer le propos) dans lesquelles les faits eux-mêmes ont été dénaturés jusqu'à devenir absolument contraires aux faits rapportés dans la première version. Cela me paraît tout de même assez grave...

ALAIN GIRARD. – Je ne sais si, en effet, on peut relever à proprement parler des contradictions ou des mensonges...

JEAN FOLLAIN. – Il faudrait avoir les textes. Guillemin a consacré un article assez important à la dernière partie du *Journal*, qui se situe pendant la guerre. Gide, pendant la guerre, a noté sur son *Journal*, à la fin, qui a paru à Londres, je crois, en tous cas à l'étranger, des pensées qui lui vinrent du fait de la guerre, des pensées qu'il n'aima pas avoir eues, la guerre terminée. Il a repris néanmoins ces pages en modifiant absolument, d'une façon notoire, la pensée première d'abord notée dans le *Journal*.

ALAIN GIRARD. – Je n'ai pas regardé de près cette étude de Guillemin. Je ne sais pas si l'on peut affirmer que Gide ait modifié volontairement ce qu'il avait pu éprouver auparavant. Il subsiste à propos de la guerre, dans le *Journal* tel qu'il est maintenant publié, des pensées différentes de celles qu'il a eues plus tard. Vous savez qu'à Alger on lui a fait un procès d'intention...

ANNE HEURGON-DESJARDINS. – L'article de Claudine Chonez: «Faut-il fusiller Gide?»...

ALAIN GIRARD. – Je voudrais ajouter un simple mot. Ces remarques que vous faites à propos de Gide – sans doute très fondées – lui-même n'a jamais cessé d'y penser. Toute sa réflexion de moraliste est une réflexion sur le mensonge de chacun avec soi-même au cours du temps, au cours des jours et sur cette « fausse monnaie » que nous ne cessons d'écouler.

CLAUDE MARTIN. – Vous faites certainement allusion à l'article du *Journal de Genève* qui a été repris dans *A vrai dire* et où Guillemin, comparant les textes de la N.R.F. de 1939–1940 après l'édition d'Alger et l'édition Gallimard, y a vu des modifications. Il y a notamment l'introduction du mot « resistance » au bon moment. Mais Guillemin en tire une conclusion féroce. Il lui a été répondu par Henri Massis. Je me rappelle la dernière phrase de l'article, qui était: « Pour le fond, donc, Gide n'a pas menti ». Il y avait une amélioration et je crois que c'est ce que M. Girard vient de dire. Là aussi c'est un cas particulier d'approches successives de la sincérité, plus qu'un mensonge patent.

ALAIN GIRARD. – Je pense que cette conclusion serait aussi celle de M. Rambaud...

HENRI RAMBAUD. – Il y a des silences, de légères altérations parfois; mais de mensonges positifs, non, je ne crois pas.

G. W. IRELAND. – Gide attire lui-même l'attention du lecteur sur des faits curieux: par exemple, cette histoire (qu'il disait tenir de Dominique Drouin) du soldat blessé avec treize balles dans la peau, etc.... Gide lui-même nous raconte l'entretien au cours duquel, lorsque Domi lui dit qu'il n'y a pas un mot de vrai dans tout cela, Gide s'étonne: « Mais comment? Où ai-je été pêcher tout cela ? ». Gide cherche à s'expliquer: « En tous cas, ce qui n'était pas faux, c'était bien mon émotion ». Or, l'explication est loin d'être satisfaisante, mais il est important qu'il se soit demandé: « Où donc ai-je été pêcher tout cela ? » Il a cru un moment à l'histoire, cela c'est certain et le fait que lui-même nous signale son erreur me semble tout de même rassurant sur le fond.

ALAIN GIRARD. – Permettez-moi de lire un passage des *Faux-Monnayeurs*: « Le rôle du mensonge est immense dans la vie humaine. Les philosophes se sont peu intéressés à ce problème, car les menteurs de nature ne sont pas les seuls à mentir, mais aussi les véridiques. Ils ne mentent pas seulement consciemment mais inconsciemment aussi. Les hommes vivent dans la crainte, le mensonge est leur arme défensive. »
Gide a analysé le phénomène d'une manière très profonde. Les reproches que nous pourrions lui faire ne s'adresseraient-ils pas à chacun d'entre nous?

Henri Gouhier. – J'avoue que je ne vois pas de mensonge là où il n'y a pas intention de mensonge. Le mensonge inconscient, est-ce un mensonge?

Marcel Arland. – En ce cas, c'est une altération de la vérité intérieure.

Alain Girard. – Vous avez sûrement raison. Mais l'importance du problème gidien n'est-il pas de poser quelques questions bien précises: qui sommes-nous et quelle est notre vérité?

Henri Gouhier. – Dans la phrase que vous avez citée, n'y aurait-il pas quelque «souci du pittoresque» chez l'écrivain? Il y a des formules savoureuses…

Henri Rambaud. – Ne faudrait-il pas souligner que l'on s'exprime autrement que par la parole, on communique sa pensée par d'autres moyens que par celui de la parole. C'est sur la parole que Gide est très scrupuleux. Sur le reste, j'en suis moins sûr. Je veux dire que les choses qu'il écrit, je les crois presque toujours ou même toujours – le presque est une prudence – matériellement vraies; mais il y a des façons de ne pas dire certaines choses qui induiront autrui en erreur. Je crois qu'il y a une distinction à faire; sur la parole, Gide est très scrupuleux…

Marcel Arland. – Bien que M. Girard, tout à l'heure, nous ait montré des exemples où Gide, après une première version presque spontanée d'un fait, reprenant ce fait, transformait son langage.

Henri Rambaud. – Il me paraît difficile de voir là-dedans des mensonges caractérisés…

Marcel Arland. – J'y verrais autre chose. De la part d'un homme qui, comme Gide, avait une telle foi dans l'art et dans la vertu de l'art, j'y verrais un appel vers une vérité supérieure.

Henri Rambaud. – Cela, c'est parfaitement possible.

Claude Martin. – N'est-ce pas l'illustration de la fameuse phrase de Rivière: «Rien n'est plus menteur que le spontané»?

Anne Heurgon-Desjardins. – Je crois tout de même qu'il avait un très grand désir de ne pas tromper les autres. Dans nos conversations intimes, il revenait toujours, je m'en souviens, sur les choses qu'il pensait que j'avais mal comprises… Il ne voulait pas qu'on l'aimât, qu'on le jugeât pour autre chose que pour ce qu'il était. Il avait un très grand désir de ne pas induire les autres en erreur, il fallait qu'on comprît bien ce qu'il avait voulu dire ou ce qu'il était.

Henri Rambaud. – Cela dépendait des gens qu'il avait en face de lui.

ALAIN GIRARD. – Je crois très profonde la remarque de M. Rambaud et elle touche très justement la psychologie de Gide et cette crainte de Gide – comme vous le dites, Madame – de ne pas pouvoir exprimer à l'autre ce qu'il a à lui dire. Je fais allusion encore aux *Faux-Monnayeurs*; si la rencontre d'Edouard et d'Olivier avait été plus spontanée, pour reprendre le mot, rien ne se serait produit. Tout arrive à chaque instant dans la vie, par suite de cette impossibilité d'exprimer ni par des paroles, ni par autre chose que des paroles, le plus profond de soi-même.

HENRI RAMBAUD. – Il désire être aimé.

JEAN FOLLAIN. – Quelquefois on peut quelque peu grossir les faits pour mieux s'en expliquer.

G. W. IRELAND. – Ne risque-t-on pas de réduire par trop la part de rétro-action de l'œuvre dans tout cela? Je m'excuse de parler de moi-même, mais il m'arrive de faire des vers et j'en fais très souvent pour me préciser à moi-même ce qu'est telle ou telle expérience, ce qu'elle a réellement été pour moi. On sent une émotion donc, mais on ne sait pas très précisément ce que c'est. La recherche de cette vérité, c'est à cela que travaille l'artiste sincère. Je fais mon poème, tant bien que mal, et, en fin de compte, le poème est là et je me dis: «Ah, c'est donc cela que j'ai senti!». Il m'arrive très souvent, plus tard, de relire ce poème et de me dire: «Sacré menteur! jamais de la vie». Mais au moment même de pondre le poème, si je l'accepte même provisoirement, c'est que je crois, même provisoirement: «c'était donc cela!» Si par la suite je supprimais ce poème et si j'y substituais quelque chose d'autre qui en transformerait le sens, ce serait pour m'approcher d'une vérité qui corrigerait l'autre, et pas du tout un mensonge. Le mensonge, je l'aurais dénoncé en relisant mon poème.

CLARA MALRAUX. – Nous possédons avec le *Journal*, les *Mémoires*, les écrits romancés quelque chose comme des tamis successifs. Il n'y a, à ma connaissance, qu'un seul écrivain français, Benjamin Constant, qui ait fait, lui aussi, usage de trois tamis: le *Journal*, les *Mémoires* et l'œuvre d'art proprement dite. Or les *Journaux*, les *Mémoires* n'ont pas agi comme des freins chez Constant et Gide.

MARCEL ARLAND. – Il y a certainement deux problèmes. Constant était tellement subtil qu'il avait su garder un fond d'innocence, de naïveté, que je ne retrouve pas tout à fait dans Gide. Par conséquent, on comprend que Constant n'ait pas été tellement gêné par le premier état de ses confidences, de son *Journal*. Il n'en va pas tout à fait de même chez Gide.

Quant à la question du frein que peuvent apporter les Mémoires sur ce qu'on appelle l'œuvre d'art, l'œuvre de création, oui, je crois que c'est une question très importante. Nous avons beaucoup d'exemples d'écrivains qui étaient très doués comme créateurs, qui ont fait des romans, de véritables romans et qui, l'âge venu, ont surtout pratiqué nettement les deux parts. On les voit chez Mauriac, chez Green, chez Marcel Jouhandeau.

JEAN FOLLAIN. – Gide ne paraît jamais douter des faits. Un Benjamin Constant consent à en douter parfois.

ALAIN GIRARD. – Les questions qu'a soulevées Mme Clara Malraux sont fondamentales. Le rapprochement de Gide et de Constant est saisissant. Frein? Est-ce qu'un journal est un frein? Je me demande si l'on ne pourrait pas renverser le propos et se demander si le fait même du journal n'implique pas, chez l'écrivain, une plus grande force créatrice qu'il ne le pense. Mais il y a en lui une difficulté essentielle et c'est cette difficulté qu'exprime le journal.

Le plus étonnant c'est que les hommes qui tiennent un journal puissent aussi bâtir une œuvre. Je paraphrase un mot de Gide à propos justement des reproches qu'on a faits vers 1900 à toutes ces confidences publiées, à tous ces journaux intimes: «L'admirable, dit-il de l'œuvre de l'écrivain, c'est qu'il l'ait écrite malgré cela». Le journal représente un empêchement dans la conscience de l'auteur, mais l'admirable c'est qu'il offre aussi un moyen de construire une œuvre.

CLARA MALRAUX. – C'est l'utilisation d'une sorte de déficience...

MARCEL ARLAND. – C'est cela. Mais Gide avait, je crois, conscience du fait que son tempérament n'était pas celui d'un créateur. Il me semble qu'il y a une sorte de drame, au second degré, dans ce cas de Gide. C'est un homme qui s'interroge perpétuellement, qui essaye, comme vous le disiez, de se découvrir par le moyen de l'art, même en transformant, si vous voulez, telle ou telle première version, de se découvrir, mettons d'être vrai. C'est un homme qui, par ailleurs, n'a pas ce don qui lui permettrait de créer une fiction, je veux dire de se donner tout entier dans une fiction, de se découvrir innocemment, ingénument par la fiction. Je crois que c'est à cause de cela que ce Gide, qui cherchait toujours la vérité, n'est pas toujours parvenu à la vérité essentielle. Quand vous parliez tout à l'heure de cette fin très belle du dialogue de Gide disant: «Il s'est dépassé», ce dépassement, est-ce un dépassement véritable? Vous disiez aussi, citant Gide, une phrase qui se terminait par: «suivre sa route, mais en montant». Vous disiez, tout de suite après, qu'il a suivi sa «pente». En principe une «pente» descend. Je me demande si dans ce dépassement, il n'y a pas eu une grande part de renoncement volontaire chez Gide, qu'expliquerait le demi silence de toute sa vieillesse.

7. *André Gide au Cap-Ferrat* (1950?)

AIR FRANCE

Contrôle Sureté Nationale - Police de l'Air

AERODROME DE DEPART : *Maison Blanche Alger*

DATE D'EMBARQUEMENT : *6 mai 1945*

NOM (en majuscules)
pour les passagères, née :') *André GIDE*

PRENOMS : *Paul Guillaume André*

NÉ à : *Paris* le *21 Nov. 1869*

NATIONALITÉ : *Française*

PROFESSION : *homme de Lettres*

DOMICILE (ou résidence en terri-
toire français pendant la durée
du séjour des étrangers.........}

PIECES D'IDENTITE PRESENTEES : *carnet d'identité* N°

DELIVREES PAR : *Vichy* le

SIGNATURE DU PASSAGER : *André Gide*

Je certifie sur l'honneur que
je ne suis porteur d'aucune cor-
respondance destinée à des tiers

Cette carte doit être remplie en double exemplaire par le passager
avant son embarquement. L'un des exemplaires est gardé au départ
pour le service de police qui vérifie en même temps les pièces d'identité du voyageur. L'autre exemplaire est remis au service de police
de l'aéroport d'arrivée.

8. *En haut et à droite:*
   André Gide, homme de lettres...

G. W. IRELAND. – Il y a des dépassements qui sont des mensonges. Lorsqu'il lui arrive, quelquefois, d'apporter une correction au nom de la vérité, au nom de la sincérité, il me semble que c'est la correction qui est fausse. Par exemple, lorsque, au moment de son enthousiasme pour le communisme, il reparle d'*André Walter* et dit: «Au fond, tout le sujet de mon livre n'est qu'une simple histoire de masturbation d'adolescent», certainement cette correction était sincère, mais elle est mensongère; André Walter était autre chose.

CLARA MALRAUX. – Elle est fausse, elle n'est pas mensongère.

G. W. IRELAND. – Elle est fausse, c'est ce que je voulais dire, mais elle est sincère. Or, il y a des états successifs de la vérité; et ces états successifs se contredisent quelquefois formellement. Je viens de vous en donner un exemple. Donc il est fort possible – cela rejoint un peu ce que disait M. Follain – de se contredire formellement dans un effort non pas de mensonge, ni de tromperie, de déception, mais bien dans un effort de rester dans la vérité ou de toujours la rétablir.

ALAIN GIRARD. – J'aimerais revenir sur ce qu'a dit tout à l'heure M. Arland, qui me paraît très profond aussi. Dans quelle mesure le dépassement n'implique-t-il pas un certain renoncement? C'est un problème qui va très loin, semble-t-il, et il est possible qu'il y ait dans le dépassement gidien un renoncement à autre chose...

MARCEL ARLAND. – Dans ce cas, est-ce un renoncement absolument volontaire, c'est-à-dire exigeant un très grand effort de l'homme qui accomplit ce renoncement, ou, au contraire, cède-t-il à je ne sais quoi?

ALAIN GIRARD. – Il y a dans tout apaisement une lassitude, sans doute...

HENRI RAMBAUD. – Il la voit, cette lassitude. Elle est maintes fois exprimée dans le *Journal*: «Pourquoi est-ce que je ne reconnaîtrais pas que je n'ai pas la même force qu'autrefois». Je crois qu'il y a un fléchissement de la force créatrice chez Gide, dans les dernières années et qu'il l'a reconnu très franchement.

MARCEL ARLAND. – Parfaitement. C'est le mot même de Thésée: «J'ai fait mon œuvre». Mais c'est aussi parfois une sorte de reniement: «Ce n'est pas vrai, je n'ai jamais été cet homme inquiet et tourmenté que mes jeunes disciples ont vu en moi». J'ai des lettres où il me le dit. Mais, lorsqu'il était jeune, il avait bien ces tourments, il avait bien, comme il disait d'abord, cette «ferveur» et cette volonté de dépassement.

GEORGES-PAUL COLLET. – Il y a le fait du vieillissement.

Jean Follain. – Pensez-vous qu'il ait véritablement cru qu'il n'avait pas eu cette inquiétude, ou a-t-il voulu faire croire qu'il ne l'avait pas eue?

Andrée Pierre Vienot. – Quelle était la nature de la mémoire de Gide? Jusqu'à quel point chez les mémorialistes en général, et chez Gide en particulier, le *Journal* n'est-il pas une sorte de sauvetage contre ce néant du manque de mémoire, cette espèce de gouffre dans lequel tombe le passé?

Anne Heurgon-Desjardins. – Gide se plaignait toujours de son manque de mémoire, et pensait qu'une mémoire doit s'entretenir. A Alger il répétait chaque jour ses fables de La Fontaine.

Andrée Pierre Vienot. – Mais une mémoire de la vie, la mémoire de ce qui lui est arrivé, la mémoire de ses sentiments…?

Marcel Arland. – C'est autre chose.

Klara Fassbinder. – Il me semble que dès sa jeunesse il a eu le très vif sentiment de la responsabilité de chacun devant Dieu qui le juge, le goût de faire son examen de conscience. A mesure qu'il avançait dans la vie, il a trouvé que sa vie n'était pas conforme à ce que lui enseignait Dieu. J'ai été bouleversée par le *Numquid et tu*, par cette détresse intérieure sous l'œil de Dieu. Il a su de plus en plus qu'il ne serait pas ce qu'il devrait être; c'est pourquoi il a laissé de côté, de plus en plus, la question religieuse.

Marcel Arland. – Il y a un mot qu'il a souvent employé, c'est le mot «salut». Je ne sais plus si c'est dans ses livres ou dans telle ou telle de ses lettres qu'il écrit: «Il y a longtemps que j'ai renoncé au «salut». Le mot «salut» n'a sans doute jamais impliqué pour lui un dogme, une foi. Plutôt un sentiment. Mais qu'il ait été possédé et travaillé par ce sentiment, je le crois. Je crois qu'il y a renoncé ou qu'il a été abandonné par ce sentiment. Mais, à partir de là, il restait une attitude qui pouvait être très digne, c'était celle de l'acceptation dans le plein sens du mot: je renonce au «salut», j'accepte par conséquent de vivre ainsi. Je crois que Gide a eu cette noblesse d'acceptation. Cela n'a pas seulement été une résignation.

Anne Heurgon-Desjardins. – Il est vrai – vous le disiez – que la conversion de ses amis, et l'aggravation des défauts qu'il constatait chez beaucoup d'entre eux comme Ghéon, Copeau ou Du Bos, fut tout de même l'un des grands obstacles qui l'ont empêché d'aller plus loin.

Klara Fassbinder. – Il faut avoir ce respect de la liberté de chacun, on ne peut pas forcer quelqu'un à se convertir. Gide a écrit dans une des lettres à Claudel: «J'ai peur de vous». Claudel, dans presque chacune de ses lettres, le sommait d'aller trouver un confesseur. C'est un manque de respect.

ANNE HEURGON-DESJARDINS. – C'est ce qu'a été Isabelle Rivière pour Du Bos. Elle le tenaillait.

GEORGES-PAUL COLLET. – Je crois que certainement la part du scrupule chez Gide est extrêmement importante et la peur qu'avait Gide de faire de la peine à autrui, la crainte qu'il avait de se tromper... Il me semble qu'il y a constamment chez lui une sorte de méfiance pour ses premières réactions. J'irais presqu'à dire une chose énorme, c'est que peu de grands écrivains ont été au départ aussi peu naturellement doués que Gide. J'y vois alors là une part très importante de la volonté. C'est un exemple, il me semble, assez extraordinaire, chez un écrivain, que ce continuel dépassement de soi-même – pas du tout dans le sens où on l'a dit vers la fin de sa vie. Cet état de détachement qu'il a éprouvé au moment où il rédigeait le *Thésée*, je serais tenté d'y voir plutôt une sorte d'acceptation de la vie, expliquée par le déclin des forces physiques d'abord, et ensuite intellectuelles. Cette construction de l'œuvre de Gide a réclamé chez lui une part de volonté et d'énergie extraordinaires...

MARCEL ARLAND. – Oui, mais vous disiez «aussi peu doué»... Ici, je me permets de protester. Le don d'écrivain existait en lui, dès ses premières œuvres, si gauchement qu'il pût se manifester parfois.

ANNE HEURGON-DESJARDINS. – Et l'homme! Il était – et c'est l'impression qu'il a faite sur Madeleine à l'âge de dix-sept ans – tellement éblouissant, tellement riche en aperçus multiples, qu'il a pu exercer un rayonnement exceptionnel sur tout le groupe de la N.R.F.

CLARA MALRAUX. – Il a dit lui-même: «Je suis l'homme du second mouvement». Je l'ai connu assez bien et j'étais souvent étonnée – car il n'était pas sans désir de briller à mes yeux – de voir à quel point il avait peine à briller. Quand vous dites qu'il était éblouissant!... Je veux dire que sa pensée était souvent à peine ébauchée.

ANNE HEURGON-DESJARDINS. – Mais cela c'est sa pensée, moi je parlais de l'homme...

CLARA MALRAUX. – Oui, la figure de l'homme était beaucoup plus étonnante que ce qu'il donnait dans une conversation. Il était l'homme du «second mouvement» et le premier, lorsqu'il était en parole, était vraiment une ébauche. Ce qui tenait d'ailleurs peut-être à ce dont vous parliez à l'instant, à un certain côté scrupuleux.

MARCEL ARLAND. – Mais la figure avait un rayonnement extraordinaire.

GEORGES-PAUL COLLET. – Gide me donne l'impression, sans l'avoir connu, d'un homme prodigieusement intelligent, d'un homme qui possédait en lui des dons extraordinaires, mais qu'il a eu infiniment de peine à faire éclater.

MARCEL ARLAND. – Oui. Il le sentait d'ailleurs lui-même. Il disait à Cocteau: «Je me sens tout bête». Cela se comprenait très bien. Cocteau était éblouissant par nature.

ANDRÉ BERNE-JOFFROY. – Il est évident que Gide n'était pas un homme brillant, mais, déjà très jeune, sa personnalité était impressionnante.

Je voudrais faire une petite remarque au sujet de ce qu'a dit Mme Viénot sur les écrivains qui veulent préserver leur passé et qui écrivent un journal pour cela. Je crois que le *Journal* de Gide, si plein soit-il, n'est qu'un vide et que probablement bien des choses fondamentales n'y sont pas.

MARCEL ARLAND. – Dans la mesure même où elles sont fondamentales, il ne pouvait pas les noter immédiatement, il les vivait.

ALAIN GIRARD. – Je voudrais verser à la discussion la dédicace de *la Marche turque* à Emmanuèle, qui se termine ainsi: «Hélas! les jours les mieux remplis et par les émotions les plus vives sont aussi ceux dont rien ne reste sur ce carnet, ceux où je n'eus le temps que de vivre».

CLARA MALRAUX. – Mais alors – et c'est là ce que je me demandais tout à l'heure à propos des différentes étapes – l'essentiel de ce qu'il a vécu ne se trouve-t-il pas beaucoup plutôt dans les *Mémoires*? Ce quelque chose que la quotidienneté bouleverse et dévalorise en quelque sorte, n'est-ce pas cela précisément qu'il a maintenu à travers *Si le grain ne meurt*?

ALAIN GIRARD. – A travers *Si le grain ne meurt* et à travers toute son œuvre...

ANNE HEURGON-DESJARDINS. – Et à travers sa conversation sa vie...

HENRI RAMBAUD. – A propos des trois plans: *Journal*, *Mémoires* et œuvre, ne faudrait-il pas citer le cas de Stendhal qui a utilisé les trois registres, mais non simultanément?

ALAIN GIRARD. – Il y a un quatrième registre: les lettres.

GEORGES-PAUL COLLET. – N'oublions pas le parallèle avec Rousseau. Il me semble que là on pourrait dire beaucoup de choses. Rousseau aussi se méfiait de ses premiers états de sensibilité.

AUGUSTE ANGLES. – Il y a aussi les lettres; le *Journal* ne livre qu'une fraction absolument infime de tout ce que Gide pouvait penser et exprimer en un jour. Si on voulait vraiment avoir le vrai journal de bord de Gide, il faudrait truffer l'actuel *Journal* des correspondances qu'il pouvait écrire chaque jour à cinq ou six personnes, dans un éclairage extrêmement différent. On décuplerait, je crois la valeur du *Journal* actuel.

Pour revenir au problème de la sincérité, il faut remarquer que Gide reprochait volontiers à des hommes comme Barrès d'être tendancieux, mais il reprochait aussi à des œuvres un peu neuves de n'être pas tendancieuses. Il y avait chez lui un gauchissement – il n'y a pas de doute – de faits même qui n'avaient pas grande signification. Je crois que Gide ne voulait pas mentir, mais, n'ayant pas l'imagination créatrice de personnages, il a construit au fond les personnages de son œuvre par gauchissement de personnages réels. Alissa de *la Porte étroite* n'est pas Madeleine, mais elle est construite, par gauchissement, à partir de Madeleine. Il faut ajouter cette préoccupation constante de faire rendre au moindre texte ou au moindre fragment de vie une signification. L'exemple le plus frappant, c'est l'orientation délictueuse de paroles de l'Evangile. Sans qu'on puisse jamais prendre Gide en flagrant délit de mensonge, on échappe difficilement à l'impression de se trouver devant une pensée spécieuse.

ALAIN GIRARD. – «Spécieuse», je trouve le mot sévère. Je renverrais volontiers au parallèle Gide-Benjamin Constant. Benjamin Constant écrit à Juliette Récamier: «Vous êtes un ange» et, dans son *Journal*, une minute après note: «C'est une personne diabolique». Ce sont deux vérités qui sont aussi vraies l'une que l'autre.

CLARA MALRAUX. – Et, le lendemain, il écrira dans son *Journal*: «Elle est merveilleuse»...

ALAIN GIRARD. – Bien sûr. Toutes ces vérités là sont vraies à la fois.

MICHEL DECAUDIN. – A propos de ce qu'a dit M. Anglès concernant la correspondance, je voudrais vous signaler un exemple auquel je pense: à Francis Jammes, qui vient d'écrire un article profondément incompréhensible sur *la Porte étroite*, Gide répond avec une extraordinaire ferveur: «Mon ami nous avons tous pleuré en lisant votre article. Combien je suis ému! etc....»

JEAN FOLLAIN. – Il n'était, je crois, pas mécontent que Francis Jammes restât dans son univers, loin du sien.

MARCEL ARLAND. – Maintenant, quel est l'écrivain assez sûr de lui-même, assez sûr de sa figure, pour dire, recevant deux témoignages pleins de sympathie et pleins d'affection, mais deux témoignages opposés: «vous vous trompez» et «vous avez raison». Je crois qu'à ce moment là, même l'écrivain qui a le plus de scrupules envers sa figure, hésite. Il est touché, il est ému. «Voilà un homme qui me voit ainsi. Ce n'est peut-être pas tout à fait vrai, mais enfin disons-lui «vous avez raison», et disons à l'autre la même chose».

GEORGES CHARAIRE. – Je voulais dire un mot à propos du dépassement. A la différence d'Arland, j'y vois plutôt de la résignation. On ne peut vraiment pas parler du dépassement à la manière d'un Goethe, d'un Voltaire ou d'un Socrate. Je crois que cela tient d'ailleurs à la nature de Gide.

MARCEL ARLAND. – Je ne crois pas qu'il y ait chez lui de vrai dépassement, mais plutôt des moments de crise, puis des acceptations volontaires, enfin, les années venant, une sorte de résignation lucide, mais non sans fierté.

HENRI GOUHIER. – Alain Girard a bien montré qu'il y eut probablement un journal vraiment intime de Gide, écrit pour répondre à un besoin de son esprit et sans souci de publication; mais nous ne l'avons pas. Celui que nous avons est une œuvre littéraire, écrite ou du moins arrangée en vue de sa publication. D'autre part, de bons connaisseurs de l'œuvre et de la personne de Gide, déclarent: ce n'est pas dans ce *Journal* publié que l'on trouve Gide; ce qu'il avait de plus essentiel à dire, il l'a dit ailleurs. Une question se pose alors: si le *Journal* que nous lisons n'est pas vraiment un journal intime, au sens où l'est celui de Maine de Biran ou de Benjamin Constant, si, en outre, il n'est pas, parmi les œuvres de Gide, celle où nous pouvons le mieux découvrir l'homme sous l'auteur, quel est son sens? Pourquoi un *Journal*?

MARCEL ARLAND. – Je fais les mêmes réserves que vous.

G. W. IRELAND. – Si le *Journal* contient bien des choses superficielles, n'oublions pas que le superficiel chez Gide présente un intérêt énorme: ses aventures d'intellectuel, ses lectures, les propos qu'il laisse tomber au hasard, ce ne sont pas des choses essentielles chez Gide, mais elles sont passionnantes.

HENRI GOUHIER. – Je parle du sens du *Journal* par rapport à son auteur: à quelle intention correspond-il chez Gide?

REINHARD KUHN. – Je crois qu'il faut quand même se méfier un peu de ce que Gide raconte de ses aventures intellectuelles et de ses découvertes littéraires. Grâce aux témoignages de plusieurs de ses amis qui l'ont très bien connu, je sais que la découverte du *Procès* de Kafka l'avait bouleversé. Or, la première fois qu'il parle de Kafka, c'est au moins cinq ans plus tard.

MARCEL ARLAND. – Il se peut, Monsieur, qu'un écrivain ne veuille pas tenir compte d'une lecture qui l'a frappé. Il en a été frappé, il en est travaillé, mais ce n'est qu'au bout de quelques années qu'il en sent vraiment l'importance; il la précise, il la note.

Je me souviens d'avoir été extrêmement frappé par la publication de *la Métamorphose* dans la N.R.F. Mais ce n'est que quelque temps plus tard que j'en ai écrit moi-même, et que je me suis rendu compte de toute son importance.

ANNE HEURGON-DESJARDINS. – Pour répondre à M. Gouhier, je me demande si ce n'est pas toujours dans une œuvre, dans un roman qui n'est pas tout à fait autobiographique – je pensais au *Taciturne* – qu'on découvre l'écrivain le plus intimement, le plus profondément.

JEAN FOLLAIN. – Dans l'œuvre, on peut découvrir tout un subconscient invisible dans le *Journal*...

ANDRÉ BERNE-JOFFROY. – Seulement, dans le cas de Gide, supposons que nous n'ayons ni le *Journal*, ni *Si le grain ne meurt*, ni les œuvres de cette espèce, mais des *Voyage d'Urien*, des *Prétextes*, des *Caves du Vatican*, des *Faux-Monnayeurs* ou des *Numquid et tu*, on ne pourrait soupçonner que Gide a été, davantage qu'un écrivain, une conscience qui a fait sensation, une voix qui a ébruité sur la place publique de la façon la plus courageuse des problèmes laissés sous le boisseau avant lui. C'est pour cela et non pour son talent d'écrivain qu'il a été considéré par certains comme le « contemporain capital ». Le mot est, je crois, de Rouveyre, que je n'ai pas connu. Plutôt que Rouveyre, j'évoquerai mon cher Groethuysen. Groethuysen, qui, n'étant pas partie en la matière, pouvait être considéré comme un juge équitable, comparait volontiers l'action de Gide, en ce qui concerne les problèmes de *Corydon*, à celle d'un Sénèque : Sénèque, dont l'œuvre littéraire ne peut plus intéresser que quelques érudits, mais dont le nom reste un grand nom dans l'histoire de l'humanité parce qu'il a été le premier à proclamer que l'esclavage était quelque chose de scandaleux (l'esclavage qui avait paru si naturel à des esprits de la qualité de Platon et d'Aristote). Groethuysen reconnaissait donc que la protestation de Gide contre les excès de certains interdits moraux avait infiniment plus d'importance que le talent déployé par lui dans ses récits, dans ses essais, dans sa sotie, dans son roman.

ALAIN GIRARD. – J'avais essayé d'esquisser dans mon exposé une première réponse à la question de M. Gouhier. Elle est sûrement très incomplète. Je vous écoutais tout à l'heure, Madame, évoquer l'homme tel que vous l'avez connu. Il y avait en lui, sans doute, un débordement de pensées, un jaillissement. Et alors, le *Journal*, ayant cessé d'être le journal intime, est devenu l'endroit où il livrait tout ce qui n'avait pas place ailleurs, tout ce qu'il craignait aussi de laisser perdre, pour le cas où l'œuvre ne viendrait pas. C'est sans doute une réponse très imparfaite et il y en a sûrement d'autres.

AUGUSTE ANGLES. – Il a écrit parce qu'il voulait absolument écrire ; il écrivait n'importe quoi pour maintenir son style.

ALAIN GIRARD. – Oui. C'est aussi une des fonctions du *Journal*. De même que le peintre a toujours sur lui un carnet d'ébauches et d'esquisses.

HENRI GOUHIER. – Les passages qui nous paraissent insignifiants avaient quand même une signification, un intérêt pour lui.

ALAIN GIRARD. – Peut-être était-ce un moyen d'esquisser une image de lui-même, d'essayer de se représenter à ses propres yeux l'image de lui-même qu'il voulait donner aux autres.

ANNE HEURGON-DESJARDINS. – Je me demande, d'ailleurs, si, en vivant et en donnant tout à n'importe qui, il n'avait pas l'impression parfois d'un certain gaspillage.

AUGUSTE ANGLES. – En plus de la correspondance, du *Journal*, il y aurait eu les conversations.

GEORGES-PAUL COLLET. – A supposer que toute l'œuvre de Gide disparaisse et qu'il ne reste que le *Journal*, ce *Journal* serait-il considéré véritablement comme une œuvre littéraire?

ALAIN GIRARD. – Je ne sais pas. Les avis sont diamétralement opposés. Certains – et il ne semble pas que ce soit l'avis de M. Arland – considèrent le *Journal* comme un document et d'autres, au contraire considèrent que Gide restera par son *Journal*.

MARCEL ARLAND. – Cela ne se contredit pas. La figure de Gide, si ambiguë, si complexe, s'exprime par le *Journal* ou elle se laisse deviner par les œuvres. Cette figure, c'est l'essentiel, plus que n'importe quelle œuvre précise.

GEORGES CHARAIRE. – C'est une œuvre d'ensemble. On ne peut pas dire que la *Journal*, à lui seul, suffirait à définir Gide.

MARCEL ARLAND. – Ce qui est curieux, c'est qu'écrivant constamment, quotidiennement ce *Journal*, il n'ait pas senti que cela pouvait lui nuire pour telle œuvre dont il rêvait peut-être. Je me rappelle en avoir discuté avec Marcel Jouhandeau; si un écrivain, lui disais-je, note d'une façon précise l'émotion qu'il a eue tel jour, et s'il veut la reproduire quelque temps plus tard dans un livre, ce ne sera plus la même.

ALAIN GIRARD. – Cela rejoint les remarques de Madame Malraux, tout à l'heure; c'est l'empêchement que représente le fait d'écrire chaque jour. On a besoin d'écrire pour s'entraîner, mais ce peut être un empêchement pour l'œuvre. Ce mécanisme est extraordinairement complexe. L'écriture quotidienne peut se substituer à l'œuvre et est alors dangereuse. Aujourd'hui, si je déborde la question, les écrivains qui tiennent un journal par imitation commettent une erreur profonde. Ils croient qu'ils construisent une œuvre. Ils se trompent. Il faudrait qu'ils pensent d'abord à leur œuvre. Il y a là un danger grave, non pas de la maladie, mais de la manie du journal intime.

CLAUDE MARTIN. – N'y a-t-il pas deux questions, d'ailleurs? Pourquoi Gide a-t-il écrit son *Journal*? Pourquoi l'a-t-il publié? Je me demande si c'est par souci de sa figure. Peut-être pensait-il que le *Journal* permettrait de percer à jour le masque qu'il a dans ses œuvres, mais tout en conservant le masque, en conservant la distance.

ALAIN GIRARD. – Mais il y a à cela une raison d'ordre historique, tout simple-ment. Gide arrive à l'époque où, après la publication de nombreux journaux intimes, le journal est devenu une chose répandue, une chose qu'on imite, une chose que tout naturellement on publie. Le journal posthume est révolu. Gide obéit à une mode, en partie. Que cela réponde chez lui à des tendances pro-fondes, c'est sûr; mais il ne faut pas perdre de vue le moment où il écrit.

ANDRÉ BERNE-JOFFROY. – Je me demande s'il n'y a pas eu autre chose. Son premier milieu littéraire a été celui de Mallarmé. C'était, en vérité, un milieu dont les tendances étaient foncièrement contraires aux siennes, mais pendant longtemps il n'a pas eu la force de l'admettre. Ayant beaucoup souffert que des gens comme Louÿs ou Valéry ne le considèrent pas comme un véritable artiste, il ne s'est jamais débarrassé du souci de prouver qu'il en était un. D'où quelque chose d'artificieux dans beaucoup de ses œuvres, et cela même quand dès *les Nourritures terrestres* il veut réagir contre la tournure d'esprit des Mallarmé, des Louÿs et des Valéry. Le souci de l'art, un souci qui à mon avis ne lui était pas très naturel, fausse sa voix jusque dans *Thésée*. C'est quand ce souci, repoussé au second plan, par d'autres soucis plus violents, des soucis généralement d'ordre éthique, qui eux lui étaient naturels, notamment ce fameux souci de sin-cérité dont nous discutons, c'est seulement alors qu'un Gide plus vrai, plus per-sonnel, apparaît. Le *Journal* prête à maintes critiques, mais c'est la clé qui permet de ne pas trop se méprendre sur les intentions de Gide dans ses œuvres plus con-certées.

GEORGES-PAUL COLLET. – Nous étions d'accord pour dire qu'à certains moments le *Journal* se substitue à l'œuvre et M. Girard est intervenu pour dire que ce serait dangereux. Mais alors, lorsqu'un passage du journal se substitue à l'œuvre, ce passage ne constitue-t-il pas une œuvre lui-même et ne peut-il avoir une valeur disons littéraire disparate?

ALAIN GIRARD. – Je ne suis pas sûr de vous comprendre quand vous dites «passage d'un journal». Lorsqu'un écrivain publie aujourd'hui son journal dans son ensemble, c'est autre chose qu'un simple passage plaqué, en quelque sorte, dans une œuvre. S'astreindre à tenir un journal pour le publier au lieu de viser à une œuvre, à une sortie de soi objective, me semble dangereux.

AUGUSTE ANGLES. – Croyez-vous qu'il y ait beaucoup de gens qui écrivent leur journal?

ALAIN GIRARD. – Je ne sais pas si c'est moins fréquent en 1964 qu'en 1900. Mais je suis sûr, d'après les publications littéraires, que beaucoup d'écrivains tiennent un journal. Il est sûr aussi que les jeunes, dans les écoles, vers quinze ou seize ans, écrivent un journal comme au XVIIe siècle ils composaient une tragédie.

MARCEL ARLAND. – Cela, c'est éternel, c'est autre chose. Nous parlons du moment où vers vingt-cinq ans un garçon écrit une œuvre véritable...

ALAIN GIRARD. – Oui, Monsieur. Mais, il y a cent ans, ils ne le faisaient pas.

MARCEL ARLAND. – Oh! vous croyez qu'il y a cent ans...! Rappelez-vous...

ALAIN GIRARD. – Ne disputons pas sur les dates. Mais on voit très nettement apparaître dans l'histoire vers le début du XIXe siècle le fait que des jeunes gens, garçons et filles, tiennent des journaux. Avant, je n'en vois pas; nous n'en avons pas de trace.

MARCEL ARLAND. – On a publié cette année le *Journal* de Huguenin et il était écrit pour être publié, quelque sincère qu'il puisse être.

ALAIN GIRARD. – Le journal est en effet devenu un genre littéraire. Mais, dans la mesure où il est devenu un genre littéraire et pour reprendre la réflexion de M. Gouhier, il y a lieu de se demander quelles sont ses nouvelles fonctions pour l'auteur.

MICHEL DECAUDIN. – On a décerné un prix de journal intime, il y a quelques années...

ALAIN GIRARD. – C'est un signe parmi d'autres.

CLARA MALRAUX. – Je me demande si ce n'est pas l'entrée de la femme dans la littérature qui a donné une espèce de plus-value au journal.

MARCEL ARLAND. – Oui, pourquoi pas! Et les femmes savent tenir leur «Livre de Comptes».

ALAIN GIRARD. – Ce n'est pas impossible, mais au XIXe siècle ce sont des hommes qui commencent à donner l'impulsion.

JEAN MOUTON. – A partir de quelle date commencent les journaux rédigés? Mme de Lamartine?

CLARA MALRAUX. – Mme de Chateaubriand… Marie Le Néru…

ALAIN GIRARD. – C'est en 1910, c'est beaucoup plus tard.

CLARA MALRAUX. – C'est pourquoi, je vous dis : je crois que c'est l'entrée de la femme dans la littérature.

ALAIN GIRARD. – Il y a Eugénie de Guérin qui tient un journal, mais par imitation de son frère et sur sa demande formelle, comme Barbey d'Aurevilly. Il faudrait faire un rapprochement avec le roman, parce que le roman est devenu aussi une forme féminine.

JEAN FOLLAIN. – En des temps plus anciens, il y a l'exemple du *Journal* de Pepys, en Angleterre.

ALAIN GIRARD. – Oui, mais ce sont des journaux extérieurs. Le roman, tel qu'il a évolué aujourd'hui, est-il devenu plus féminin ? Je crois que, si l'on faisait une statistique – pardonnez-moi ce mot – on trouverait plus de romans écrits par des femmes que par des hommes.

CLARA MALRAUX. – Non, non. Il paraît que la proportion est encore de 1 à 3.

MADELEINE DENEGRI. – Etait-ce l'idée de Gide de publier son *Journal* à l'époque, ou a-t-il été poussé par la N.R.F. ?

MARCEL ARLAND. – C'était l'idée de Gide.

ANNE HEURGON-DESJARDINS. – Il avait peur qu'on le tronquât.

MARCEL ARLAND. – Il est un auteur dont on n'a pas parlé à propos de journal, c'est Jules Renard ; on voit par son exemple combien Gide a eu raison de publier son journal de son vivant.

ALAIN GIRARD. – Dès le depart, dès l'âge de vingt ans, si vous voulez, il n'a pas décidé qu'il publierait son journal. Mais très tôt il a donné des feuillets : la mort de Charles-Louis Philippe, *la Marche Turque*, puis d'autres pages. Petit à petit, il s'est rendu compte que son journal pouvait alimenter des publications successives, jusqu'au moment où, en effet, avec les *Œuvres complètes*, il a décidé d'en faire un tout et de lui donner sa forme définitive.

MARCEL ARLAND. – Oui, mais ce qu'il publiait alors, comme Charles-Louis Philippe, c'était tel fragment de journal qui eût une valeur littéraire. Par conséquent, ce n'était déjà plus un journal intime.

ALAIN GIRARD. – Certes, et Gide eut sans doute le souci par ce moyen de poser des jalons, de préciser son itinéraire, son « voyage intérieur » et de le faire connaître.

MARCEL ARLAND. – Mais enfin, c'est devenu un genre, et si complexe aujourd'hui!… Songez au *Journal* de Léautaud qui, lui, est beaucoup plus intime, qui l'est même jusqu'à l'ostentation.

ANNE HEURGON-DESJARDINS. – A quel moment Léautaud a-t-il pensé à le publier? Il y a tout de même bien longtemps.

ALAIN GIRARD. – Il y a toujours pensé.

JEAN FOLLAIN. – Pour Léautaud, son *Journal* s'est gonflé de plus en plus. Les premières années, il y a assez peu de choses, cela s'augmente d'année en année.

ALAIN GIRARD. – Gabriel Marcel, dans le registre philosophique, a usé de ce genre.

ANNE HEURGON-DESJARDINS. – Et tout de même, il ne faut pas oublier Charles Du Bos.

MARCEL ARLAND. – Mais, avec Du Bos, nous sortons du journal intime, n'est-ce pas?

ALAIN GIRARD. – Oui. Il s'agit presque d'un jeu de mots, comme le *Journal d'un écrivain* de Dostoïevsky est constitué par des articles parus dans des journaux, un peu, d'ailleurs, comme le *Journal* de Mauriac. Il faudrait suivre également dans le temps le moment où, dans la littérature, la forme de la correspondance, par exemple, très répandue au XVIIIe siècle dans le genre du roman, a cédé le pas à la forme personnelle et à la présentation du récit par le journal. Il y a là des courants communs.

MARCEL ARLAND. – Le vrai journal intime, c'est donc celui où un écrivain pense: «je vais dire tout, tout l'essentiel, je ne cacherai rien, je ne mentirai pas, je ne me mentirai pas et comme, naturellement, je ne peux pas le publier de mon vivant parce que cela ferait un scandale, on le publiera après ma mort». Y a-t-il beaucoup de cas de ce genre?

PAULE CRESPIN. – Martin du Gard…

MARCEL ARLAND. – Je n'en suis pas sûr.

HENRI GOUHIER. – Michelet, est-ce un journal?

MARCEL ARLAND. – Oui. Il a été publié maintes années après la mort de Mme Michelet.

CLARA MALRAUX. – N'est-il pas plus grave de faire paraître un journal quand les vivants ne sont plus là pour vous répondre.

ALAIN GIRARD. – J'allais nommer les Goncourt... Le journal intime n'est pas le journal des autres, c'est d'abord le journal de soi-même. Chez les Goncourt, il s'agit d'une vaste fresque de la société, volontairement tournée vers l'extérieur.

CLARA MALRAUX. – Même si vous faites un journal intime, il comporte toujours les autres.

ALAIN GIRARD. – Rien de plus vrai. L'image des autres ou d'un autre est toujours présente au fond de la conscience, même la plus solitaire.

GIDE ET LE «NOUVEAU ROMAN»

André Gide et le «Nouveau Roman»: c'est peut-être une gageure bizarre que plutôt à cette constellation qu'est le «Nouveau Roman», dont la réalité s'amenuise et s'évanouit quand on s'efforce de le définir strictement, ou éclate et se dilue quand on veut lui faire embrasser avec cohérence la multiplicité des œuvres qu'elle étiquette... Pourtant le «Nouveau Roman» existe, on en parle, au moins sait-on ce qu'il n'est pas et ce qui n'est pas lui. Nul doute, même, qu'il ne constitue le fait majeur de l'histoire littéraire que nous vivons. Nul doute non plus que tous les vrais et grands romanciers du passé n'aient fourni chacun leur maillon à l'interminable chaîne de l'évolution qui aboutit au «Nouveau Roman». Sa diversité même, et l'importance du mouvement, font qu'il est aussi vain de prétendre découvrir au XVIIIe ou au XIXe siècle «le» précurseur, «le» fondateur du «Nouveau Roman», que de le croire surgi *ex nihilo* vers nos années cinquante...

On dira donc que voilà deux bonnes raisons de récuser l'intérêt du thème de cet exposé: multiplicité inorganique des œuvres ressortissant au «Nouveau Roman», qui empêche la comparaison avec un auteur unique, si divers soit-il lui-même; insertion nécessairement postulée de ce mouvement dans l'histoire du roman, qui rend à la fois trop facile de lui trouver des antécédents et abusif d'en privilégier tel ou tel. N'est il pas absurde de prétendre pousser sur la balance, toute nue et toute seule, une œuvre qui verra sur l'autre plateau Nathalie Sarraute traquant l'infra-psychologie et Robbe-Grillet déshumanisant les choses, Michel Butor composant de minutieuses architectures mentales et Claude Simon restituant à la mémoire ses flux et reflux mystérieux, tant d'autres encore..? Mais ne l'est-ce pas tout autant (absurde), que de faire un sort à Diderot, à Stendhal, à Flaubert, à Dostoïevsky, à Kafka ou à Proust, quand c'est seulement leur succession, leur incessante reprise du flambeau qui a valeur généalogique?

On peut pourtant réduire ces deux objections de principe. Si tant est qu'on ne sache unifier «l'esprit du *Nouveau Roman*», il n'est pas impossible que quelques-unes de ses directions divergentes, voire opposées, aient coexisté à l'état de tentations chez un auteur unique particulièrement préoccupé de plonger «au fond de l'inconnu pour trouver du nouveau». D'autre part, les «nouveaux romanciers» eux-mêmes revendiquent des ancêtres, et de leurs différentes listes d'aïeux préférentiels quelques noms font saillie: c'est même, a écrit Alain Robbe-Grillet, «sur les noms de nos prédécesseurs que nous nous sommes le plus aisément mis d'accord».

Le fait est que Gide n'est pas au nombre des élus. Michel Butor se borne à avouer qu'il «a été, et reste, assez impressionné par l'effort de réflexion romanesque que constitue l'ensemble *Faux-Monnayeurs – Journal des Faux-Monnayeurs*», – ce qui témoigne d'une déférence assez froide. Philippe Sollers: «Gide n'a pas eu sur moi d'influence que je puisse reconnaître». Robbe-Grillet se «sépare *radicalement* de Balzac, comme de Gide ou de Madame de La Fayette». Quant à Nathalie Sarraute, qui cite Gide six ou sept fois dans *L'Ère du soupçon*, c'est surtout l'exégète de Dostoïevsky qui la retient; et, derrière le psychiatre du *Portrait d'un inconnu*, elle se moque gentiment de Nathanaël.

Peut-être, d'ailleurs, est-ce précisément ce côté Nathanaël, cette fameuse *ferveur* gidienne, cette libération individualiste dès longtemps acquise et paraissant aujourd'hui dépassée, qui démode Gide aux yeux des jeunes romanciers actuels. Aussi bien ne saurait-on voir là ce qui reste de lui, dix ou quinze ans après sa mort, le plus vivant et le plus fécond. Comme il arrive souvent d'un grand écrivain dont l'influence a profondément marqué une génération dans un sens déterminé, la génération suivante ne se sent plus concernée par ces mêmes vertus et, croyant ranger l'œuvre au musée, s'abreuve en fait clandestinement à ce qui, dans cette œuvre, restait caché aux yeux des aînés. Ainsi chaque époque découvre-t-elle, «développe-t-elle» le Racine, le Diderot, le Baudelaire dont elle a besoin.

Sans doute voit-on ce que nous avons en tête, ce procès d'ingratitude que nous nous proposons d'intenter aux romanciers héritiers de Gide (en ligne collatérale peut-être...). Encore faut-il que ces prétendus héritiers ne puissent nous accuser de faire d'André Gide un grand-père abusif du Nouveau Roman...

Si pourtant nous croyons devoir insérer Gide dans cette ascendance directe, et même lui assigner une place à beaucoup d'égards privilégiée, c'est qu'il nous paraît être de ceux qui, parmi tous les «grands» de l'histoire du roman, se sont distingués par la *conscience* qu'ils eurent de la spécificité de leur genre: je veux dire ceux qui n'ont pas conçu leur œuvre comme l'usage mécanique et paresseux de formes, de techniques et de définitions reçues dans lesquelles ils se fussent contentés de mouler de nouveaux «cas», de nouvelles anecdotes à demi inédites; bref, ceux qui ont entendu, pour reprendre la formule de Butor, «le roman comme recherche», – qu'ils se soient expliqués ou non dans des écrits théoriques. Telle doit être, croyons-nous, la lignée de légitime ascendance, selon la chair et selon l'esprit, du Nouveau Roman. Certes, celui-ci se définit d'abord par une *rupture* avec la tradition, rupture sans analogue dans l'histoire du genre, et le romancier Gide, c'est incontestable, est pour une large part *en deçà* de cette rupture; il serait vain que nous démontrions ici cette évidence. Mais il y a *aussi* en lui des «germes» de modernité qu'il me paraît bien plus intéressant de dégager – parce qu'ils sont moins évidents aux yeux de beaucoup – et qui montrent que c'est avec Gide, dans sa longue quête pour réinventer le roman, que tout «bascule»...

L'année où le jeune Gide fit son entrée en littérature est significative au plus haut point. Tous les historiens se rendent à l'évidence que ce fut là l'acmé d'une époque littéraire: «1891, c'est la date heureuse du symbolisme. C'est sa phase héroïque», devait dire dans ses Souvenirs, quelque trente ans plus tard, l'un de ceux qui furent *de la mêlée*, Ernest Raynaud. 1891, c'est surtout le fameux banquet offert à Moréas, le poète du *Pèlerin passionné*, banquet qui réunit tapageusement, sous la présidence de Mallarmé levant son verre à «toute une jeunesse aurorale», la nouvelle école triomphante. André Gide lui-même, d'ailleurs, assiste à la réunion entraîné par Barrès qui l'y présente à Mallarmé... Or, ce serait peu dire que cette «jeunesse aurorale», que le symbolisme tout entier *croyait* en la poésie: nulle époque littéraire ne l'avait jamais placée si haut, n'en avait fait aussi exclusivement l'art souverain. Par-delà le romantisme français, en buvant aux sources idéalistes allemandes, les symbolistes redonnaient valeur absolue à la notion du poète *vates*, mage, prophète, détenteur des clefs qui ouvrent les portes d'ivoire et de corne; on sait de reste le goût du temps pour l'ésotérisme et l'occultisme. Il s'agissait d'exprimer l'inexprimable, de susciter l'essentiel par le jeu des symboles. On conçoit que cette génération se désintéressât d'un genre comme le *roman*, qui venait pourtant de vivre avec la grande décennie naturaliste l'une de ses batailles les plus glorieuses: le roman, la prose objective qui nomme, décrit, explique, apparaît dans son essence même, ou du moins dans sa réalisation traditionnelle, comme l'art le moins propre à faire retrouver à l'homme moderne le Paradis perdu. «*Nommer* un objet», disait Mallarmé à Jules Huret qui menait en ce début de 1891 sa célèbre *Enquête sur l'évolution littéraire*, «c'est supprimer les trois-quarts de la jouissance du poème qui est faite du bonheur de deviner peu à peu; le *suggérer*, voilà le rêve». La génération condamne le roman: «On n'y croit plus aux récits bien faits. Ils sont pédants; et, de l'essentiel, ils ne disent rien», écrit M. Albérès dans son *Histoire du roman moderne*. «Il était si lourd, le roman, avec ses descriptions, ses analyses,

ses adjectifs. Ni Moréas, ni Mallarmé, ni Laforgue ne peuvent se plier à son style «informatif» et pédant...» D'un auteur de vingt-et-un ans qui se faisait imprimer pour la première fois en 1891, pouvait-on donc attendre autre chose qu'un volume de vers? «La formule nouvelle du roman», notait Jules Renard dans son *Journal* vers la même époque (6 avril 1892), «c'est de ne pas faire de roman»...

Pourtant, *les Cahiers d'André Walter* n'étaient pas un recueil poétique. Qu'é-taient-ils au juste? Un *journal*? Ils en avaient l'apparence; mais à y regarder d'un peu plus près, on s'apercevait que le seul principe du genre, qui est la juxtaposition de notes dans un ordre rigoureusement *chronologique*, n'y était pas respecté, une mosaïque de pages antérieures recopiées s'intégrant à ces cahiers tenus d'avril à novembre 1889. Un *roman*? Ce souci de composition eût pu en effet ne trahir qu'une conception originale de la création romanesque; mais l'œuvre avait un aspect si souvent lyrique et contenait tant de notes à l'état brut que nous n'étions sans doute qu'*en deçà* d'un roman possible, entrevu, et trop éloignés de la forme romanesque traditionnelle. Alors, le *journal d'un roman* en cours d'élaboration? *Les Cahiers*, de toute évidence, ne le devenaient, et encore partiellement, que dans leur seconde partie... L'ambition du jeune auteur d'*André Walter* était visiblement de réinventer le genre romanesque, de le mettre en question et – nous le verrons – d'en faire le moyen et la fin d'une recherche. Il était du petit nombre de ceux qui ne consentaient point à la mort du roman et voulaient s'efforcer de le recréer en rejetant les conventions et re-cettes traditionnelles; en cette même année 1891, Marcel Schwob écrivait dans la préface de son premier recueil de contes, *Cœur double*: «Si la forme du roman littéraire persiste, elle s'élargira sans doute extraordinairement...» Treize ans plus tard, d'ailleurs, cet «élargissement» du genre était assez communément acquis pour que Gide lui-même pût écrire (dans une note à sa conférence sur *l'Évolution du Théâtre*): «Le roman est une espèce littéraire indécise, multi-forme et omnivore»...

Certes, ce fut bien l'aspect chaotique, fragmentaire, informe ou «multi-forme» des *Cahiers d'André Walter* qui frappa et déconcerta leurs rares lecteurs de 1891: *incohérent, composite, sans plan, décousu, inachevé*..., tels sont les mots qui revinrent dans tous les comptes rendus du moment; l'échotier du *Magazine français* tranchait: «Ce n'est pas un livre, la composition manque». Et aujourd'-hui encore, quand le Professeur Delay affirme: «rien de plus composé que les livres de Gide, et cela dès sa jeunesse», c'est pour ajouter aussitôt: «à l'exception des *Cahiers d'André Walter* et des *Nourritures terrestres*»... Cependant, c'est déjà à l'intérieur même des *Cahiers*, et dans les documents à peu près contemporains, que le jeune Gide marque son souci quasi obsessionnel de la *construction*. «L'ordonnance de Spinoza pour l'*Ethique*, la transposer dans le Roman!»

s'écrie Walter. «Les lignes géométriques. Un roman c'est un théorème.» Et dans le *Journal*, deux ou trois ans plus tard: «L'idée de l'œuvre, c'est sa composition». Compte tenu de son développement ultérieur dans l'itinéraire créateur de Gide, je ne sache pas qu'aucun grand écrivain avant lui ait consciemment accordé autant d'importance au problème de la *structure* de l'œuvre littéraire – et voilà qui, d'emblée, lui donne des droits à la place dont nous avons parlé.

Mais quelle était-elle, cette structure des *Cahiers d'André Walter*? Pour rigoureuse qu'elle fût et, partant, significative et *créatrice*, elle ne se révélait qu'à des yeux très attentifs. Il s'agit, on le sait, du cahier intime tenu par un jeune homme de vingt ans d'avril à novembre 1889, durant un séjour en Bretagne où il s'est retiré peu après que sa mère, à son lit de mort, lui eût fait renoncer à épouser sa cousine Emmanuèle qu'elle fiançait à un autre; une note de celui qui était censé éditer cette œuvre posthume, Pierre C. (Pierre Chrysis, premier pseudonyme hugolien de Pierre Louÿs), informait le lecteur que la dernière page de ces *Cahiers* avait précédé de peu la mort d'André Walter, emporté par une fièvre cérébrale... Journal d'un fou, donc, ou plutôt journal d'un homme devenant et se sentant devenir fou – et qui plus est, élaborant un roman dont le héros, Allain, son double, le précède sur le chemin de son expérience ultime: dès avant la fin du *Cahier noir*, Allain a déjà basculé, lui, dans la folie. D'autre part, nous l'avons déjà remarqué, si le second cahier, le *Cahier noir*, se présente comme un *vrai* journal, minutieusement et presque quotidiennement tenu du 29 ou 30 juin aux alentours du 20 novembre, – dans le premier, le *Cahier blanc*, composé d'avril à juin, s'imbrique une autre chronologie, celle de fragments recopiés de journaux des trois années antérieures, qui occupent presque la moitié de ce cahier. Ainsi, dans ce livre se superposent et se réfractent l'un dans l'autre le présent vécu par Walter, les documents de son passé et son propre futur qu'il fait vivre par son double Allain; on assiste à une désintégration du temps traditionnellement linéaire, expérience qu'on retrouvera dans *l'Emploi du temps* de Michel Butor, avec d'ailleurs moins de complexité puisque le cahier de Jacques Revel se borne à mêler progressivement le souvenir de ses premiers mois vécus à Bleston au journal des derniers. N'y aurait-il pas lieu de compléter, en y tenant compte du rôle du futur, pour l'appliquer aux *Cahiers* de 1891, ce qu'écrivait récemment un commentateur de *l'Emploi du temps*? «Le présent hante le passé, le passé hante le présent, et la conscience se trouve dans l'entre-deux, cherchant à démêler, à reconstruire... Mais c'est dans la mesure même où elle n'y parvient pas totalement qu'elle donne l'impression de l'épaisseur du temps, de la profondeur de l'existence, et qu'ainsi notre vie déjà vécue, échappant à une emprise totale, prend la forme d'un labyrinthe dont l'Ariane est la mémoire, dont nous sommes le Thésée, dont le Minotaure est peut-être la mort.»

On objectera peut-être que *l'Emploi du temps* et les *Cahiers d'André Walter* n'ont entre eux qu'une affinité très abstraite, et qu'à tout prendre, dans le détail de sa réalisation, le dislocation du temps dans le roman de Butor se réclamerait plutôt de l'expérience proustienne. Sans doute. Il reste qu'avec *André Walter* le jeune Gide s'assurait une place dans la lignée des romanciers modernes qu'obséda le problème du temps en y apportant une solution de structure... Ce n'est pas par hasard que Michel Butor a naguère commenté longuement *la Répétition* et que la première œuvre de Gide évoque si curieusement l'«essai d'expérience psychologique» de Kierkegaard (qu'évidemment il n'avait pas pu lire...).

Il va de soi qu'une telle manipulation de la durée avait pour avantage de montrer, *in vivo*, à trois stades interférant, le mal andréwaltérien – ce mal qui était alors assez représentatif pour que Maeterlinck vît dans ces *Cahiers* «le triste et merveilleux bréviaire des vierges». Mais revenons à cette autre originalité formelle qu'est la situation du héros (lui-même double de son auteur André Gide) donné comme romancier, et comme romancier créateur d'un personnage, Allain, qui est le double de ce double et vit «en avance» sur Walter comme Walter vit «en avance» sur Gide, ou du moins sur un des *possibles* de Gide (car nous connaissons le caractère largement autobiographique de la donnée initiale des *Cahiers*, que reprendra plus tard *la Porte étroite*). Ce qui n'est pas un simple jeu, mais déclare, au seuil de la carrière créatrice de Gide, la fonction essentiellement cathartique, expérimentale de la littérature, le personnage de roman étant issu de la culture d'un des bourgeons, d'un «œil dormant» de son auteur, prolongeant expérimentalement l'une des «directions infinies de la vie possible» du romancier: les *Cahiers* sont déjà, en moins ample, trente-cinq ans avant *les Faux-Monnayeurs*, le roman du romancier. Et cela doublement: non seulement comme «autobiographie possible» de l'homme qui les a écrits, mais aussi et surtout en tant qu'œuvre où l'auteur prend pour matière son acte, son effort même de création – qui objectivement n'aboutit pas, puisque le roman projeté par André Walter n'est pas écrit, pas plus que celui d'Edouard dans *les Faux-Monnayeurs*, mais peu importe puisque la recherche devient à elle-même son propre objet. A Laura qui doute qu'il écrive jamais son livre, Edouard réplique: «Eh bien! (...) ça m'est égal. Oui, si je ne parviens pas à l'écrire, ce livre, c'est que l'histoire du livre m'aura plus intéressé que le livre lui-même; qu'elle aura pris sa place; et ce sera tant mieux.» On sait la fortune qu'a connue, depuis, ce qui est en somme l'*antiroman*, c'est-à-dire le roman constitué par la question préalable à tout roman possible... Dans son brillant pamphlet contre *la Cure d'amaigrissement du roman*, le Professeur Barrère rapproche de façon fort suggestive la dernière phrase de ces trois romans *modernes* que sont *la Recherche du temps perdu*, *la Nausée* et *la Modification*:

Le Temps retrouvé: «Oui, à cette œuvre, cette idée du Temps, que je venais de former, disait qu'il était temps de me mettre.»

La Nausée: «Mais il viendrait bien un moment où le livre serait écrit, serait derrière moi, et je pense qu'un peu de clarté tomberait sur mon passé.»

Et *la Modification* (j'abrège un peu la phrase): «Le mieux, sans doute, serait (...) de tenter de faire revivre sur le mode de la lecture (...) le mouvement qui s'est produit dans votre esprit accompagnant le déplacement de votre corps d'une gare à l'autre à travers tous les paysages intermédiaires vers ce livre futur et nécessaire dont vous tenez la forme dans votre main.»

Et M. Barrère oppose ces trois œuvres significatives qui *se ferment*, à l'*ouverture* finale – ou plutôt indéfinie – des *Faux-Monnayeurs*, la célèbre petite phrase qui équivalait pour Gide à un «pourrait être continué»: «Je suis bien curieux de connaître Caloub». Mais n'est-ce pas là confondre la *matière* du livre – certes inépuisable – avec son *sujet*, qui est la *recherche* d'Edouard le romancier, c'est-à-dire «la rivalité du monde réel et de la représentation que nous nous en faisons», recherche qui trouve en elle-même sa fin? N'est-ce pas commettre l'erreur qui consisterait à voir dans *les Fruits d'or* de Nathalie Sarraute la simple satire d'un certain snobisme littéraire? Peu importe que ce ne soit pas littéralement à la dernière ligne de l'œuvre achevée que «le livre en projet est dessiné en réduction (...), comme un tableau en miniature dans le tableau ou son reflet dans un miroir au fond de la toile.» Il s'agit bien toujours de ce procédé de la «mise en abyme» que Gide a défini dans un très célèbre passage de son *Journal* de 1893 et qui concrétise en somme ce jeu de miroirs, ce jeu de *réflexion* qui est essentiel à beaucoup des romans les plus «nouveaux» de notre temps – et même à cet «au-delà du Nouveau Roman» que tentait de définir ici même, il y a un an, l'équipe de *Tel Quel*: en sommes-nous en effet tellement éloignés, lorsque Jean Pierre Faye résume ainsi une suggestion de Philippe Sollers: «Le fait qu'un livre, un livre non discursif, enfin un récit, une fiction, engendre une sorte d'image de lui-même, une sorte de double, c'est la suggestion que nous propose Paulhan; et Sollers ajoutait que, justement, il s'agirait d'envisager un livre qui serait capable de contrôler son propre double, de le voir naître et de l'empêcher de devenir trop vite autre chose – quelque chose de plus dégradé –. Cela me paraissait un thème très étrange et très prégnant en même temps.» Bien sûr, nous sommes ici très loin des termes assez simples de la problématique gidienne; mais je crois que, *mutatis mutandis*, il y a une préoccupation commune. Quant à l'utilisation précise du procédé de «mise en abyme», qu'on songe au «tableau (qui), dans son cadre de bois verni, représente une scène de cabaret», accroché dans la chambre du narrateur de *Dans le labyrinthe* de Robbe-Grillet, ou à cet autre tableau dans *la Route des Flandres* de Claude Simon, ou au dessin sur la paroi de la caverne dans *la Mise en scène* de Claude Ollier... Dans sa communi-

cation au Congrès de 1961 de l'Association Internationale des Etudes Françaises, le Professeur Morrissette a pu rassembler de nombreux exemples, dans le
Nouveau Roman, de ces «duplications intérieures» qui, disait-il justement,
«d'une façon allégorique (plutôt que symbolique) (...), rehaussent, en la reflétant, la signification générale de l'œuvre.»

Gide, on le sait, voyait déjà la «mise en abyme» dans *Hamlet*, dans *Wilhelm
Meister*...; mais il n'est guère contestable que c'est sa propre œuvre de romancier qui a donné à cette technique ses lettres de noblesse dans la littérature d'aujourd'hui, inaugurant par là ce que M. Albérès, à propos de Michel Butor, a
judicieusement appelé «le roman transcendantal», qui «n'est pas une description du monde, car ce qu'il exprime (...), c'est la *structure de notre vision du
monde*». Roman qui «ne livre pas la *réalité vécue*, mais les *difficultés* que l'on
peut avoir à se la représenter et à la décrire, les *méthodes* selon lesquelles on peut
l'étudier, les *problèmes* que pose sa restitution». L'équivalent, en somme, du
poème mallarméen qui est toujours discours sur la création poétique. «Ce que
je voudrais que soit ce roman?» notait Gide dans son *Journal* en 1923: «un
carrefour – un rendez-vous de problèmes.»

On dira que tout cela concerne les seuls *Faux-Monnayeurs*, et que Gide romancier n'y est pas tout entier. Mais c'est ici que prend tout son sens l'attitude
adoptée par Gide vers 1911, débaptisant «romans» l'*Immoraliste* et *la Porte
étroite* et, jusque quinze ans plus tard, étiquetant *soties* et *récits* toutes les œuvres
de fiction qui précédèrent *les Faux-Monnayeurs*, son «premier roman» comme
le proclama la dédicace à Martin du Gard: il a été maintes fois montré qu'aux
yeux de qui embrasse tout l'itinéraire créateur de Gide, les soties et les récits, de
Paludes à *la Symphonie pastorale*, apparaissent comme la préparation, la longue
maturation expérimentale nécessaire au grand œuvre des *Faux-Monnayeurs*;
mais on devrait aussi montrer que cet autre «genre littéraire» réinventé et
illustré par Gide, le *traité*, et même ses menues tentatives dramatiques, et même
et surtout cet *hybride* qu'avaient été les *Cahiers d'André Walter*, toutes ces réalisations fragmentaires ont été comme des «gammes» techniques, des expériences
auxquelles le monument de 1925, cette *Critique du roman pur*, a donné un sens
définitif. Dans le gros volume de la Pléiade qui a rassemblé l'œuvre romanesque et lyrique de Gide (mais en en excluant *André Walter*, on ne sait trop pourquoi, et c'est grand dommage), on est évidemment libre de préférer tel ou tel
livre, – mais refuser de voir que tout y est finalement ordonné aux *Faux-
Monnayeurs* me paraîtrait une erreur grave.

Ce qui doit nous ramener, je pense, à ces critiques sévères qu'essuya le roman
dès qu'il parut, au printemps 1926. Livre massif et inorganique, assurait-on, et
sec, sans vie: pour avoir voulu sortir de l'exploitation de son fonds autobiographique, M. Gide a manifesté son inaptitude à *créer* un monde romanesque

digne de ce nom; M. Gide est un romancier impuissant. C'est ce grief même d'*impuissance* qu'il y a presque plaisir à rappeler aujourd'hui, tant il est curieux de constater que les détracteurs du Nouveau Roman le reprennent maintenant à leur compte... Oui, Gide faisait déjà un livre de l'impuissance du romancier dévoré par ses propres problèmes de romancier. Oui, Gide montrait déjà quel moteur romanesque ce pouvait être que l'incessante et «stérile» recherche technique. Et sa prétendu impuissance est sans doute, si l'on peut dire, ce qui reste aujourd'hui le plus fécond de son œuvre...

Il est néanmoins un trait commun à la plupart des «Nouveaux Romanciers» qui semble ne correspondre à rien chez Gide: je veux parler de l'importance accordée par eux aux *objets* et, subséquemment, de leur signification – je devrais plutôt dire de la reconnaissance de leur non-signification. Il est vrai, rien ne préfigure chez Gide le sens robbe-grilletien de l'*être-là* des choses, rien n'y paraît annoncer cette volonté de «désanthropomorphiser» l'univers objectif et sa description en littérature; tout au plus, çà et là, dans *Divers* par exemple, une pointe contre le «démon de l'analogie» et ses ravages chez un Jules Renard, qui ferait un maigre plaisir aux tenants de la «littérature objectale»... Lâchons le mot: Gide semble bien recueillir et faire fructifier tout l'héritage abhorré de la fameuse tradition française du roman d'*analyse psychologique*. Voilà qui pourrait évidemment suffire à le faire jeter aux oubliettes...

Regardons-y d'un peu plus près. Il n'est certes pas douteux que le propos de l'auteur d'*André Walter*, de l'*Immoraliste*, de *la Porte étroite*, de la *Symphonie*, de l'*Ecole des femmes* était l'investigation de «cas» psychologiques. Mais il n'est pas indifférent de préciser de quels *cas* il s'agit, car on s'aperçoit alors que Gide n'a pas été qu'un simple «analyste du cœur humain» après tant d'autres, si subtil, si brillant fût-il... La suite de ces récits, de ces «monographies» comme il disait lui-même, ne fait pas qu'ajouter à la galerie traditionnelle quelques types psychologiques inédits: depuis les *Cahiers d'André Walter*, dont *la Porte étroite* reprend le thème, jusqu'à la trilogie de l'*Ecole des femmes*, on discerne une unité, ou plutôt la direction d'une *recherche* continue, sans cesse approfondie. Banalement, on dira que c'est le problème de la *sincérité*, bien sûr, qui est au cœur de cette recherche; et il est bien vrai que lorsqu'il nous peint l'échec de Walter, d'Alissa ou du Pasteur, Gide pourfend toujours le même ennemi, c'est-à-dire l'homme insincère, le «faux-monnayeur», cet «esprit faux» qu'il a magistralement saisi dans une page célèbre du *Journal des faux-monnayeurs* – mais il faudrait aussi montrer que cette lutte contre l'esprit faux, Gide l'a menée avec une sévérité et surtout une *lucidité* croissantes: le faux immoralisme du Pasteur de la *Symphonie*, qu'il abandonne «le cœur plus aride que le désert», est dénoncé plus cruellement que ne l'avait été Alissa, moins lucide mais aussi dupe; et Gide n'aura plus aucune pitié pour les «faux-monnayeurs» de son grand roman ni pour le Robert de *l'Ecole des femmes*. Mais (et voici le plus important) qu'y a-t-il au bout de cette recherche? après tant de faux-monnayeurs, on s'attend à trouver enfin un héros positif, réalisant la plénitude de la sincérité gidienne… On trouve Edouard, on trouve Eveline: deux personnages qui incarnent bien moins la victoire sur l'esprit faux que le constat de la sincérité impossible, la vanité de l'analyse psychologique. Il y a, dans le plaidoyer *pro domo* que Gide fait écrire à Robert, des pages terriblement convaincantes sur la critique de la notion de sincérité, des pages qu'on croirait de M. Henri Massis… Et c'est Edouard, le romancier, qui écrit dans son *Journal* que «l'analyse psychologique a perdu pour (lui) tout intérêt» du jour où il s'est aperçu qu'elle fausse, adultère, rend «inauthentique» tout ce qu'elle touche. Gide n'a été, au total, un «romancier psychologique» que pour déconsidérer radicalement la psychologie.

Qui ne voit donc que c'était ainsi ouvrir la route à ceux qui prétendraient trouver l'homme dans un monde lavé de ratiocinations mystiques ou mythiques? Nathalie Sarraute traquant les *tropismes*, se mouvant dans le monde visqueux de ce qui n'est ni étiquetable ni analysable, n'est-ce pas l'étape clairement préparée par la critique gidienne? Ceux qu'on a appelés dans le monde de la romancière les «oppresseurs» ne sont-ils pas les faux-monnayeurs dénoncés par Gide, c'est-à-dire non seulement ceux qui sont installés dans la mauvaise foi, dans l'inauthenticité, mais aussi les docteurs psychologues qui croient à l'analyse et à la sincérité possible? Et ici encore, je trouve significatif qu'une génération ait pu voir dans le gidisme ce «psychologisme» que Massis lui imputait à crime, tandis que la nôtre y peut trouver la très moderne condamnation de la psychologie…

Il est certain qu'au delà des *Faux-Monnayeurs*, la trilogie de l'*Ecole des femmes*, quoique de technique apparemment moins révolutionnaire, constitue le terme extrême de l'enquête gidienne. Mais nous pouvons nous y arrêter un instant pour souligner une nouvelle fois que le *sujet* du livre n'est pas distinct, en somme de sa *structure*: pour restituer l'insaisissable vérité de ses personnages, pour montrer que leur poursuite même de l'authenticité détruit son objet au fur et à mesure qu'elle avance, Gide *devait* organiser la réflexion indéfinie entre cette glace à trois faces qu'est ce triple récit de la même histoire: le journal d'Eveline (lui-même scindé en deux parties qui, par leur ton violemment contrasté, sont déjà une «mise en doute» du personnage), la longue apologie de Robert (qui, dans l'esprit du lecteur, se réfracte à travers le double portrait qui la précède) et enfin le récit de Geneviève (narrant, à travers sa propre aventure, le prolongemen de celle de sa mère), autant de «points de vue» exclusivement subjectifs, d'où naît, pour le lecteur, une objectivité certaine mais informulable. On peut dire que la forme de l'œuvre est en ce cas proprement créatrice. Il faudrait en

dire autant de cette structure bipartie qu'affectionnait Gide et qui n'est rien
moins qu'une simple division chronologique: les deux cahiers d'*André Walter*,
les deux cahiers de *la Symphonie pastorale*, *a fortiori* la succession du récit de
Jérôme et du Journal d'Alissa. Dans l'étude que j'ai déjà citée, M. Bruce Morrissette a bien montré que le problème du *point de vue* et de ses «modulations»
était au cœur du renouvellement du Roman moderne. Là encore, Gide a consciemment et subtilement assumé un rôle important.

On aura compris, je pense, à quoi tendait le présent exposé, où je ne pouvais
d'ailleurs qu'indiquer une voie d'étude et de comparaison. Cette décade Gide à
Cerisy ne devait pas être un hommage, un mausolée dont Gide n'a aucun besoin,
Dieu merci; il est évidemment plus intéressant, plus important de le montrer
encore vivant parmi nous, fût-ce en des descendants parfois ignorants de leur
père. Et ce n'est pas professer un exclusivisme abusif de «gidisant», ni diminuer
l'importance de Proust ou de Raymond Roussel, que de tenir pour ingratitude
le silence des romanciers du «Nouveau Roman» à l'endroit d'André Gide.

DISCUSSION

MARCEL ARLAND. – L'ensemble des remarques que vous nous avez livrées nous a tous beaucoup intéressés. Je crois que cela a dû susciter en chacun de nous un certain nombre de réactions qui ne sont pas les mêmes, sans doute, pour tous les auditeurs, peut-être selon leur âge, leur disposition d'esprit. Certains mots exigeraient d'être un peu précisés: quand vous parlez de «forme créatrice», de «roman comme recherche», etc.... Je voudrais donc entendre les voix les plus diverses s'exprimer le plus sincèrement possible. Nous donnerons d'abord la parole aux représentants de ce que l'on appelle le «Nouveau Roman».

JEAN RICARDOU. – Je voudrais apporter d'abord une confirmation à ce qu'a dit M. Martin et qui m'a semblé souvent tout à fait remarquable. Il est vrai qu'entre nous, romanciers du Nouveau Roman, nous n'avons pratiquement jamais parlé de Gide. Non que nous le négligions, certes; mais peut-être que notre admiration est – comment dire? – un peu «imprécise» et s'applique de façon assez diffuse, dans l'abstrait, aux exigences constamment montrées par l'écrivain. C'est sans doute, pour ma part, que j'ai lu Gide prématurément, avant d'avoir tout à fait enclenché le processus de mon écriture. Mon opinion reste donc celle – insuffisante vis-à-vis de moi-même – de pur lecteur. N'avoir pas relu Gide est probablement une erreur et l'une des leçons que je tire de l'exposé de M. Martin est qu'il me l'a fait comprendre.

Ce qui pourrait pourtant, me semble-t-il, nous retenir plus précisément chez Gide – les quelques-uns qui écrivons ces livres aujourd'hui – c'est justement la mise en abyme. Je crois que la plupart des livres du Nouveau Roman contiennent, d'une façon ou d'une autre, une *mise en abyme* ou plusieurs, ou même, de continuelles *mises en abyme*. Cette réduction, cette image du livre dans le livre a la même curieuse conséquence que dans un tableau de Memling ou Quentin Metzys, en lequel le miroir renvoie une partie de la scène peinte et l'attention ainsi, au lieu d'aller au tableau et de revenir vers nous, par l'intermédiaire du miroir, nous entraîne encore plus profondément dans le tableau. Cette *mise en abyme* dans le roman a donc, je crois, notamment la singulière fonction de souligner que le roman n'a de rapport avant tout qu'avec lui-même. Au lieu d'attirer l'attention vis-à-vis du monde quotidien dans lequel nous sommes, il semble qu'il y ait là comme une volonté extrêmement concertée d'attirer l'attention vers le centre secret du livre.

Il y a, je crois, une autre conséquence qui nous intéresse beaucoup dans ce principe. Un livre qui ne dispose pas de *mise en abyme*, a tendance à se dérouler, de la première à la dernière ligne, comme un flux. Lorsqu'il y a une *mise en abyme*, ce flux est rompu par cette sorte de caillot, par ce microcosme de l'œuvre. Alors si nous multiplions les *mises en abyme*, nous aurons une lecture qui ne sera plus du type, comment dirais-je, traditionnel, courant horizontalement le long des lignes, lâchant la proie pour l'ombre – mais une lecture nouvelle, comme verticale, dans l'épaisseur soudain partiellement résumée du texte, une lecture comportant des points d'arrêt à partir desquels on s'enfonce plus profondément, à partir desquels s'exercent certains mécanismes de fascination. Je crois que l'une des caractéristiques des recherches qui se font aujourd'hui, c'est de mettre en cause le déroulement du début à la fin, et de contester donc, même, de diverses façons, la notion de début et de fin – ces frontières avec le monde quotidien. N'est-ce pas ce phénomène, vous l'avez très bien indiqué, qui se manifeste lorsque l'on apprend par exemple à la fin de *la Modification* de Butor que le livre qui va s'écrire nous l'avons entre les mains et que nous sommes ainsi reconduits par une boucle, désormais éternelle, au tout début? Le roman se boucle sur lui-même et n'a plus en somme, d'une certaine façon, ni queue, ni tête. En un sens, oui, nos livres sont des romans sans queue ni tête.

L'importance de Gide, donc, concernant le problème de la *mise en abyme* est indubitable: il a découvert cette excellente formulation et il a utilisé le principe de façon concertée. Mais il serait inexact, n'est-ce pas, de lui en accorder l'exclusivité. Lui-même cite diverses approximations: *Hamlet*, *Wilhelm Meister*, *la Chute de la Maison Usher*. Et je ne suis pas trop surpris d'apprendre, deux pages plus haut, son projet de traduire Heinrich von Osterdingen: le héros de Novalis se trouve en effet descendre dans une mine; il y découvre un livre où sa vie est écrite et où lui-même apparaît en maintes illustrations. On pourrait considérer aussi le prologue d'une tragédie, comme une sorte de *mise en abyme* dès l'entrée. De tous temps, donc, il y a eu ces phénomènes de cristallisation.

Mais peut-être que ce qui nous retient un peu d'accorder à Gide toute l'importance que vous avez très bien montrée, c'est peut-être justement, le problème des objets. Vous avez parlé, je crois, M. Martin, de la déshumanisation de l'objet. Cette expression ne me paraît pas très heureuse. Il me semble qu'il y a deux éléments différents: d'une part les objets, d'autre part leurs rapports. Et cela correspond à deux sortes d'écritures: la description qui obtient surtout la *présence* des choses et d'autre part, les styles à prédominance métaphorique qui tendent beaucoup moins à décrire l'objet, à lui donner une présence qu'à traduire des rapports, au niveau de la phrase. Car les métaphores, n'est-ce pas, mettent deux «objets» en relation: l'objet qui est *ici* – dont on parle – et puis un autre objet, qui est *ailleurs*. Pour résumer: la description privilégie l'objet et le style métaphorique privilégie les rapports entre les objets. Or, ce qui m'importe, c'est, par la pratique d'une nouvelle littérature, la dépassement de l'alternative *objets* ou *relations*, c'est l'abandon de ce vieux rapport d'exclusion réciproque, c'est d'obtenir, par la pratique d'une prose nouvelle, *à la fois* les choses et les rapports. Sur le plan local du style, donc, voici des descriptions exemptes de toute allusion analogique. Mais, d'autre part, une sorte de démon de l'analogie travaille (cela est perceptible chez Robbe-Grillet, mais chez Butor aussi et chez Claude Simon et chez Claude Ollier), moins au niveau de la phrase qu'au niveau de la construction du livre. Et les objets se répondent analogiquement de façon plus intense que dans le monde quotidien. Il y a des ressemblances d'objets comme, hors de la littérature, nous n'en avons vu nulle part. Autrement dit, il ne s'agit pas du tout de déshumaniser les objets et de déshumaniser le monde, comme on l'a prétendu, mais il me semble au contraire que c'est essayer d'obtenir un monde qui soit *à la fois* concret, présent et qui soit *à la fois* un tissu de relations.

CLAUDE MARTIN. – Il reste tout de même que l'effort de Robbe-Grillet consiste bien à laver les objets de ce que l'homme y met de trouble.

MICHEL DECAUDIN. – L'explication qu'il en donne tend justement à ce que vous avez dit. Quand Robbe-Grillet dit: «Un morceau de fer n'est qu'un morceau de fer, ce n'est pas une grille de prison», il désigne exactement l'être-là de l'objet et il se refuse à mettre une signification de l'objet. Je pense que ce qui oppose les nouveaux romanciers à Gide ici, c'est le fait que chez Gide un paysage est toujours un état d'âme.

CLAUDE MARTIN. – Oui, c'est vrai jusqu'à *la Symphonie Pastorale* inclusivement et encore avec quelques réserves, mais on ne trouve plus guère de ces descriptions du début dans *les Faux-Monnayeurs* et dans *l'Ecole des femmes*.

JEAN RICARDOU. – Pour en revenir au paysage-état d'âme, ce que nous essayons ce n'est pas de dire qu'un paysage est un état d'âme, mais peut-être, si l'on veut à tout prix faire de la psychologie – ce qui me paraît de plus en plus secondaire – c'est de présenter un paysage et un état d'âme *en même temps*, sans que l'état d'âme estompe le paysage sous ses propres émotions et, d'autre part, sans que la réalité matérielle du paysage finisse par effacer complètement celui qui le regarde.

Il me semble en outre regrettable de nier qu'un morceau de fer soit un morceau de fer; ce qu'il faut c'est qu'à la fois ce soit un morceau de fer et une grille de prison si cela en est, ainsi, solidement une. Je crois que d'innombrables écrivains ont essayé de privilégier les rapports et de les simplifier en les manifestant au niveau local de l'expression. Aujourd'hui, de même que certaines analyses de Stendhal nous semblent quand même un peu lentes, de même le style métaphorique nous fait entendre des choses que nous connaissions déjà. Il me semble que certains nouveaux romanciers essayent aujourd'hui de considérer le lecteur avec un peu plus d'admiration que ne le faisaient peut-être les écrivains du passé qui leur expliquaient tout. Les relations au niveau de la structure que nous pratiquons n'apparaissent qu'à un regard assez attentif.

A propos de la psychologie, vous avez dit qu'en général le Nouveau Roman reniait un peu la psychologie et je voudrais essayer de comprendre pourquoi. D'abord, entre Gide qui met en cause certaines psychologies – comme vous l'avez montré, et Proust qui est censé être un grand psychologue, il n'est pas douteux cependant que c'est Proust que nous choisissons. Pourquoi? Sans doute parce que la psychologie de Proust est une psychologie en quelque façon truquée. La psychologie appartient à notre monde quotidien. Nous faisons constamment, hélas, la plupart d'entre nous, de la psychologie. La psychologie est donc souvent une sorte d'insertion du monde quotidien dans le livre. C'est pour cela que nous nous en méfions. Chez Proust, la psychologie a une origine très différente, interne. Elle est une sorte de théorie de *La Recherche du temps perdu, mise en abyme*. En voilà une autre donc qui est passée peut-être inaperçue: toute la psychologie de Proust n'est qu'une inférence interne du livre tout entier. On pourrait certainement le montrer, mais je n'essaierai pas de le faire ce soir. Donc, ce qui peut nous intéresser dans la psychologie aujourd'hui, c'est justement qu'elle soit différente de toute psychologie reçue et formant l'un des aspects que prend le fonctionnement du livre. Vous voyez que nous avons des prétentions qui suivent en effet certaines idées de Proust, mais déjà nous les poussons à des limites imprévues...

CLAUDE MARTIN. – Oui, là il y aurait beaucoup de choses à dire et je ne sais pas très bien comment prendre le buisson. D'une part, il est certain que les objets chez Gide ne sont pas tels que les conçoit le Nouveau Roman, n'ont pas la pureté que veut leur rendre le Nouveau Roman. Mais, sur un plan négateur, *purificateur*, je crois que Gide a joué consciemment un rôle qui va plus loin que Proust.

JEAN RICARDOU. – Je n'ai pas parlé des objets chez Proust...

CLAUDE MARTIN. – J'avoue d'ailleurs que je n'ai pas du tout suivi la façon dont vous avez défini l'usage de la psychologie de Proust. Je ne saisis pas...

JEAN RICARDOU. – Je répète: la psychologie, chez Proust, n'est simplement qu'un cas particulier de sa théorie du roman.

JEAN MOUTON. — Je voudrais poser une question à M. Ricardou. Le problème central semble être celui de la composition en abyme. Vous avez évoqué le tableau de Memling et le miroir qui nous renvoie à l'intérieur; en effet, une œuvre d'art nous renvoie au centre de quelque chose qui nous enferme en elle-même. Je pense qu'un des buts de certains de vos romans, c'est justement de nous enfermer davantage dans une œuvre. Est-ce qu'il n'y a pas d'autres procédés qui essayent au contraire de nous en faire sortir, de nous en faire évader. Par exemple, dans Vermeer, des tableaux qui sont dans le tableau… Il y a là, peut-être, un double sens: ou de sortir de l'œuvre, ou d'y rentrer davantage. Est-ce que, dans le Nouveau Roman, ce double mouvement est recherché?

JEAN RICARDOU. — Je ne crois pas, non. On entre et on y reste. Et c'est de là qu'on pense voir le *dehors* se révéler…

JEAN MOUTON. — Il y a un mot qui m'a frappé dans l'exposé de M. Martin, c'est le mot «triptyque», à propos du roman de Gide. Là, il semble que ce soit un début de composition en abyme, mais si vous voulez dans un chevalet, dans un triptyque, ce sont trois tableaux séparés; on ne voit pas encore aussi bien la même cohérence que dans des œuvres plus modernes.

JEAN RICARDOU. — Si vous voulez, lorsque Swann s'intéresse à Odette de Crecy, c'est à partir du moment où il peut mettre en rapport Odette avec un tableau de Botticelli. Chez Proust, tout commence à se produire quand ceci se met en rapport avec cela qui précède, ou qui est autre chose, ou qui est ailleurs. Il me semble, à ce moment là, que la psychologie de Swann ce n'est pas autre chose que la théorie romanesque de Proust et que je résumerai comme une *théorie de la métaphore structurelle*.

CLAUDE MARTIN. — Ce qui importe, pour vous, ce sont les correspondances internes entre les diverses parties du roman…

CLAUDE OLLIER. — Je voudrais revenir sur le début de l'exposé de M. Claude Martin: l'importance de Gide quant à l'attitude morale de l'écrivain. Je reconnais sur ce point une influence certaine de Gide dans la période où nous avons commencé à écrire, et je trouve Robbe-Grillet assez ingrat s'il a dit ou écrit quelque part le contraire. Je me rappelle bien l'époque où nous lisions Gide: pour lui, la lecture de *Paludes*, de *Prométhée* ou du *Voyage d'Urien* était extrêmement bénéfique. Celle du *Journal* également, et particulièrement les passages sans sujet défini, les notations «sans intérêt», les passages «à vide», en ce qu'ils montraient de manière cruelle et émouvante l'état d'abandon de l'écrivain perdu devant sa feuille blanche et cherchant désespérément quoi dire. C'était là pour nous la figuration d'une situation exemplaire, d'une part vis-à-vis de cette nécessité morale d'écrire, d'entreprendre à tout prix quelque chose de cet ordre, que nous ressentions confusément, mais fortement, d'autre part vis-à-vis du problème de l'utilisation du langage. Je suis persuadé que sous ce dernier aspect, l'apport de Gide a été très important pour nous. M. Alain Girard a abordé la question ce matin, lorsqu'il a cité ces phrases où Gide exprime son trouble devant le fait que ce ne sont pas tellement les sentiments qui «s'expriment» par les mots que les mots qui «créent» les sentiments et les idées, trouble désemparant quand on découvre que l'œuvre encore à peine ébauchée, branchée sur deux ou trois mots, se développe soudain dans une direction inattendue, amalgamant progressivement tout un univers autour de cette maigre et – croyait-on – misérable cellule initiale. Gide a ainsi posé, chemin faisant, de façon très aiguë, le problème de la fonction créatrice du langage, qui vient battre en brèche celui de l'expression: c'est l'éternel débat sur l'antériorité du langage ou de la chose à «exprimer»: certains tiennent qu'il y a quelque chose à exprimer avant toute trouvaille verbale, d'autres défendent la thèse opposée et parlent d'«illusion», de «mythe de l'expression» – «mythe de la profondeur», dirait Roland Barthes. Peu importe au fond, en théorie: l'essentiel n'est pas qu'on ait l'impression d'avoir quelque chose à exprimer, ou rien du tout, l'essentiel est de commencer à écrire, c'est-à-dire à utiliser le langage, à en «jouer». C'est l'acte d'écrire seul qui, non pas peut-être «crée» intégralement la substance littéraire, mais en tout cas nous révèle...

Claude Martin. – Cette attitude là, avez-vous conscience qu'elle puisse avoir son origine dans l'influence de Gide?

Claude Ollier. — Certainement, de Gide et de deux ou trois autres, Flaubert, par exemple. En ce qui me concerne, je le dis sans équivoque. Je crois pouvoir le dire également de Robbe-Grillet. C'est un de ses points de départ.

Anne Heurgon-Desjardins. – C'est d'ailleurs ce qu'il m'a dit. Il m'a écrit: «Comme j'aurais aimé venir à la décade Gide!» Il me disait beaucoup de bien de ses lectures de Gide et de l'influence de Gide sur lui.

Claude Ollier. – Robbe-Grillet a lu Gide entre 1940 et 1945, soit avant de connaître Sartre et Kafka. Il me semble évident que tant dans sa future attitude d'écrivain que dans sa façon d'envisager et d'utiliser la langue, il a subi fortement l'influence de Gide. Ensuite, ce fut celle de Sartre et de la phénoménologie... Je voudrais préciser que cette influence, à mon avis, passe plus par la prise en considération de cette attitude technique, artisanale, qu'était celle de Gide, que par la lecture même de l'argument des livres. La fameuse «mise en abyme» se retrouve un peu partout depuis des siècles, ce n'est pas tellement cela qui nous a intéressés, mais plutôt le spectacle de ce désarroi face à l'acte d'écrire, cet état de crise permanent et déterminant.

JEAN RICARDOU. – Alors, on va voir des gens du même bord se contredire. Je ne suis pas tout à fait du même âge qu'Ollier ou Robbe-Grillet et je n'ai pas subi l'influence de Gide de la même façon, mais il me semble qu'en ce qui concerne le langage dans le *Journal*, maintes pages de Gide se fondent justement sur le mythe que dénonçait Ollier. ‹J'ai quelque chose à dire, je vais le dire le plus simplement possible», voilà ce que prétend Gide très souvent. Je crois que c'est effectivement mettre une antériorité de ce qu'il veut dire sur ce qu'il dit.

CLAUDE OLLIER. – Il dit également, en substance, dans la célèbre préface de *Paludes*: «Si l'on sait, dans une certaine mesure, ce que l'on va écrire, on écrit finalement beaucoup de choses dont on n'avait pas idée au début». Ce qui est curieux, quand on commence à lire *Paludes*, c'est qu'on a vraiment l'impression qu'il ne sait pas du tout où il va, et que, tant qu'à faire, il aurait pu infléchir encore l'orientation de sa préface et affirmer: «Si l'on ne sait jamais rien – ou presque rien – de ce que l'on va écrire...»

MARCEL ARLAND. – Oui. Si l'on sait exactement ce que l'on va dire, on ne le dira pas. Dès l'instant que le langage se déclenche, ce n'est plus la traduction exacte de la pensée initiale, du vœu initial de l'écrivain.

CLAUDE OLLIER. – Je voulais plutôt dire que dans *Paludes*, le *Prométhée,* le «Voyage d'Urien» ou maints passages du *Journal*, on a absolument le sentiment que Gide prend la plume alors qu'il n'a rien à «exprimer». La chose fondamentale pour lui est d'écrire malgré tout, d'écrire quotidiennement, d'exercer chaque jour, tant bien que mal, la fonction d'écrivain, et à ce prix-là peut-être, finalement, quelque chose s'invente.

JEAN RICARDOU. – C'est une façon de parler: avoir quelque chose à dire cela ne veut strictement rien dire. Il écrit tout simplement. Pourquoi faire intervenir dans l'acte d'écrire une théorie qui ferait pré-exister une pensée non formulée, puis une formulation. Je crois que c'est une illusion.

ANDRÉ BERNE-JOFFROY. – Je me demande s'il n'y a pas ceci aussi qui rejoint un peu ce qu'à un autre propos j'ai déjà dit ce matin: il y a une dichotomie en Gide. Gide est essentiellement un moraliste en proie à des problèmes moraux, et puis il est un homme qui a commencé à écrire en 1891, au temps de Mallarmé et à une époque où les problèmes de forme primaient. Je crois qu'il a été très influencé par toute cette époque et qu'en somme il y a tout un côté formaliste par lequel, en effet, on peut l'apparenter au Nouveau Roman. Mais tout de même, pour ce qui est du fond, il y avait très souvent chez Gide l'intention de montrer quelque chose et, par là, il est très loin du Nouveau Roman.

JEAN RICARDOU. – Je crois que c'est ce qui explique pourquoi les «nouveaux romanciers» ne sont finalement pas si à l'aise pour le reconnaître comme ils reconnaissent, par exemple, Proust.

ANDRÉ BERNE-JOFFROY. – Je ne suis pas sûr que vous soyez parfaitement logique dans le cas de Proust.

JEAN RICARDOU. – Il s'agit surtout de chercher les ancêtres qui nous permettent de nous expliquer, qui nous servent de repères.

Il y a la liste, je dirai, «officielle»... Mais il y a aussi des gens qui comptent beaucoup pour nous: Roussel par exemple, ou Brisset. Oui, nous avons chacun une généalogie personnelle.

JACQUES DE BOURBON-BUSSET. – Je crois qu'il faut prononcer le nom de Martin du Gard. J'en ai souvent parlé avec Butor et avec Robbe-Grillet. Martin du Gard est probablement le type même du grand écrivain dont l'effort nous paraît difficile à comprendre. Quand on lit le *Journal* de Martin du Gard et ses affres au moment où il n'arrive pas à sortir de son grand livre sur le Comte de Maumort – c'est même tragique, cette sorte d'impuissance – il parle des encouragements de Gide. Je crois, comme Claude Ollier, que la vraie différence entre eux deux c'est que Martin du Gard ne voulait se lancer que lorsque ses dossiers, ses archives étaient rassemblées, son plan complètement fait et qu'il n'y avait plus qu'à passer à l'exécution. Alors que devant un problème de ce genre, il est certain que Gide aurait employé la méthode que nous employons presque tous – avec les différences qu'il y a entre nous, car le Nouveau Roman n'est pas tout le roman moderne – c'est-à-dire de se jeter à l'eau. Comme disait Alain, «commencer d'abord par écrire une ligne». Je crois que nous avons tous – que nous en soyons conscients ou non – été influencés par ce trait de Gide qui était de donner une prééminence à la forme et à l'effort pour sortir une forme. Ceci, chronologiquement, historiquement, me paraît indiscutable. Nous avons tous, aussi, à un moment donné, été marqués par le caractère des récits de Gide, par cette volonté d'échapper au cadre du roman auquel il faut reconnaître qu'après Zola, Martin du Gard a donné la forme la plus systématique et la plus achevée.

JEAN MOUTON. – Je voudrais un supplément d'information. Nous disions tout à l'heure qu'il faudrait peut-être voir chez Gide, dans *les Faux-Monnayeurs*, ce qui le distingue de ceux qui l'ont suivi. Dans le cas des *Faux-Monnayeurs* – je prends comme analogie, chez Pirandello, *Six personnages en quête d'auteur* où l'on voit les personnages arriver dans l'ascenseur puis se mettre à jouer – n'avons-nous pas affaire à un auteur qui nous montre simplement son atelier de travail et qui nous renvoie ensuite à la réalité ? Je pense que dans vos tentatives, vous restez toujours à l'intérieur même de votre œuvre, vous n'êtes pas intéressés par le fait d'aller dans l'atelier, de nous montrer le point de départ du roman, d'y revenir…

JEAN RICARDOU. – Oui. C'est à dire que pratiquement, je pense que mon atelier n'intéresse personne, pas plus que je pense que j'intéresse quelqu'un, en tant qu'individu. Simplement, l'œuvre ainsi qu'elle est faite, en somme, indique en même temps comment elle est faite. En somme, ce «comment» c'est la présence de l'atelier mais dans ce que l'atelier peut avoir d'intéressant – s'il est intéressant.

MADELEINE DENEGRI. – N'est-ce pas Gide qui a dit, dans les Faux-Monnayeurs, qu'il faudrait découper la vie en largeur au lieu de la découper en longueur ? C'est ce qu'on trouve dans Degrés de Michel Butor. Ce que vous disiez tout à l'heure, ne pas prendre la vie dans le sens traditionnel, c'est bien la formule de Gide.

CLAUDE OLLIER. – Certainement. Il s'agit sans doute là du «découpage» spatial de l'existence qui s'est en grande partie substitué dans le «Nouveau Roman» au «découpage» temporel. C'est ce que depuis quelques années des critiques comme Roland Barthes analysent sous le nom de «structures».

CLAUDE MARTIN. – Je voudrais ouvrir une parenthèse pour préciser le sens du débat. Entendons-nous bien. Nous avons essayé de définir ce qu'il peut bien y avoir de commun à tous ceux qui se réclament du «Nouveau Roman» et nous nous sommes accordés sur un seul mot, qui est évidemment assez vague, mais qui veut dire quelque chose, celui de «rupture». Et pourtant, malgré ces ruptures, il y a je ne dis pas des ancêtres, mais des «préparateurs» reconnus. Je ne crois pas qu'on puisse faire de Gide autre chose qu'un «préparateur». Il me semble que tout le débat est là.

MARCEL ARLAND. – Je crois que nous nous éloignons beaucoup du sujet qui est tout de même, il me semble, «André Gide»…

CLAUDE MARTIN. – En tant qu'il est vivant aujourd'hui…

MARCEL ARLAND. – En tant qu'il est vivant aujourd'hui, mais comment l'est-il ? Les écrivains de ma génération l'ont beaucoup aimé; ils ont subi d'abord son influence. Mais pourquoi ? C'était évidemment pour sa belle tenue littéraire, pour sa probité littéraire, le dévouement et le respect qu'il apportait à l'œuvre. C'était pour la leçon d'art qu'il nous donnait et ici, justement, pour le très haut usage qu'il faisait de la forme, da la langue pour traduire sa pensée. C'était parce qu'il ne nous proposait aucun but, mais des points de départ et, avant tout, ce qui dans chacun de nous avait peut-être quelque valeur, était en germe, et dont il disait: «développez-le chacun à votre façon», contrairement à Barrès. Car Barrès a eu, avant Gide, sur notre génération, sur Malraux, Montherlant, Drieu, moi-même, beaucoup d'importance, – j'entends le premier Barrès, le Barrès de la trilogie du «moi» et des quelques livres qui ont suivi. Mais enfin, si l'on a parlé beaucoup, et à juste titre, des *Faux-Monnayeurs*, on a un peu négligé des livres qui ne me semblent pas méprisables: *la Porte étroite*, *l'Immoraliste*, cette admirable nouvelle qui s'appelle *Isabelle*, dont je ne vois pas du tout qu'elle ait aucun rapport avec ce qu'on appelle le «Nouveau Roman». Même dans le cadre des *Faux-Monnayeurs* et quels que soient les problèmes subtils et intéressants que se soit posés Gide, ce qui nous attachait d'abord, et continue à nous attacher, c'est la présence, la figure de Gide. Pas un instant, en lisant les œuvres de Gide, nous n'oublions cette figure. Ceci, que nous ayons raison ou tort, du point de vue de la littérature, ne me semble pas le fait, je pense que vous en conviendrez, de ce que cherche le «Nouveau Roman». Cela me semble assez essentiel.

MICHEL DECAUDIN. – Ne pensez-vous pas que dans les romans les plus classiques, dans ceux dont parlait M. Arland à l'instant, on ne trouve pas parfois – rarement, parfois quand même – une certaine préfiguration de cette psychologie des mouvements profonds, enfin quelque chose qui nous ferait presque penser à la sous-conversation, aux tropismes de Nathalie Sarraute? Je pense par exemple à une page de *la Symphonie pastorale* où rien ne se passe et cependant c'est le drame. Pas un mot n'est prononcé, la vie est la vie de tous les jours et c'est un moment décisif dans le rapport des personnages.

MARCEL ARLAND. – Malgré mon intérêt pour le «Nouveau Roman», je n'attendais pas grand chose de cette discussion. Nous ne sommes pas ici pour faire ou l'éloge ou le blâme du «Nouveau Roman», nous sommes ici pour parler de Gide et, malheureusement, il ne me semble pas que l'influence de Gide sur le «Nouveau Roman» soit telle que cela entretienne une discussion serrée.

Il est bien évident que si vous prenez un grand artiste – un grand écrivain, un grand peintre, un grand musicien – vous pouvez toujours dire qu'il y a dans son œuvre des caractères que l'on retrouve beaucoup plus tard chez d'autres. C'est le cas de Gide, j'en suis sûr.

CLAUDE MARTIN. – C'est le grand danger de la recherche universitaire des «sources», mais il me semble qu'il y a chez Gide des directions de recherche qui ont quand même le bénéfice d'une certaine priorité, en sorte qu'il serait surprenant que les tenants du «Nouveau Roman» n'aient pas subi cette influence.

Marcel Arland. – L'œuvre de Gide est si complexe et si riche que peut-être, dans cinquante ans, une nouvelle décade de Cerisy découvrira une nouvelle école dont on dira: « Ah! mais elle remonte à Gide ». En tous cas, ce que j'aime bien c'est que votre attention à l'œuvre de Gide, votre ferveur à son égard vous ait poussé à vouloir le rendre plus présent encore peut-être qu'il ne l'est sur un point particulier.

Michel Decaudin. – Il me semble tout de même que celui qui, dans quelques dizaines d'années, étudiera l'évolution du romanesque au XXème siècle, fera une place à certains aspects de l'œuvre de Gide, renouvelant les problèmes et posant ou suscitant de nouveaux problèmes.

Marcel Arland. – Certainement. Vers 1920, nous étions très frappés par l'apport de Gide dans le roman. Nous disions: « Quelque chose est en train de se passer, le roman est en train de rompre ses cadres, pour le bien, pour le mal, il n'importe, il faut que ce soit ainsi puisque c'est le jeu des choses qui nous y entraîne; le roman n'est plus seulement une œuvre d'art; il l'est avant tout, mais il est aussi un moyen d'expression de l'individu et davantage un moyen de réalisation de l'individu ». C'est en effet ce qu'il est devenu. Il a dévoré un peu tous les autres genres. Il a multiplié ses formes. Il ne cesse de changer. C'est parce qu'il change qu'il nous intéresse encore, même si nous ne l'appelons plus « roman » en songeant à tel type de « roman », mettons *la Princesse de Clèves*, mettons *le Père Goriot*. Et ce n'est pas pour mépriser Madame de Lafayette ni Balzac, bien entendu.

Je parlais de Barrès. Les premiers livres de Barrès, comment les appeler? C'était un peu des romans, mais cela rompait déjà le cadre du roman. C'était des essais sous une forme quelque peu romanesque.

Clara Malraux. – Barrès a marqué André Gide.

Marcel Arland. – Oui. André Gide a été spécialement marqué par Barrès.

Georges Charaire. – Il me semble que vouloir considérer Gide comme un précurseur de ce qu'on appelle le « Nouveau Roman » c'est vouloir limiter les problèmes de la littérature à celui des structures.

Nous savons bien que la distinction entre fond et forme est illusoire, mais la façon dont on aborde souvent ce problème des structures introduit justement cette distinction artificielle. D'ailleurs même si on acceptait de placer le débat sur ce plan des structures, les rapprochements entre le « Nouveau Roman » et l'œuvre de Gide ne me paraissent pas convaincants.

Mais si on veut poser le problème dans sa totalité, ne devrait-on pas au contraire prendre pour thème d'exposé la question inverse de celle qui a été proposée?

En effet, l'attitude gidienne et le «Nouveau Roman» me semblent en opposition radicale.

Pour ne considérer que la littérature française et encore en la limitant dans le temps, on se rend compte d'un mouvement de balancier qui alterne plusieurs fois depuis les classiques jusqu'à nos jours, de l'objectivité à la subjectivité, de la subjectivité à l'objectivité. Passons sur les différences de formes que l'objectivité et la subjectivité ont pu prendre et arrivons à Gide.

En réaction contre la prétendue objectivité du réalisme et du naturalisme, le mouvement de la fin du siècle est en quelque sorte dans une large part un retour à la subjectivité, et Gide dans le roman sera le représentant le plus extrême d'un subjectivisme psychologique.

En revanche, le «Nouveau Roman» par son subjectivisme phénoménologique me paraît être une nouvelle réaction contre la littérature personnelle et un retour à une sorte d'objectivité.

Il y aurait d'ailleurs une étude fort intéressante à faire sur le «Nouveau Roman» qui partant notamment de la phénoménologie s'oppose pourtant à l'existentialisme. Ceci nous entraînerait encore à trouver quelques raisons d'opposer le «Nouveau Roman» à Gide.

CLAUDE MARTIN. — Encore une fois, Gide, ce n'est pas le «Nouveau Roman», bien sûr. Qu'il y ait entre eux des différences considérables et fondamentales qui empêchent de voir en lui un prédécesseur direct, cela est évident, et nous perdrions notre temps à inventorier ce qui chez le romancier Gide appartient au passé; mais il me semble qu'il y a aussi chez lui certaines attitudes, certaines voies ouvertes que le roman d'aujourd'hui a montrées fécondes; et les témoignages de Claude Ollier et de Robbe-Grillet me paraissent confirmer cela.

CLARA MALRAUX. – Gide a enseigné que le fleuve pouvait ne pas couler dans le même sens.

ANDRÉ BERNE-JOFFROY. – La rupture du cadre était une chose tout de même tout à fait courante dans cette génération. Quand Joyce a annoncé que son précurseur était Dujardin, les bras en sont tombés à beaucoup de gens. Mais c'est parce que, justement, Dujardin, un peu plus âgé que Gide, appartenait au monde symboliste, qu'il a été le promoteur de cette fameuse rupture.

CLAUDE OLLIER. – Mais si je continue de penser que cette attitude morale de Gide vis-à-vis de l'écriture a eu pour nous valeur exemplaire, il n'en reste pas moins qu'une rupture brutale est intervenue à un moment situé peut-être immédiatement après les années de guerre, peut-être seulement aux alentours de 1930, c'est évidemment difficile à préciser. Il me semble qu'entre – disons – 1925 en 1930, sous l'influence principale des Surréalistes, un fossé s'est creusé entre une littérature de coloration traditionnelle humaniste, qui s'est perpétuée jusqu'à nos jours, et une autre non pas «rendant compte», mais proprement «créant» une sensibilité nouvelle. Il est certain que deux types d'écritures comme celles (grosso modo) de Gide d'un côté et du «nouveau roman» de l'autre, se révèlent très divergents, et à bien des égards antinomiques. On peut quand même considérer que l'écriture de Gide, au départ, a joué le rôle d'une sorte de tremplin, ou d'étai. De toute façon, définir ces écritures nouvelles par opposition à celle d'un écrivain comme Gide est assez stérile. L'opposition fondamentale est bien plutôt dans ce qu'on pourrait appeler le changement de paysage intellectuel. Une sensibilité très différente a pris naissance, et celle de Gide inspire une grande nostalgie. Ce qui s'est passé exactement est très confus, très difficile à cerner: c'est peut-être s'en approcher quelque peu que de dire qu'on trouve d'un côté une coloration d'écriture en accord avec un état de connivence entre l'homme et le monde, une certaine atmosphère «pastel», diaprée, alors que ce que l'on nomme «nouveau roman» serait plutôt caractérisé dans son ensemble, en simplifiant beaucoup, en schématisant, par un état de divorce ou de non-reconnaissance traduit par une lumière âpre et violente, distribuée de façon toute différente, quelque chose comme le passage de la lumière douce et tamisée d'Ile-de-France à la clarté omniprésente, aveuglante, des paysages tropicaux, une clarté vive, égale, invariable, qui isole impitoyablement les choses et rompt leur solidarité antérieure avec l'homme. Dès lors qu'on y est soumis, que peut-on faire, sinon tenter de mesurer les nouvelles distances ainsi créées entre l'homme et les objets qui l'entourent? Atteints par cette lumière et par elle traqués, la première réaction – la seule possible peut-être – est d'en analyser l'éclat, d'en dessiner l'incidence et d'en capter la source. C'est je crois, dans cette «optique» qu'il convient de considérer des écritures comme celles de Nathalie Sarraute, de Beckett, de Robbe-Grillet ou de Ricardou, si l'on veut vraiment comprendre à quoi riment, chez les uns et les autres, ces soi-disant très minutieuses descriptions d'objets. Car, en réalité, il y a beaucoup plus d'objets, et beaucoup plus minutieusement décrits, chez Balzac que chez Nathalie Sarraute ou Robbe-Grillet. C'est moins la précision de la chose décrite qui compte, que l'angle sous lequel la lumière l'atteint, et ici, l'angle apparaît très différent de ce qu'il était au temps de Balzac ou de Gide... Il faudrait peut-être dire que la lumière arrive de plusieurs directions à la fois, parler de sa substance, de son absence de couleur, de ses qualités «tactiles»... C'est quelque chose d'essentiel en tout cas, et qui, je crois, a fait qu'une dizaine d'écrivains qui ne se connaissaient pas en sont arrivés, chacun de leur côté, à porter leur attention aux mêmes distributions d'objets, aux mêmes découpages d'ombres et de clarté. On pourrait peut-être résumer en disant que du temps de Gide, l'écrivain, sous la lumière tamisée qui régnait alors, s'attachait à révéler des zones d'éclairement plus vif, alors que maintenant, soumis aux faisceaux d'une clarté plus difficile à soutenir, il cherche à ménager des zones d'ombre – les zones d'ombre où il peut s'abriter et faire le point. En tout cas, si le lecteur non prévenu est rebuté par la lecture de ces livres-là, je pense qu'il est de mauvais réflexe de les rejeter sans appel: ils le concernent peut-être plus qu'il ne le croit dans son irritation.

ANDRÉ BERNE-JOFFROY. – Je crois avoir été un des premiers lecteurs de ces œuvres là, surtout en ce qui concerne Robbe-Grillet. Je suis obligé d'avouer que cela ne m'a pas fait penser à Gide. Je crois que votre allusion à l'éclairage est très importante et que cela crée une subjectivité très particulière, mais j'avoue qu'à la lecture je n'ai jamais pensé ni aux *Faux-Monnayeurs*, ni à rien de Gide.

CLAUDE OLLIER. – Ce que je voulais dire, c'est qu'au départ, quand Robbe-Grillet se demandait s'il écrirait ou n'écrirait pas – ce qui a duré pas mal d'années – il se sentait en grande sympathie avec Gide.

ANDRÉ BERNE-JOFFROY. – Je faisais un rapport de lecteur. Quand j'ai lu Robbe-Grillet pour la première fois, je ne le connaissais pas. Je ne l'ai connu qu'après *les Gommes*. J'avoue ne pas avoir pensé à Gide. Je suis très intéressé de savoir que Gide a eu son petit rôle dans la formation de Robbe-Grillet.

CLAUDE OLLIER. – Mais même au niveau de l'écriture, je crois qu'il existe des rapports entre un livre comme *le Voyage d'Urien* et le premier roman – non publié – de Robbe-Grillet. A partir, des *Gommes*, ces rapports sont, si l'on peut dire, plus effacés.

MARCEL ARLAND. – Nous avons surtout parlé des *Faux-Monnayeurs*, mais songez à l'œuvre tout entière de Gide! Dans ses mémoires, dans ses récits, dans ses essais critiques qui ont tant d'importance – car nous ne considérons pas seulement Gide comme un romancier, c'est peut-être ce qu'il est le moins – ... La langue qu'il emploie, elle me semble s'opposer à celle que vous définissez chez Robbe-Grillet. La langue de Gide est la plus musicale de l'époque, elle est fondée sur l'harmonie, sur ce pouvoir d'incantation que donne la musique et qui fait qu'il n'est pas besoin de décrire un objet, mais que le seul pouvoir du «mot», du «son», de l'association des «sons» évoque cet objet. Je crois que pour Gide, c'était essentiel. On le lui a souvent reproché d'ailleurs, et même il en a abusé parfois.

CLAUDE OLLIER. – Assurément, la phrase de Gide a sa musicalité propre et il est non moins vrai que deux écritures comme la sienne et celle de Robbe-Grillet s'opposent, sur bien des points, radicalement: structure du récit, emploi de la métaphore, rôle de la description, fonction des dialogues, etc. Mais je ne pense pas qu'on puisse faire de la «musicalité» le critère de cette opposition. La phrase de Gide est musicale, celles de Céline, de Leiris, de Nathalie Sarraute, de Jean-Pierre Faye ou de Robbe-Grillet le sont tout autant. La différence est de registre, de tonalité, de rythme, de répartition des silences, et non de nature. Sous le rapport de l'harmonie, il n'est que de lire les premières pages du *Voyeur* pour entendre des accords neufs, fondés sur la dissociation qu'introduisent les ruptures de temps narratif, et dont les retours surgissent comme autant de «reprises» de thèmes. Il y a les couplets, les refrains, les codas, et même les résolutions parfaites chaque fois qu'intervient le leit-motiv de l'enfance. Parfois tel thème n'est repris que pour ses premières notes, parfois il revient développé et varié, dans certains cas encore deux thèmes s'enchevêtrent au sein d'un paragraphe, annonçant une modulation. Quant au pouvoir d'incantation, les premières pages de *Dans le Labyrinthe* ne laissent rien à désirer: c'est véritablement d'un chant qu'il s'agit, du déploiement d'une voix entre le murmure et la déclamation. Par ailleurs, la composition de ces récits est analysable en termes de variation, fugue, contrepoint, exactement comme on peut le faire chez Gide ou Flaubert. C'est le choix des intervalles, l'invention des harmonies, la complexité des rythmes qui diffèrent, non le principe même d'une «musicalité». On peut peut-être dire que chez Gide le «mot», le «son», a pour fonction d'évoquer l'objet, et chez Robbe-Grillet de la noyer dans un flux de résonances, un flou orchestral où il tend à se dissoudre et s'effacer, mais l'une comme l'autre utilisation du langage relèvent, entre autres choses, de soucis de musicalité. Chez Nathalie Sarraute également, l'écriture «sonne» musicalement. Ce serait plutôt en termes de timbres et de rythmes qu'il faudrait s'exprimer à son propos: ostinatos, accelerandos et ritinendos méticuleusement dosés tant au sein de la phrase qu'en celui de la page, avec des chevauchements rythmiques et d'imperceptibles nuances de couleur; sonorités mates, en général, soudain ponctuées d'un point d'orgue cristallin. Là aussi, la notion de musicalité est applicable, et je ne vois pas qu'elle ne le soit point pour Claude Simon, Pinget ou Jean-Pierre Faye; chez le dernier, toute la composition du récit est de type contrapunctique très strict, et son système de métaphores spatiales et tactiles «sonne» d'une musicalité très neuve. La musicalité ne m'apparaît donc pas comme ayant valeur discriminatoire entre écriture gidienne et écritures plus récentes dites «Nouveau roman».

GIDE ET NOUS

Je voudrais d'abord expliquer l'intention de ce titre. J'avais lu la petite notice annonçant cette décade et j'avais trouvé que le but en était fort bien marqué: essayer de faire le point sur l'action de Gide actuellement, sur ce qu'il reste de présence de Gide encore actuellement. Et puis, en lisant les titres des exposés, j'avais eu l'impression que ceux-ci étaient souvent de nature un peu rétrospective et j'avais pensé qu'il serait bon de prévoir au moins une séance où nous nous interrogions sur la présence et sur l'avenir de Gide. Je voudrais surtout vous poser des questions et que vous y répondiez de façon que ce titre – Gide et Nous – n'apparaisse pas comme le masque d'un «Gide et Moi» qui serait outrecuidant. Je voudrais que chacun se rappelle que les échantillons que nous sommes, les uns et les autres, de certains fragments de la société ou de certains milieux ne sont peut-être pas très représentatifs, et que nous essayions de nous rendre compte de ce que peut être l'action de Gide dans les milieux les plus divers et dans les pays, si c'est possible, les plus différents.

Il me semble bon, avant de tenter cette prospective, de faire un peu de rétrospective, ou plutôt d'essayer de mettre rapidement en perspective ce qu'ont pu signifier l'œuvre et l'action de Gide pour les générations précédentes. Ainsi, nous pourrons nous demander si cette action revêt toujours la même forme pour les générations présentes et, mon Dieu, au risque de faire les prophètes, pour celles de l'avenir.

Essayons donc de nous demander ce qu'a signifié Gide pour ses contemporains successifs; car il n'a pas toujours représenté la même chose, il n'a pas été considéré toujours de la même façon. Nous allons procéder d'une façon très sommaire et schématique, mais il s'agit d'essayer de donner quelques cadres à une réflexion qui, de nature, est très vague.

Il me semble que si l'on essaye de se représenter ce que signifiait le nom de

Gide pour le public cultivé d'avant 1914, on trouvera deux attitudes. Pour ceux qui étaient à l'extérieur, qui n'étaient pas de son intimité, il était le type du Protée déconcertant. On sentait en lui l'alliance d'une forme qui a beaucoup varié au cours des années, mais qui était toujours extrêmement écrite, extrêmement littéraire et, en même temps, d'une intention – d'ailleurs, ce mot appartient au vocabulaire gidien – mais une intention que l'on n'arrivait jamais à saisir complètement. Parmi les critiques, ou dans le public extrêmement restreint qui s'intéressait à Gide pendant cette période, on avait l'impression qu'il y avait là un bel écrivain, mais déconcertant parce qu'on n'arrivait pas à le faire entrer dans une catégorie. Pour ceux qui s'appelaient eux-mêmes, à cette époque, et qu'on appelait les «artistes», il était trop tendancieux pour être vraiment un artiste: lui-même d'ailleurs, et tout le premier groupe de la *Nouvelle Revue Française* ont répudié justement ce mot d'«artiste», ils ont répudié l'attitude de l'artiste et l'éthique de l'artiste. Mais en même temps pour les gens qu'on appellerait aujourd'hui (ou qu'on appelait hier) «engagés» dans une action même pas carrément politique, mais extérieure, une action humaine, – des gens comme Léon Blum, comme Romain Rolland, à plus forte raison, comme Maurras et surtout un homme comme Péguy, – il était un dilettante.

D'un autre côté et parallèlement, ses œuvres recrutaient, choisissaient – comme il disait – un petit nombre de lecteurs, un petit nombre d'amis. Dans l'attention que ceux-ci lui portaient, ce qui est significatif c'est qu'ils ne séparaient pas l'admiration pour ses œuvres et l'intérêt pour sa personne et que, dès qu'ils l'avaient lu, ils cherchaient à faire sa connaissance personnelle. Lorsqu'on se reporte aux amorces de ses correspondances avec certains de ceux qui sont devenus ses amis les plus proches, on s'aperçoit que presque toujours c'est ainsi que cela débute: «Ah! j'ai lu *les Nourritures terrestres*, Ah! j'ai lu l'*Immoraliste*, Ah! vous connaître...» dans le style exclamatif de l'époque.

Aux yeux de ceux-là, qu'est-ce qu'il représentait? ou, plutôt, qu'est-ce qu'il était pour eux? D'abord, je crois, quelque chose que signalait hier soir M. Ollier: ce qu'il a dit sur l'attitude morale, l'attitude professionnelle de Gide à l'égard de la littérature, cela a été très important dès cette époque, et la *Nouvelle Revue Française* s'est fondée précisément là-dessus, sur une certaine attitude de l'écrivain et sur une certaine conception de la probité de l'écrivain. Mais aussi il y avait la surprise et la joie de trouver un homme qui écoutait. Tous ses amis vous le diront: Gide savait écouter, c'est à dire qu'il manifestait son attention à autrui, et à ce qu'autrui avait de plus particulier et de plus personnel. Et il y avait enfin le sentiment que ses œuvres, déconcertantes pour le public de l'extérieur, donnaient un conseil – mais lequel? On ne savait pas –; qu'elles allaient dans une direction – mais laquelle? On ne savait pas non plus –; qu'il poursuivait en somme des tentatives qui pourraient bien se révéler convergentes plus tard – mais cette convergence on ne l'apercevait absolument pas pour l'instant.

Dans les années qui ont immédiatement précédé la guerre de 1914, a commencé à se créer autour de Gide, dans un milieu extrêmement limité, un état d'esprit qui me paraît important si l'on veut comprendre ce qu'il a été pour les hommes de ce temps là ; il s'est créé une atmosphère d'attente. Qu'est-ce qu'il va donner ? Qu'est-ce qu'il va dire ? Où va-t-il aller ? Cette attente était sympathique et affectueuse de la part de ses amis, mais souvent impatiente ou agacée de la part de ceux qui n'étaient pas ses amis, même s'ils n'étaient pas des ennemis. Dans quelques articles qui ont paru sur ses œuvres au cours de cette période, on voit fréquemment apparaître ce genre de critique : « Mais enfin, qu'est-ce qu'il veut ? Où va-t-il en venir ? Il a donné *l'Immoraliste* et maintenant *la Porte étroite* ! Est-ce que *la Porte étroite* ne veut pas dire le contraire de *l'Immoraliste* ? » Voilà le ton. Pendant ces années qui ont précédé la guerre de 1914, cette attente a pris plus précisément trois formes, s'est exprimée dans trois directions, d'importance d'ailleurs différente.

Pour une poignée d'intimes, l'attente de savoir s'il se déciderait à publier *Corydon*, – car il en était déjà question en 1911, – et s'il allait donner une publicité qui prendrait l'allure d'un défi à ce que sa nature avait de plus particulier, à sa « différence » encore secrète.

Pour un cercle plus large, sans être bien étendu, se posait la question de son attitude à l'égard du catholicisme. Dans tout ce milieu, entre 1905 et 1914, où survenaient tant de conversions, où l'on s'interrogeait pour savoir si l'on allait se convertir, il y avait cette attente (dont la correspondance avec Claudel est le témoignage évidemment le plus éclatant) : « Gide ralliera-t-il finalement la foi catholique ? »

Enfin, dans un domaine que l'on a traité hier soir, se posait la question du roman, du vrai roman, au sens où on l'entendait dans ce milieu et à cette date. Cette attente a grandi dans le petit groupe de la *Nouvelle Revue Française*, au cours des années 1910-1914. En gros, de quoi s'agissait-il ? Il s'agissait de récuser les habitudes traditionnelles de ce que l'on était convenu d'appeler en France « roman », pour un public aux yeux de qui les « romanciers » s'appelaient Bourget ou Barrès, ou Anatole France, et d'ouvrir l'avenir à un roman baptisé (Rivière n'a pas été le premier à lancer l'expression) « roman d'aventure », – c'est à dire un roman qui aurait partie liée avec l'imprévisible, un roman où l'on ne saurait pas ce qui va arriver et, en même temps, un roman qui récuserait la vieille conception française et scolaire de la composition, qui admettrait une composition, comme le dira Thibaudet, désserrée et décentrée. Cette attente a pris des formes qu'il serait aisé de caricaturer et que d'ailleurs certains adversaires du groupe ne se sont pas fait faute de caricaturer. Le mot d'« impuissance » venait aisément sous la plume. Tout ce groupe – que ce soit Gide, que ce soit Copeau, que ce soit même Rivière, que ce soit Schlumberger – tout ce groupe s'est évertué autour de 1912 à écrire un vrai «roman»… mais n'y arrivait pas. *Les Caves du Vatican* ont eu pour ambition première, – à parler très sommairement encore, – de réaliser une sorte d'alliage des *Frères Karamazov* et de *Tom Jones*; mais Gide s'est rendu compte en cours de gestation qu'il n'y parviendrait pas et s'est résigné à remettre à plus tard le vrai «roman» dont il rêvait dès cette époque. Finalement, *les Caves du Vatican* sont devenues plutôt un mélange de l'*Orme du mail* et du *Chapeau de paille d'Italie*, – il en a eu conscience.

D'autres exerçaient à cette époque une action beaucoup plus puissante, – qu'il s'agisse de Barrès, de Romain Rolland ou même de Péguy. Mais avec Gide c'était déjà l'homme qu'on attendait, qu'on attendait au tournant chez ses adversaires et, du côté de ses amis, dont on attendait beaucoup, mais on ne savait pas exactement quoi.

Sur ce est survenue la guerre de 1914–1918 et s'est produit un curieux phénomène de retard dans le succès d'une génération. S'il n'y avait pas eu la guerre, Claudel était, en 1914, le plus proche de la gloire. Gide en était un peu plus loin mais s'en rapprochait. Il y a eu cette guerre et ce décalage qui a fait que lorsque vers 1920–1925 on parlait des «jeunes» écrivains, il s'agissait de gens qui avaient largement cinquante ans et qui étaient Gide, Claudel, etc. Bien entendu dans la vie intellectuelle, dans tout ce que l'on appelle l'opinion, – et rien n'est plus difficile à cerner que les réactions de l'opinion, il y a toujours des plans différents, des stratifications différentes, – des réputations d'avant-guerre comme celles de France, de Barrès, de Romain Rolland continuaient malgré les attaques, malgré les critiques de jeunes, malgré les assauts des surréalistes et de très larges fractions du public restaient fidèles à ces valeurs là. Mais aussi il y a eu des apparitions soudaines, il y a eu le «boom» soudain de Proust et de Valéry. Gide n'a été, à ce moment là, ni une réputation qui continue, bien entendu, ni non plus, je crois, une révélation d'un éclat aussi soudain et fulgurant. Mais son audience s'est élargie, il a été plus connu, les antennes qu'il lançait de tous côtés sont devenues plus nombreuses et ses dialogues – puisque c'était le mot consacré, un des mots «clefs» de cette époque là – se sont multipliés. Qu'est-ce qu'il représentait alors? Je compte sur Marcel Arland pour rectifier ou compléter tout à l'heure. Que signifiait ce nom de Gide pour les générations, les différents publics d'après 1920.

Je crois, tout d'abord, qu'il y a eu le fait que l'homme, l'écrivain ne s'était pas compromis dans les simplifications imposées par la guerre. C'est une chose qu'on a un peu oubliée, parce que les années passent, parce qu'il y a eu d'autres guerres, des révolutions. Mais cette image de l'homme qui n'avait pas été compromis dans les simplifications polémiques de la guerre a fait beaucoup pour le prestige de Gide. Ce qu'on appelait hier l'engagement, Thibaudet, lui, l'avait appelé la mobilisation et dans la démobilisation de l'intelligence qu'a réclamée une fraction, – je prends toujours bien soin de ne pas généraliser, – du monde intellectuel d'après 1919, Gide a été l'homme, l'écrivain qui ne s'était pas laissé mobiliser ou qui ne s'était pas volontairement mobilisé.

Il lui restait de plus un caractère qu'il avait, dès avant la guerre, mais qui va peut-être s'accentuer aux yeux de l'opinion d'après-guerre et aux yeux des générations nouvelles; il représentait ce que l'on a appelé de noms très variés et ce qu'à cette époque-là, par suite de la confusion constante du vocabulaire dans toutes ces questions de critiques, on était convenu d'appeler un «classique». Disons qu'il représentait «l'écrivain de culture», le «grand lettré», mais, en même temps, l'écrivain qui était attentif à des manifestations de l'esprit, à des manifestations de la littérature ou de la contre-littérature très différentes de lui. Ce prestige d'écrivain lettré, d'écrivain harmonieux, je l'ai revécu hier en entendant Marcel Arland – cela m'a fait plaisir et en même temps cela m'a surpris (non pas de lui) – dire son admiration pour *Isabelle*. *Isabelle*, en effet, a toujours été la «Cendrillon» de l'œuvre de Gide. Tout le monde expédie *Isabelle* en disant qu'après tout c'est une œuvre mineure. Ce récit que par exception il avait écrit dans la joie et facilement, Gide lui-même s'en est dépris dès après l'avoir écrit. *Isabelle*, le beau récit au style harmonieux, à la phrase chantante, a gardé son charme même auprès de gens ou d'écrivains qui eux-mêmes utilisaient d'autres procédés. N'oublions pas le rôle qu'a joué, dans le style de Gide et de ses amis, la lecture à haute voix. On lisait tout à haute voix. On lisait les œuvres des autres qu'on aimait. Quand on lisait quelque chose pour soi seul et que brusquement on était saisi d'enthousiasme pour un passage, on lisait à haute voix ce passage aux amis rassemblés. Je crois bien qu'aucune œuvre de Gide, au moins jusqu'aux dernières années n'a été publiée avant qu'il n'y ait eu la cérémonie, l'épreuve de la lecture à haute voix. C'est la tradition de Flaubert, si différent que soit le style de Gide du style de Flaubert. Les qualités sonores de ce style sont trop souvent négligées. Trop souvent, on a cru que c'était un style un peu décharné – il l'est parfois dans d'autres œuvres –, mais *Isabelle* représente bien la plénitude de la matière sonore, de l'harmonie et de l'euphonie de la phrase et je crois que ce genre de qualité n'était pas encore négligeable dans les années qui ont suivi la guerre.

Tenons compte aussi de l'importance croissante prise par les discussions sur le roman. Dès les années qui ont précédé 1914, s'est esquissée une tentative pour créer une esthétique du genre contre le roman-disons, pour simplifier, de Bourget. Mais dans les années qui ont suivi la guerre, le roman est devenu – comme on le rappelait à une autre occasion – un peu le genre «fourre-tout». Les dis-

cussions autour de la composition du roman, autour de la «technique» romanesque, se sont multipliées: c'est le dialogue Gide-Martin du Gard. L'attente
s'est avivée de savoir si Gide enfin donnerait ce fameux roman et quelle forme
il prendrait.

Un autre aspect, que je rappelais tout à l'heure et qui ne touchait avant la
guerre qu'un nombre très limité de lecteurs mais qui va devenir beaucoup plus
public, c'est l'aspect, disons, de l'Immoraliste inquiéteur. Ce sont des sentiments
qui s'usent petit à petit, que l'on ne ressent plus avec vicacité mais, dans les
milieux bourgeois de 1925 ou de 1930, le nom de Gide était un nom qui faisait
peur.

S'il y a eu quelque chose de nouveau ou du moins qui a tenu beaucoup plus de
place dans ses relations avec les autres, c'est ce qu'on a trouvé en lui de plus en
plus humain, sa participation beaucoup plus accentuée et beaucoup plus publique à toutes les préoccupations de l'homme. La religion, par exemple! Il y avait
en Gide une ferveur religieuse, ou une disponibilité de ferveur religieuse.
L'attention que les catholiques ont entretenu autour d'elle a été passionnée et a
joué un très grand rôle. La dernière lettre que lui ait écrite Claudel et qui est,
je crois, de 1926, est fameuse à cet égard.

Mais il y a eu aussi le dialogue avec Du Bos. Et Mauriac! Gide est resté, pendant toutes ces années-là, au centre de ce qu'on appelait – je n'aime pas l'expression – par une contamination d'une formule de l'Abbé Bremond et d'un
mot qui était en honneur à la *Nouvelle Revue Française*, «l'inquiétude religieuse».

A un tout autre point de vue, des livres comme le *Voyage au Congo* et le
Retour du Tchad ont eu un grand retentissement. Lorsqu'on relit ces livres, on
s'aperçoit que ce qu'ils disent de la question coloniale ou de l'exploitation des indigènes par les grandes compagnies est au fond assez limité. On a dit beaucoup
plus fort, on a dit beaucoup plus. Mais, que ce soit Gide qui aille au Congo, que
ce soit Gide qui s'intéresse à ce que les grandes compagnies faisaient des tra-
vailleurs noirs, cela donnait – à cause de l'attente créée autour de lui – à la
moindre de ses démarches un retentissement disproportionné.

Quand il s'est mis à s'approcher du communisme, quand parurent des feuillets de journal où on le voyait commencer à lire Marx – d'ailleurs avec beaucoup de peine –, une attention incroyable suivait ses tâtonnements.

Ce qui a étonné les gens c'est que dans leurs classifications toujours arbitraires – nous en utilisons tous – Gide était considéré, avant 1914 et même
auprès d'une très large fraction du public d'après 1920, comme un écrivain pour
peu de lecteurs, comme un écrivain réservé, comme un écrivain disons de
«tour d'ivoire», de «chasse gardée». Lui-même a dit, au moment où sa noto-
riété s'est élargie, et répété: «Ah! je n'ai pas voulu cela... éloignez de moi ce
calice... ce que j'aurais voulu c'est la destinée de Keats (je crois bien qu'il a cité

ce nom-là) dont les œuvres choisissaient un à un leurs fidèles». Mais ce qui a joué le rôle de caisse de résonance, si j'ose dire, indépendamment de sa volonté, c'est précisément le fait que ce soit un «mandarin» qui brusquement s'intéresse aux questions coloniales et au communisme: cette contradiction a donné à ses démarches, si timides au fond, un retentissement plus grand et l'allure d'une sorte de paradoxe qui était d'autant plus significatif et dont on attendait avec d'autant plus d'impatience les résultats.

J'en viens à un autre point qui a été effleuré hier soir. Cette sonorité qu'a acquise la moindre parole de Gide, la moindre démarche de Gide, le fait que l'opinion publique est devenue excellente conductrice de la moindre chose qu'il faisait ou disait, cela aide à comprendre des publications qu'on pourrait qualifier d'insignifiantes au sens littéral du mot. Lorsqu'on est dans une salle extrêmement sonore, il n'y a plus rien d'insignifiant; tout a un écho, tout signifie. J'ai eu l'imprudence de dire hier que, dans le *Journal*, je trouvais des parties mortes, des parties sans intérêt. Mais je me plaçais au point de vue d'un lecteur extérieur. Pour Gide lui-même et pour cette opinion attentive qui le suivait, il n'y avait rien de véritablement insignifiant.

Ces attentes multiples et parfois contradictoires étaient continuellement, – chacune dans leur domaine, chacune sur leur ligne de développement –, déjouées, déconcertées, mais on ne peut pas dire qu'elles étaient déçues, sauf pour ceux qui prenaient position d'une façon catégorique contre Gide. Elles n'étaient pas déçues parce qu'on sentait qu'à travers toutes ses tentatives, toutes ses avancées suivies de reculades, tous ses circuits, une recherche s'opérait en lui, par lui et que cette recherche impliquait les autres, ceux qui s'intéressaient à lui. Il occupait cette position particulière d'être non pas un directeur de conscience – comme on le disait par exemple de Barrès, de Romain Rolland ou d'autres écrivains –, mais un éveilleur, un entraîneur de conscience.

Les ennemis qu'il avait étaient de natures très diverses. Je voudrais simplement noter qu'une seule catégorie était véritablement irréductible: celle d'adversaires qui n'admettaient pas la mutation. Le petit opuscule d'Henri Massis me paraît particulièrement significatif: *Petite Histoire des Variations d'André Gide* (attitude, par conséquent, renouvelée de celle de Bossuet). Si la variation c'est le péché, si la mutation c'est la dégradation, alors on ne peut rien admettre de Gide. Mais à partir du moment où l'on admet que la variation et la mutation sont une forme de la vie et où l'on pense que ces variations et ces mutations de Gide allaient dans le sens de la vie, alors on attend que ces variations et ces mutations aient un sens, aient une signification.

C'est ainsi qu'il était devenu, dans les années qui vont à peu près jusque vers 1938, une sorte de référence obligée pour des gens très divers, et, comme l'a dit quelqu'un – c'est une de ces formules qu'on répète tout le temps, si bien qu'on ne sait plus qui l'a dite, qui l'a lancée le premier – il était le «contemporain capital». A une séance fameuse de «l'Union pour la Vérité», il s'est trouvé entouré de tous ceux qui étaient allés plus loin que lui, ou qui étaient déjà plus loin que lui avant de naître sur des voies où lui-même s'était engagé plus ou moins.

En ce qui concerne la dernière période, celle qui a immédiatement précédé la guerre et celle qui s'est écoulée entre la fin de la dernière guerre et sa mort, j'ai l'impression que déjà, autour de 1938, quand on a commencé à parler de Sartre, quand on s'est mis à parler de la littérature engagée (le mot d'engagement est né dès ce moment dans le groupe «Esprit»), on a senti un certain décrochage de Gide par rapport à l'actualité. Cependant, la publication du *Journal* – dont on parlait hier ou avant-hier – a donné une sorte de relance à la présence de Gide: pendant les années d'occupation, le *Journal* se vendait au marché noir comme le beurre ou le beefsteack, et c'est assez exceptionnel pour une œuvre littéraire.

Au cours des dernières années, il y a eu bien sûr quelque chose qui s'estompait. Mais quand on pense que cet homme autour duquel s'étaient élevées tant de questions, tant d'interrogations auxquelles les réponses n'étaient jamais données, a encore jusqu'à sa mort, jusqu'aux mots qu'il a prononcés en mourant, donné lieu à des débats, à des différences d'interprétation sur ce que pouvait bien signifier cette mort et ce que pouvaient bien vouloir dire les mots qu'il a dits ou qu'il est supposé avoir dits au moment de mourir, – on se dit qu'il a rempli jusqu'au bout sa destinée.

Il me semble qu'il fallait faire cet effort de rétrospection pour essayer de voir où nous en sommes maintenant vis-à-vis de lui. Vous constatez que le caractère de cette action, c'est que c'est une action que seul un vivant peut exercer, parce que seul un vivant est imprévisible, parce qu'on ne sait pas ce qu'il va encore donner, parce qu'on ne sait pas ce qu'il va encore dire, on ne sait pas ce qu'il va encore faire. L'extraordinaire, c'est que Gide a gardé jusqu'au bout, jusqu'à l'extrême vieillesse et jusqu'à la mort, cette capacité que je ne saurais mieux caractériser que par un mot d'Henri Michaux. On lui demandait un jour: «Qu'est-ce que c'est que la jeunesse?» et il répondit: «La jeunesse, c'est quand on ne sait pas encore ce qui va arriver». Je crois que Gide n'a jamais su lui-même ce qui allait pouvoir arriver et que, surtout, les autres n'ont jamais su ce qui pourrait encore arriver avec lui jusqu'à ce que ce soit la fin.

Mais maintenant, il n'y a plus que l'œuvre. Cette espèce d'alliance, de complicité entre ses lecteurs et lui dans l'investigation et l'attente va-t-elle être remplacée par l'étude d'une œuvre finie? Ce que je crains toujours c'est qu'on veuille livrer une clef de Gide et, au cours des quelques dialogues auxquels j'ai participé, on a bien senti cette tendance qu'a toute discussion, toute conversation à conclure: «Gide, c'est ceci et ce n'est pas cela» – «Gide, c'est un menteur ou, au contraire, il ne ment jamais». Il y a une tendance à vouloir, maintenant que l'œuvre est là devant nous, que toutes les pièces y sont ou presque, déclarer: «cette œuvre, c'est cela». Gide n'est plus là pour nous avertir: «Non, ce n'est pas cela, c'est encore autre chose».

Au lieu d'une influence (ce mot qu'il aimait tellement; il y a toute une pratique, une théorie de l'influence chez lui), va-t-il devenir un précédent? Un précédent, c'est quelque chose qui est derrière vous. Une influence, c'est quelque chose qui va vers l'avenir. Va-t-il devenir quelqu'un qu'on lit, comme disait l'un des romanciers hier soir, avec plaisir, avec intérêt, avec admiration même, mais qui n'agit pas sur vous, qui ne vous modifie pas, qui ne modifie pas ce que vous allez écrire? En somme, va-t-il passer, c'est à dire basculer dans le passé? Rappelons-nous la rencontre de Péguy avec ce jeune homme qui était venu le voir pour savoir ce que c'était que l'Affaire Dreyfus: Péguy s'est alors aperçu que l'Affaire Dreyfus n'était plus de l'ordre de la vie, qu'elle était devenue de l'ordre de l'histoire. Gide n'est-il plus de l'ordre de la vie? Est-il de l'ordre de l'histoire? Devient-il un objet d'études universitaires? Va-t-on mesurer son importance au nombre des diplômes d'études supérieures ou des thèses qui sont consacrés à son œuvre? C'est d'un autre ordre. Alors, il devient un classique et on l'étudie comme Racine, comme Corneille. Mais cela n'est plus l'essentiel de lui, ce n'est plus ce par quoi il a agi, lui particulièrement et lui uniquement, pendant qu'il était vivant. Car au moment où il cesserait d'être senti comme «contemporain», il cesserait du même coup d'être «capital».

Cette impression, je l'ai ressentie hier soir en écoutant nos deux romanciers. Hier soir, je crois que M. Ricardou a dit: «On l'aime bien, enfin, on le lit, comme ça», que M. Ollier a dit: «Il compte comme attitude morale et professionnelle». Mais je me rappelle que Simone de Beauvoir, il y a quinze ou vingt ans, dans une Université américaine où on l'interrogeait sur les grands écrivains contemporains, avait déjà répondu: «On l'aime bien, Gide, il représente pour nous une certaine attitude d'écrivain, une certaine morale de l'écrivain, mais enfin, on fait autre chose». Lorsque Sartre, lui, a publié son article, après la mort de Gide, – article où, pour une fois, il s'est laissé un peu entraîner au genre de la notice nécrologique et de l'oraison funèbre, – ce qu'il a dit revenait un peu à ceci: «C'était bien bon d'avoir Gide vivant parce qu'il gardait les vieilles valeurs, il continuait à faire du classique» (je traduis en schématisant), «cela nous permettait, à nous, de courir l'aventure». C'est une singulière fonction assignée à Gide que celle de vestale de la littérature traditionnelle et qui aurait l'utilité de permettre aux jeunes de courir l'aventure, puis, si elle tourne mal, de revenir, et ils auront toujours le feu et la table. C'est une paradoxale transformation de ce qui avait été l'action, l'influence de Gide, que de lui faire le coup de l'enfant prodigue.

Cette impression, que nous avons eue hier soir, que j'avais déjà eue il y a une quinzaine ou une vingtaine d'années, qu'on a certainement dans d'autres milieux et à d'autres endroits, est-elle vraie pour tout le monde et partout? Ce sont des questions bien ambitieuses et c'est pourquoi il faut être beaucoup pour y répondre. Je voudrais simplement essayer de classer les questions.

La première consisterait à nous demander si la fonction d'émancipateur scandaleux, à laquelle Gide tenait tant, reste toujours active? Trouve-t-elle encore un emploi actuellement? C'est le genre de question auquel il est très difficile de répondre. J'ai l'impression qu'il s'est passé pour Gide ce qui s'est passé pour beaucoup de rénovateurs de valeurs qui ont été au bout du compte assimilées.

Il semble que la société soit moins intransigeante et qu'elle tolère aujourd'hui (j'emploie ce verbe au sens où l'on dit qu'un estomac tolère des aliments) des actes, des attitudes, qu'elle rejetait autrefois violemment. C'est une simple impression. Je crois qu'elle est en partie fondée. Mais je m'empresse de dire qu'elle ne l'est sans doute pas toujours: c'est une question de milieu. D'ailleurs, même avant 1914, ce qui faisait scandale dans un milieu bourgeois comme celui de Gide (et je me demande si ce n'est pas une des parties les moins intéressantes aujourd'hui dans l'œuvre de Gide: tous ces débats autour de la famille, quitter sa famille, rompre avec sa famille, s'émanciper de sa famille, etc....), n'était probablement pas pris au tragique dans d'autres milieux. Dans une famille paysanne ou une famille ouvrière d'avant 1914 le *Retour de l'enfant prodigue* aurait-il eu la même importance? Je ne sais pas, je ne crois pas. Dans le monde actuel, je pense qu'il y a une plus grande tolérance de la société. Je suis persuadé aussi que certaines secteurs de la société sont restés ou redevenus intransigeants; car il se produit en ce moment le phénomène bien classique des Restaurations. Lorsqu'une société à lâché un peu trop de lest, pense-t-elle, à un certain moment, elle est tentée de reprendre certaines valeurs, qui ne sont plus vraiment vécues, qui sont des valeurs de restauration. Il y a des milieux où Gide fait peut-être encore scandale. Gardons-nous donc de généraliser.

Il y a un autre aspect dont il faut tenir compte. Il semble que, dans la gloire, la réputation, la diffusion d'une œuvre, il y ait une vertu anesthésique qui empêche les esprits de sentir ce qu'il peut y avoir de brûlant ou de choquant dans cette œuvre. Pour ressentir à nouveau cette brûlure, ce choc, il faut peut-être un effort intellectuel que la plupart des lecteurs ne font pas. Au Japon, par exemple, Gide est très connu. Les traductions de *la Porte étroite* et de *la Symphonie pastorale* connaissent de forts tirages. Mais il semble que, sauf pour les spécialistes, elles soient considérées comme des œuvres pour jeunes filles. De même qu'un jeune homme de dix huit ans doit lire les premiers volumes des *Thibaut* dans la traduction de M. Yamanouchi, parce que c'est un livre qui est bon pour ouvrir les yeux sur la vie, de même, pour ce grand public japonais, *La Porte étroite* et *La Symphonie pastorale* sont des œuvres pleines de grâce, de pudeur, de bons sentiments, qu'il est bon de faire lire aux jeunes filles avant qu'elles se marient.

Si l'on voulait donc – prétention impossible – photographier la réputation ou la signification de l'œuvre de Gide à travers le monde, on aurait peut-être des surprises.

Deuxième point et deuxième question : sa fonction d'écrivain, d'auteur de belles œuvres, de styliste, reste-t-elle toujours le même et a-t-elle une action ? Chez Gide écrivain – et même chez Gide total – il y a une grande part d'héritages et s'il a été un écrivain d'émancipation progressive, aussi bien dans le domaine éthique que dans le domaine stylistique (puisque son style a beaucoup évolué), il n'a jamais été un écrivain de rupture. De 1920 à 1930, beaucoup de jeunes écrivains ont essayé d'écrire comme Gide. Je me demande s'il y a aujourd'hui de jeunes écrivains dont on puisse en dire autant. Je crois que la tentation, même s'ils ont du plaisir à le lire, ne leur en viendrait pas.

Un autre aspect de cette question littéraire. Nous avons vu hier soir que, malgré la virtuosité du conférencier, il semblait qu'entre le Nouveau Roman et Gide il n'y avait guère d'affinités. Mais le Nouveau Roman n'est qu'un aspect de la littérature actuelle et il n'est pas exclu que d'autres formes s'expriment. Supposez qu'on voit naître, se renforcer une autre tendance ou un autre désir que j'ai senti poindre depuis quelques mois, dans certains articles, par exemple dans ceux de Robert Kanters, dans le *Figaro littéraire*. Depuis quelques mois il répète : « Ah ! si nous pouvions avoir une grande œuvre d'imagination ! » Supposons que dans cette direction que je laisse très vague il naisse des œuvres intéressantes, est-ce que, là encore, Gide ne se trouverait pas en dehors du coup, parce qu'il n'est pas du tout de ce bord-là et que déjà, de son vivant, certains le lui reprochaient. Et enfin, toujours sur cette même question, je voudrais vous rendre attentifs à un dernier point. Lorsqu'on parle d'un écrivain, lorsqu'on parle en particulier d'un romancier, il me semble qu'on en parle d'après des impressions qui viennent de deux sources différentes. Il y a l'impression de la lecture elle-même, en train de se faire. Quand on est en train de lire un roman, on peut être sensible à son style ou ne pas l'être, on peut être intéressé par l'action – pour employer un mot bien désuet – ou par l'intrigue, ou ne pas l'être, mais lorsqu'on en parle, est-ce d'après cette impression de lecture ? Je ne le crois pas ; je crois que l'on en parle d'après la vie que le roman garde dans la mémoire. La fonction de la mémoire dans le sentiment qu'on peut avoir à l'égard d'un roman est décisive. Il y a des romans qui ont pu vous passionner quand vous les avez lus et qui n'ont pas vécu dans votre mémoire. Il y a au contraire des romans dont on a tout oublié – pour beaucoup de romans de Balzac, je ne saurais plus dire ce qui s'y passe – mais dont les personnages vivent dans notre mémoire. Je crois que pour l'œuvre de Gide, si j'en parle de mémoire, il n'y a qu'un personnage – chaque mémoire a ses habitudes, ses prédilections – qui vit dans ma mémoire, c'est celui d'Alissa. Je demande qu'on s'interroge dans cette direction-là.

Passons à l'aspect psychologique. Je ne sais pas si la psychologie, au sens où on l'entendait du temps de Gide et dans son groupe, joue toujours le rôle qu'elle jouait à ce moment là. Et cela, je vous le demande. Mais ce dont je suis bien certain c'est que l'appétit psychologique, la curiosité psychologique allant jusqu'à l'indiscrétion, jusqu'à l'effraction, fut l'un des traits les plus marqués de ce groupe. D'ailleurs Gide reprochait à Copeau dans une lettre, après avoir lu un texte de lui, de ne pas y avoir mis assez d'indiscrétion. Cette passion de la psychologie, vous la trouvez également dans le fait de tout conserver. On nous a dit hier ou l'autre jour que, dans le *Journal*, il avait sacrifié, détruit certaines pages. Je veux bien le croire. Mais ce qui m'a frappé beaucoup plus c'est l'énorme quantité des choses conservées. Y a-t-il un autre groupe où l'on trouve une telle masse de documents dormants? Et pourquoi les a-t-on conservés? C'est parce que tout aide à la connaissance psychologique, au sens où on l'entendait dans ce milieu et à cette époque. Cela a été une de leurs constantes. Gide a toujours répété: «On n'a pas encore tout dit de l'homme, on peut toujours dire quelque chose de nouveau de l'homme et on peut toujours dire quelque chose de nouveau de tel et tel homme». On s'apercevra que quelque chose qui avait l'air d'être insignifiant et qu'on aurait pu détruire, en réalité se révélera d'une grande signification – mais j'emploie le mot «signification» dans un sens différent de celui que je lui donnais tout à l'heure, c'est à dire une signification psychologique –. Si l'on perd de vue cette passion psychologique, en ce sens là, on manque l'un des mobiles les plus actifs, les plus virulents, de la création littéraire de ce groupe.

Maintenant je vais passer – je dis carrément «je» – à une question beaucoup plus personnelle et où j'aimerais bien avoir votre aide parce que je n'arrive pas à démêler moi-même quelle est ma réaction sur ce point.

Personnellement, à un certain moment j'ai trouvé que Gide n'était pas si important, ne jouait pas un tel rôle, – et évidemment ce fut le moment de la guerre et de la pré-Libération –. Le sentiment que je n'arrive pas très bien à m'expliquer à moi-même, mais que j'ai ressenti avec force, c'est qu'il y avait une disproportion, une différence d'échelle entre certains événements ou certains sentiments, ou certains faits – que ce soient des faits de l'âme ou des faits du monde – et, non seulement les réactions particulières de Gide à tel ou tel événement, mais sa manière même. Il m'a semblé que sa manière psychologique elle-même manquait de prise sur certains faits ou sur certains sentiments. J'essaye de préciser cela. Si je pense à la confrontation de Gide avec certaines des choses qui l'ont le plus passionné, j'éprouve chaque fois le sentiment d'une certaine disproportion entre les moyens, entre l'attitude et l'objet. Même *Corydon*! Cela m'a toujours paru, disons, assez peu intéressant. Peut-être est-ce la faute de la forme... cette manière pseudo-classique qui encombre son œuvre? Cela me gêne de le voir parler d'un sujet qui était si brûlant pour lui dans une forme si poussiéreuse et désuète. Je trouve le *Kinsey Report* mieux adapté au sujet. Dans un domaine tout différent: devant n'importe quelle conviction – il s'est trouvé devant la foi catholique, mais aussi devant la conviction communiste – il y a une gêne que j'ai ressentie avec plus d'acuité à ce moment là, c'est que lui, qui comprenait tant de choses, qui avait des antennes pour les choses qui lui étaient les plus opposées, il n'a jamais senti, il ne lui est jamais venu à l'esprit que la foi ou la conviction pouvait être une vie. Une foi ou une conviction pour lui c'est toujours un arrêt et qui bloque la vie: on s'est accroché à quelque chose et on ne démarre plus. Mais ce n'est pas vrai. Il y a une vie de la foi, il y a une vie de la conviction. Vous me direz: «Peut-être que dans son dialogue avec Claudel, Claudel ne le lui a pas montré cela». Je dirai «Si!» – car si on lit attentivement cette correspondance, d'un esprit non prévenu (pour employer une de ses formules), je crois qu'à côté de coups de boutoir assez vigoureux on trouve, dans la foi de Claudel, un élément qui est en travail, en développement. Il me semble que cela, jamais Gide n'a pu l'admettre. Si j'avais été communiste, ou si j'avais eu envie de le devenir, ou de ne plus l'être, ce n'est ni le *Retour d'U.R.S.S.*, ni les *Retouches au Retour d'U.R.S.S.* qui m'auraient convaincu le moins du monde. Je trouve qu'il y a une certaine disproportion... Ces remarques ont eu un retentissement parce que Gide avait la situation que j'ai dite à ce moment-là. Mais, en elles-mêmes, peuvent-elles convaincre quelqu'un d'être ou de n'être pas communiste?

J'en viens à mon dernier ordre de questions. Dans quelle direction peut-on conjecturer que continuera à s'exercer une action de Gide? On a souvent dit – je crois que c'est Charles Du Bos qui l'a dit le premier – que l'essentiel de l'attitude de Gide était l'attitude expérimentale. C'est vrai en grande partie en ce sens que beaucoup de ses œuvres sont des espèces d'expérimentation pour voir. *L'Immoraliste*: on va voir ce qui arrive quand on se lance jusqu'au bout dans la direction de l'immoralisme, et c'est un échec. *La Porte étroite*: on va voir ce qui va arriver lorsqu'on va jusqu'au bout dans la direction de l'abnégation, et c'est encore un échec. C'est pourquoi les contemporains n'ont pas compris le rapport, le jumelage si je peux dire, ou la symbiose des deux œuvres. De même, dans ses correspondances avec ses amis et, en particulier, dans sa correspondance avec Claudel, on a souvent l'impression qu'il s'agit d'une expérimentation par personne interposée: par le dialogue avec un autre qui a telle ou telle attitude ou telle ou telle conviction, il s'agit de sentir en soi, de voir ce qui arrive lorsqu'on a cette attitude; c'est pourquoi tant de correspondances de Gide se terminent comme tant de ses œuvres – on l'a remarqué – par une sorte de «couper court», parce qu'au moment où l'on a vu ce qui se passait quand on allait dans telle direction, cela n'est plus intéressant, il n'y a plus d'avenir. Mais je rectifierai cette remarque, ou plutôt je la nuancerai, parce qu'elle me paraît un peu sommaire, en disant que je retirerai simplement l'adjectif «expérimental» et je le remplacerai par le mot «épreuve». Ce qui est très beau, ce qu'il y a de pathétique dans la destinée de Gide, c'est que ce n'est pas une expérimentation à froid, c'est que c'est une épreuve où le mimétisme joue un grand rôle – le mimétisme affectif, le mimétisme intellectuel –. C'est pourquoi il aimait tant Sainte-Beuve. Chez Sainte-Beuve, on trouve également cette même attitude: «Qu'est-ce que c'est que d'être saint-simonien? Ah bon! j'ai vu ce que c'est, ce n'est plus intéressant! Qu'est-ce que c'est que d'être croyant? Qu'est-ce que c'est que d'être romantique?» Il y a un peu cette même façon d'éprouver les grands faits intellectuels, moraux ou sentimentaux, par une sorte d'épreuve de mimétisme. Je nuance encore en disant que c'est une pensée qui prospecte et que ce qui me passionne maintenant chez Gide, ce n'est plus telle ou telle œuvre déterminée, c'est cette multiplicité de tentatives, dont il ne faut pas chercher la clef ou le maître-mot, mais dont on sent bien qu'elles ont au moins ce résultat de maintenir un homme vivant et de le maintenir dans un état d'appréhension à l'égard de toutes sortes d'expériences, de toutes sortes d'êtres et de toutes sortes de sentiments. Je mets mes cartes sur table. J'ai repris goût à Gide après avoir lu le livre du Professeur Delay, parce que dans ce livre on sent cette multiplicité, cette contamination de toutes les démarches, de toutes les œuvres et de tous les sentiments et, en même temps, une tenace fidélité, mais qui n'est pas une fidélité en arrière, qui est une fidélité en avant. Personnellement, s'il me fallait parier pour la persistance, la vitalité de l'action et de la présence de Gide, je dirais qu'elle est dans cette tonicité qu'on lui trouve lorsqu'on marche avec lui dans toutes les directions à la fois.

Je voudrais bien savoir ce que vous-mêmes en pensez.

DISCUSSION

MARCEL ARLAND. – Avec l'exposé de M. Anglès, nous sommes parvenus au centre même du sujet de cette décade. Le sujet n'était pas seulement une analyse des caractères de l'œuvre de Gide, mais nous essayions de chercher quelle était la place que Gide occupait parmi nous aujourd'hui encore et quelle place il pourrait occuper demain.

M. Anglès a posé des questions, il a aussi suggéré des réponses; je dois dire que, pour ma part, je ne suis en désaccord avec lui que sur des points de détail. Qui veut bien à présent donner son opinion sur les questions posées?

PATRICK POLLARD. – Vous avez dit, Monsieur, que pour vous le personnage qui vivait dans votre souvenir était le personnage d'Alissa. Cela m'a beaucoup frappé car, si je cherche un personnage qui reste dans mon souvenir après une lecture de Gide, c'est Gide. Dans beaucoup de personnages, il y a un fond très important de Gide. Il a su mettre quelque chose en surplus, évidemment; mais pour moi, le principal c'est toujours cela. Ce qui m'amène à penser que l'oeuvre d'André Gide, en ce qui concerne ce côté psychologique dont vous avez parlé, ne présente qu'un intérêt psychologique gidien. C'est la personnalité de Gide qui parle dans ses œuvres, ce n'est pas tel ou tel personnage. Je pense que dans l'avenir ce que l'on sera tenté de trouver, ce sera le personnage même de Gide et non pas ses personnages.

AUGUSTE ANGLÈS. – Il me semble que nous sommes à peu près d'accord. C'est à un certain stade du développement que j'ai parlé des personnages, mais il me semble qu'à la fin j'ai dit à peu près la même chose que vous.

MARCEL ARLAND. – Oui. C'est une opinion que nous avons à peu près tous. Le grand personnage et l'unique personnage de l'œuvre de Gide, c'est André Gide lui-même. Que chacun de nous, selon son tempérament ou selon son âge, ait retenu tel ou tel personnage, bien entendu. Je me rappelle que, jeunes, c'était Lafcadio qui nous frappait le plus. Que de discours autour de Lafcadio, de l'acte gratuit, etc.... Oui, c'était par Lafcadio que Gide trouvait grâce auprès du Mouvement Dada ou du surréalisme naissant.

PIERRE DESVIGNES. – Je voudrais ajouter une note à ce que M. Anglès a dit sur les explications possibles de la popularité d'André Gide par phases. En particulier, je voudrais évoquer l'exploitation politique de Gide en 1936. On a publié des photographies où, au cours de la réunion d'un certain mouvement, il était à la tribune avec les intellectuels de l'époque. Il est certain qu'à ce moment là, le fait de voir des interviews de Gide dans *Marianne* lui a tout d'un coup donné une auréole politique. Brusquement, le nom de Gide a paru important à des gens qui n'étaient pas spécialement littéraires.

Auguste Anglès. – Je crois que ce qu'il faut dire c'est que dès qu'on met le bout du petit doigt dans la politique, il y a toujours exploitation, mais que d'autre part et ce qui est plus intéressant, c'est qu'il y avait quand même vocation de Gide. Beaucoup de gens ont considéré jusque très tard l'œuvre de Gide comme celle d'un mandarin. Mais, rétrospectivement, on a été chercher dans son œuvre antérieure des germes de préoccupations sociales: il me semble me rappeler qu'il y a eu un article plus ou moins marxiste sur *Candaule* et on a redécouvert les *Souvenirs de la Cour d'Assises*. Qu'il y ait eu exploitation, c'est certain, on est toujours exploité d'une façon ou d'une autre, mais il y avait aussi vocation.

Patrick Pollard. – Je crois qu'il serait intéressant, ici, de rapprocher un texte du *Journal* qu'il a écrit quand il était en Afrique du Nord, pendant la deuxième guerre. Il dit que le «grand intérêt de son œuvre n'est pas un intérêt d'actualité». Il a soigneusement évité de mettre toute actualité, quelle qu'elle soit, dans ses œuvres.

Auguste Anglès. – Il faut se dire que chez Gide la déclaration est toujours rectification. Comme, en effet, à un certain moment on a sollicité l'œuvre de Gide d'une manière abusive, pour diverses causes, il a fait des déclarations rectificatrices. Par exemple, lorsqu'il a dit que le livre de Jean Hytier était le meilleur qu'on ait écrit sur lui, car il le considérait enfin du point de vue artistique; c'était vrai, mais c'était aussi pour protester contre une sollicitation abusive de son œuvre dans le sens de l'actualité. Son usage du mot «tendancieux» me paraît ici important par son ambivalence: tantôt il reprochait à Barrès, à Bourget, etc.... d'être tendancieux, mais en même temps, combien de fois a-t-il reproché à quelqu'un qui était purement artiste ou qui était neutre, etc.... de n'être pas assez tendancieux! Naturellement, c'est avec des sens différents, mais enfin les deux pentes coexistent.

Jean Mouton. – C'est le balancement qu'on retrouve dans son attitude religieuse. S'il semble s'approcher de la foi, il craint aussitôt qu'on veuille l'annexer, et il insiste sur le versant contraire de sa pensée. Il a peur d'être allé trop loin.

Auguste Anglès. – Un de ses mots-clefs – il faudrait en établir un petit vocabulaire – c'est «passer outre». On trouve encore ici l'ambivalence: «Passer outre», ce peut être *Thésée*, l'élan pour se surmonter, mais ce peut être aussi couper court.

Jean Follain. – Je crois que ce que vous avez dit, que Gide ne s'était pas rendu compte de ce qu'une conviction, une foi pouvait réaliser, est très important, ce qu'il y a de plus important pour expliquer que peut-être pour une grande partie de la génération actuelle Gide n'est plus suffisant, n'est plus une nourriture suffisante.

Marcel Arland. – Cela me semble très juste. Une des grandes causes de notre intérêt – je parle de la génération qui est venue aux lettres après la première guerre – ce fut ce que vous appelez le côté «inquiéteur» de Gide, l'homme d'une extrême séduction, qui ne s'était pas encore prononcé, mais dont on attendait à tout instant qu'il se prononçât, qu'il allât plus loin en tout cas. Tant que ce grand écrivain nous a inquiétés, tant que nous avons attendu qu'il pût aller plus loin – nous ne savions pas où, mais ce serait de nouveau un objet de discussion, de scandale — nous l'avons suivi. Peu à peu, l'attente s'est un peu lassée, parce que nous ne voyions rien venir: d'un côté, parce que l'immense coquetterie qu'il y avait chez ce grand écrivain devenait parfois un peu agaçante pour des gens, comme on disait hier, un peu naïfs, parce que d'autre part, d'autres écrivains, d'autres voix avaient résonné – je ne songe pas seulement à l'importance de Proust, de Valéry ou du grand Claudel, mais à des voix plus jeunes, celle de Bernanos, à des voix opposées à celle de Bernanos comme celle de Céline; plus tard, à celle de Sartre. L'écrivain Gide restait pour nous aussi admirable, la figure aussi surprenante, mais nous restions sur notre faim. Un éloignement s'est fait déjà avant la première guerre. Après la seconde, il s'est accentué malgré la publication du *Journal* qui redonnait un immense intérêt à la figure de Gide, mais où nous ne retrouvions pas tout à fait ce que nous avions aimé en lui. Gide d'ailleurs, même avant la seconde guerre, se défendait d'avoir été un homme inquiet. Je pense qu'il a dû l'être. Cependant j'ai des lettres où il me dit: «Mais non! Vous autres, vous êtes inquiets, vous parlez de l'angoisse, vous en parlez même un petit peu trop; moi, non! c'est autre chose qui me pousse».

Jean Follain. – C'est à ce moment là d'ailleurs qu'il a déclaré son athéisme profond, alors que jusque là il n'avait jamais pris une position nette.

Auguste Anglès. – Ce mot d'«inquiétude», qu'on n'ose plus employer parce qu'il a été trop usé, il y aurait peut-être moyen de le revitaliser. L'autre jour, j'ai parlé de détournement, de gauchissement. Il y a chez Gide un usage gauchissant (pas gauchissant au sens politique!) des mots. Il détourne les paraboles de leur sens; c'est pour lui la manifestation de la sincérité. Je crois que le premier qui a employé le mot d'inquiétude, c'est Schlumberger, avec *l'Inquiète Paternité*; cela ne veut pas dire du tout une paternité, si l'on peut dire, mère-poule, c'est une paternité qui n'admet pas le repos, qui n'admet pas la quiétude, c'est un anti-quiétisme. «Inquiétude» dans ce sens là n'a pas du tout le sens courant de fébrilité énervée, mais simplement de réaction contre le sommeil, contre l'apathie.

GEORGES-PAUL COLLET. – Il y a aussi une autre inquiétude chez Daniel-Rops.

AUGUSTE ANGLÈS. – Oui, mais postérieure à la première guerre. Cela montre la vulgarisation du mot «inquiétude».

ANDRÉ BERNE-JOFFROY. – Le nom de Gide n'était pas mentionné dans les Histoires de la Littérature que nous utilisions quand j'étais écolier. J'ai découvert son existence en Allemagne, en 1930, dans un manuel pour les écoliers allemands. On l'y présentait comme le grand nom de la littérature contemporaine; et, je ne me rappelle plus exactement la phrase, on disait qu'il avait imposé un certain esprit d'inquiétude. Ce mot *inquiétude*, je devais bien souvent le lire, par la suite, régulièrement employé à propos de Gide. Je ne suis pas sûr d'avoir jamais bien compris de quoi l'on voulait parler. C'est sans doute que toute la littérature moderne est pétrie d'inquiétude, et non pas seulement celle de Gide. Je voudrais demander à Marcel Arland, dont les souvenirs sont sensiblement antérieurs aux miens, si, pour les hommes de sa génération, Gide a été l'écrivain d'une nouvelle inquiétude?

MARCEL ARLAND. – Je crois que déjà dans la période qui a précédé la guerre, Gide devait se caractériser aus yeux de ses contemporains précisément par une inquiétude, par une constante recherche. Là-dessus la guerre, qui a amené entre les aînés et les jeunes une coupure. Mais nous venions de découvrir Gide, à la fois par *les Nourritures terrestres*, par ses premiers traités, par *la Porte étroite*, par *l'Immoraliste*, par *les Caves du Vatican*. Il se peut que nous ayons prêté à André Gide une attitude qu'il n'avait plus, mais qui nous touchait que nous croyions sentir en lui. D'autre part, il y avait – ce que M. Angles a signalé – cette attention extrêmement délicate qu'André Gide apportait aux jeunes en les poussant dans leur voie. Il ne faut pas oublier, même dans *les Nourritures terrestres*, le mot fameux: «Nathanaël, jette mon livre». Et Gide ne se fâchait pas quand, ayant lu André Gide, parfois nous attaquions et souvent de façon injuste, André Gide lui-même. C'était sa nature.

ANDRÉ BERNE-JOFFROY. – Chez Barrès, n'y a-t-il pas quelque chose qui ressemble à l'inquiétude?

Marcel Arland. – Je ne sais pas. A tout le moins cette sorte d'inquiétude qui se trahit par une feinte assurance. Quand j'ai découvert Barrès – mais mon cas était aussi celui de mes amis – au collège, vers l'âge de 14–15 ans, il s'agissait non pas du Barrès d'alors, de celui de la guerre mais du premier Barrès. Le problème c'était: «Pour un homme jeune, un adolescent devant la vie, que faire?». Tous les traités d'égotisme, cette ardeur mélangée à l'ironie, à l'humour, nous avaient impressionnés et l'influence de Barrès a pu se prolonger sur des écrivains comme Montherlant, comme Drieu la Rochelle, comme Jean Prévost, comme André Malraux aussi. Mais, la guerre terminée, lorsqu'on a repris à Paris une vie littéraire indépendante, lorsque la *Nouvelle Revue Française* a reparu sous la direction de Jacques Rivière (Gide s'étant bien gardé d'en être le directeur et se flattant au contraire, plus il était célèbre, de s'en éloigner), à ce moment-là c'est vraiment André Gide qui, pour nous, depuis l'âge de 17-18 ans, est devenu ce que l'on peut appeler un «maître», précisément d'une façon opposée à celle de Barrès – je l'ai dit hier – non pas dans la mesure où il nous offrait une méthode et déjà presque une conclusion, mais dans la mesure où il éveillait en nous une aspiration, outre l'immense respect que nous avions pour son attitude devant l'art, devant ses très hautes qualités d'écrivain. Voilà, je crois, quelle a été l'influence de Gide sur nous, influence qui, dans la mesure même où nous avions quelque personnalité, nous a amenés très souvent à une réaction violente. Nous nous sentions, mettons de naissance, mettons d'éducation, mettons de religion, de tempérament, différents, parfois opposés à lui, et tout en gardant pour Gide – je continue à le faire – cette admiration pour son œuvre et pour sa figure, il nous fallait chercher autre chose. C'est Gide lui-même qui nous le conseillait. C'est pourquoi je dois beaucoup à André Gide. Son influence – je demande pardon de parler de moi – dans mes tout premiers livres a été manifeste. C'est à André Gide que, avant de rien avoir publié (j'étais étudiant), j'ai envoyé mon premier livre. C'était un petit récit qui s'appelait *Terres Etrangères*. Je n'avais jamais vu Gide. Je le lui ai envoyé en lui disant: «répondez aux initiales de M.A., Association des Etudiants, rue de la Bûcherie». Au bout de quinze jours, j'ai reçu une lettre de Gide qui vraiment pouvait émouvoir un adolescent et l'enchanter. Gide a communiqué ce manuscrit a ses amis de la N.R.F.: Jacques Rivière et le secrétaire de Rivière, Jean Paulhan. C'est ainsi que par Gide j'ai été appelé moi-même à la *Nouvelle Revue Française*. Or, il se trouve que je l'ai très peu vu, précisément parce que j'ai senti le danger de sa séduction, pour qui n'avait pas une nature proche de la sienne – et la mienne en était loin. Il y a eu des lettres, bien entendu, très gentilles. Il y a eu des fâcheries (et j'avais presque tous les torts). Je l'ai revu quelques années avant sa mort au cours d'un déjeuner avec des amis; il s'est montré délicieux, il a dit à ma femme que j'étais un homme terrible, mais qu'il m'aimait bien, et, sur le trottoir, en me quittant: «Quel dommage,» a-t-il soupiré, «qu'on ne se soit pas vus plus souvent!». Je garde un fidèle attachement à cette figure. Mais je crois, comme concluait M. Anglès tout à l'heure, que c'est la partie inquiétante, que c'est la partie qu'on jugeait autrefois scandaleuse de l'œuvre de Gide – nous en avons tellement vu depuis – qui n'exerce plus aucun effet aujourd'hui. Il reste premièrement ce personnage, cette figure, si complexe, si subtile. Il reste cet exemple qui peut, je crois, si l'on n'est pas de parti-pris – mais je sais bien que toujours, si l'on est jeune, il faut être de parti-pris – accompagner, qui peut aider beaucoup de jeunes gens.

ANDRÉ BERGE. – Il y a un mot de Gide qui me semble très important et qui me semble apporter une certaine lumière sur ses apparents changements d'attitude qui déconcertent quelques-uns – et sur les fluctuations de son influence qui en sont probablement la conséquence. C'est le mot d'*extrême milieu* par lequel il s'est lui-même défini. Ce mot explique bien pourquoi, chez Gide, «la déclaration est toujours rectification», comme le disait M. Anglès. On ne saurait dire qu'il se refuse simplement à la facilité des *extrêmes extrêmes*, en risquant avec courage de déplaire à ceux qui avaient pu avoir, un instant, l'espoir de l'annexer.

MARCEL ARLAND. – *Extrême milieu*, comme on dit «se trouver sur une corde raide», marquant la difficulté même de tenir, de maintenir cette position. Cela n'était pas une position de repos.

ANDRE BERGE. – Je crois même que c'est cela qui fait que Gide doit rester vivant, en dépit de ses éclipses. On a toujours quelque chance, en effet, de le retrouver à certains tournants de l'existence ou de l'histoire: chaque fois qu'on a été trop loin. C'est ainsi qu'une partie du public l'a découvert après la guerre de 1914, parce qu'il n'avait pas été dupe d'aucune des déformations et des altérations de la pensée qui avaient marqué cette époque. L'influence de Gide alors est venue de cet *extrême milieu* qu'il représentait. Lorsque, sous l'influence des événements, l'opinion s'emballe un peu trop dans un sens ou dans l'autre, on peut prévoir qu'un jour viendra où le rappel de l'*extrême milieu*, qui est aussi l'*extrême justesse*, se fera sentir comme indispensable. Un tel besoin ne meurt pas, même s'il disparaît pendant de longues périodes… comme la popularité de l'œuvre de Gide.

AUGUSTE ANGLÈS. – Vous me fournissez une formule, j'en suis très très heureux. C'est ce que j'ai tenté de dire en disant qu'il était tonique. Seulement le danger, c'est de ne plus sentir la tension de cette attitude et d'en faire un *juste milieu*. Gide lui-même n'y a pas échappé, parce que même dans sa forme littéraire, encore une fois, il y a tout cet aspect hérité du XVIIIe siècle qui est un peu agaçant, il y a des baisses de tension.

Andre Berge. – Pour que l'œuvre de Gide ait ces moments de vitalité intense, ne faut-il pas qu'il y ait une participation des circonstances? Quand Gide, lui-même, disait: «Attends du public la révélation de ton œuvre», ne nous donnait-il pas la clef des fluctuations de son succès, déterminées en somme par les fluctuations du public au gré des événements? Ce sont les événements, ce sont les variations de l'opinion qui, à mon avis, durent ramener Gide à la lumière, après chaque tournant important, lorsque l'homme s'efforce de retrouver l'équilibre de sa pensée.

Marcel Arland. – Un public chasse l'autre.

Patrick Pollard. – Je voulais revenir sur ce mot d'*extrême milieu*. Je crois que c'est une formule que l'on trouve dans une lettre à Mauriac qui a été publiée dans la N.R.F. Dans cette lettre, Gide parle de l'influence littéraire de quelques écrivains et il dit que finalement il n'a été influencé par aucun de ces écrivains-là. Pour terminer, il signe: «Votre ami d'extrême milieu».

Henri Rambaud. – Je voudrais simplement jeter un texte dans le dossier qui vous répondra. La première fois où j'ai trouvé le mot d'*inquiétude*, c'est dans le texte des *Nouveaux Prétextes*, donc dès 1911: «Je crois qu'une chose donne surtout de l'attrait à la pensée, c'est l'inquiétude».

Marcel Arland. – Dieu sait à quel point Gide pouvait être sensible à tous les mouvements, à tous les sentiments! Mais... je vais dire un mot un peu méchant. Je me rappelle que dans un article, assez injuste, j'avais écrit: «Quel dommage que cette œuvre ait ignoré la souffrance!». J'exagérais un peu. A quoi Gide m'a répondu: «Mais non... j'ai tant vu souffrir autour de moi». Je résume, bien entendu, mais enfin c'était la pensée.

Klara Fassbinder. – Je crois que ce que vous avez dit se rapporte plutôt à ses livres artistiques et non à ses livres documentaires, tels *le Voyage au Congo*, *Retour de l'URSS*, etc.... Les questions soulevées dans ces livres-là n'étaient-elles pas considérées comme des questions importantes en ce temps-là?

Marcel Arland. – Oh si!

Auguste Anglès. – Justement, c'est le paradoxe. Dans le même homme il y a eu cette union de tendances superficiellement incompatibles.

Klara Fassbinder. – Je pense que si Gide doit rester un grand artiste, on le considérera aussi comme quelqu'un qui pendant les périodes troubles a su prendre position, s'engager, au moins spirituellement...

Marcel Arland. – Il n'hésitait pas à s'engager, mais le second mouvement était de craindre de s'être engagé pour une cause fortuite, et de vouloir, au contraire, s'appuyer sur des éléments permanents, éternels, de justice, de liberté – ce qui explique parfois ses corrections, mais qui ne diminue pas la sincérité avec laquelle il se prononçait d'abord pour telle ou telle cause.

GIDE À PONTIGNY

Pontigny, été 1928 – Sujet de la décade: Jeunesse d'après-guerre – Deux périodes seront envisagées: La guerre de 1870 et la guerre de 1914–1918.

M. Paul Desjardins et le maréchal Lyautey sont prévus pour la première moitié, des jeunes de différents pays d'Europe pour la seconde. Malheureusement, la santé du maréchal ne lui permet pas de venir comme il en avait eu l'intention. Il envoie un exposé qui sera lu. On est d'autant plus avide d'écouter Paul Desjardins. C'est pendant son exposé qu'André Gide prend la parole d'une façon assez inattendue.

J'étais à Pontigny pour la première fois, introduite par une Ecossaise, le Dr. Mary Ramsay, et un professeur de littérature allemande de Nancy dont j'avais fait la connaissance lors d'un cours d'étude organisé par la Société des Nations à Genève. C'est André Malraux, une des jeunes gloires littéraires de cette décade, qui me parla le premier de Gide. Tout le monde était dans l'attente. Le deuxième jour, juste avant l'heure sacrée du thé qui, chaque jour, terminait l'entretien de la décade, vers 16 heures, André Gide apparut tout d'un coup à la porte du salon.

Je connaissais des photographies de Gide. Mais c'est autre chose de voir quelqu'un en chair et en os tout d'un coup devant soi. On sentait que cette apparition subite était calculée pour faire une certaine impression. Je ne sais pas celle des autres, la mienne se résumait dans une phrase d'un livre de ma jeunesse: «Schöner, gefallener Engel!» (Bel ange déchu). Il me semblait n'avoir jamais vu une telle expression de remords intérieur, de non-satisfaction de soi, de résignation devant un jugement sur soi-même. Et pourtant, Gide souriait. M. Desjardins se leva pour souhaiter la bienvenue au nouvel hôte. Je n'ai pas gardé un souvenir très précis de ce qui suivit. Une ancienne sévrienne, habituée de la maison et fervente admiratrice de Gide, ne me quittait pas et me

donnait maints renseignements sur Pontigny et sur ses hôtes. Dans sa causerie
sur ses impressions d'enfant et d'adolescent d'après la guerre de 1870, M. Desjardins avait dit de quelle manière il cherchait dans son commerce avec les Allemands à «s'assimiler le dissemblable» – entreprise bien délicate à l'époque.
Comme témoignage du succès de ce travail intérieur, il nous avait raconté
comment il s'imposait, malgré sa répugnance, à manger même sans pain du
fromage allemand pour lequel il n'avait d'abord que du dégoût et auquel il
finit par prendre plaisir. Il y voyait une victoire sur lui-même. «Mais cela va
contre la sincérité», dit tout d'un coup Gide, qui avait écouté attentivement.
M. Desjardins hésita un moment, mais il continua son récit sans relever l'inter-
ruption.

Mlle Lauriol me prit par le bras après la causerie de M. Desjardins, qui
m'avait passionnée: «Voyez-vous, c'est ce qui est si grand chez Gide, sa sincérité. Si l'on pense combien d'hypocrisie il y a dans le monde, c'est tout de même
quelque chose de grand de rencontrer quelqu'un qui est sincère, même si cela
nuit à sa renommée; et puis, il aime sa femme, il lui écrit chaque jour. Il est
plein de gentillesse pour tout le monde ici, et non pas seulement pour les personnages importants. C'est aussi une chose rare!»

Je ne me rappelle pas avoir eu de conversation particulière avec Malraux,
quoique nous fussions assez souvent ensemble pendant cette décade (et encore
davantage avec sa femme Clara). J'évoque les deux André côte à côte au cours
d'un des jeux du soir, où il s'agissait, pour un groupe, de deviner un personnage
de roman choisi par l'autre groupe. Nous avions parmi nous Roger Martin du
Gard (dont on prétendait qu'il n'observait chacun des présents que pour voir
si – et de quelle manière – il pourrait le placer dans son prochain roman.) Or,
le personnage choisi ce soir là était le père Thibault. André Gide dirigeait le
premier groupe, André Malraux le second. Je me sentais absolument incapable
de prendre part au jeu, mais j'observais avec intérêt l'attitude de Gide, qui semblait faire effort sur lui-même pour jouer son rôle, sans s'y intéresser véritablement. Il faisait preuve cependant d'esprit et d'habileté. Le mot de l'énigme ne
fut découvert, presque subitement, qu'un peu avant dix heures, c'est à-dire
avant l'heure officielle où se terminait la journée. Il y avait naturellement des
prolongations pour bien des participants, surtout par les belles nuits de cet été
sans nuage.

Je me rappelle une autre soirée plus intéressante.

Gide nous parla de différentes œuvres littéraires qui nous étaient inconnues.
D'abord du journal d'un berger qu'on avait découvert quelque part et envoyé
à Gide pour en juger la valeur artistique. Ce journal semble avoir été quelque
peu extravagant, avec de curieuses transcriptions de certains mots («Bastre
étincellant» pour l'adorée, etc....)

Plus passionnant – et comme l'avenir allait le prouver – d'une autre valeur littéraire fut tout ce qu'il dit d'un auteur encore obscur, Jean Giono, qui venait de publier une nouvelle dans la revue *Commerce*, assez confidentielle.

Je ne sais plus si Gide nous lut cette nouvelle imprimée ou sur un texte manuscrit. En tout cas, il nous prédit l'apparition d'une nouvelle gloire littéraire. Il avait une façon extrêmement séduisante de lire.

C'était l'histoire d'un vieux paysan mourant de *delirium tremens*. Il s'imaginait que des vers grouillaient dans ses doigts et il aurait voulu s'en débarrasser en les arrachant et en les jetant à terre.

Il y avait, dans le texte lu par Gide, un tel pouvoir d'évocation que tout le monde, plus ou moins inconsciemment, tirait ses pieds sous son siège pour éviter le contact de ces vers qu'on imaginait rampant sur le plancher.

Quelques détails plus personnels. Un jour, je le trouvai dans la magnifique bibliothèque avec un jeune Anglais, tâchant de lui faire comprendre un passage de Racine. Gide tâchait vainement de le lui expliquer en anglais. Il se tourna vers moi: «Peut-être connaissez-vous l'anglais mieux que moi?» Je m'efforçai à mon tour d'éclairer pour le jeune Anglais ces vers qui me paraissaient tout à fait clairs. Je n'eus pas plus de succès que Gide. Il reprit alors le livre et se remit à lire à haute voix. Ce fut pour moi un spectacle fantastique. On aurait dit qu'il dégustait un vin de grand cru et j'évoquais le visage d'un Hollandais qui avait essayé de me faire comprendre la manière dont il fallait faire glisser le vin rouge lentement sur la langue pour goûter vraiment ce breuvage divin. Je comprenais tout d'un coup pourquoi on emploie le même verbe «geniessen» (goûter, sapere) quand on parle d'une jouissance spirituelle ou d'une dégustation matérielle.

Je dis à Gide: «Oh! vous devriez nous lire un soir du Racine; Ernst Robert Curtius a écrit: *Celui qui ne comprend pas et qui n'aime pas Racine ne comprend rien à la France*. Or, je dois vous avouer que j'ai entendu *Phèdre*, à la Comédie-Française, mais sans être véritablement enthousiasmée. Comme j'aime pourtant la France, je suis toujours accablée par ce manque de compréhension». Gide sourit: «Racine n'est tout de même pas la mesure absolue pour comprendre et aimer la France. C'est un grand artiste, mais il n'est tout de même pas le seul. Quant à l'idée de lire un soir l'une de ses pièces, il faudrait y réfléchir. Croyez-vous vraiment que cela intéresserait tout le monde? – Je crois, en tout cas, répondis-je, que cela intéresserait tous les étrangers». Il se leva et dit gentiment à l'Anglais: «Eh bien! attendons donc la lecture de Racine.» Mais à mon grand regret, elle ne vint jamais.

La bibliothèque était l'un des lieux où l'on avait le plus de chance de rencontrer Gide. Un jour, je l'y trouvai en vive conversation avec une des participantes de la décade. Il lui parlait, semblait-il, d'une de ses dernières œuvres

Souvenirs de la Cour d'Assises. Il demandait à son interlocutrice si elle avait jamais assisté à une session de ce genre. « Non, dit-elle, avec une expression de grand dégoût et de mépris, j'ai toujours éprouvé une grande aversion pour le vice ». J'étais pour ma part un peu surprise de constater le respect qu'on marquait à Pontigny pour Gide, dont la renommée n'allait pas, surtout depuis *les Caves du Vatican*, sans quelque scandale. Très sérieux, sans aucune trace de ce petit air guindé qu'il gardait presque toujours dans ses conversations du soir, Gide répondit: « Ah! je vous conseille d'y aller! Ça vous prend à la gorge, on se sent tout à fait coupable, on serait peut-être mieux à la place de l'accusé que lui ». La directrice d'école à laquelle s'adressait ce discours ouvrit de grands yeux avec une expression tout à fait ahurie. Voulant l'aider, je lui demandai si elle connaissait ce mot de Goethe disant qu'il se sentait capable de tous les crimes qui dormaient en lui, et qu'il fallait prendre garde de ne pas les éveiller. « Vous voyez » dit Gide, visiblement content de trouver cette aide inattendue. Il se tourna vers moi et me demanda si je connaissais le nom de Walter Rathenau. « Bien sûr, répondis-je, son meurtre a causé une perte irréparable. – Oui, dit-il, c'était une grande figure. J'ai fait sa connaissance chez les Mayrisch au Luxembourg et je me rappelle bien notre conversation ».

Cet interlude politique ne mit pas fin à notre entretien. Presque à brûle-pourpoint, il me demanda si j'avais lu quelque chose de lui. Je souris: « Si je n'avais rien lu de vous, je ne serais tout de même pas ici. J'ai lu tout ce que vous avez publié jusqu'ici. J'habite Sarrebrück, qui possède une belle librairie française, et je suis abonnée à la *Nouvelle Revue Française* et aux *Nouvelles littéraires* ». Après un instant d'hésitation, Gide reprit: « Cela doit avoir été quelquefois dur pour vous ». – « J'avoue, répondis-je, que je n'aime pas tout également. *La Symphonie pastorale*, *Isabelle*, et surtout *la Porte étroite*, voilà ce que j'aime le plus. » Il se tut pendant quelques minutes, puis reprit très lentement, comme en écho: « *la Porte étroite*! ». Il se leva et me quitta sans un mot de politesse. J'aurais bien aimé lui demander si ce roman lui disait encore quelque chose, mais je n'osai pas. Son silence n'était-il pas déjà une réponse?

Il y avait parmi nous une Roumaine d'un certain âge, Mme Voinesco, qui avait été à Marburg l'élève du grand philosophe Hermann Cohen. Elle était d'origine aristocratique et en relation assez étroite avec la famille royale. Elle souffrait beaucoup de la mauvaise réputation de Carol II, véritable roi d'opérette. Une jeune princesse roumaine, âgée de 19 ans, enthousiaste de Gide, avait supplié Mme Voinesco de lui rapporter un autographe de son grand homme. Mme Voinesco hésitait. N'était-ce pas indiscret de solliciter ainsi un écrivain aussi célèbre? Je la rassurai; une princesse royale ne se trouve pas tous les jours parmi les admiratrices d'un écrivain! Effectivement, Gide agréa très gentiment cette demande et écrivit sur un beau papier un hommage à la « gracieuse prin-

cesse Ilona de Roumanie» dont l'intérêt pour la littérature française contemporaine le touchait vivement et à laquelle il souhaitait toutes sortes de prospérités.
Mme Voinesco fut ravie. Mais Mlle Lauriol, qui s'occupait de graphologie à
ses heures de loisirs, fut heureuse, à cette occasion, de pouvoir étudier longuement une page autographe d'André Gide. Je ne me rappelle plus tout ce que
cette étude lui inspira. Mais je me souviens très bien de sa stupéfaction en jetant
un premier coup d'œil sur l'écriture du maître. «Mais regardez donc le penchant de ses lignes! Elles courent toutes à droite en descendant! C'est le signe
d'un complexe d'infériorité. Cet homme n'est pas du tout orgueilleux, au contraire, son écriture indique une grande humilité. Il n'est pas fier de lui-même.»
Je me remémorai ma première impression: «Se pourrait-il qu'il fût moins convaincu d'avoir raison qu'il ne l'affirme? Ne serait-il pas en proie à des combats
intérieurs?».

Un jour, il me parla de Hölderlin. On prétendait qu'il avait appris l'allemand
pour lire Goethe et Hölderlin dans leur langue originale. Quoiqu'il en soit, il
aimait et admirait Hölderlin. Pendant cet entretien je lui demandai ce qu'il
pensait d'*Empedokles* que je venais de relire et qui m'avait laissé une profonde
impression. A ma surprise, Gide ne le connaissait pas. Je lui promis de lui envoyer le poème dès mon retour en Allemagne. En fait, il me fallut attendre
d'avoir trouvé un exemplaire bien imprimé et bien relié qui témoignât
des mérites de nos éditeurs et fût en même temps digne du destinataire. Tout
aussitôt, je reçus une lettre de Gide, pleine de souvenirs émus de Pontigny et de
remerciements exagérés. Je l'avais conservée avec d'autres correspondances qui
ont toutes été perdues pendant la guerre. Anéanties par les bombes, volées par
des admirateurs? Je crains bien qu'on ne les retrouve jamais.

Il me reste heureusement le souvenir des entretiens de Pontigny. J'aimerais
joindre, en conclusion, celui d'une conversation avec Paul Claudel, qui se
situe beaucoup plus tard, après la parution de la *Correspondance entre André Gide
et Paul Claudel*. Je fus navrée de voir les photographies que l'éditeur avait jointes
à l'ouvrage: Claudel si sévère, un peu trop sûr de lui-même, Gide posant en
méphisto. Je connais bien des images de Gide, prises notamment pendant les
répétitions d'une de ses pièces, où il n'a aucunement cet air artificiel, composé
pour les spectateurs. Je lus pourtant le livre avec le plus grand intérêt, suivant
avec une compassion grandissante la tragédie de Gide (moins peut-être à cause
du penchant dont Claudel lui faisait un tel grief que parce qu'il se fermait aux
appels de Dieu). Mais je fus vivement attristée par l'attitude impitoyable de
Claudel à l'égard de son vieux compagnon de route et après tout ce que Gide
avait fait pour la gloire de Claudel, en dépit de tout ce qui les séparait. Ayant eu
l'occasion, peu après, de rencontrer Claudel, je me permis de lui suggérer qu'il
avait marqué trop de raideur à l'égard de Gide. Je me heurtai à un vrai mur:

«Gide est un empoisonneur, un empoisonneur des jeunes, or il faut absolument réagir contre cette influence». Je fis observer que chez nous l'on expliquait des penchants comme ceux de Gide par une anomalie physique, analogue à celle des gauchers. Peut-être fallait-il incriminer aussi une éducation trop puritaine, qui lui avait imposé une ascèse sans lui en montrer le vrai sens. Je ne réussis pas à persuader Claudel. Il se contenta de répéter ce qu'il dit longuement dans cette correspondance même, que beaucoup de jeunes gens se sont adressés à lui dans leur détresse et qu'au commencement de leurs égarements il y avait toujours un livre de Gide. En quittant Claudel, je lui rappelai le verset de saint Jean: «Si votre cœur vous condamne, Dieu est plus grand que votre cœur et sait tout». Le grand poète chrétien ne répondit pas. Mais, lorsque j'appris plus tard que la dernière parole de Gide, adressée à Jean Schlumberger, revenu en hâte d'Italie pour l'assister à sa dernière heure, avait été un mot de sympathie: «Mais tu n'as pas eu de beau temps à Rome», je repensai au verset johannique. Nous devons finalement laisser cette âme inquiète à la miséricorde de Dieu.

ANDRÉ GIDE ET L'ART DU CLAIR-OBSCUR

Je partirai si vous voulez du mot de Charles Du Bos qui voyait dans la seconde partie de *Si le grain ne meurt* «le premier en date des chefs-d'œuvre de cette *littérature de plein midi* qu'appelait de tous ses vœux Nietzsche».[1]

Je ne crois pas que le mot soit tout à fait exact, même de la seconde partie de *Si le grain ne meurt*. D'ailleurs, je ne crois pas qu'il soit possible qu'il existe «une littérature de plein midi», parce que l'homme est un être essentiellement secret, incapable d'amener à la lumière, sans réserve, son fond le plus intime. Mais du moins peut-il par un savant dosage d'ombre et de lumière en amener au jour certains aspects, et c'est ce que j'entends en appelant Gide un maître du «clair-obscur».

Je veux dire que son œuvre est pleine de clartés sur lui-même, mais dont les plus précieuses sont très loin d'être mises au plein soleil de l'évidence – clartés qu'il a au contraire délibérément voilées et qui n'apparaissent qu'aux rayons d'une investigation plus patiente et plus subtile que n'est d'ordinaire la lecture courante.

Je vois tout de suite l'objection: mais est-ce que ce n'est pas là solliciter les textes à l'excès? Je répondrai: il faut voir sur pièces. Il s'agit de savoir si ce que nous trouverons dans les textes y est ou n'y est pas. Mais ce qui est certain, c'est qu'en principe ce mode plus subtil de lecture, loin d'être contraire au mode d'écriture de Gide, est expressément requis par lui. Gide nous en a avertis. Souvenons-nous de ce qu'il dit aux lecteurs dans *Divers*: «Lisez-moi mieux; relisez-moi».[2] Souvenons-nous de la note du *Journal des Faux-Monnayeurs*[3]: «Depuis longtemps, je ne prétends gagner mon procès qu'en appel. Je n'écris que pour être relu». Depuis longtemps, c'est qu'en effet on trouverait facilement dans des textes antérieurs des affirmations de ce genre. Par exemple, celle-ci, du *Journal* de 1906 et reprise dans *les Nouveaux Prétextes*:

«Je ne crois pas beaucoup à la survie de ceux sur qui d'abord tout le monde s'entend. Je doute fort que nos petits-enfants, rouvrant ses livres, (les livres d'Anatole France), y trouvent à lire plus et mieux que nous n'y aurons lu, et qu'ils puissent nous accuser de ne l'avoir pas bien compris.»[4]

N'est-il pas clair, à la lecture d'un texte comme celui-ci, quand on sait à quel point Gide est un introverti et ne cesse pas un instant de penser à lui, qu'il souhaite de ne pas être compris trop vite et voudrait que nos petits-enfants puissent nous accuser de ne l'avoir pas bien compris?

Et encore, dans une lettre à Rouveyre, qui est de 1924:

«Très juste: 'Une partie (de son œuvre) est criante et trépidante, l'autre compassée....' C'est aussi que j'ai plus grand souci de cacher ma pensée que de la dire et qu'il me paraît plus séant de la laisser découvrir par qui la cherche vraiment que de l'exposer.»[5]

C'est un texte qui, je crois, exprime parfaitement la position de Gide. Il veut que sa pensée soit découverte, mais il ne veut pas qu'elle le soit tout de suite, ni facilement; et, pour cela, il se gardera de l'exposer directement. Il souhaite d'être connu dans sa vérité, mais seulement par ceux qui l'aiment et dont il désire d'être aimé, sans qu'il ait à se reprocher de les avoir trompés pour obtenir leur amour. Quant à ceux qui ne l'aiment pas, il sait très bien que la vérité sur lui-même leur serait insupportable et il n'a aucune envie de la leur dire.

Vous comprenez dans ces conditions que chercher dans l'œuvre de Gide des pensées sous-jacentes n'est pas lui être infidèle; je ne fais qu'obéir à son vœu. On pourra discuter sur telle ou telle interprétation, mais il ne me semble pas que le principe soit contestable. Reste une objection: «Quoi! avec un écrivain si clair, si limpide?» Mais lui-même y a répondu:

«Toutes les grandes œuvres d'art sont d'assez difficile accès. Le lecteur qui les croit aisées, c'est qu'il n'a pas su pénétrer au cœur de l'œuvre. Ce cœur mystérieux, nul besoin d'obscurité pour le défendre contre une approche trop effrontée; la clarté y suffit aussi bien. La très grande clarté, comme il advient souvent pour nos plus belles œuvres françaises, de Rameau, de Molière ou de Poussin est, pour défendre une œuvre, la plus spécieuse ceinture; on en vient à douter qu'il y ait là quelque secret; il semble qu'on en touche le fond d'abord. Mais on y revient dix ans après et l'on entre plus avant encore.»[6]

Est-ce que cette page ne pourrait pas être elle-même un assez bon exemple de cette clarté trompeuse dont elle fait la théorie? Je me souviens fort bien, lorsque je l'ai lue – ce devait être vers 1916 – de l'admiration qu'elle m'inspira. Elle me parut miraculeuse de justesse et de pénétration. Mais tant s'en faut que je donnasse alors au mot «secret» le sens que j'y vois actuellement, car je ne savais alors rien des secrets de Gide. Je pensais à ce qu'il y a d'inépuisable dans l'œuvre d'art, à cette propriété qu'elle a, comme un être vivant, de répondre à des questions qui n'étaient pas encore posées au moment où elle voit le jour et c'est ce qui fait que les grandes œuvres se renouvellent avec les siècles, nous montrent toujours un visage nouveau. Je pensais, en somme, selon l'avant-propos de *Paludes*, à tout ce que l'auteur y a mis sans le savoir, à «cette part d'inconscient» qu'il aurait voulu appeler alors «la part de Dieu.»[7]. Mais n'est-il pas bien évident aujourd'hui que, si Gide sans doute entendait bien cela, ce terme de «secret» recouvrait d'abord pour lui quelque chose de beaucoup plus précis, et secret celui-là, qui n'avait absolument rien d'inconscient? Nous voyons ainsi le cas assez rare de l'écrivain qui a non seulement pensé qu'on ne le comprendrait pas d'abord entièrement tout de suite – cela, c'est la règle – mais qui a voulu qu'on se méprît partiellement sur son œuvre et qui, pour cela, n'a pas craint de recourir à cette limpidité qui donne le sentiment que l'on comprend tout tout de suite et, détournant dès lors le lecteur de chercher plus avant, l'égare.

Ou encore, on pourrait donner une autre forme à l'objection. Comment appeler un maître du clair-obscur un auteur qui expose en plein jour ce que les autres hommes cachent? Parce que le plein jour de l'aveu peut ne pas être une moins «spécieuse ceinture» que la clarté du style. Un homme qui dit tant, on se persuade presque inévitablement qu'il dit tout. Comme il n'y a rien de tel que de s'avancer un masque à la main pour donner à croire qu'on se présente le visage nu; cependant, réfléchissez, la conséquence n'est pas nécessaire; car on peut avoir deux masques, et, davantage, il se pourrait que celui qu'on exhibe si candidement ait tout juste pour fonction d'empêcher qu'on ne se demande si notre visage n'en porterait pas un second. Encore une fois, je ne veux pas dire que Gide n'ait pas souhaité d'être connu, finalement, tel qu'il était. Mais il ne dépendait pas de lui de tout dire: inévitablement, à côté des secrets qu'il étale, il y en a d'autres qu'il ne peut présentement offrir à la pleine lumière du grand jour, secrets d'ordre moral, secrets d'ordre matériel aussi, et cela pour toutes sortes de raisons que je ne discute pas: parce que leur révélation ferait souffrir des êtres chers, parce qu'elle gâterait la figure qu'il veut se donner, parce qu'elle l'humilierait trop. En revanche, qu'il ne soit plus là, et la vérité entière pourra être connue sans les mêmes inconvénients. Il s'agit donc pour lui de la glisser invisiblement dans son œuvre, de telle sorte qu'elle n'apparaisse pas au premier regard, mais de telle sorte aussi qu'elle puisse plus tard y être découverte.

Je ne crois ainsi nullement qu'il ait été le moins du monde insincère en prenant à son compte la parole de Montaigne: «Je reviendrais volontiers de l'autre monde pour démentir celui qui me formerait autre que je n'étais, fût-ce pour m'honorer.»[8] Et c'est bien ce qui légitime l'entreprise que je vais, non certes conduire à son terme, mais simplement essayer d'amorcer avant que d'autres aillent plus loin.

Parvenu à ce point de mon exposé, je pensais d'abord analyser les procédés, pro-cédés d'éclairage surtout, par lesquels Gide s'applique à rendre difficile la découverte de ce qu'il veut pourtant que son œuvre contienne. Puis il m'a paru qu'une telle étude serait exagérément technique et qu'il était plus intéressant d'aborder directement les résultats. Ce que je vais donc essayer de dessiner devant vous, c'est une figure de Gide qui me semble avoir été chez lui très largement con-sciente, – je le tiens véritablement pour un des esprits les plus justes, l'une des consciences les plus éclairées qui aient jamais paru, – mais une figure qu'il n'a pas voulu montrer tout de suite, quoiqu'il ait voulu qu'elle soit finalement connue.

Mais d'abord quel est le fond premier de Gide, quelles sont chez lui ces don-nées essentielles du tempérament que l'homme ne peut guère changer? Il me semble bien qu'une note du *Journal* nous fournit sur ce point une indication capitale – note tardive, il est vrai (elle est du 5 août 1931), mais expressément rapportée à sa jeunesse:

«Un homme en qui l'on ne pouvait trouver de fraude.» Cette parole de l'Ecri-ture, je n'en connais pas d'autre qui, plus qu'elle, ait dominé ma vie. Il me pa-raît prétentieux de le dire. Mais, si jeune que je fusse alors, oui, c'est bien là ce que j'inscrivis sous mon front. Il me semble aujourd'hui que la 'sincérité', que l'effort pour l'obtenir *en soi*, s'y réduit.»[9]

Je tiens qu'il faut prendre cette affirmation au plus grand sérieux. Je veux dire que l'on méconnaît Gide, que l'on ne comprend pas son drame, si l'on ne sent pas qu'il a véritablement la passion de la vérité, qu'il l'aime d'un amour proprement éperdu. Et j'ajouterai qu'il ne chérit presque pas moins la vertu; un peu moins pourtant, car je pense à la note du *Journal des Faux-Monnayeurs*:

«Les plus douteux égarements de la chair m'ont laissé la conscience plus tranquille que la moindre incorrection de mon esprit.»[10]

Gide est ainsi, fondamentalement, un esprit *juste* et, particulièrement sur lui-même, il est essentiellement clairvoyant. Il ne peut pas faire autrement que de se voir tel qu'il est: c'est à la fois son privilège et son fardeau, c'est sa noblesse native, c'est elle qui va exiger de lui une subtilité d'écriture tout exception-nelle.

C'est qu'en effet ce désir profond d'être «un homme en qui l'on ne pourrait trouver de fraude» n'empêche pas que *l'omnis homo mendax* du psaume ne s'applique à lui comme à nous tous. Ou, si vous préférez un auteur moins grave, je vous renverrai au début du délicieux *Memnon* de Voltaire: «Memnon fit un jour le projet insensé d'être parfaitement sage. Il n'est guère d'homme à qui cette folie n'ait passé un jour ou l'autre dans la tête». Je cite de mémoire, mais je crois bien que c'est à peu près cela. Vous savez la suite et comment Memnon qui s'était dit le matin qu'il n'est rien de plus aisé que de se garder des égarements de l'amour, des excès de table, des pertes d'argent, bref de mener une vie modeste et raisonnable, se trouve le soir ayant été joué par une drôlesse, obligé de donner à un oncle qu'elle n'avait pas la moitié de sa fortune, dépouillé par son banquier, et, de plus, – j'oubliais le principal, l'irréparable – borgne, tout heureux encore de n'avoir point perdu, comme son frère, les deux yeux. Je me demande même s'il n'a pas goûté à la paille humide des cachots, en tous cas il en a été menacé.

Eh bien, une des différences essentielles qu'il y a entre Voltaire et Gide est celle-ci: Voltaire sait qu'il fera des sottises et, mon Dieu, compte sur son esprit d'expédients pour s'en tirer, le moins mal qu'il pourra; mais pour Gide – au moins dans sa jeunesse – le sentiment d'avoir été dans son tort est intolérable.

«Avez-vous observé, dit Edouard, la sorte d'ankylose morale qu'entraîne chez M. cette prétention de ne jamais être dans son tort. C'est une prétention qu'ont beaucoup de gens; je l'avais aussi dans ma jeunesse et si, maintenant, j'y suis à ce point sensible chez autrui, c'est que moi-même j'ai eu le plus grand mal à m'en défaire.»[11]

Savoir si Gide s'est ultérieurement défait de cette pente, comme il le dit ici, je n'en suis pas sûr. Mais il est sûr que chez lui cette tendance est fondamentale et il ne faut pas hésiter à lui donner le nom qu'elle appelle: c'est de l'orgueil. C'est un orgueil profond, fondamental et qui, chose curieuse, est pleinement conscient. Je dis que c'est une chose curieuse parce qu'il me semble bien que l'orgueil est un de ces défauts que l'on ne voit en soi que lorsqu'on a commencé à s'en corriger. J'admettrais donc parfaitement un Gide orgueilleux et ne le sachant pas. Mais il y a des textes qui vraiment ne permettent pas le doute, par exemple, le début de la Tentative amoureuse. En passant, on a dit l'autre jour que la Tentative était écrite d'une façon un peu veule. J'avoue que j'ai bien envie de protester. Vous en jugerez:

«Certes, ce ne seront ni les lois importunes des hommes, ni les craintes, ni la pudeur, ni le remords, ni le respect de moi ni de mes rêves, ni toi, triste mort, ni l'effroi d'après-tombe, qui m'empêcheront de joindre ce que je désire; ni rien – rien que l'orgueil, sachant une chose si forte, de me sentir plus fort encore et de la vaincre. Mais la joie d'une si hautaine victoire n'est pas si douce encore, n'est pas si bonne que de céder à vous, désirs, et d'être vaincu sans bataille.»[12]

Retenons ce mouvement: vaincre d'abord, pour se prouver sa force, puis, une fois la preuve acquise, céder. De la sorte, on gagne sur les deux tableaux. Cela me fait penser, je ne sais pourquoi, à ce mot qui se trouve dans ce chef-d'œuvre inconnu que sont les Lettres galantes du Chevalier d'Her, de Fontenelle:

«Quelle chance vous avez, ma cousine, d'être mariée clandestinement! Vous réunissez la considération de la vertu avec les plaisirs du libertinage.»

C'est évidemment une conjonction que Gide a souvent poursuivie.

Mais voulez-vous une profession encore plus directe de cet orgueil foncier de Gide? Je la trouve dans une lettre à sa mère:

« *Toutes les actions intéressées me dégoûtent et les autres ne me paraissent que noble folie*, je me sens chimérique et grand seigneur, et rien ne me séduit tant dans la vie que quelques actions ou quelques œuvres par lesquelles mon orgueil d'homme se satisfera en montrant la beauté de ce que peut être un homme soulevant le dédain, la haine, imposant l'estime de peu. L'orgueil emplit chez moi plus que moi-même. »[13]

Je ne dis pas d'ailleurs qu'il n'y ait eu des moments où l'orgueil de Gide ait abdiqué, ni que Gide soit tout entier dans ces deux composantes: un amour profond de la vérité et un orgueil intraitable. Mais les deux traits sont essentiels chez lui.

Je voudrais maintenant aborder ce que j'appellerais sa période mystique, je veux parler de l'année qui suivit sa communion, année où, nous dit *Si le grain ne meurt*, il se maintint «des mois durant, dans une sorte d'état séraphique, celui-là même, je présume, que ressaisit la sainteté».[14] J'ai surpris l'autre jour M. Gabriel Germain en disant que j'attachais à cette période une grande importance, mais c'est vrai, je la crois très importante et, bien entendu, non seulement à cause de l'intensité qu'elle eut, mais plus encore en raison de toutes les traces qui en subsistèrent, à mon avis, beaucoup plus longtemps qu'on ne croit.

Ce qui la caractérise, c'est que c'est une période de ferveur prolongée, ferveur qui se situe sur un triple plan: celui de l'art, celui de l'amour et celui de la religion. C'est au moment de sa grande lecture de la Bible que Gide fait la découverte de la Grèce, et c'est aussi le temps où sa joie n'est parfaite que si Emmanuèle la partage. Ce sont ainsi trois ferveurs distinctes, mais merveilleusement accordées et qui s'enrichissent, se nourrissent mutuellement. Ainsi de l'art et de la religion:

«J'entrais dans le texte de l'ancienne alliance avec une vénération pieuse, mais l'émotion que j'y puisais n'était sans doute point d'ordre uniquement religieux, non plus que n'était d'ordre purement littéraire celle que me versait *L'Iliade* ou *L'Orestie*. Ou plus exactement, l'art et la religion en moi dévotieusement s'épousaient, et je goûtais ma plus parfaite extase au plus fondu de leur accord.»[15]

Poursuivons et nous trouvons l'union de la religion et de l'amour:

«Mais l'Evangile... Ah! je trouvais enfin la raison, l'occupation, l'épuisement sans fin de l'amour; le sentiment que j'éprouvais ici m'expliquait en le renforçant le sentiment que j'éprouvais pour Emmanuèle; il n'en différait point;

on eût dit qu'il l'approfondissait simplement et lui conférait dans mon coeur sa situation véritable.»[16]

Vous avez remarqué ces derniers mots: «qu'il l'approfondissait». On pourrait être tenté de voir dans l'exaltation religieuse de Gide une simple transposition de son exaltation amoureuse; mais le texte ne le permet pas; c'est au contraire l'exaltation religieuse qui approfondit l'exaltation amoureuse, elle existe par soi et c'est assez pour que nous la considérions distinctement.

Qu'y voyons-nous? D'abord, de la discipline, un strict emploi du temps où Gide trouvait sa plus grande satisfaction dans sa rigueur même et quelque fierté à ne s'en point départir: cela, c'est pour la part d'orgueil. De la pénitence, ensuite: se lever dès l'aube, se plonger dans une baignoire d'eau glacée, dormir sur une planche. De l'adoration: «Ma prière était comme un mouvement perceptible de l'âme pour entrer plus avant en Dieu»;[17] et, finalement de la joie: «Par macération je dormais sur une planche; au milieu de la nuit, je me relevais, m'agenouillais encore, mais non point tant par macération que par impatience de joie. Il me semblait alors atteindre à l'extrême sommet du bonheur.»[18]

Et voici maintenant la suite de ce texte extraordinaire, écrit au cours des années 1919–1921:

«Qu'ajouterais-je?... Ah! je voudrais exténuer l'ardeur de ce souvenir radieux. Voici la duperie des récits de ce genre: les événements les plus futiles et les plus vains usurpent sans cesse la place, et tout ce qui se peut raconter. Hélas! ici, quel récit faire? Ce qui gonflait ainsi mon cœur tient en trois mots qu'en vain je souffle et j'allonge. O cœur encombré de rayons! O cœur insoucieux des ombres qu'ils allaient projetant, ces rayons, de l'autre côté de ma chair.»

Me trompé-je en pensant qu'en examinant ce texte de plus près qu'on ne fait dans la lecture courante il laisse entrevoir des sentiments qu'il n'énonce pas distinctement, mais que les mots ne laissent pourtant pas d'indiquer?

C'est d'abord l'extrême importance de cette période. Elle ne tient pas une très grande place dans *Si le grain ne meurt*, mais Gide nous en avertit: c'est avant tout parce que «les événements les plus futiles et les plus vains» se racontent avec moins de peine et qu'ainsi ils «usurpent sans cesse la place». Je vois ensuite une certaine gêne devant cet éblouissement qu'il a connu et dont, aujourd'hui qu'il en est si loin, il semble bien lui déplaire qu'il l'ait jadis inoubliablement transporté dans un abîme de lumière et de joie. Remarquez: «Ah! je voudrais exténuer l'ardeur de ce souvenir radieux!» N'est-ce donner à entendre qu'il aimerait à s'en souvenir moins? Je vois enfin, plus nettement indiqué encore par l'admirable épithète: «O cœur *encombré* de rayons!» la pensée que cet éblouissement même a pu l'égarer en le détournant d'aimer charnellement sa cousine. Mais ici, est-ce l'éblouissement qui est responsable ou plutôt la tentation de l'angélisme qui ne lui est pas nécessairement liée et qui, plus tard, aurait pu l'inviter à méditer sur l'alliance si ordinaire selon son cher Montaigne «des opinions supercélestes» et des «mœurs souterraines»?

Je ne me suis fondé jusqu'à présent pour établir l'importance de cette période mystique que sur le texte de *Si le grain ne meurt*. Pouvons-nous aller plus avant? Je le crois. Il me semble bien, en effet – c'est un point que nous retrouverons par la suite – que cette ferveur religieuse s'adresse beaucoup plus à Dieu qu'à Jésus-Christ. Je ne veux pas dire du tout que ce Gide-là ne croit pas en Jésus-Christ. Il y croit certainement puisqu'il croit en l'Evangile. Mais je veux dire qu'il pense assez peu à la personne humaine et divine de Jésus-Christ. Ce qui me paraît en revanche inouï et tout à fait exceptionnel, c'est un sentiment intense de la transcendance de Dieu. Jamais il ne commettra l'erreur si commune de Le concevoir à la façon de ses créatures. Il ne sait pas seulement, il sent profondément que l'être de Dieu est d'un autre ordre, qu'auprès de l'être de Dieu, toutes les créatures ne sont rien. Et il sait aussi que ce Dieu est notre fin dernière et que les créatures qui nous entourent ont pour but, par rapport à nous, uniquement de nous y conduire. J'exagère? Mais non! il suffit de lire les textes. C'est écrit. C'est la conclusion de *la Tentative amoureuse*:

«Aucunes choses ne méritent de détourner notre route; embrassons-les toutes en passant; mais notre but est plus loin qu'elles – ne nous y méprenons donc pas; – ces choses marchent et s'en vont; que notre but soit immobile – et nous marcherons pour l'atteindre. Ah! malheur à ces âmes stupides qui prennent pour des buts les obstacles. Il n'y a pas *des buts*; les choses ne sont pas des buts ou des obstacles – non, pas même des obstacles; il les faut seulement dépasser. Notre but unique c'est Dieu; nous ne le perdrons pas de vue, car on le voit à travers chaque chose. Dès maintenant nous marcherons vers Lui; dans une allée *grâce a nous seuls splendide*, avec les œuvres d'art à droite, les paysages à gauche, la route à suivre devant nous; – et faisons-nous maintenant, n'est-ce pas, des âmes belles et joyeuses. Car ce sont nos larmes seulement qui font germer autour de nous les tristesses.»[19]

Il faut bien avouer qu'un tel texte paraît, à première vue, fort peu gidien, et vous me demanderez pourquoi je l'ai retenu. Pourquoi est-ce que j'aborde ce Gide initial que le vrai Gide a dépassé, a renié? Eh bien, parce qu'il me semble bien que de ce Gide initial, il subsiste beaucoup plus qu'on ne croit dans le Gide de la maturité, mais secrètement; et aussi parce que, dès ce premier Gide, on surprend, dans sa ferveur religieuse le point d'où surgira le reniement futur. Ici même: «dans un allée *grâce à nous seuls splendide*», et le texte souligne les derniers mots: voilà la pointe d'orgueil, voilà ce que saint Jean de la Croix n'aurait jamais écrit, jamais approuvé, alors que le début du texte n'aurait pas fait de difficulté pour lui.

La Tentative amoureuse est antérieure au premier voyage d'Afrique (septembre 1893 à mars 1894), bientôt suivi d'un second en 1895, marqué celui-là par la rencontre de Wilde. Ce qui s'est passé dans ces voyages d'Afrique, nous le savons par *Si le grain ne meurt*, et, plus encore, par le second volume du professeur Jean Delay, qui a fait véritablement sur Gide un livre admirable. Mais je ne veux pas vous parler de la biographie de Gide…

Je passe donc tout de suite aux *Nourritures terrestres* parues en 1897, mais principalement écrites de la fin de 1894 à 1896.

Quelle en est la pensée dominante? Demandons-la à Gide lui-même, dans la Préface qu'il leur a donnée, en 1927:

«Certains ne savent voir dans ce livre, ou ne consentent à y voir, qu'une glorification du désir et des instincts. Il me semble que c'est une vue un peu courte. Pour moi, lorsque je les rouvre, c'est plus encore une apologie du *dénuement*, que j'y vois.»[22]

«Chaque créature indique Dieu, aucune ne le révèle. Dès que notre regard s'arrête à elle, chaque créature nous détourne de Dieu.»

Et un peu plus loin:

«Nathanaël, tu regarderas tout en passant, et tu ne t'arrêteras nulle part. Dis-toi bien que Dieu seul n'est pas provisoire.»

Il est clair que ces formules des *Nourritures terrestres* s'inscrivent directement dans le prolongement du texte de la *Tentative amoureuse* que je viens de vous lire: «ici et là, notre but unique, c'est Dieu». Il y a cependant une différence très marquée: *la Tentative amoureuse* mettait l'accent sur le but unique, sur Dieu, en nous demandant d'y tendre; *les Nourritures terrestres* le mettent sur les choses, pour nous interdire de les adorer, c'est à dire, en fait, de nous y arrêter. Autrement dit, un précepte positif est devenu négatif. Et, dès lors, par l'interdiction de la «demeure», de tout ce qui risque de donner valeur d'éternel et prix infini à ce qui, par nature, est périssable et limité, nous allons aboutir au culte de l'instant. C'est là une position essentielle de Gide, position qu'il gardera jusqu'à la fin, puisque le dernier mot des *Nouvelles Nourritures* est: «Ne sacrifie pas aux idoles».

Et Dieu, dans ces conditions, que met désormais Gide sous ce mot-là? Peut-être à peu près la même chose qu'avant. Il y a pourtant une différence. J'avais coupé légèrement les deux derniers textes que je vous ai cités. Je vous lis maintenant la phrase qui précède le premier:

«Ne souhaite pas, Nathanaël, trouver Dieu ailleurs que partout.»

Et le second était introduit par ces deux lignes:

«Où que tu ailles, tu ne peux rencontrer que Dieu. – Dieu, disait Ménalque, c'est ce qui est devant nous.»

Est-ce une négation de Dieu? Nullement. Mais c'est au moins nier que Dieu puisse se trouver plus particulièrement quelque part. Et puis, il y a autre chose. Vous vous rappelez ce texte des *Nouvelles Nourritures* où il est dit que Dieu ressemble à ces très vieux hommes qui perdent d'abord leurs dents, puis leur barbe, puis la vue, le mémoire et enfin la vie, si bien qu'il finit par n'en plus rester que le souvenir. Le Dieu des premières *Nourritures* n'en est pas encore là, il est encore certainement plus qu'un mot, mais il est sur le chemin, et il y a tout de même un attribut important qu'il n'a plus: c'est d'être l'auteur de la loi morale, c'est d'être qualifié pour nous dire ce qui est péché et ce qui ne l'est pas; ou, du moins, cette loi morale, Gide la refuse expressément. Les textes sont assez fameux: «Nathanaël, je ne crois plus au péché.»[21] Et, ailleurs: «Agir sans *juger* si l'action est bonne ou mauvaise. Aimer sans s'inquiéter si c'est le bien ou le mal.»[22]

Vous voyez maintenant en quel sens il est très vrai de dire que les *Nourritures terrestres* sont une «apologie du *dénuement*». Il ne s'agit nullement de ne pas mettre notre cœur dans les choses créées pour ne nous attacher qu'au Créateur; le précepte est seulement de ne nous attacher à aucune créature particulière, c'est à dire, en fait, de passer de l'une à l'autre pour qu'aucune ne nous asservisse et que toujours brûle en nous la «ferveur».

Voilà, je crois bien, toute l'éthique des *Nourritures*, en y ajoutant toutefois ce complément que «ce n'est là *qu'une* des mille postures possibles en face de la vie» et que chacun doit chercher la sienne pour créer de soi «*impatiemment ou patiemment, ah! le plus irremplaçable des êtres.*»[23]. Déjà, en somme, la morale d'*Œdipe* où, nous est-il dit, quelle que soit la question particulière que nous pose le sphinx, «il n'y a qu'une seule et même réponse à de si diverses questions; et que cette réponse unique, c'est: l'Homme; et que cet homme unique, pour un chacun de nous, c'est: Soi.»[24] Et si, d'aventure, le disciple en demandait davantage: «Débrouille-toi, c'est à toi de trouver ta réponse, fais-toi ta règle toi-même». Ce qui ne veut pas dire que Gide, pour son compte, n'ait pas trouvé de sagesse, mais seulement que sa sagesse n'est pas transmissible.

Reste que l'on peut, que l'on doit se demander si le Gide des *Nourritures*, au moment même qu'il les écrit, est aussi persuadé qu'il voudrait en persuader le lecteur de l'excellence de l'éthique qu'elles proposent; si, particulièrement, ne subsisterait pas en lui plus de conscience morale qu'on ne l'attendrait d'un homme qui déclare «ne plus croire au péché». Jugera-t-on la question impertinente? Elle l'est si peu que c'est lui-même qui nous invite à nous la poser par une phrase bien curieuse d'un texte peu connu de la même époque, (il n'est pas recueilli dans les *Œuvres complètes*, mais, je croirais, par un simple oubli de l'éditeur): la *Postface pour la deuxième édition de Paludes et pour annoncer les Nourritures terrestres.*

«J'aime aussi que chaque livre porte en lui, mais cachée, sa propre réfutation et ne s'assoie pas sur l'idée, de peur qu'on n'en voie l'autre face. J'aime qu'il porte en lui de quoi se nier, se supprimer lui-même.»[25]

Je vous le demande: est-ce qu'une telle déclaration, dans un texte écrit expressément «pour annoncer les *Nourritures terrestres*» n'invite pas à chercher s'il n'y aurait pas dans ces *Nourritures* tout ce qu'il faut pour les «réfuter», mais invisiblement? S'il ne s'y trouverait pas des passages destinés à «nier», à «supprimer» l'éthique de l'ouvrage? Je crois en effet qu'il y en a. Celui-ci par exemple:

«Cela t'amuse-t-il tant, me dit-il, d'édifier ainsi des systèmes?

– Rien ne m'amuse plus qu'une éthique, répondis-je, et je m'y contente l'esprit. Je ne goûte pas une joie que je ne l'y veuille attachée.

– Cela l'augmente-t-il?

– Non, dis-je, cela me la légitime.»[26]

Et, comme si ce petit dialogue n'était pas déjà assez clair, Gide le fait suivre de ce commentaire explicatif:

«Certes, il m'a plu souvent qu'une doctrine et même qu'un système complet de pensées ordonnées justifiât à moi-même mes actes; mais parfois je ne l'ai plus pu considérer que comme l'abri de ma sensualité.»[27]

Peut-il être plus ouvertement confessé que la justification dont Gide éprouve le besoin d'étayer sa conduite n'est peut-être pas tellement valable et qu'il est le premier à savoir qu'elle pourrait bien ne pas avoir d'autre fonction que de laisser le champ libre à ses désirs? Seulement, ce n'est qu'un court passage, et il y a toutes les chances que le lecteur ne le remarquera pas.

Il y a plus curieux encore, car ici il s'agit d'une phrase célèbre:

«Et tu seras pareil, Nathanaël, à qui suivrait pour se guider une lumière que lui-même tiendrait en sa main.»[28]

J'entends bien qu'il est très raisonnable d'avoir une lumière à la main pour regarder autour de soi; mais la *suivre* pour se guider (car c'est cela que Gide a écrit), croyez-vous que ce soit le secret de faire bien longue route? et pouvons-nous imaginer que Gide ait été assez, mettons, distrait, pour ne s'en être pas avisé? Je pense, quant à moi, que nous ferons beaucoup plus d'honneur à son intelligence en nous disant qu'il savait fort bien que c'est absurde et que cette phrase-là est une de ces phrases avertisseuses que son amour de la vérité lui fait écrire pour pouvoir se dire qu'il n'a pas omis de mettre en garde contre l'éthique qu'il propose si triomphalement au lecteur et à laquelle il est d'ailleurs le premier à céder.

Il me semble que je ne saurais donner de meilleur exemple de ce que j'ai cru pouvoir appeler l'«art du clair-obscur», en entendant par là cette façon plus subtile d'écrire où Gide ne connaît guère de rival et dont la secrète visée est que le texte, sans qu'il y ait pour cela besoin d'en sortir, en dise infiniment plus long qu'il ne semble dire à première vue.

Il est d'ailleurs de fait que la libération chantée par les *Nourritures* n'a pas tellement conduit Gide à la joie. Je ne dis pas du tout qu'il n'ait pas connu sur l'instant des moments de joie; je le crois. Mais si nous regardons les œuvres immédiatement postérieures, je vous assure que ce n'est pas la joie qu'elles respirent.

J'ai relu cette nuit *El Hadj* qui me paraît être une des œuvres de Gide, l'un de ses chefs-d'œuvre les plus injustement oubliés. Du reste, il me semble bien qu'il n'y a pas beaucoup insisté, peut-être parce que la confidence était trop intime. C'est qu'en effet ce qu'il y montre est de ces choses que plus tard il préférait ne pas proclamer trop haut.

El Hadj est l'histoire d'un chanteur qui s'est joint à une caravane. La caravane marche dans le désert. En tête, il y a un prince porté dans une litière fermée que personne ne peut voir:

«Comment nous traînait-il à sa suite? C'était une mystérieuse dépendance; on eût dit que sa décision s'imposait immédiatement sur nous tous. Car nul ne transmettait de lui nul ordre; nous n'avions d'autres chefs que lui et qui gardait toujours le silence; ou peut-être parlait-il à ses porteurs, mais sa voix ne nous était jamais parvenue.»[29]

Ce guide, il n'y a aucun doute, ce prince, évidemment, c'est Dieu. Cela ressort du texte même, et c'est en outre confirmé par des lettres de Gide. Or, El Hadj, peu à peu, s'éprend du prince; et, un jour, le prince sort de sa tente et lui apparaît «couvert de vêtements somptueux, mais la face cachée d'un voile»; le lendemain, il le laisse entrer et, là, lui demande de croire en lui de toutes ses forces, lui dit que sa vie même dépend de lui. Et de même, chaque soir, mais seulement le soir, au terme des marches accablantes de l'après-midi. Or, quand la foi d'El Hadj, dans la journée, a faibli, on ne sait comment le prince en est averti:

«– El Hadj! disait-il alors d'une voix toujours amoindrie, c'est en ta foi que je repose; en ta croyance en moi je puise la certitude de ma vie.

Je ne comprenais pas alors, mais, après chaque jour de doute, au soir je le trouvais un peu plus affaibli. Hélas! et c'est pourquoi chaque matin ma foi s'en réveillait plus faible; puis, quand auprès de lui toute la nuit je refaisais ma confiance, lui n'était point par là fortifié.

– El Hadj! disait-il alors, douteux prophète! comme ton amour est petit! Vaut-il la peine que j'en vive?

– Oh! répondais-je, je vous aime, prince, autant que je peux vous aimer. C'est à midi que tout chancelle.»[30]

Et le prince alors, pour ranimer la confiance de son fidèle, de lui prendre la main; un soir même il lui montrera son visage, «beau d'une beauté surnaturelle» et qui «semblait d'une autre race que nous – mais pâle inexprimablement et d'expression si lassée» qu'au lieu d'en être fortifiée la foi d'El Hadj recule encore d'un degré devant l'«amour tout humain» qu'il sent de plus en plus l'envahir.

Enfin, un soir, le prince confie à El Hadj une mission : il s'agit d'aller reconnaître la rive vers laquelle on se dirige, de l'autre côté de laquelle seront célébrées les noces du prince. El Hadj part. Mais la mission est difficile à remplir et, de lassitude, de désespoir, il en vient à se coucher contre terre, il renonce : «Soudain, je me sentis sans courage et quelqu'un que sa foi a complètement abandonné. Il me semblait que m'envahît, qu'en moi s'étendît, s'ouvrît une désolation sans larmes, plus vaste encore et aussi morne que le désert.»[31] C'est la trahison et, aussi bien, à son retour, trouvera-t-il le prince sans vie.

Et, brusquement, c'est le cri pathétique :

«Prince, tu t'es trompé; je te hais. Car je n'étais pas né prophète; c'est par ta mort que je le suis devenu; c'est parce que tu ne parlais plus, que moi j'ai dû parler au peuple... Peuples abandonnés dans le désert, c'est sur vous seulement que je pleure.

– Toi, prince disparu, que je te haïsse, le sais-je...? mais je languis d'ennui, de faim, de lassitude, pour t'avoir tellement aimé; et le souvenir de tes nuits me fait sentir plus désolée ma solitude.»[32]

Texte bien révélateur, il me semble. On n'en remarque d'abord que la désolation, et il est bien vrai qu'elle est poignante. Mais il contient autre chose aussi; il contient l'aveu qu'El Hadj n'est devenu prophète que par la mort du prince, soit, en clair, parce qu'il n'a pas eu assez de foi pour que Dieu vive en lui. Or, souvenons-nous du sous-titre du conte : *El Hadj ou le Traité du faux prophète.* L'épithète dit-elle assez expressément qu'en même temps que Gide nous propose orgueilleusement les tables de sa loi nouvelle, quelque chose en lui subsiste malgré lui qui ne lui permet pas de les tenir pour véridiques?

Et la conclusion est plus sinistre encore, s'il se peut. El Hadj a ramené le peuple du désert dans la ville, mais lui que fera-t-il désormais, non moins incapable qu'il est d'oublier la joie qu'il a connue dans le désert que de la retrouver?

«Que le prince soit mort – le sais-je? Je me souviens des noces qui l'attendent, comme si rien de lui n'était mort... Voici, voici dans l'intérieur du palais de la Ville, je sais qu'un jeune frère du prince grandit... Attend-il que ma voix le guide? et recommencerai-je avec lui, avec un nouveau peuple, une nouvelle histoire, que je reconnaîtrai pas à pas... ou si, comme ces esprits pleins de deuil et nourris de cendres amères, je m'en irai tout seul – comme ceux cachant un secret, qui rôdent autour des cimetières, et qui cherchent sans le trouver leur repos dans les lieux déserts.»[33]

Sans doute comprenez-vous maintenant l'importance que j'attache à *El Hadj*.

Cette œuvre du lendemain de la libération, il n'y en a peut-être aucune qui sur l'intime colloque de Gide et de Dieu ouvre un jour plus sinistre et plus désespéré. Je n'ose pas dire que nous sommes là au plus bas de la courbe, on n'est jamais sûr de ces choses-là. Mais nous sommes certainement très bas.

Gide, en effet, va tenter de se reprendre, et ce sera *Saül*, pièce écrite, expliquera-t-il plus tard dans une lettre au P. Poucel, «en antidote» à l'éthique des *Nourritures terrestres*. Mais il faut voir l'essentiel de l'explication, véritablement très précieuse. Gide vient de convenir loyalement que, pour un catholique, *les Nourritures* sont évidemment un livre condamnable, puis:

«Mais ce livre est de 1897: et le danger même que présentait sa doctrine (si j'ose ainsi dire) m'est si nettement apparu que, sitôt après, en antidote, j'ai écrit *Saül* (dont sans doute on reconnaîtra plus tard l'importance), dont le sujet même est l'exposé de cette ruine de l'âme, de cette déchéance et évanouissement de la personnalité qu'entraîne la non-résistance aux blandices.

…Il n'est peut-être pas très équitable de présenter l'éthique des *Nourritures* comme la dominante de ma vie. S'il en était ainsi, je m'en serais tenu à ce livre et me serais depuis longtemps laissé supprimer comme Saül par les démons.»[34]

Ce texte est important parce qu'il nous montre chez Gide, au lendemain des *Nourritures terrestres* un sentiment qu'il faut bien appeler de la peur, et peur très justifiée, peur très raisonnable, peur en vérité courageuse. «Chaque action parfaite s'accompagne de volupté. A cela connais que tu devais la faire», y avait-il écrit. Il ne fut pas long à comprendre que, s'il persistait à faire de la «sincérité de son plaisir» «le plus important des guides», son œuvre allait y passer: il ne la ferait jamais. Son œuvre: c'est-à-dire ce à quoi il tient par dessus tout, sa plus intime raison de vivre, son orgueil essentiel. Il en frissonna, et c'est de ce frisson qu'est né *Saül*.

On pourrait dire que la substance morale de la pièce se développe toute entière entre deux mots. Le premier est la solennelle maxime de la sorcière d'Endor à Saül venu la consulter: «Roi déplorablement dispos à l'accueil – clos ta porte!… Tout ce qui t'est charmant t'est hostile.»[35] Cela, c'est l'avertissement que Gide s'adresse à lui-même: s'il ne sait pas résister au plaisir mieux qu'il ne fait, il est perdu. L'autre mot-clef de la pièce mériterait, lui, d'être joint aux «proverbes de l'Enfer», et, de fait, s'il est d'abord dit par Saül à Jonathan, il reçoit aussitôt l'approbation des démons, et Saül, en leur présence, voudra ensuite le redire au public pour «se résumer en quelques mots»: «Avec quoi l'homme se consolera-t-il d'une déchéance, sinon avec ce qui l'a déchu?»[36] Et cela, c'est exactement la parole du désespoir accepté. Aussi bien sommes-nous là tout près du terme de la pièce, dans cette scène extraordinaire (il fallait la voir jouer par Copeau) où, pour n'avoir voulu fermer sa porte à aucun démon, crainte que ce ne fût «au plus charmant – ou peut-être au plus misérable», Saül se voit finalement «complètement supprimé».

Voilà ce que Gide n'a pas voulu qu'il advînt de lui. C'est que, s'il s'est à de certaines périodes désintéressé de son âme, jamais il ne s'est désintéressé de son œuvre. Il a voulu être sauvé, et sauvé par l'œuvre d'art. C'est ce que fait entendre, entre bien d'autres choses, le délicieux, profond *Prométhée mal enchaîné*, où l'aigle qui dévorait Prométhée finit par composer le menu de son dîner. «Il me mangeait depuis assez longtemps; j'ai trouvé que c'était mon tour... Mais je le mange sans rancune: s'il m'eût fait moins souffrir il eût été moins gras; moins gras, il eût été moins délectable.»[37] Entendez que le problème moral qui a si longtemps tourmenté Gide va maintenant lui servir pour écrire de beaux livres, et précisément avec l'une des plumes de son aigle.

Cependant, ne nous y trompons pas. Le ton du *Prométhée mal enchaîné* est dégagé, heureux. Il ne me paraît pas absolument sûr qu'il n'y ait pas une vérité plus profonde dans la dernière ligne de *Saül*, si banale à première vue, et qui pourrait bien au contraire conclure par une image pleine de sens cette œuvre admirable: «Vous musiciens! – qu'une musique funèbre retentisse.»[38] Gide est infiniment divers: il savait que le choix qu'il avait fait avait tué en lui l'André Gide qu'il avait été, et il ne serait pas impossible qu'à cette époque de *Saül*, son œuvre future en eût à ses yeux revêtu un caractère de solennelles funérailles, qui ne pouvait évidemment durer que le temps d'un deuil, puisqu'il n'est pas de séparation, si douloureuse soit-elle, après laquelle, nous le savons tous, il ne faille que la vie reprenne ses droits.

Il va de soi qu'il y aurait à pousser cette enquête sur les sous-entendus de l'œuvre de Gide beaucoup plus loin. Le temps m'a manqué. Je voudrais simplement, en terminant, dégager quelques uns des moyens auxquels Gide a eu recours pour ne pas se laisser supprimer par les démons et, malgré le péril de sa terrible pente au plaisir ou, pour mieux dire, de sa volonté délibérée de l'accueillir, opérer son salut par l'œuvre d'art.

Le premier que je vois a été de n'accueillir le plaisir qu'avec une certaine modération. On a parlé l'autre jour de la prudence de Gide. Je ne crois pas que le mot de prudence soit tout à fait juste, ou, tout au moins, ne faudrait-il pas l'entendre au sens de timidité, de pusillanimité. Gide était raisonnable, il ne faisait pas les choses qu'il jugeait trop dangereuses, mais il a parfaitement du courage et de l'audace lorsqu'il estime qu'il faut en avoir. Ce qu'il a voulu, ç'a été de faire une part au mal, sa juste part, si j'ose dire, de façon à vivre dans une intimité charmante avec le sphinx, et que, malgré cela, le sphinx, quelque temps du moins, ne le dévore pas. Il y a sur ce point, à l'époque de *Numquid et tu* un texte extrêmement significatif – et si je cite un texte de date très postérieure, ce n'est pas, croyez-le bien, que je n'aie pas le souci de la chronologie, on me reproche plutôt de l'avoir exagérément, mais parce que ce texte se réfère expressément à une période plus ancienne:

«La grande erreur c'est de se faire du diable une image romantique. C'est ce qui fait que j'ai mis tant de temps à le reconnaître[...] Il s'est fait classique avec moi quand il l'a fallu pour me prendre, et parce qu'il savait qu'un certain équilibre heureux, je ne l'assimilerais pas volontiers au mal. Je ne comprenais pas qu'un certain équilibre pouvait être maintenu, quelque temps du moins, dans le pire. Je prenais pour bon tout ce qui était réglé. Par la mesure, je croyais maîtriser le mal; et c'est par cette mesure au contraire qu'il prenait possession de moi.»[39]

Texte qui signifie clairement que, pendant cette période qui s'étend, à vue de pays, de 1898 à 1910 environ, Gide accepte la cohabitation avec le mal pourvu que les démons aient la discrétion de lui laisser assez de place pour qu'il puisse faire son œuvre. Il y a donc bien refus de la loi de Dieu, sans aucun doute; il n'y a pas absence de toute loi. Il y a soumission à la loi qu'il s'impose lui-même pour que son œuvre soit faite.

J'observerai, en second lieu, que tout en ne reniant nullement l'éthique des *Nourritures terrestres*, et, davantage, en continuant d'y incliner le lecteur, quitte pour son compte personnel, à n'y céder qu'avec une certaine modération, il n'est pas sans faire, dans son œuvre même, une assez large place à la morale commune.

Pas de meilleur exemple, sur ce point que *l'Immoraliste*. Revenons à la querelle avec le P. Poucel. Pour le P. Poucel, *l'Immoraliste* est à mettre en enfer, au même titre que *les Nourritures terrestres* ou *les Caves du Vatican*. «Comment! mon Père, lui répond substantiellement Gide. Mais c'est un livre moralisateur! Oubliez-vous que je conduis à la banqueroute mon héros?»[40] Réponse parfaitement pertinente, réponse fondée, puisqu'il est très vrai que Michel, le héros de *l'Immoraliste*, a voulu se libérer et que son entreprise n'a pas seulement pour Marceline abouti au drame, mais que lui ne s'est pas même libéré, qu'il s'est au contraire asservi, les dernières lignes de l'ouvrage le laissent clairement entendre:

«Elle prétend que c'est lui qui surtout me retient ici. Peut-être a-t-elle un peu raison.»[41]

Il n'en reste pas moins que la réplique de Gide au P. Poucel, fondée à l'égard de Michel, est spécieuse à l'égard de l'ouvrage. C'est qu'en réalité *l'Immoraliste* a *deux* héros: Michel au premier plan, et Ménalque dans la coulisse; Ménalque, qui ne participe pas à l'action, mais qui l'inspire et la commente; et chez Ménalque, vous ne trouverez pas la moindre trace de banqueroute. De là que la morale qui se dégage de *l'Immoraliste*, à le lire de droit fil, pourrait bien être sensiblement moins innocente que celle que Gide en tirait à l'usage du bon P. Poucel, car elle ne peut être autre que celle-ci : « Si vous êtes faible, soumettez-vous à la loi commune, voyez l'exemple de Michel, à qui il a si mal réussi de vouloir s'affranchir. Mais si vous êtes fort, si vous êtes capable d'être Ménalque, alors la question reste entière ; faites-vous vous-même votre loi, la partie sera certes plus difficile, mais elle n'est pas nécessairement perdue d'avance ».

Voyez-vous avec quelle habileté Gide sait ainsi disposer la diversité de sa confidence, reléguant ici au second plan le plus audacieux et le plus important ? Et il me semble bien qu'il en avertit expressément le lecteur. Car par quels mots se termine la préface de l'ouvrage ?

« Au demeurant, je n'ai cherché de rien prouver, mais de bien peindre et d'éclairer bien ma peinture. »[42]

Je dois dire que, longtemps, la distinction des deux derniers termes ne me sembla que redondance. Je me suis avisé depuis qu'il y a bien là deux idées : « bien peindre », c'est la fidélité à la réalité ; mais « bien éclairer ma peinture », c'est tout autre chose, c'est orienter la pensée du lecteur là où Gide veut qu'elle soit orientée. Gide n'avait pas tort de demander qu'on prît la peine de le relire.

Il lui arrivera d'ailleurs d'employer le procédé inverse, je veux dire de renforcer, d'exagérer ce qu'il ne veut pas que l'on croie et qu'il veut pourtant avoir dit, parce qu'il sait que c'est la vérité, et là, c'est *le Retour de l'Enfant Prodigue* que je citerai. Avec quelle insistance ceux qui sermonnent le prodigue repentant ne lui reprochent-ils pas son orgueil ! D'où, de toute évidence, la conclusion du lecteur naïf : « Ah ! ces bons catholiques ! quand on perd la foi, ils s'imaginent toujours que c'est par orgueil. » Mais nous, qui savons l'orgueil de Gide attesté d'autre part, ne sommes-nous pas en droit de penser que s'il a voulu que l'accusation figurât, c'est qu'il la sait fondée, mais qu'il a pris la précaution de la mettre dans la bouche de gens qui seront peu persuasifs pour le lecteur ?

Je dirai enfin, troisièmement, que non seulement Gide sait faire une assez large place dans sa peinture à la morale commune, mais que son esthétique elle-même n'observe sa doctrine qu'avec un tempérament si important que c'est en vérité la changer en une autre. C'est qu'en effet, s'il y a une constante de Gide, c'est assurément le refus de l'arrêt, de la limite, du définitif, en raison du péril qu'il y voit de nous faire adorer la créature et parce que l'inconnu lui semble toujours plus riche de belles possibilités que le connu ; c'est son « aversion », je cite les *Nourritures*, « pour n'importe quelle possession sur la terre » par « peur de n'aussitôt plus posséder que cela ». Mais il sait si bien la contre-partie de sa pente essentielle que déjà dans les *Nourritures* une petite phrase de Ménalque mettait en garde contre elle : « Ainsi ne traçai-je de moi que la plus vague et la plus incertaine figure, à force de ne la vouloir point limiter. »[43]

Eh bien! je vous le demande: peut-on dire qu'il ait suivi les mêmes maximes dans son art? qu'il ne nous ait pas donné des œuvres du contour le plus exquisement précis, les plus heureusement délimitées? les plus achevées? Ou plutôt, je ne dis pas assez, car sa réussite est bien plus rare encore. C'est que, s'il faut qu'une œuvre soit achevée pour être, il ne faut pas moins qu'elle garde quelque chose d'inachevé pour être vivante, et les siennes réunissent miraculeusement ce double caractère. De là qu'à chaque nouvelle lecture il en est peu qui ne paraissent plus profondes et plus riches.

Il ne m'échappe pas, vous le pensez bien, que ce que je vous ai donné là est terriblement incomplet, au point qu'il me semble n'avoir rien dit. Encore une fois, le temps m'a manqué.

J'aurais voulu vous parler surtout de la période qui va de *Numquid et tu* (1916) aux *Faux-Monnayeurs* (1927), période pathétique entre toutes avec son vertigineux « dialogue du Ciel et de l'Enfer », période des grandes fulgurations, après laquelle on est tenté de dire que « les jeux sont faits ». M. Anglès nous disait hier qu'ils l'étaient même dès 1911, et je suis bien d'accord avec lui pour penser qu'il a dû y avoir chez Gide, vers cette date, une prise de position extrêmement importante, quoique je manque de clartés sur ce qui la détermina. Mais peut-on dire que ce qui suivit ne fut que comédie, comme Gide tenta de s'en persuader plus tard? et surtout peut-on dire que les jeux soient faits avant le dernier moment? Je ne crois pas; je préfère penser qu'ils ne le sont pas jusqu'à la dernière minute, et que même à cette dernière minute où le vivant pouvait encore s'exprimer, ils ne le sont pas encore: qui sait si ne commence pas ensuite un autre colloque dont nous ne pouvons rien savoir? Le seul choix qui soit véritablement définitif est toujours bien caché.

Il ne nous appartient pas de sonder cet abîme. Nous ne pouvons avoir sous les yeux que le destin terrestre de Gide, et je ne vous surprendrai pas si je vous dis que ce destin glorieux et justement glorieux m'apparaît comme un destin tragique, propre à inspirer une sorte d'horreur sacrée. On a beaucoup dit qu'il n'a pas connu la souffrance, et il est vrai du moins qu'elle ne tient pas grande place dans son œuvre, qu'il ne sait pas l'exprimer, et c'est certainement une de ses limites. Mais que l'on réfléchisse à ce que fut sa vie, et qui oserait dire que tout ce qu'il nous a donné n'ait pas été payé au prix de sacrifices que nous ne connaissons pas?

NOTES

1. *Le Dialogue avec André Gide*, p. 273.
2. *Divers*, p. 62.
3. p. 53.
4. *Nouveaux Prétextes*, p. 167.
5. *Divers*, p. 140.
6. *Nouveaux Prétextes*, pp. 169–170.
7. *Romans*, Pléiade, p. 89.
8. *Divers*, p. 157.
9. *Journal*, p. 1069.
10. *Journal des Faux-Monnayeurs*, p. 56 (Août 1921).
11. *Journal*, p. 775.
12. *Romans*, Pléiade, p. 72.
13. Jean Delay, *la Jeunesse d'André Gide*, II, p. 477.
14. *Journal-Souvenirs*, p. 500.
15. *Journal-Souvenirs*, p. 499.
16. *Ibid.*
17. *Journal-Souvenirs*, p. 500.
18. *Ibid.*
19. *Romans*, Pléiade pp. 84–85.
20. *Romans*, p. 250.
21. *Romans*, p. 171.
22. *Ibid.*, p. 156.
23. *Romans*, p. 248.
24. *Théâtre*, p. 284.
25. *Romans*, p. 1479.
26. *Ibid.*, p. 170.
27. *Ibid.*, p. 170.
28. *Romans*, p. 155.
29. *Romans*, p. 346.
30. *Romans*, p. 353–354.
31. *Romans*, p. 358.
32. *Ibid.*, p. 359.
33. *Romans*, p. 363.
34. *Divers*, p. 162–163.
35. *Théâtre*, p. 99–100.
36. *Théâtre*, p. 144–149.
37. *Romans*, p. 340–341.
38. *Théâtre*, p. 151.
39. *Journal*, p. 561 (19 septembre 1916).
40. *Divers*, p. 166.
41. *Romans*, p. 472.
42. *Romans*, p. 368.
43. *Romans*, p. 184.

DISCUSSION

MARCEL ARLAND. – Non seulement avec plaisir mais avec beaucoup d'émotion j'ai écouté mon ami Rambaud, que je n'avais pas vu depuis longtemps. J'ai retrouvé sa qualité d'esprit, sa qualité d'âme et cette volonté qu'il y a en lui de ne pas s'en tenir à une vue superficielle ou plaisante des choses, mais d'essayer plus, avec le risque de se tromper, d'atteindre au plus intime d'une âme à travers une œuvre.

Je suis d'accord avec l'essentiel de votre pensée, Henri Rambaud, de votre recherche et, surtout, de votre attitude sentimentale, intellectuelle et morale à l'égard de Gide. Mais voici un point de discussion. Vous avez choisi admirablement vos exemples en parlant de *El Hadj*, pour lequel j'ai toujours eu une très grande attention, et *Saül*, que j'ai eu le plaisir, moi aussi, de voir jouer par Copeau. Vous avez donc insisté sur cet élan, cette ferveur spirituelle et quasi mystique que manifestent les premières œuvres. Vous avez parlé d'un hymne vers Dieu. Un hymne, soit, et mettons vers Dieu. N'est-ce pas vers un Dieu qui déjà est en André Gide lui-même? N'est-ce pas vers une part très intime, très profonde d'André Gide? Vous avez parlé de cette lumière que l'on suit toujours puisque l'on ne peut pas s'en défaire, que l'on suit parce qu'on la porte en soi; ne pourrions-nous prolonger cette image par le symbole – peut-être un peu trop apparent – de *El Hadj*: l'homme créant Dieu? Or, il me semble que le but, chez les mystiques, est non pas de se retrouver, mais de se perdre, de se déposséder afin de laisser place à Dieu.

HENRI RAMBAUD. – Oui, je crois tout de même que leurs personnalités suffisent comme capacité d'accueillir Dieu. Il y a une dépossession, il y a un vide, mais qui n'a pas la même forme pour tout le monde. Il y a une capacité d'accueillir et c'est ce qui fait qu'une personnalité se retrouve.

MARCEL ARLAND. – Je pense à cette parole que Gide a souvent citée: «Meurs et deviens», meurs pour devenir. Gide sentait la portée immense de ces mots; sinon il n'aurait pas écrit *Si le grain ne meurt*.

HENRI RAMBAUD. – Oui, bien entendu.

MARCEL ARLAND. – Mais, en même temps qu'il sentait la nécessité de «mourir pour revivre», il y avait en lui ce que, à cause de vous, nous n'appellerons pas prudence, mais peut-être sagesse, une sagesse qui le retenait parfois d'aller jusqu'au bout de l'épreuve terrible après laquelle vous n'avez plus qu'à mourir ou à renaître.

HENRI GOUHIER. – Voici la question que je poserai à Henri Rambaud. Ce qu'il appelle le sentiment de la transcendance de Dieu, ne serait-ce pas quelque chose d'assez différent: le sentiment du dépassement? Précisons. Le sentiment de la transcendance de Dieu suppose présence de Dieu, quel que soit ce Dieu, fût-il un Dieu inconnu: personnellement, je ne le trouve pas chez Gide. Mais, surtout en écoutant Henri Rambaud lire le texte de *la Tentative amoureuse*, je perçois le sentiment du dépassement ou, si l'on veut raffiner et parler comme Jean Wahl, le sentiment de trans-ascendance: il s'agit non de Dieu mais du moi, du moi qui se sent désirant aller ailleurs, désirant monter, si l'on veut... peu importent les métaphores choisies. Il y a là deux registres différents: celui d'une théologie qui peut n'être qu'une théologie du Dieu caché, celui de l'anthropologie qui, dans le cas de Gide, est anthropologie de l'homme caché.

HENRI RAMBAUD. – En tous les cas, ce qu'il y a chez lui, c'est une horreur, mais très marquée, pour tout ce qui est fini...

HENRI GOUHIER. – Oui, si vous voulez. Reprenons la vieille distinction classique: le sentiment de la transcendance de Dieu, c'est le sentiment d'un Dieu *infini* et le sentiment du moi qui se veut dépasser, appelons-le sentiment de l'*indéfini* dépassement.

HENRI RAMBAUD. – Je crois qu'il y a nettement chez lui le sentiment d'un être qui est d'une autre nature que l'être de l'homme, l'être de la créature.

PATRICK POLLARD. – Je crois que pour ce protestant, l'idée du démon est très importante. Je le vois en train de vivre avec son démon. Cette recherche de Dieu, c'est un échappement du diable...

MARCEL ARLAND. – Croyez-vous que la même lutte ne s'impose pas pour un catholique?

PATRICK POLLARD. – Pas de la même façon. Je ne connais pas très bien la religion catholique, parce que moi-même j'ai eu une formation protestante, mais je ne crois pas me tromper en disant que pour un protestant la vie commence avec le diable pour aller vers Dieu, tandis que pour un catholique peut-être – vous me direz si j'ai tort – Dieu est présent dès le début. Vous voyez la distinction que j'essaye de faire.

HENRI GOUHIER. – Qu'est-ce que le démon pour Gide? Est-ce uniquement la chair?

Henri Rambaud. – C'est une question que je n'ai pas eu le temps de traiter. Il faudrait, je crois, distinguer avec les époques.

Henri Gouhier. – Je posais ma question sur le démon parce que ce n'est peut-être pas uniquement la chair quand il dit dans son *Dostoïevsky* il n'y a pas de grande œuvre sans la collaboration du démon.

Henri Rambaud. – En ce qui concerne la question du diable, il y a tout de même des textes assez effrayants et qui semblent bien admettre une réalité. Celui-ci, par exemple, du *Journal*:

«Hier, rechute abominable, la tempête a fait rage toute la nuit. Ce matin, il grêle abondamment. Je me lève la tête et le cœur lourds et vides, pleins de tout le poids de l'enfer. Je suis le noyé qui perd courage et ne se défend plus que faiblement. Les trois appels ont le même son. Il est temps, il est grand temps, il n'est plus temps, de sorte qu'on ne les distingue pas l'un de l'autre, que nous sommes déjà au troisième tandis qu'on se croit encore au premier.»

Jusque là aucune identification du démon, elle vient ensuite:

«Si du moins je pouvais raconter ce drame. Peindre Satan, après qu'il a pris possession d'un être, se servant de lui, agissant par lui sur autrui, etc....»

Or, il me semble difficile de contester qu'au moment où il écrit ce texte Gide croie en l'existence personnelle du démon.

Jean Follain. – Il reste tout de même que dans quantité de passages de son œuvre, de son *Journal* tout particulièrement, il a dit ou laissé entendre que Dieu et démon étaient manière pour lui de s'exprimer.

Henri Rambaud. – Prenez l'identification du démon. Il y a: «C'est bien sûr, en toute bonne foi, je n'y crois pas». Mais il ajoute: «Cela n'empêche que, dès que j'y crois, tout s'éclaire». En effet, les textes qui disent: «c'est une façon de parler» sont innombrables, mais il y a tout de même des textes comme celui-ci. Qu'à la fin de sa vie il n'y ait pas cru, je le veux bien. Mais il ajoute: «n'oubliez pas que l'on peut servir le démon sans croire en lui», «n'oubliez pas son premier mot: Pourquoi me craindrais-tu?, tu sais bien que je n'existe pas». Vous voyez, la position de Gide est beaucoup plus ambiguë. Il peut y avoir du respect humain. Cela peut lui déplaire de dire qu'il croit au démon, cela le gêne. Mais c'est pour cela que je cite ce texte-là, car vraiment, au moment où il l'écrit, il me paraît difficile de ne pas voir dans le texte une croyance personnelle au démon.

Jean Follain. – Pensez-vous que ce Dieu ou ce démon auquel il a pu par moment croire était le véritable Dieu des mystiques chrétiens, un Dieu personnel?

HENRI RAMBAUD. – Je le croirais. Seulement, il y a un point que je n'ai pas indiqué et qui me paraît très important, c'est que, dans sa découverte de l'Evangile, il oublie Jésus-Christ. Il y a une chose qui est très frappante. Il a cité plusieurs fois le texte: «Celui qui perd sa vie, la sauve». Or, si l'on se reporte à l'Evangile, le texte dit ceci: «Celui qui perd sa vie à cause de moi, la sauve». C'est tout différent car dans le premier cas l'important est sur la personne à qui l'on s'attaque, dans le second cas, dans l'attitude de Gide, c'est uniquement une attitude de dépassement. Et voyez, M. Gouhier, ma contradiction avec vous n'est pas si grave, en réalité, parce que je pense bien qu'en effet cette position c'est le passage d'un attachement positif à un être, que je crois voir dans *la Tentative amoureuse*, au refus, que vous trouvez dans *les Nourritures terrestres*, de s'attacher aux créatures. Notre divergence ne porte que sur l'existence d'une période initiale.

JEAN FOLLAIN. – Apercevez-vous pourquoi, à un certain moment, à partir de quelle époque – alors qu'il a laissé entendre qu'il n'était pas un négateur absolu de Dieu – dans les dernières années de sa vie, il a fait une profession d'athéisme absolu, en employant le mot? Que s'est-il passé en lui?

HENRI RAMBAUD. – Il y a eu un appauvrissement. On lit dans le *Journal* une étonnante conversation avec le diable. Vers 1928, il a lu ce texte à Martin-Chauffier qui m'en a parlé. Martin-Chauffier lui a dit: «C'est prodigieux, cette page là, à moins que ce ne soit vous qui la lisiez d'une façon prodigieuse». Gide lui a répondu: «Non, vous ne vous trompez pas, c'est bien prodigieux, ce n'est pas l'effet du lecteur», et il a ajouté qu'il ne pourrait plus l'écrire. Voici cette page:
«J'avais entendu parler du Malin; mais je n'avais pas fait sa connaissance. Il m'habitait déjà que je ne le distinguais encore pas. Il avait fait de moi sa conquête; je me croyais victorieux, oui: victorieux de moi-même parce que je me livrais à lui. Parce qu'il m'avait convaincu, je ne me sentais pas vaincu. Je l'avais invité à élire en moi domicile, par défi et parce que je ne croyais pas en lui, comme celui de la légende qui lui vend son âme contre quelque avantage exquis – et qui s'obstine à ne pas croire à *lui* malgré qu'il ait reçu de lui l'avantage!
Je ne comprenais pas encore que le mal est un principe positif, actif, entreprenant; je croyais alors que le mal était fait du défaut du bien, comme l'ombre du défaut de la lumière, et volontiers rattaché-je à la lumière toute espèce d'activité. Quand, en 1910, mon ami Raverat me parla de lui pour la première fois, je n'eus qu'un sourire. Mais ses paroles n'entrèrent pas moins profondément dans mon cœur: «J'ai commencé, m'expliquait-il, par croire au diable…» (Nous étions dans le bureau de Cuverville et une lecture de Milton que nous avions

faite ensemble l'après-midi avait amené notre conversation sur Satan). «Et «c'est de croire à lui, *que je sentais*, qui m'a amené à croire à Dieu, que je ne «sentais pas encore. Et comme à mon étonnement se mêlait beaucoup d'ironie, et que je craignais que lui-même ne fût pas alors bien sérieux: – «La grande «force de Satan, a-t-il repris gravement, vient de ce qu'il n'est jamais comme «on croit. On a déjà beaucoup fait contre lui quand on s'est persuadé qu'il est «là. Pour le bien reconnaître, mieux vaut ne le perdre jamais de vue.»

(*Feuillets, Journal* p. 608, Pléiade)

A ce moment là, il donne bien le sentiment qu'il y croit.

HENRI RAMBAUD. – Vous ne croyez pas qu'il croyait à l'existence du diable?

MARCEL ARLAND. – Il y croyait sans y croire. Il avait besoin d'y croire. Le diable peut rendre de grands services aux écrivains. Je crois qu'il y a eu chez Gide, et quelle que fût sa sincérité, une tentative de mariage du ciel et de l'enfer. Je n'irai pas jusqu'à parler de manichéisme.

JEAN FOLLAIN. – Il s'est très fort incorporé à ce mariage du ciel et de l'enfer. Je pense à sa traduction de Blake. Je la crois mauvaise quoiqu'elle soit fort belle, parce qu'elle participe de l'erreur dans laquelle il ne faut pas tomber quand on traduit. On donnerait ce texte à lire à quelqu'un qui ne connaîtrait pas Blake, il dirait: «Mais c'est du Gide!»

HENRI RAMBAUD. – Est-ce loin de Blake ou non?

JEAN FOLLAIN. – Il faudrait confronter les deux textes, mais je ne sais pas assez l'anglais pour le bien faire. Les personnes autorisées à qui j'en ai parlé m'ont affirmé la déviation du traducteur. Le ton mystique de Blake se trouve ramené au ton gidien.

MAURICE DE GANDILLAC. – Je voudrais demander à M. Rambaud s'il est entièrement satisfait du titre qu'il a donné à son exposé. *Clair-obscur* me paraît ambigu, dans la mesure où Gide a toujours désiré la clarté, non certes la fausse clarté superficielle mais, comme Goethe, la parfaite lucidité de l'écrivain et de l'homme à l'égard de lui-même, de sa nature, de ses contradictions et même de ses vices. Il me semble d'autre part qu'il faut tenir largement compte de l'évolution dans le temps. Gide a passé par des phases, et les problèmes sont en partie différents suivant les périodes qu'on considère.

HENRI RAMBAUD. – Je n'ai pas refusé la chronologie.

MAURICE DE GANDILLAC. – Je ne vous faisais aucun reproche, et je sais que vous avez dû écourter votre exposé. Vous avez peu parlé de *Numquid et tu*, qui est peut-être une parenthèse, mais une parenthèse significative et dont il faut tenir compte quand on étudie l'attitude religieuse de Gide, ce qui était bien, je crois, finalement, l'objet central de votre exposé. A cet égard la remarque de Follain me semble capitale. Très longtemps Gide a pu vivre en païen, il s'est refusé cependant à faire profession d'athéisme, jusqu'à un certain moment, où le problème religieux cessa pour ainsi dire de se poser. Gide n'était pas un philosophe professionnel, mais enfin j'imagine que, dans la première période de sa vie, il aurait hésité à se dire communiste, que l'athéisme délibéré et, pour ainsi dire brutal, du matérialisme historique aurait choqué en lui une certaine sensibilité religieuse tenant à sa première éducation.

Aussi bien dans la période que vous avez appelée «séraphique» (l'expression pourrait être contestée, mais on voit bien ce que vous voulez dire), dans cette période qui est caractérisée, je crois, par la quête du moi (il y a chez Gide, malgré toutes les différences évidentes de style, des traces certaines de barrésisme) que dans la période, plus courte, où il écrit Numquid et tu, je ne pense pas qu'il ait donné une réponse réellement positive à ce qu'il sentait en lui comme un appel, mais il reste que cet appel a été perçu comme tel. En tant que calviniste, il devait l'entendre d'autant mieux qu'il vivait, comme on nous l'a rappelé tout à l'heure, dans l'intimité du diable, ce diable qui, pour les petits garçons, prend si normalement la figure d'Onan. Les protestants savent dès leur enfance que personne n'est sauvé par ses mérites, mais seulement par pure grâce, et réservée à un petit nombre d'élus. D'où l'importance dramatique de la question «Et pourquoi pas toi aussi?». Je ne dis pas que la question fût continûment perceptible dans toute la première période; elle l'a été certainement pendant un temps assez court, où la figure du Christ a pris plus de relief. Le secret des consciences reste clos, mais il est vraisemblable que, lorsque Gide a cru entendre l'appel, il a été inquiet de rester impuissant à y répondre, de ressembler au jeune homme riche de l'Evangile qui se détourne de la vie parfaite, ou du moins (dans une perspective protestante) du sentiment de son péché comme péché, avec cette différence, bien entendu, que le jeune homme riche ne voulait pas se dépouiller de ses biens matériels (ce qui est, du moins, l'interprétation superficielle du texte scripturaire, mais les mystiques l'ont entendu comme refus du dépouillement spirituel) alors que Gide ne veut pas abandonner les apparentes richesses de la vie affective, de l'imagination, de cette quête du moi dont je parlais tout à l'heure. La tentation même de la foi et du repentir n'est en somme qu'un élément de plus à ajouter à cette richesse, une inquiétude savoureuse. Bien que Jouhandeau se dise chrétien, et non athée, je me demande si son attitude vis-à-vis du péché et de la foi n'est pas finalement du même genre. Il y aurait toute une thèse à écrire sur la para-christianisme des invertis modernes.

Mais enfin tout cela ne concerne que le premier et le second Gide. Dans une troisième période, il semble qu'il n'y ait plus d'inquiétude ni d'appel senti, mais bien plutôt une sérénité plus ou moins goethéenne. Or c'est justement cette sérénité même qui a paru à des hommes comme Claudel et comme Mauriac le plus résolument démoniaque. Vous avez parlé du démon, et il ne pouvait pas ne pas en être question dans une décade Gide. Vous savez que nous venons d'avoir ici-même une décade sur le diable, et, lorsqu'on a publié le programme de Cerisy pour 1964, beaucoup de nos amis se sont écriés: Le diable et Gide, c'est un peu la même chose. La formule est évidemment excessive, mais je suis frappé de voir que, dans la discussion d'aujourd'hui, nous rejoignons plusieurs des questions qui ont été examinées à propos du diable. Originairement tous les démons ne sont pas des diables, je veux dire de mauvais diables. Le démon de Socrate, comme les génies de Goethe, sont des intermédiaires entre les hommes et le divin, des intermédiaires quelquefois ambigus ou ambivalents. Satan lui-même joue dans la Bible une sorte de double rôle; non seulement il porte pierre et sert aux desseins divins, mais il se peut qu'il ait été d'abord conçu comme un serviteur de Dieu. Il me semble que Gide a été particulièrement sensible à ce double aspect de la médiation démonique (j'emploie à dessein cette transcription du *daimonios* grec et du *daimonisch* allemand qui fut chère à Charles Du Bos et qui met entre parenthèses, au moins provisoirement, la question du lucifé-risme comme tel). Vous nous avez lu sur les démons un très beau texte, très littéraire, c'est à dire un peu «truqué», mais je crois qu'il correspond à une ex-périence vécue très intime, certainement plus intime que celle que pourraient suggérer des textes littéraires de Valéry (par exemple dans *Mon Faust*). Gide sentait (ou croyait) que le démon était en lui une force nécessaire à son œuvre de créateur, qu'aucune littérature valable ne pouvait se passer de lui. Et en même temps, au moins dans les premières périodes de sa vie, l'aspect proprement «malin» ou «diabolique» de cette médiation restait profondément présent, stimulant certes, mais un peu effrayant. On peut se demander si, même au temps de la «sérénité», Gide avait cessé d'apercevoir le visage du serpent à travers le sourire de tel de ces adolescents qui si longtemps donnait à son propre visage cette sorte de grimace dont Madeleine prétend qu'elle le faisait ressem-bler à un fou. Du moins, à partir d'un certain moment, apparemment rassuré par les pesantes et contestables justifications du *Corydon*, le mal ne fut plus pour lui le délice de la chair et du désir, mais bien plutôt l'inégalité sociale, le crime colonialiste. Il n'a jamais pensé qu'on pût payer je ne sais quelle sérénité du prix de l'injustice, et c'est à son honneur. Il est vrai que ses bouffées révolutionnaires furent de brève durée et qu'au début du moins l'hitlérisme, par exemple, ne lui a pas paru un avatar du mal absolu. Qu'il soit mort complètement apaisé, sans interrogation métaphysique, sans souci de ce qu'on a appelé la responsa-bilité de tous devant tous, qui oserait le dire, mais qui oserait aussi le nier?

Ce qui est probable au demeurant, c'est que tous les combats du ciel et de l'enfer se sont déroulés chez lui au niveau de la subjectivité (même l'engage-ment politique du *Voyage au Congo* et du *Voyage en URSS* qui reste pour une part une attitude de «belle âme»). Je suis d'accord avec Gouhier pour penser que Gide n'a guère eu le sentiment de la transcendance (ni celle de la trans-ascen-dance ni même celle de la trans-descendance). Les voix qui parfois parlaient en lui ne venaient ni des cieux invisibles ni des abîmes infernaux. Si elles lui su-surraient parfois un appel, ce n'était finalement ni la parole fulgurante du Christ à Saül sur le chemin de Damas ni la promesse de Méphistophélès à Faust, mais plutôt une incitation au dépassement, à ce dépassement qui, comme celui de Nietzsche, peut prendre les aspects d'une mort de Dieu (mais, chez Nietzsche, il s'agit du dieu des hommes, de celui qu'ils ont forgé de leurs propres mains). Il se peut que la sérénité des derniers temps ait justement coïncidé avec ce que Plutarque appelait l'extinction des oracles (et la mort du grand Pan). L'appel au dépassement ne se faisait plus guère entendre. Gide n'avait plus besoin de Dieu, même pour le nier et s'affirmer en le niant. Avait-il encore besoin du démon? Il savait certes que sa grande astuce est de persuader les hommes de sa propre inexistence. Il se peut qu'à la fin de sa vie Gide ait été lui-même victime de cette ruse suprême et que, refusant tout ensemble le diable et le bon Dieu, même comme simples représentations subjectives, il ait cru pouvoir congédier du même coup toute médiation démonique.

JEAN FOLLAIN. – On a l'impression que la profession d'athéisme de Gide visait surtout ceux qui ont voulu l'amener à la foi: «Vous ne direz plus que je suis plus ou moins près de vous, je suis athée, je ne l'avais encore jamais déclaré, mais je le déclare maintenant». Il semble bien ajouter: «et cela a tou-jours été comme cela», pour mettre fin à toute discussion sur ce point.

MARCEL ARLAND. – Ce qui est curieux c'est ce que cela correspond assez au moment, à l'époque de ce que l'on peut appeler le «génie créateur» de Gide...

PATRICK POLLARD. – Dans le *Retour de l' U.R.S.S.*, je crois que Gide met en bas d'une page que ce qui l'a beaucoup gêné en U.R.S.S. c'est qu'il retrouvait une religion sans mythes...

MARCEL ARLAND. – M. de Gandillac a évoqué le nom de Jouhandeau. Gide a prêté beaucoup de sympathie et d'attention à Marcel Jouhandeau. On com-prend bien ce qu'il pouvait aimer dans son œuvre, ce débat entre Dieu et le diable...

KLARA FASSBINDER. – De quelle année est la dernière citation que vous avez donnée?

HENRI RAMBAUD. – Après 1914.

KLARA FASSBINDER. – Au moment du nazisme, on a vraiment cru au diable. Toutes les paroles de la Sainte Ecriture se sont éclairées d'une lumière nouvelle.

HENRI GOUHIER. – Il m'a semblé que Gide voyait surtout dans l'Evangile une sorte de religion morale.

HENRI RAMBAUD. – Oui certes, mais aussi un sentiment d'illumination, une recherche de la vie éternelle dans l'instant.

HENRI GOUHIER. – J'ai l'impression – mais peut-être suis-je victime d'un rapprochement – qu'on trouverait chez Gide quelque chose d'analogue à ce que l'on peut trouver chez Rousseau: la nature prise dans sa pureté doit être retrouvée; une nature qui nous était cachée mais qu'il faut retrouver joue, dans cette perspective, le rôle du surnaturel dans la perspective chrétienne. Ainsi, cette nature nous est cachée dans le vie quotidienne; mais on la cherchera dans les Evangiles. C'est pourquoi, lisant, par exemple, *Numquid et tu*, je me demande s'il n'y aurait pas, dans cette interprétation de l'Evangile, une espèce d'équivoque – sans donner au mot un sens péjoratif – que peut-être on éluciderait en cherchant quelle est l'idée de la nature chez Gide. On a parlé de Dieu et du Démon: une analyse complète de la pensée de Gide – et nul mieux que vous ne pourrait la faire – devrait porter d'abord sur l'idée de nature.

MAURICE DE GANDILLAC. – Je le crois d'autant plus que cela permettrait de résoudre le problème que pose, par exemple, le rôle central des arguments «naturalistes» dans *Corydon*. Pour justifier ses penchants personnels, Gide n'évoque aucunement une certaine valeur du plaisir comme tel et moins encore une révolte consciente contre un certain «ordre» traditionnel. Il est loin de Sade, de Bataille, de Klossowski. Son grand argument se tire des comportements «naturels» de certains animaux. Il retourne contre les théologiens leur condamnation de l'anti-nature à partir de considérations du même type, dans la ligne du «sequere naturam».

ANDRÉ BERNE-JOFFROY. – Quand il pense au «clair-obscur», cette pensée chez Gide est-elle inéluctablement liée à des problèmes théologiques, c'est à dire au problème, de la transcendance de Dieu de l'existence du diable? En somme, le problème du clair-obscur de Gide ne se poserait-il pas simplement sur le plan esthétique?

HENRI RAMBAUD. – Sûrement.

ANDRÉ BERNE-JOFFROY. – Je songe à cette parole de Gide: «Il faut surtout étudier mon œuvre sur le plan esthétique», ce qui n'empêche pas, à partir de l'esthétique, de tomber dans la morale, la théologie, etc.... Simplement, je crois que l'on n'a pas beaucoup obéi à son conseil aujourd'hui.

MICHEL DECAUDIN. – C'est seulement à ce moment là qu'on en comprendra la portée.

MARCEL ARLAND. – Cette décade qui s'achève a été très diverse. Elle s'est très bien prolongée, expliquée hier. Je remercie les organisateurs de cette double séance, celle du cinéma[1] et celle de la radio, qui nous a apporté un Gide vivant. Avant de partir pour Saint Lô, je me rappelle avoir dit avec quelques amis: «Oui, mais… mais… mais…». Puis nous étions là-bas, dans cette salle, et nous avons revu, car nous la connaissions bien, cette figure, et tout à coup nous étions pris par ce qu'on appelle au théâtre une «présence». Quelle intensité, quelle séduction, quel envoûtement même, dans cette présence!

Je songe particulièrement à la leçon de musique: un «classique». On se dit: «Qu'il est naturel! Que c'est bien!» On est pris; ce n'est qu'après, à mesure que je me rapprochais de Cerisy, que je me disais: «Mais, à propos, il savait! il savait qu'il y avait un appareil enregistreur devant lui». Bien entendu, je l'admirais davantage d'avoir pu garder ce naturel. C'est quelque chose d'exceptionnel, d'«incomparable» de pouvoir à la fois garder cette conscience, cette présence d'esprit et pourtant atteindre à ce naturel.

Autre source d'émotion: ce fut, hier soir, en entendant la voix de Gide qui répondait à l'interrogatoire d'Amrouche. Rappelez-vous l'instant où il s'est mis à parler de Valéry. Là, il y avait un drame véritable. Comment ne pas être frappé et ému par la beauté, la noblesse de l'attitude de Gide, par sa conception de l'amitié qui consiste à dire: même si l'autre ne me connaît pas, me fait de la peine, je continue à l'aimer, à être son ami, et enfin par la simplicité des mots employés et même de la voix d'André Gide? Est-ce que cette scène avait fait l'objet d'une répétition? Je ne crois pas. Tout cela couvait en Gide depuis maintes années. Ce n'était pas un impromptu, ce n'était pas le premier jet. Mais jusque dans la conscience et le mûrissement, c'était simple, c'était naturel. Cette délicatesse du sentiment, rendue par ce qu'il y a de plus pur dans les mots et dans l'accent, je trouve cela absolument extraordinaire. Voilà pourquoi – vous l'avez tous senti – André Gide lui-même a assisté à notre décade, a répondu à certaines objections qui avaient été élevées, a précisé certaines de ses paroles.

Il n'a pas été mécontent, certainement. Beaucoup de commentaires, pleins de lucidité et de conscience, ont été faits sur son œuvre. Quant au reste, est-ce qu'il nous a donné une véritable réponse sur lui-même? Je rapproche la fin de la séance de cinéma et la fin de la séance de disques. Au cinéma, Gide conclut par cette citation du *Thésée*: «J'ai construit ma vie, j'ai permis aux jeunes plus tard de faire ceci…», et cela m'a quelque peu gêné. Avec Amrouche, nous retrou-

---

1. M. Arland fait ici allusion au film de Marc Allégret, «Avec André Gide», produit par Pierre Braunberger, qui a été présenté, le samedi 12 septembre, au Cinéma le Majestic à Saint-Lô.

vons cette parole et Gide aurait pu s'en tenir là; mais Gide tout à coup dit:
«Mais non... Je n'ai pas construit de vie... Je n'ai pas fait ceci...», avec cet
humour qui est tellement important dans son œuvre, qui n'est pas une plaisanterie, qui est une sorte de correction, parfois de pudeur; un jeu, si vous voulez,
mais un jeu qui reste plein d'âme, bref l'art de Gide qui de nouveau corrigeait
ce qu'il avait dit d'un peu excessif. On croit l'entendre: «Quant à ma figure,
j'ai fait ce que j'ai pu pour l'interpréter; il ne manquera pas de générations qui
liront mes œuvres, il ne manquera pas d'événements, fût-ce après les anneés de
silence et comme on dit de purgatoire, pour que l'on trouve encore à interroger
cette figure; et de quelque façon qu'on l'interroge, on trouvera une réponse, ta
réponse à toi, Nathanaël».

Il ne me reste plus, s'il n'y a pas d'autres questions ou d'objections, qu'à
remercier Mme Anne Heurgon, de même que ceux qui l'ont aidée, ses amis et
sa famille, des soins qu'ils ont pris pour cette décade. Je suis particulièrement
heureux d'être revenu à Cerisy à l'occasion de cette très grande figure qu'est
celle de Gide.

TABLE DES MATIÈRES

Dimanche 13 septembre

Lundi 14 septembre